SCIENCE FICTION

Herausgegeben
von Wolfgang Jeschke

Von Julian May erschienen in der Reihe
HEYNE SCIENCE FICTION & FANTASY:

DER PLIOZÄN-ZYKLUS:

Das vielfarbene Land · 06/4300
Der goldene Ring · 06/4301
Kein König von Geburt · 06/4302
Der Widersacher · 06/4303

JULIAN MAY

DAS VIELFARBENE LAND

Erster Roman des Pliozän-Zyklus

Science Fiction

Deutsche Erstveröffentlichung

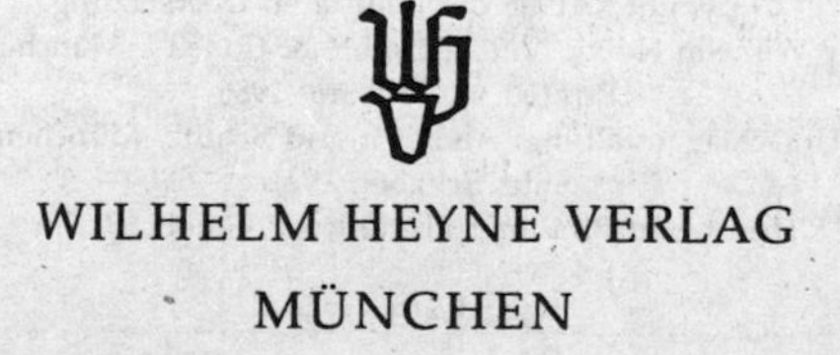

WILHELM HEYNE VERLAG
MÜNCHEN

HEYNE SCIENCE FICTION & FANTASY
Band 06/4300

Titel der amerikanischen Originalausgabe
THE MANY-COLORED LAND
Deutsche Übersetzung von Rosemarie Hundertmarck
Das Umschlagbild schuf Klaus Holitzka
Die Illustrationen im Text sind von Giuseppe Mangoni
Die Karte zeichnete Erhard Ringer

Redaktion: Wolfgang Jeschke

Printed in Germany 1986
Umschlaggestaltung: Atelier Ingrid Schütz, München
Satz: Schaber, Wels
Druck und Bindung: Elsnerdruck GmbH, Berlin

ISBN 3-453-31250-3

Inhalt

Mein Herz ängstet sich in meinem Leibe, und des Todes Furcht ist auf mich gefallen.

Furcht und Zittern ist mich angekommen, und Grauen hat mich überfallen.

Ich sprach: O hätte ich Flügel wie Tauben, daß ich flöge und wo bliebe!

Siehe, so wollte ich ferne wegfliehen und in der Wildnis bleiben.

Ich wollte eilen, daß ich entrönne vor dem Sturmwind und Wetter.

55. Psalm

1

Das große Schiff quälte sich langsam in den Normalraum zurück, ein Beweis, daß es dem Tod tatsächlich nahe war. Der Schmerz des für gewöhnlich schnellen Übergangs wurde entsprechend verlängert, bis die Tausenden ungeachtet all ihrer Kraft innerlich fluchten und weinten und die Überzeugung gewannen, daß sie in der Falle saßen, daß es für sie nichts mehr gab als das graue Zwischenreich. Und den Schmerz.

Aber das Schiff tat sein Bestes. Obwohl es die Pein der Passagiere teilte, schob und drückte es gegen die zähe Struktur der Oberflächen, bis vor dem Grau schwarze Stellen aufflakkerten. Für das Schiff und die Leute verwandelten sich die Qualen in die reine Harmonie fast melodischer Vibrationen, die widerhallten, schwächer wurden und schließlich verstummten.

Sie hingen im Normalraum, rings von Sternen umgeben. Das Schiff war im Schattenkegel eines Planeten aufgetaucht. Eine ganze Weile blickten die benommenen Reisenden, ohne zu wissen, was sie sahen, auf den Halo einer rosigen Atmosphäre und die perlenschimmernden Schwingen der verdeckten Sonne, die der schwarzen Welt eine Aureole verliehen. Dann trug die Geschwindigkeit des Schiffes sie weiter, hinein in eine neue Gefahr. Die Chromosphäre und die orangefarbenen Flammen der Sonnenglieder, gefolgt von gleißender gelber Substanz, schossen hinter dem Planeten hervor.

Das Schiff schwang nach innen. Die sonnenbeschienene Oberfläche schien sich bei ihrer Annäherung vor ihnen aufzurollen. Es war eine blaue Welt mit weißen Wolken und schneeigen Bergen und Landmassen in Ocker und Rot und Graugrün – zweifellos eine Welt, auf der sie leben konnten. Das Schiff hatte Erfolg gehabt.

Thagdal wandte sich der kleinen Frau an der Steuerkonsole zu. Zwei-Gesichter-Brede schüttelte den Kopf. Trübviolette Muster auf dem Antriebsschirm verkündeten, daß das Schiff sie mit letzter Kraft in diesen Hafen gebracht hatte. Sie befanden sich völlig im Griff der Schwerkraft des Systems und waren einer trägheitslosen Fortbewegung nicht mehr fähig.

Thagdals Geist und Stimme sprachen. »Hört mir zu, Überlebende der Kampfgesellschaften. Unser treues Schiff hat sein Leben für uns geopfert. Es funktioniert nur noch in seinen mechanischen Teilen, und die werden nicht mehr lange aushalten. Das Schiff stürzt ab, und wir müssen es verlassen, bevor die Hülle die niedrigeren Atmosphäre-Schichten erreicht.«

Ausstrahlungen des Kummers, des Zorns und der Furcht erfüllten das sterbende Schiff. Fragen und Vorwürfe drohten Thagdals Geist zu ersticken, bis er den goldenen Reif um seinen Hals berührte und sie alle zwang, still zu sein.

»Im Namen der Göttin, schweigt! Wir sind ein großes Wagnis eingegangen, denn alle Geister waren gegen uns. Brede fürchtet, dieser Planet sei vielleicht nicht der ideale Zufluchtsort, den wir uns erhofft haben. Trotzdem können wir auf ihm leben, in einer weit entfernten Galaxis, wo niemand nach uns suchen wird. Wir sind sicher und haben Speer und Schwert nicht einsetzen müssen. Brede und unser Schiff haben gut daran getan, uns hierher zu bringen. Lob und Preis sei ihrer Kraft!«

Pflichtbewußt gab man die antiphonale Antwort. Doch sie wurde durch einen stachligen Gedanken ihrer Symmetrie beraubt.

Verdammt sei die Liturgie. Können wir hier *überleben?*

Thagdal fuhr auf den Urheber los. »Wir werden überleben, wenn Tana die Mitleidige es will, und sogar die Freude finden, die uns so lange vorenthalten worden ist. Aber das werden wir nicht dir zu danken haben, Pallol! Schattenbruder! Erbfeind! Friedensbrecher! Sobald wir der augenblicklichen Gefahr entronnen sind, wirst du dich vor mir verantworten!«

Ein gewisses Maß vulgärer Feindseligkeit stieg auf und vermischte sich mit der Pallols, wurde jedoch gedämpft durch die Trägheit, mit der ein Verstand arbeitet, wenn er eben erst von furchtbaren Schmerzen erlöst worden ist. Niemand hatte wirklich den Wunsch, jetzt zu kämpfen. Nur der unbezähmbare Pallol war wie eh und je bereit dazu.

Brede Schiffsgattin besänftigte die aufflackernde Streitlust. »Dies Vielfarbene Land ist ein guter Ort für uns, mein König. Und du, Pallol Einauge, brauchst keine Angst zu haben. Ich habe den Planeten bereits sondiert – vorsichtig natürlich – und bin auf keine mentale Herausforderung gestoßen. Die dominierende Lebensform existiert in sprachloser Unschuld und wird für uns länger als sechs Millionen planetarer Sonnenumläufe keine Bedrohung darstellen. Doch ihr Keimplasma ist tatsächlich für die Ernährung und den Dienst geeignet. Mit Geduld, Fleiß und Geschick werden wir bestimmt überleben. Jetzt wollen wir den Waffenstillstand noch eine Weile länger einhalten. Niemand spreche von Rache oder von Mißtrauen gegen meinen geliebten Gatten.«

»Gut gesprochen, Vorherwissende Dame«, erklärten die Gedanken und gesprochenen Worte der anderen. (Abweichende Meinungen blieben jetzt verborgen.)

Thagdal sagte: »Die kleinen Flieger warten auf uns. Laßt uns zum Abschied unsere Gedanken in einem Salut vereinigen.«

Er stapfte vom Kontrolldeck. Das goldene Haar und der goldene Bart knisterten noch vor unterdrückter Wut, die weißen Gewänder fegten über das trübgewordene Metalloid des Bodens. Eadone, Dionket und Mayvar Königsmacherin folgten ihm. Ihre Gedanken vereinigten sich in dem Lied, die Hände streichelten abschiednehmend die schnell auskühlenden Wände, die einst vor lebensspendender Energie vibriert hatten. Kleine Gruppen aus verschiedenen Teilen des Schiffes stimmten nacheinander in die Hymne ein, bis fast alle von ihnen in Verbindung standen.

Flieger schossen von dem sterbenden Schiff davon. Mehr als vierzig vogelähnliche Maschinen durchdrangen die Atmosphäre wie glühende Pfeile, bis sie plötzlich abbremsten und ihre Schwingen entfalteten. Eine übernahm die Führung, und die anderen folgten ihr in einer stattlichen Prozession. In Erwartung des berechneten Aufpralls flogen sie auf die größte Landmasse der Welt zu und überquerten von Süden her die eindrucksvollste Landmarke des Planeten – ein weites, fast trockenes Seebecken, in dem Salzpfannen glitzerten. Es bildete einen unregelmäßigen Einschnitt in den westlichen Teilen des Hauptkontinents. Schneebedeckte Gipfel begrenzten dies leere Meer im Norden. Die Flieger ließen die Berge hinter sich und schwebten wartend über dem Tal eines breiten, nach Osten fließenden Stroms.

Das Schiff drang auf westlichem Kurs in die Atmosphäre ein und zog eine feurige Spur hinter sich her. Sein Absturz erzeugte eine ungeheuerliche Druckwelle, die die Vegetation in Brand setzte und sogar das Gestein der Landschaft veränderte. Grüne und braune Tropfen geschmolzenen Glases regneten auf das östliche Hochland nieder, als die Schiffshülle sich auflöste. Das Wasser des Stroms erhob sich als Dampf aus seinem Bett.

Dann kam der Aufschlag – eine Explosion aus Licht und Hitze und Lärm. Mehr als zweitausend Millionen Tonnen Materie rissen mit einer Geschwindigkeit von zweiundzwanzig Kilometern in der Sekunde eine Wunde in die Welt. Das Felsgestein erfuhr eine Umwandlung, die Substanz des Schiffes ging in der Katastrophe so gut wie vollständig unter. Fast hundert Kubikkilometer planetarischer Kruste flogen nach oben und außen. Die feineren Bestandteile erhoben sich als schwarze Säule in die Stratosphäre, wo die hohen, dünnen Winde sie als Leichentuch über einen Großteil der Welt ausbreiteten.

Der entstandene Krater hatte einen Durchmesser von nahezu dreißig Kilometern, war aber nicht sehr tief. Er glühte wie ein Krebsgeschwür im Boden, und tornadoähnliche Stürme, die sich in der gestörten Atmosphäre bildeten, schlugen auf ihn ein. Feierlich kreisten die kleinen Flieger viele Tage lang über ihm. Sie schenkten dem schlammigen Hurrikan keine Beachtung, sie warteten darauf, daß die Erdfeuer sich abkühlten. Als der Regen seine Arbeit getan hatte, flogen sie für lange Zeit davon.

Sie kehrten an das Grab zurück, sobald sie ihre Aufgaben vollständig erfüllt hatten, und ruhten sich tausend Jahre lang aus.

2

Die kleine Ramapithecus-Frau ließ sich nicht entmutigen. Sie war sicher, daß ihr Kind in das Maquis-Dickicht gelaufen war. Deutlich nahm sie seinen Geruch wahr, obwohl Heide, Thymian und Ginster schwere Frühlingsdüfte verströmten.

Lockrufe ausstoßend erkämpfte sie sich einen Weg bergauf in das einstmals ausgebrannte Gebiet. Ein Kiebitz in lebhaftem Gelb und Schwarz schrie »Piwitt« und flatterte mit einem nachschleppenden Flügel davon. Die Ramapithecus-Frau wußte, daß er sie mit diesem Schauspiel von seinem nahegelegenen Nest ablenken wollte, aber in ihrem einfachen Verstand war kein Gedanke an einen Eierraub. Alles, was sie wollte, war ihr verlorengegangenes Kind.

Sie mühte sich den überwachsenen Abhang hoch. Mit einem Ast schlug sie das Unterholz nieder, das sie behinderte. Sie war fähig, dies Werkzeug sowie einige andere zu benutzen. Ihre Stirn war niedrig, aber ihr Gesicht war ganz vertikal mit einem kleinen, humanoiden Kinn. Ihr Körper, etwas über einen Meter hoch, war nur leicht gebeugt und bis auf das Gesicht und die Handflächen mit kurzem braunem Fell bewachsen.

Sie fuhr fort zu rufen. Es war eine nicht in Worte gefaßte Botschaft, die jedes Junge der Spezies erkennen würde. »Hier ist Mutter. Komm zu ihr, bei ihr findest du Sicherheit und Trost!«

Oben auf dem Grat wurde der Maquis dünner. Sie gelangte endlich ins Freie, blickte rundum und gab ein ängstliches Stöhnen von sich. Sie stand am Rand eines ungeheuren Beckens, das einen See von tiefstem Blau enthielt. Zu beiden Seiten krümmte sich der Rand zum Horizont hin. Der schmale Grat und das Steilufer zum Wasser hin waren völlig bar jeder Vegetation.

Etwa zwanzig Meter von ihr entfernt stand ein schrecklicher Vogel. Er hatte Ähnlichkeit mit einem fetten Reiher, war aber so hoch wie eine Kiefer und ebenso lang. Flügel, Kopf und Schwanz hingen traurig zu Boden. Aus seinem Bauch wuchs ein knotiger Fortsatz mit Klettersprossen. Der Vogel war hart, nicht aus Fleisch. Was einmal eine glatte schwarze

Haut gewesen sein mußte, war bedeckt von Staubschichten, verkrustet und verschorft mit gelben, grauen und orangefarbenen Flechten. Rings um den Rand des Einschlagkraters standen in weiten Abständen weitere derartige Vögel. Alle blickten in die dunkelspiegelnden Tiefen hinab.

Die Ramapithecus-Frau wandte sich zur Flucht. Dann hörte sie einen ihr vertrauten Laut.

Sie antwortete mit einem scharfen Schrei. Sofort lugte das Kind mit dem Kopf nach unten aus einer Öffnung im Bauch des nächsten Vogels. Es zwitscherte glücklich. Die Laute bedeuteten: »Fein, daß du da bist, Mutter. Das macht Spaß! Sieh dir das hier an!«

Die Mutter – erschöpft, schwach vor Erleichterung, die Hände blutend von dem Weg durch die Dornen – heulte ihren Sprößling wütend an. Eilends kam er die Ausstiegsleiter des Fliegers herunter und lief zu ihr. Sie riß ihn hoch und drückte ihn an ihre Brust. Dann stellte sie ihn auf die Füße und ohrfeigte ihn links-rechts, wobei sie entrüstet schnatterte.

Um sie zu besänftigen, hielt er ihr das Ding hin, das er gefunden hatte. Es ähnelte einem großen Ring, bestand aber in Wirklichkeit aus zwei mit einem Gelenk verbundenen Halbringen. Die gedrehten Goldstränge waren fingerdick, abgerundet und mit verwinkelten Einschnitten versehen. Sie sahen wie die Löcher aus, die Bohrasseln in Treibholz machen.

Der kleine Ramapithecus grinste und ließ die beiden in Kugeln auslaufenden Enden des Rings aufschnappen. Auf der anderen Seite wurden die Hälften von einer Art Drehscharnier zusammengehalten, das ein weites Öffnen erlaubte. Das Kind legte sich den Ring um den Hals, drehte ihn und ließ den Verschluß einrasten. Der goldene Reif glänzte auf seinem bräunlichen Fell. Er war dem Kind viel zu groß, aber trotzdem lebte er vor Energie. Immer noch lächelnd, zeigte der Kleine seiner Mutter, was er jetzt fähig war zu tun.

Sie kreischte.

Das Kind sprang vor Schreck, stolperte über einen Stein und fiel auf den Rücken. Ehe es sich aufraffen konnte, war seine Mutter über ihm und riß ihm den Ring über den Kopf, so daß das Metall seine Ohren verletzte. Und es tat weh! Der

GIUSEPPE MANGONI

Verlust des Rings tat weher als jeder Schmerz, den das Kind jemals erfahren hatte. Es mußte den Ring wiederhaben ...

Die Mutter kreischte noch lauter, als der Junge ihr den Reif wegzunehmen versuchte. Ihre Stimme brach sich am jenseitigen Ufer des Kratersees. Sie warf das goldene Ding so weit weg, wie sie konnte, mitten hinein in ein undurchdringliches Dickicht aus dünnen Ginsterranken. Das Kind jammerte protestierend, als breche ihm das Herz, aber sie faßte seinen Arm und zerrte es auf den Pfad, den sie durch den Maquis gebrochen hatte.

Gut verborgen und nur wenig verbeult schimmerte der Reif im fleckigen Schatten.

3

In den ersten Jahren, nachdem die Menschheit mit etwas Hilfe von ihren Freunden darangegangen war, die für menschliches Leben geeigneten Sterne zu überrennen, entdeckte ein Professor der dynamischen Feldphysik namens Théo Guderian den Weg ins Exil. Seine Forschungen wurden wie die so vieler anderer unorthodoxer, aber vielversprechender Denker jener Zeit von den unbegrenzten Subventionen der Menschlichen Sektion des Galaktischen Milieus finanziert.

Guderian lebte auf der Alten Welt. Weil die Wissenschaft in jenen aufregenden Zeiten so viele andere Dinge zu assimilieren hatte (und weil Guderians Entdeckung im Jahr 2034 keine irgendwie geartete Anwendungsmöglichkeit zu haben schien), erregte die Veröffentlichung seines Abschlußberichts im Taubenschlag der physikalischen Kosmologie nur ein kurzes Flattern. Aber trotz der vorherrschenden Gleichgültigkeit gab es in allen sechs der verbündeten galaktischen Rassen ständig eine kleine Zahl von Wissenschaftlern, die neugierig genug auf Guderians Entdeckung waren, um ihn in seinem bescheidenen Häuschen außerhalb von Lyon, in dem er wohnte und arbeitete, aufzusuchen. Auch als seine Gesundheit nachließ, empfing der Professor die ihn besuchenden Kollegen mit aller Höflichkeit und versicherte ihnen, es sei ihm eine Ehre, sein Experiment vor ihnen zu wiederholen, wenn sie die Primitivität seines Apparats entschuldigen wollten. Er hatte ihn in den Keller seines Häuschens gebracht, als das Institut sich nicht weiter daran interessiert gezeigt hatte.

Madame Guderian brauchte einige Zeit, bis sie die fremdartigen Pilger von anderen Sternen mit Fassung hinnahm. Schließlich mußte man die gesellschaftlichen Regeln einhalten, indem man seine Gäste bewirtete. Aber was es da für Probleme gab! Sie überwand ihre Aversion gegen die hochgewachsenen, androgynen Gi nach vielen mentalen Exerzitien, und man konnte immerhin so tun, als seien die Poltroyaner zivilisierte Gnome. Sie konnte sich jedoch niemals an die scheußlichen Krondaku oder die halb unsichtbaren Lylmik gewöhnen, und die Art, in der manche der weniger achtsamen Simbianer grünen Schleim auf ihren Teppich tropften, vermochte man nur zu bedauern.

Die Gruppe von Gästen, die die letzte sein sollte, erschien genau drei Tage vor dem Ausbruch von Professor Guderians zum Tode führender Krankheit. Madame öffnete die Tür und begrüßte zwei außerweltliche männliche Menschen (der eine beunruhigend massig, der andere ganz normal), einen höflichen kleinen Poltroyaner in der prunkvollen Robe eines Ordentlichen Elucidator, einen zweieinhalb Meter großen Gi (gnädigerweise mit Kleidern an) und – sainte vierge! – nicht weniger als *drei* Simbiari.

Madame hieß sie willkommen und stellte zusätzliche Aschenbecher und Papierkörbe auf.

Professor Guderian führte die extraterrestrischen Besucher, sobald dem Austausch von Höflichkeiten Genüge getan war, in den Keller des Landhäuschens. »Wir wollen sofort mit der Demonstration anfangen, gute Freunde. Sie werden mir verzeihen, aber heute bin ich ein wenig müde.«

»Sehr bedauerlich«, meinte der Poltroyaner besorgt. »Würde Ihnen, mein lieber Professor, eine Verjüngung nicht guttun?«

»Nein, nein«, wehrte Guderian mit einem Lächeln ab. »Eine Lebenszeit ist genug für mich. Ich empfinde es als Glück, daß ich in der Ära der Großen Intervention gelebt habe, aber ich muß gestehen, daß die Ereignisse jetzt schneller aufeinander zu folgen scheinen, als es sich mit meiner Gemütsruhe verträgt. Ich freue mich auf den endgültigen Frieden.«

Sie traten durch eine metallverkleidete Tür in einen Raum, der offenbar ein umgebauter Weinkeller war. Auf etwa drei Quadratmetern war der Steinboden entfernt worden, so daß die nackte Erde freilag. In der Mitte stand Guderians Apparat.

Der alte Mann kramte kurze Zeit in einem antiken Eichenschränkchen neben der Tür und förderte einen kleinen Stapel Leseplatten zutage, die er an die Wissenschaftler verteilte. »Ein précis meiner theoretischen Abhandlungen und Diagramme der Erfindung sind in diesen Büchlein enthalten, die meine Frau freundlicherweise für Besucher vorbereitet hat. Sie müssen die Einfachheit des Formats entschuldigen; wir haben unsere Hilfsmittel schon seit langem erschöpft.«

Die anderen murmelten mitfühlend.

»Bitte, stellen Sie sich für die Demonstration hier auf. Sie werden bemerken, daß das Gerät eine gewisse Verwandtschaft mit dem Unterraum-Translator hat und deshalb wenig Energiezufuhr braucht. Ich habe daran einige Änderungen vorgenommen, um die in den hiesigen Fels-Strata enthaltenen residualen magnetischen Kräfte sowie die tieferen kontemporären Felder, die unterhalb des Kontinentalensockels entstehen, in die richtige Phase zu bringen. Diese erzeugen zusammen mit den Matrizen der Translator-Felder die Singularität.«

Guderian faßte in die Tasche seines Arbeitskittels und zog eine große Mohrrübe heraus. Achselzuckend bemerkte er: »Wirksam, wenn auch etwas lächerlich.«

Er legte die Möhre auf einen gewöhnlichen Holzschemel und trug diesen zu dem Apparat. Guderians Erfindung sah einer altmodischen Gitter-Pergola oder einem mit Schlingpflanzen bewachsenen Gazebo sehr ähnlich. Aber der Rahmen bestand aus transparentem glasartigem Material, ausgenommen eigentümliche knotenförmige Bauteile, die schwarz waren, und die ›Schlingpflanzen‹ waren in Wirklichkeit Kabel aus farbigen Legierungen, die aus dem Kellerboden zu wachsen schienen. Sie krochen auf beunruhigende Weise in das Gitterwerk hinein und wieder heraus und verschwanden abrupt an einem Punkt dicht unterhalb der Decke.

Als der Schemel und die Möhre in der richtigen Position waren, gesellte sich Guderian seinen Gästen zu und aktivierte den Apparat. Zu hören war nichts. Das Gazebo schimmerte kurz. Dann schien es, als bildeten sich plötzlich spiegelnde Wände, die das Innere völlig verbargen.

»Sie werden verstehen, daß eine gewisse Wartezeit jetzt angemessen ist«, sagte der alte Mann. »Die Möhre zeitigt fast immer ein Ergebnis, aber manchmal gibt es auch eine Enttäuschung.«

Die sieben Besucher warteten. Der breitschultrige Mensch hielt seine Buchplatte mit beiden Händen umklammert, wandte seine Augen aber nicht einmal von dem Gazebo ab. Der andere aus den Kolonien stammende Mensch, ein ruhiger Typ von einem Institut auf Londinium, warf diskret einen prüfenden Blick auf das Kontrollpaneel. Der Gi und der Poltroyaner lasen seelenruhig in ihren Büchlein. Einer der jüngeren Simbiari ließ versehentlich einen smaragdgrünen Tropfen fallen und beeilte sich, ihn in den Kellerboden zu reiben.

Ziffern auf dem Wand-Chronometer flackerten vorbei. Fünf Minuten. Zehn.

»Wir wollen sehen, ob unser Wild da ist«, sagte der Professor und zwinkerte dem Mann von Londinium zu.

Das spiegelnde Kraftfeld schaltete sich ab. Eine bloße Nanosekunde lang sahen die verblüfften Wissenschaftler ein ponyähnliches Geschöpf innerhalb des Gazebos stehen. Es verwandelte sich auf der Stelle in ein Skelett. Als die Knochen niederfielen, lösten sie sich zu einem gräulichen Pulver auf.

»Scheiße!« riefen die sieben hervorragenden Wissenschaftler.

»Beruhigen Sie sich, Kollegen«, sagte Guderian. »Ein solches dénouement ist leider unvermeidlich. Aber anhand eines Zeitlupen-Hologramms werden wir unsern Fang identifizieren können.«

Er schaltete einen verborgenen Drei-D-Projektor ein und ließ das Bild an einer bestimmten Stelle stehen. Es zeigte sich ein kleines, pferdeähnliches Tier mit liebenswerten schwarzen Augen, dreizehigen Füßen und einem rostroten Fell mit schwachen weißen Streifen. Karottenlaub hing ihm aus dem Maul. Der hölzerne Schemel stand neben ihm.

»Hipparion gracile. Eine kosmopolitische Spezies, die im Pliozän der Erde zahlreich vertreten war.«

Guderian ließ den Projektor weiterlaufen. Der Schemel löste sich auf. Fell und Fleisch des Pferdchens schrumpften mit schrecklicher Langsamkeit, schälten sich von dem Knochengerüst und explodierten zu einer Staubwolke, während gleichzeitig die inneren Organe anschwollen, schrumpften und ins Nichts verpufften. Die Knochen standen noch aufrecht. Dann sanken sie in anmutigen Bogen langsam zur Erde. Der erste Kontakt mit dem Kellerboden führte sie auf ihre mineralischen Bestandteile zurück.

Der sensible Gi stieß einen Seufzer aus und schloß seine großen gelben Augen. Der Londinier war blaß geworden, während der andere Mensch, der von der zerklüfteten, finsteren Welt Shqipni stammte, auf seinem großen braunen Schnurrbart kaute. Der junge Simb, der sich schon einmal nicht hatte beherrschen können, beeilte sich, einen Papierkorb zu benutzen.

»Ich habe es mit pflanzlichen und tierischen Ködern in meiner kleinen Falle versucht«, berichtete Guderian. »Eine Möhre, eine Maus oder ein Kaninchen überstehen die Reise ins Pliozän, ohne Schaden zu erleiden, aber bei der Rückkehr bricht jedes lebende Ding, das sich innerhalb des Tau-Feldes befindet, unweigerlich unter der Last von mehr als sechs Millionen Jahren irdischer Existenz zusammen.«

»Und anorganische Materie?« erkundigte sich der Skipetar.

»Wenn sie eine bestimmte Dichte, eine bestimmte kristalline Struktur hat – dann überstehen viele Proben die Rundreise in recht gutem Zustand. Ich habe sogar zwei organische Stoffe erfolgreich hin- und hergeschickt: Bernstein und Kohle.«

»Aber das ist ungeheuer interessant!« rief der Erste Kontemplator des 26. Kollegs von Simb. »Die Theorie der temporalen Faltung hat einige siebzigtausend unserer Jahre in unsern Archiven geruht, mein würdiger Guderian, aber den besten Köpfen des Galaktischen Milieus ist es nicht gelungen, sie praktisch anzuwenden – bis heute. Die Tatsache, daß Sie, ein menschlicher Wissenschaftler, zumindest einen Teilerfolg haben, wo so viele andere versagten, ist gewiß eine weitere Bestätigung, daß die Kinder der Erde einzigartige Fähigkeiten besitzen.«

Dem Poltroyaner entging nicht, daß die kleine Ansprache des Simb nach sauren Trauben schmeckte. Seine rubinroten Augen zwinkerten, als er sagte: »Das Amalgam von Poltroy hat im Gegensatz zu gewissen anderen verbündeten Rassen niemals daran gezweifelt, daß die Intervention voll gerechtfertigt war.«

»Für Sie und Ihr Milieu vielleicht«, bemerkte Guderian mit leiser Stimme. Seinen dunklen Augen hinter der randlosen Brille sah man an, daß er Schmerzen litt. Jetzt zeigte sich darin eine flüchtige Bitterkeit. »Aber was ist mit uns? Wir mußten so viel aufgeben – unsere unterschiedlichen Sprachen, viele unserer sozialen Philosophien und religiösen Dogmen, unsern sogenannten nichtproduktiven Lebensstil ... sogar unsere menschliche Souveränität, so lachhaft ihr Verlust dem Galaktischen Milieu mit seinem alten Intellekt auch erscheinen mag.«

Der Mann von Shqipni rief aus: »Wie können Sie an der Weisheit des Entschlusses zweifeln, Professor? Wir Menschen haben ein paar kulturelle Nebensächlichkeiten aufgegeben und dafür Energie im Überfluß, unbegrenzten Lebensraum und die Mitgliedschaft in einer galaktischen Zivilisation erhalten! Jetzt, wo wir unsere Zeit nicht mehr aufs bloße Überleben zu verschwenden brauchen, ist die Menschheit nicht mehr aufzuhalten! Unsere Rasse fängt gerade erst an, ihr genetisches Potential zu erfüllen – das größer als das anderer Leute sein mag!«

Der Londinier zuckte zusammen.

Der Erste Kontemplator säuselte: »Ah, die sprichwörtliche menschliche Fruchtbarkeitsrate! Wie sie das Reservoir der Gene in ständiger Umwälzung hält! Es erinnert einen an die wohlbekannte Überlegenheit, die der jugendliche Organismus, was die Reproduktion betrifft, im Vergleich mit dem reifen Individuum hat. Allerdings mag dessen Plasma gerade wegen des klügeren und weniger verschwenderischen Einsatzes im Streben nach dem genetischen Optimum mehr Erfolg haben.«

»Haben Sie ›reif‹ gesagt?« höhnte der Skipetar. »Oder verkümmert?«

»Kollegen! Kollegen!« rief der diplomatische kleine Poltroyaner aus. »Wir werden Professor Guderian ermüden.«

»Nein, das ist schon in Ordnung«, versicherte der alte Mann. Aber er sah grau und krank aus.

Schnell wechselte der Gi das Thema. »Dieser Effekt, den Sie demonstrieren, müßte doch ein großartiges Werkzeug für die Paläobiologie sein.«

»Ich fürchte«, erwiderte Guderian, »daß das galaktische Interesse an den ausgestorbenen Lebensformen des Rhône-Saône-Grabens ziemlich begrenzt sein dürfte.«

»Dann ist es Ihnen nicht möglich gewesen, den Apparat so einzustellen, daß er auch in anderen Gebieten ... äh ... Proben holt?« fragte der Londinier.

»Leider nein, mein lieber Sanders. Auch ist es keinem anderen gelungen, mein Experiment an verschiedenen Orten der Erde oder auf anderen Welten zu wiederholen.« Guderian klopfte auf eine der Buchplatten. »Wie ich hier ausgeführt habe, ist es schwierig, die subtilen geomagnetischen Einflüsse zu berechnen. Diese Region Südeuropas ist geomorphologisch weniger kompliziert als die meisten anderen des Planeten. Hier in den Monts des Lyonnais und dem Forez haben wir ein sehr altes Vorland Wange an Wange mit neuen vulkanischen Einsprengseln. Das nahegelegene Massif Central zeigte das Arbeiten intrakrustaler Metamorphismen noch deutlicher, ich meine die oberhalb einer oder mehrerer aufsteigender asthenosphärischer Schichten aufgetretene Anatexis. Im Osten liegen die Alpen mit ihren gewaltigen Faltungen. Südlich von hier ist das mediterrane Becken mit aktiven Subduktionszonen – übrigens befand es sich im frühen Pliozän in einem ganz absonderlichen Zustand.«

»Dann sind Sie also in einer Sackgasse angelangt, wie?« bemerkte der Skipetar. »Zu schade, daß das Pliozän der Erde nicht besonders interessant war. Nur eine Epoche von einigen Millionen Jahren, die das Miozän von den Eiszeiten trennt. Sozusagen das Standbein des Känozoikums.« Guderian kam mit Handfeger und Kehrichtschaufel und begann das Gazebo zu säubern. »Es war eine goldene Zeit kurz vor dem Aufräumen der vernunftbegabten Menschheit. Eine Zeit mit einem freundlichen Klima und üppigem pflanzlichen und tierischen Leben. Eine unverdorbene und ruhige Zeit. Ein Herbst vor dem schrecklichen Winter der Vereisung im Pleistozän. Rousseau hätte das Pliozän geliebt! Uninteressant? Es gibt selbst heute noch müde Seelen in diesem Galaktischen Milieu, die Ihre Ansicht nicht teilen würden.«

Die Wissenschaftler tauschten Blicke.

»Wenn es nur eine Rückkehr gäbe«, sagte der Mann von Londinium.

Guderian war ganz ruhig. »Alle meine Bemühungen, Variationen einzuführen, waren vergebens. Der Effekt ist auf das Pliozän und das Oberland dieses herrlichen Flußtals fixiert. Und so kommen wir endlich zum Kern der Sache. Die großartige Erfindung der Zeitreise wird als bloße wissenschaftliche Kuriosität entlarvt.« Wieder ein Achselzucken.

»Zukünftige Forscher werden von Ihrer Pionierarbeit profitieren«, erklärte der Poltroyaner. Die anderen beeilten sich, angemessene Glückwünsche hinzuzufügen.

»Genug, liebe Kollegen!« Guderian lachte. »Es war sehr freundlich von Ihnen, einen alten Mann zu besuchen. Und jetzt müssen wir zu Madame hinaufgehen, die mit Erfrischungen auf uns wartet. Ich überlasse die praktische Anwendung meines eigentümlichen kleinen Experiments einem schärferen Verstand.«

Er zwinkerte den außerplanetarischen Menschen zu und kippte den Inhalt der Kehrichtschaufel in den Papierkorb. Die Asche des Hipparions trieb in kleinen, blasigen Inseln auf dem grünen unirdischen Schleim.

Erster Teil

Das Abschiednehmen

1

Blitzende Fanfaren schmetterten. Die herzogliche Gesellschaft ritt fröhlich aus dem Château de Riom. Die Pferde tänzelten und kurbettierten, wie sie trainiert worden waren, um Temperament zur Schau zu stellen, ohne die Damen in ihren unsicheren Sätteln zu gefährden. Sonnenstrahlen funkelten auf den juwelenbesetzten *caparisons* der Reittiere. Doch der Applaus der Menge galt den prachtvollen Reitern.

Ein grünlich-blauer Widerschein des Monitors, der die fest liche Szene zeigte, machte Mercedes Lamballes kastanienbraunes Haar schwarz und warf tanzende Lichter auf ihr mageres Gesicht. »Die Touristen losen darum, wer im Zug der Edelleute mitreiten darf«, berichtete sie Grenfell. »Es macht mehr Spaß, zum gemeinen Volk zu gehören, aber versuch mal, ihnen das zu erzählen. Natürlich sind die Hauptdarsteller alle Profis.«

Jean, Duc de Berry, hob den Arm und grüßte die ihm zujubelnde Menge. Er trug eine lange Houppelande in seinem eigenen heraldischen Blau, bestreut mit fleurs de lys. Die Schleppärmel waren umgeschlagen, um das kostbare Futter aus gelbem Brokat zu zeigen. Die Strümpfe des Herzogs waren reinweiß und mit Gold bestickt. Er trug goldene Sporen. An seiner Seite ritt der Prinz Charles d'Orléans in farblich geteilter Tracht. Seine Gewänder zeigten das königliche Scharlachrot, Schwarz und Weiß. Sein schweres goldenes Wehrgehenk war mit klingelnden Glöckchen besetzt. Ihnen folgten weitere Edelleute, so bunt wie eine Schar Frühlingsvögel, mit ihren Damen nach.

»Ist das nicht ein Risiko?« fragte Grenfell. »Leute, die nicht reiten können, zu Pferde? Ich hätte gedacht, du würdest dich an Robot-Reittiere halten.«

Lamballe antwortete freundlich: »Es muß wirklich sein. Dies *ist* Frankreich, weißt du. Die Pferde sind speziell auf Intelligenz und Stabilität gezüchtet.«

Zu Ehren des Mais waren die verlobte Princesse Bonne und ihr ganzes Gefolge in malachitgrüne Seide gekleidet. Die Edelfräulein trugen die merkwürdigen Kopfbedeckungen des frühen 15. Jahrhunderts, hohe Gebilde aus Golddraht, mit

Edelsteinen besetzt, erhoben sich aus den kunstvoll eingeflochtenen Haaren wie Katzenohren. Die crépine der Prinzessin war noch merkwürdiger. Sie stach von ihren Schläfen wie lange goldene Hörner ab, und über die Drähte war ein weißer Batistschleier drapiert.

»Die Blumenmädchen sind dran«, sagte Gaston von der anderen Seite des Kontrollraums her.

Mercy Lamballe rührte sich nicht. Hingerissen starrte sie das leuchtende Bild an. Im Vergleich mit den Antennen ihres Comsets wirkte der seltsame Kopfputz der mittelalterlichen Prinzessin draußen vor dem Château beinahe alltäglich.

»Merce«, drängte der Regisseur. »Die Blumenmädchen!«

Langsam streckte sie eine Hand aus und stellte das Signal ein.

Wieder schmetterten die Fanfaren, und die als Bauern verkleideten Touristen riefen »Ah« und »Oh«. Dutzende von kleinen Mädchen mit Grübchengesichtern, in kurzen, rosa oder weißen Kleidern kamen aus dem Obstgarten gerannt. Sie hielten Körbe mit Apfelblüten. Vor dem herzoglichen Zug sprangen sie den Weg entlang und streuten Blumen, während Flageoletts und Posaunen eine lebhafte Melodie anstimmten. Gaukler, Akrobaten und ein Tanzbär schlossen sich an. Die Prinzessin blies Kußhände in die Menge, und der Herzog verteilte einige Goldstücke.

»Die Höflinge sind dran«, sagte Gaston.

Die Frau an der Kontrollkonsole saß bewegungslos. Bryan Grenfell sah Schweißtropfen auf ihrer Stirn. Ein paar ins Gesicht fallende kastanienbraune Locken waren feucht. Sie kniff die Lippen zusammen.

»Mercy, was ist?« flüsterte Grenfell. »Was stimmt nicht?«

»Nichts«, antwortete sie. Ihre Stimme klang heiser und angestrengt. »Höflinge ab, Gaston.«

Drei junge Männer, ebenfalls in Grün, galoppierten aus dem Wald auf den Zug der Edelleute zu, Bündel grüner Zweige im Arm. Mit viel Gekicher wanden die Damen Kränze daraus und krönten die Kavaliere ihrer Wahl. Die Männer revanchierten sich mit duftigen Rosenkränzen für die Mädchen, und dann ritten sie alle weiter zu der Wiese, wo der Maibaum wartete. In der Zwischenzeit verteilten, von

Mercys Befehlen gesteuert, barfüßige Mädchen und grinsende Jungen Blumen und grüne Zweige an die etwas verlegene Menge und riefen dazu: »Vert! Vert pour le mai!«

Genau aufs Stichwort begannen der Herzog und seine Gesellschaft mit Flötenbegleitung zu singen:

»C'est le mai, c'est le mai,
C'est le joli mois de mai!«

»Sie haben schon wieder den falschen Ton«, regte sich Gaston auf. »Spiel die Füllstimmen ein, Merce. Laß die Lerchen trillern und ein paar gelbe Schmetterlinge fliegen.« Er rief über den Regie-Kanal: »Eh, Minou! Da verdeckt eine Gruppe das Pferd des Herzogs. Und paß auf den Jungen in Rot auf. Der sieht ganz so aus, als wolle er an den Glocken ziehen, die der Prinz am Wehrgehenk hat.«

Mercedes Lamballe tat, wie ihr geheißen war, und verstärkte den Chor. Die ganze Menschenmenge stimmte in das Lied ein. Sie hatte auf dem Weg von der Krönung Karls des Großen hierher darauf geschlafen. Mercy ließ Vogelgesang den blühenden Obstgarten füllen und gab das Signal, das die Schmetterlinge aus ihren versteckten Käfigen entließ. Von sich aus beschwor sie eine duftende Brise herauf, um den Touristen Kühlung zu verschaffen. Sie waren von Aquitaine und Neustria und Blois und Foix und all den anderen »französischen« Planeten des Galaktischen Milieus zusammen mit Frankophilen und Liebhabern des irdischen Mittelalters von zwei Dutzend anderen Welten gekommen, um die glorreiche Vergangenheit der Auvergne zu genießen.

»Inzwischen wird ihnen warm geworden sein, Bry«, bemerkte Mercedes zu Grenfell. »Mit etwas Wind werden sie sich wohler fühlen.«

Bryans Anspannung ließ nach, als er den normaleren Klang ihrer Stimme hörte. »Ich vermute, es gibt Grenzen für die Unbequemlichkeiten, die sie im Namen der kulturellen Immersionsspiele auf sich nehmen.«

»Wir reproduzieren die Vergangenheit«, antwortete Lamballe, »wie wir sie gern gehabt hätten. Die Realität des mittelalterlichen Frankreich ist eine ganz andere Geschichte.«

»Da haben sich welche abgesondert, Merce.« Gastons

Hände flogen in Vorbereitung der Maibaum-Choreographie über das Kontrollpaneel. »Ich erkenne zwei oder drei Nichtmenschen darunter. Wahrscheinlich diese vergleichenden Ethnologen von der Krondak-Welt, vor denen wir gewarnt wurden. Schick lieber einen Troubadour zu ihnen 'rüber, damit sie Frieden halten, bis sie wieder Anschluß an die Hauptgruppe haben. Diese reisenden Feuerwehrmänner sind imstande, gehässige Kritiken zu schreiben, wenn man zuläßt, daß sie sich langweilen.«

»Einige von uns bewahren sich ihre Objektivität«, meinte Grenfell milde.

Der Regisseur schnaubte. »Ja, du bist auch nicht da draußen und trampelst auf einer Welt mit niedrigem subjektivem Sauerstoffgehalt und doppelter subjektiver Schwerkraft unter heißer Sonne durch Pferdemist! ... Merce? Verdammt nochmal, Mädchen, schläfst du schon wieder?«

Bryan erhob sich von seinem Sitz und trat zu ihr, das Gesicht voll tiefer Besorgnis. »Gaston – siehst du nicht, daß sie krank ist?«

»Bin ich nicht!« fuhr Mercy auf. »In einer oder zwei Minuten wird es vorbei sein. Troubadour ab, Gaston!«

Auf dem Monitor erschien die Großaufnahme eines Sängers, der sich vor der kleinen Gruppe der Nachzügler verbeugte, eine Saite seiner Laute anschlug und die Leute geschickt auf den Maibaum-Platz zudirigierte, während er sie mit Gesang ablenkte. Die durchdringende Süße seines Tenors erfüllte den Kontrollraum. Er sang zuerst auf Französisch, dann für solche, die keine Experten für archaische Sprachen waren, in dem Standard-Englisch der Menschlichen Sektion des Galaktischen Milieus.

Le temps a laissé son manteau
De vent, de froidure et de pluie,
Et s'est vestu du broderie
De soleil luisant – cler et beau.*

---

* Das Jahr wirft den Mantel beiseit
Aus Stürmen und Frost und Nacht
Und zeigt sich voll leuchtender Pracht
In sonnenfunkelndem Kleid.

GIUSEPPE
MANGONI

Eine echte Lerche fügte dem Lied des Spielmanns ihre eigene Koda hinzu. Mercy senkte den Kopf, und Tränen fielen auf die Konsole vor ihr. Das verdammte Lied. Und Frühling in der Auvergne. Und die blöden elektronisch simulierten Lerchen und rückgezüchteten Schmetterlinge, die manikürten Wiesen und die Obstgärten, vollgestopft mit vergnügten Leuten von weit entfernten Planeten, wo das Leben hart war, aber von allen gemeistert wurde – ausgenommen die unvermeidlichen Außenseiter, die sich nicht anpassen konnten und so den wunderschön wachsenden Gobelin des Galaktischen Milieus verunzierten.

Wie Mercy Lamballe, die sich auch nicht anpassen konnte.

»Beaucoup regrets, Jungens«, sagte sie mit kläglichem Lächeln und wischte sich das Gesicht mit einem Papiertaschentuch ab. »Falsche Mondphase, nehme ich an. Oder das alte keltische Aufwallen. Bry, Sie haben sich einfach den falschen Tag ausgesucht, um diesen verrückten Ort zu besuchen. Verzeihen Sie.«

»Ihr Kelten seid alle Spinner«, entschuldigte Gaston sie munter. »Drüben beim Sonnenkönig-Spiel ist ein bretonischer Ingenieur. Wie er mir erzählte, bringt er ihn nur noch hoch, wenn er's auf einem Megalithen treibt. Los, Baby, laß die Show weiterrollen!«

Auf dem Schirm verschlangen die Maibaum-Tänzer ihre Bänder und drehten sich in komplizierten Figuren. Der Duc de Berry und die anderen Schauspieler aus seinem Gefolge erlaubten hingerissenen Touristen, die zweifellos echten Edelsteine an ihren Kostümen zu bewundern. Flöten piepsten, Sackpfeifen wimmerten, Händler verkauften Konfekt und Wein, Schäfer ließen das Volk ihre Lämmer streicheln, und die Sonne lächelte herab. Alles war gut in la douce France, A.D. 1410, und würde es für weitere sechs Stunden bleiben, während des Tourniers und des krönenden Festschmauses.

Und dann wurden die müden Touristen, mehr als 7 Jahrhunderte von der mittelalterlichen Welt des Duc de Berry entfernt, in bequemen Untergrundröhren zu ihrem nächsten kulturellen Immersionsspiel in Versailles transportiert. Und Bryan Grenfell und Mercy Lamballe gingen in der Abenddämmerung zum Obstgarten hinunter, um von einer gemeinsamen Segelfahrt nach Ajaccio zu reden und um nachzusehen, wie viele Schmetterlinge überlebt hatten.

2

Die Alarmsirene gellte durch den Bereitschaftsraum der Energienetz-Zentrale Lissabon.

»Na ja, mir ging sowieso das Kleingeld aus«, bemerkte Big Georgina. Sie ergriff die tragbare Klimaanlage ihrer Rüstung und stapfte davon zu den wartenden Bohrmaschinen, den Helm unter dem Arm.

Stein Oleson knallte seine Karten auf den Tisch. Sein Schnapsbecher kippte um und überschwemmte den mageren Stapel von Chips, der vor ihm lag. »Und ich sitze da mit einem solchen Blatt und dem ersten anständigen Pott des ganzen Tags! Und ihr hirnrissigen Schwachköpfe habt mal wieder abgesahnt!« Er mühte sich auf die Füße, wobei er seinen verstärkten Stuhl umwarf, und stand schwankend da, ein häßlich-eindrucksvoller Berserker von zwei Meter fünfzehn. Das gerötete Weiß seiner Augen stach seltsam von der leuchtend blauen Iris ab. Oleson funkelte die anderen Kartenspieler böse an und sammelte seine metallenen Servohände ein.

Hubert gab ein tiefes Röhren von sich. Er hatte gut lachen, denn er hatte am meisten gewonnen. »Schwer verdientes Geld! Reg dich ab, Stein. Es hat deinem Spiel nicht gerade gutgetan, daß du dich immerzu an das Mundwasser gehalten hast.«

Der vierte Kartenspieler hieb in dieselbe Kerbe. »Ich hab dir gleich gesagt, du sollst es mit dem Trinken langsam angehen lassen, Steinie. Und jetzt haben wir den Salat! Wir müssen nach unten, und du bist wieder halb besoffen.«

Oleson strafte den Man mit einem Blick voll mörderischer Verachtung und verzichtete auf eine Antwort. Er warf das Geld hin, stieg in seine Bohrmaschine und begann sich anzustöpseln. »Halt du die Klappe, Jango. Stockbesoffen kann ich immer noch genauer bohren als jeder scheißefressende kleine portugiesische Sardinenstreichler.«

»Oh, um Gottes willen«, stöhnte Hubert, »wollt ihr beiden wohl aufhören?«

»Laß du dich doch mal mit einem dickköpfigen Trunkenbold in einem Team zusammenspannen!« sagte Jango. Er putzte sich die Nase auf iberische Art, über den Halsrand seiner Rüstung hinweg, dann befestigte er auch noch seinen Helm.

Oleson höhnte: »Und du nennst *mich* unappetitlich!«

Die elektronisch verstärkte Stimme Georginas, der Team-Leiterin, gab ihnen die schlechten Nachrichten bekannt, als sie mit dem System-Check beschäftigt waren. »Wir haben die Hauptlinie Cabo da Roca – Azoren bei Kilometer 793 verloren, und den Wartungstunnel auch. Erdrutsch Klasse drei und Verschüttung, aber wenigstens ist die Fistel versiegelt. Sieht nach einem langen Einsatz aus, Kinder.«

Stein Oleson ließ den Motor an. Seine 180-Tonnen-Maschine hob sich dreißig Zentimeter vom Boden ab, glitt aus ihrer Box und jagte die Rampe hinunter. Mit ihrem wackelnden Leitwerk glich sie einem beschwipsten eisernen Dinosaurier.

»Madre de deus«, stöhnte Jangos Stimme. Seine Maschine kam nach der Steins und gehorchte gewissenhaft den Fahrvorschriften. »Er ist eine Bedrohung, Georgina. Ich will verdammt sein, wenn ich im Zweierteam mit ihm bohre. Ich werde mich bei der Gewerkschaft beklagen! Wie würde es dir denn gefallen, nichts als einen betrunkenen Blödmann zwischen deinem Hintern und einer Blase rotglühenden Basalts zu haben?«

Olesons brüllendes Gelächter dröhnte ihnen allen in die Ohren. »Beschwer dich doch bei der Gewerkschaft, du Schlappschwanz! Und dann such dir einen Job, der deinen zarten Nerven entspricht. Du könntest ja Löcher in Schweizer Käse bohren mit deinem ...«

»Wollt ihr mit dem Unsinn aufhören?« sagte Georgina müde. »Hubey, du arbeitest bei dieser Schicht mit Jango zusammen, und ich gehe Tandem mit Stein.«

»Einen Augenblick mal, Georgina«, begann Oleson.

»Dabei bleibt's, Stein!« Sie öffnete die Luftschleuse. »Du und Big Mama gegen die Welt, Blauauge. Und mach dich auf was gefaßt, wenn du nicht nüchtern geworden bist, bevor wir an die Einbruchsstelle kommen. Vorwärts, Kinder!«

Ein schweres Tor, elf Meter hoch und beinahe ebenso dick, schwang auf und gab den Eingang zu dem Wartungstunnel frei, der unter den Meeresboden hinabführte. Georgina hatte die Koordinaten der Einbruchsstelle in die automatischen Steuerungen ihrer Bohrmaschinen eingespeist, so daß sie eine Weile nichts anderes zu tun brauchten, als sich zu entspannen, sich in ihren Rüstungen zu scheuern und vielleicht einoder zweimal ein Euphorikum einzuschnupfen. Währenddessen rasten sie mit 500 Kilometern pro Stunde auf eine schadhafte Stelle unter dem Boden des Atlantischen Ozeans zu.

Stein Oleson erhöhte den Teildruck seines Sauerstoffs und verpaßte sich einen Schuß Aldetox und Stimvim. Dann ließ er sich von der Kücheneinheit seiner Rüstung einen Liter rohes Ei und Bücklingspüree zusammen mit seinem Lieblings-»Hundehaar«-Aquavit servieren.

In seinem Helmempfänger klang ein leises Gemurmel auf. »Verdammter atavistischer Cacafogo. Sollte zwei Ochsenhörner auf seinen Helm montieren und seinen Eisenarsch in ein Suspensorium aus Bärenfell wickeln.«

Gegen seinen Willen mußte Stein lachen. In seinen Tagträumen sah er sich am liebsten als Wikinger. Oder vielleicht auch, da er norwegische und schwedische Gene hatte, als einen plündernden Waräger, der sich südwärts ins alte Rußland durchkämpfte. Wie herrlich mußte es sein, auf Beleidigungen mit einer Axt oder einem Schwert zu antworten, ungehindert von den dummen Zwängen der Zivilisation! Den wilden Zorn, wie es seiner Bestimmung entsprach, in die Muskeln fließen zu lassen, um sie für den Kampf mit Kraft zu versorgen! Starke blonde Frauen zu nehmen, die sich zuerst gegen ihn wehren, sich ihm aber dann mit süßer Offenheit ergeben würden! Für ein solches Leben war er geboren.

Aber zum Unglück für Stein Oleson waren Kriegerkulturen im Galaktischen Zeitalter ausgestorben, betrauert nur von ein paar Ethnologen, und die Feinheiten des neuen mentalen Barbarentums gingen über Steins Begriffsvermögen hinaus. Die aufregende und gefährliche Arbeit, die er ausübte, war ihm von einem verständnisvollen Computer zugeschanzt worden, aber sein seelischer Hunger blieb ungestillt. Er hatte nie erwogen, zu den Sternen auszuwandern; auf keiner menschlichen Kolonie irgendwo im Galaktischen Milieu gab es ein urtümliches Paradies. Das Keimplasma der Menschheit war zu wertvoll, um es in neolithischen Winkeln verkümmern zu lassen. Jede der 783 neuen menschlichen Welten war vollständig zivilisiert, an die Ethik des Rats gebunden und verpflichtet, zu dem langsam zusammenwachsenden Ganzen beizutragen. Leute, die sich nach ihren einfacheren Wurzeln sehnten, mußten sich damit zufriedengeben, die sorgfältigen Nachbauten von Siedlungen früherer Kulturen auf der Alten Welt zu besichtigen. Außerdem gab es die einfühlsam orchestrierten Immersionsspiele, die fast, aber nicht völlig, bis ins letzte Detail authentisch waren und dem Besucher die aktive Teilnahme an einem ausgewählten Bruchteil seines Erbes gestatteten.

Stein, der auf der Alten Welt geboren war, hatte sich, kaum erwachsen, zum Fjordland-Saga-Spiel aufgemacht. Mit anderen ferienmachenden Studenten reiste er von Chicago Metro nach Skandinavien. Er wurde aus der Invasion der Langboote hinausgeworfen und mit einer hohen Geldstrafe belegt, nachdem er sich mitten ins Kampfgetümmel gestürzt, einem haarigen Norweger den Arm abgehackt und eine entführte britische Jungfrau vor der Vergewaltigung »gerettet« hatte. (Der verwundete Schauspieler nahm es philosophisch hin, daß er sich drei Monate lang in einem Regenerationstank aufhalten mußte. »Das ist unser Berufsrisiko, Junge«, versicherte er seinem zerknirschten Angreifer.)

Ein paar Jahre später, als Stein reifer geworden war und eine Art Ventil in seiner Arbeit gefunden hatte, nahm er wiederum an den Saga-Spielen teil. Diesmal machten sie einen kläglichen Eindruck auf ihn. Er sah in den vergnügten außenweltlichen Besuchern von Trøndelag und Thule und Finnmark und all den anderen »skandinavischen« Planeten eine Horde dumm kostümierter Narren, Masturbatoren, auf jämmerliche Weise verlorener Identität nachjagende Schwächlinge.

»Was wollt ihr tun, wenn ihr herausfindet, wer ihr seid, ihr

Urenkel von Reagenzröhrchen?« brüllte er, als er beim Walhalla-Schmaus den Zustand sinnloser Betrunkenheit erreicht hatte. »Geht dahin zurück, woher ihr gekommen seid – zu den neuen Welten, die die Monster euch gegeben haben!« Dann war er auf den Tisch Äsirs gestiegen und hatte in die Metschüssel gepinkelt.

Wieder wurde er hinausgeworfen und mit einer Geldstrafe belegt. Und diesmal kam ein Stempel auf seine Kreditkarte, so daß ihn fortan jede Stelle ablehnte, die Karten für Immersionspiele verkaufte ...

Die schnellen Bohrmaschinen rasten unter dem Kontinentalschelf dahin. In ihrem Scheinwerferlicht glitzerte es rosa, grün und weiß auf den Granitwänden des Tunnels. Dann drangen sie in die dunklen Basaltschichten unter dem Tiefseeboden der Tagus-Graben-Ebene ein. Nur drei Kilometer über ihrem Wartungstunnel war das Meerwasser, zehn Kilometer tiefer lag der geschmolzene Mantel.

Während sie zu zweit nebeneinander durch die Litosphäre fuhren, hatten die Mitglieder des Teams die Illusion, sie befänden sich auf einer gigantischen Rampe, die in regelmäßigen Abständen steil abfiel. Die Bohrmaschinen durchflogen eine ebene Stecke, dann kippten sie ihre Nasen nach unten, bis die nächste ebene Strecke erreicht war, nur um das Manöver ein paar Augenblicke später zu wiederholen. Der Wartungstunnel folgte der Erdkrümmung stufenweise. Das mußte so sein, weil man von ihm an die Energieleitung herankommen mußte, einen Paralleltunnel, dessen Durchmesser gerade groß genug war, um bei einer größeren Reparatur eine einzige Bohrmaschine einzulassen. In den meisten Teilen des Komplexes waren Wartungstunnel und Energieleitungen alle zehn Kilometer durch Stollen verbunden, die den Reparaturmannschaften leichten Zugang gewährten. Aber wenn es nötig war, konnten die Bohrmaschinen sich ihren Weg direkt durch die rauhen Felswände bahnen und sich in jedem Winkel an die Energieleitung heranwühlen.

Bis zu dem Augenblick, als in Lissabon Alarm gegeben wurde, war die Hauptleitung zwischen dem kontinentalen Europa und den ausgedehnten Meeresfarmen der Azoren von einem Photonenstrahl hell erleuchtet gewesen. Diese letzte Antwort auf den alten Energiehunger der Erde wurde zu dieser Tageszeit im Sonnenkollektoren-Zentrum der Serra da Estrela Reihe 39 nordwestlich von Lissabon Metro gegeben. Mit seinen Schwester-Zentren Jiuquan, Akebono-Plattform und Cedar Bluffs KA sammelte und verteilte es Sonnenenergie, die den Verbrauchern am 39. nördlichen Breitengrad rings um den Globus zur Verfügung stand. Ein Komplex spinnenartiger Stratosphärentürme, sicher vor der Schwerkraft und hoch über dem Wetter, fingen Licht vom wolkenlosen Himmel ein, bündelten es zu einem Strahl und schickten diesen unter die Erdoberfläche, wo er durch ein Netz von Hauptlinie und lokalen Zubringer-Leitungen risikolos verteilt wurde. Ein Photon des portugiesischen (oder chinesischen oder pazifischen oder Kansas-) Tageslichts wurde auf seinem Weg mittels Plasma-Spiegeln gesteuert, die innerhalb der Tunnel angebracht waren, und erreichte die von Nebel umlagerten Leute auf den nordatlantischen Farmen schneller als ein Auge blinzeln konnte. Die Meeresfarmer benutzten die Energie für alles – von Unterwasser-Erntemaschinen bis zu Heizdecken. Und nur wenige Verbraucher machten sich die Mühe, darüber nachzudenken, woher die Energie kam.

Wie alle unter der Oberfläche liegenden Energieleitungen der Erde wurde auch die Linie Cabo da Roca – Azoren regelmäßig von kleinen Robot-Raupen und -Hunden inspiziert. Diese konnten kleinere Reparaturen ausführen, wenn sich die planetare Kruste in einem der häufigen Klasse-Eins-Vorfälle verlagerte, wobei nicht einmal der Photonenstrahl unterbrochen wurde. Ein Klasse-Zwei-Schaden war schwer genug, eine automatische Stillegung hervorzurufen. Vielleicht hatte da ein Beben einen Abschnitt der Leitung aus der Geraden gerückt oder eine der lebenswichtigen Spiegelstationen beschädigt. Dann rasten Mannschaften von der Oberfläche durch die Wartungstunnel an den Schauplatz der Zerstörung, und die Reparaturen wurden für gewöhnlich sehr schnell durchgeführt.

Aber an diesem Tag handelte es sich um eine tektonische Verschiebung Klasse Drei. Die Despacho-Bruchzone hatte sich geschüttelt, und ein Netz kleinerer Sprünge im subozeanischen Basalt hatte aus Sympathie mitgewackelt. Heißer Fels in einem Umkreis von drei Kilometern um das Tunnel-Paar hatte sich plötzlich in nord-südlicher, ost-westlicher und senkrechter Richtung bewegt und nicht nur die Leitung, sondern auch den viel größeren Wartungstunnel eingedrückt. Als sich die Spiegelstation mit einem sehr kleinen thermonuklearen Blitz in Dampf auflöste, schossen die sengenden Photonen eine Mikrosekunde lang ohne Ablenkung hinaus, bis die Sicherheitsschaltung die Anlage abstellte. Der Strahl stieß durch die beschädigte Wand der Leitung, brannte sich einen pfeilgeraden Weg westwärts durch die Kruste und trat auf dem Meeresboden aus. In dem verflüssigten Felsen gab es eine Dampfexplosion, als der Strahl starb, und dadurch wurde die Fistel wirksam versiegelt. Aber ein großes Gebiet, das zuvor ziemlich fester Fels gewesen war, bestand jetzt nur noch aus Geröll, gekochtem Meeresschlamm und langsam abkühlenden Taschen geschmolzener Lava.

Eine Umleitung beförderte eine Sekunde nach dem Einbruch wieder Energie zu den Azoren. Bis die Reparatur durchgeführt war, erhielten die Inseln den Großteil ihrer Energie von dem Kollektoren-Zentrum Reihe 38 nordwestlich von Lorca in Spanien über Gibraltar-Madeira. Bohrmannschaften von beiden Enden des beschädigten Segments würden das Chaos aufräumen, einen neuen Spiegel herstellen und Verstärkungsmanschetten in den Tunneln anbringen, die durch die neue unstabile Zone führten.

Dann würde von neuem Licht werden.

»Lissabon, hier ist Ponta Del Drei-Alpha bei Kilometer Sieben-neun-sieben. Kommen!«

»Lissabon Sechzehn-Echo, ich höre, Ponta Del«, antwortete Georgina. »Wir sind an Sieben-acht-null vorbei ... Sieben-acht-fünf ... Sieben-neun-null ... und am Einbruch, Sieben-neun-zwei. Übernehmt ihr die Fistel?«

»Bestätigung, Lissabon, mit der Einheit am Energietunnel für die Verbindung. Wir haben uns lange nicht gesehen, Georgina, aber mit Zusammenkünften dieser Art sollten wir Schluß machen! Laß die Verschüttung der Hauptleitung von deinem besten Mann aufbohren, Süße. Das wird eine Sauarbeit. Kommen!«

»Keine Bange, Ponta Del. Wir sehen uns bald, Larry-Schätzchen. Sechzehn-Echo, Ende.«

Stein Oleson knirschte mit den Zähnen und packte die Zwillings-Daumenhebel seiner Maschine. Er wußte, er war der beste Mann, den Lissabon hatte. Niemand konnte genauer bohren als er. Lavablasen, magnetische Anomalien – nichts brachte ihn vom Ziel ab. Gleich würde er feuern.

»Hubert, du übernimmst die verschüttete Hauptleitung«, sagte Georgina.

Demütigung und Wut drehten Stein den Magen um. Eine scheußliche Mischung von Galle und Bückling stieg ihm in die Kehle. Er schluckte. Er atmete tief. Er wartete.

»Jango, du folgst Hubey mit den Manschetten, bis du auf den Spiegel triffst. Dann fängst du damit an. Steinie, du und ich werden diesen Wartungstunnel öffnen.«

»In Ordnung, Georgina«, sagte Stein ruhig. Er drückte den Knopf auf dem rechten Daumenhebel. Ein grünlich-weißer Strahl schoß aus der Nase seiner Maschine. Langsam schnitten sich die beiden großen Fahrzeuge durch den dampfenden schwarzen Fels, während kleine Robothunde den Schutt wegräumten.

3

Der gesamte Voorhees-Clan hatte sich fast unmittelbar nach der Großen Intervention der Raumfahrt verschrieben. Das war von Abkömmlingen Neu-Amsterdamer Skipper und vier Generationen Flieger der U.S.-Navy zu erwarten gewesen. Die Sehnsucht nach fernen Horizonten war in die Voorhees-Gene einprogrammiert.

Richard Voorhees und seine älteren Geschwister Farnum und Evelyn wurden auf Assawompset geboren, einer der am längsten besiedelten »amerikanischen« Welten, wo ihre Eltern zur Basis der Vierzehnten Flotte gehörten. Far und Evvie führten die Familientradition fort und wurden beide Offiziere auf Linienschiffen. Sie kommandierte ein Diplomaten-Kurierschiff, er war Erster Offizier auf einem asteroidengroßen

Kolonisten-Transporter. Beide hatten sich in der kurzen Metapsychischen Rebellion der Achtzigerjahre ausgezeichnet und dem Familiennamen, dem Raumdienst und der Menschheit im allgemeinen Ehre gemacht.

Dann gab es noch Richard.

Auch er ging zu den Sternen, aber nicht im Dienst der Regierung. Das streng geordnete militärische Leben stieß ihn ab, und außerdem war er von Xenophobie in extremem Ausmaß besessen. Mitglieder der fünf exotischen Rassen waren häufige Gäste in der Sektor-Basis auf Assawompset, und Richard hatte sie schon als Kleinkind gehaßt und gefürchtet. Später, in der Schule, fand er eine Erklärung für seine Ängste, als er über das letzte halbe Jahrhundert auf der Alten Erde vor der Großen Intervention las. Damals hatten immer häufigere Untersuchungen der eifrigen Anthropologen des Milieus die Menschheit gestört und manchmal in Panik versetzt. Die Krondaku hatten sich besonders taktloser Experimente schuldig gemacht, und Mannschaften von gewissen Simbiari-Welten hatten sich, wenn die Langeweile bei den langen Überwachungsschichten zu schlimm wurde, nicht einmal entblödet, den Eingeborenen üble Streiche zu spielen.

Der Galaktische Rat hatte solche Übergriffe, von denen es glücklicherweise nur wenige gab, streng geahndet. Dessenungeachtet blieb die Angst vor einer Invasion aus dem Weltraum in der menschlichen Folklore erhalten, auch dann noch, als die Große Intervention den Weg zu den Sternen eröffnet hatte. Symptome einer leichten Xenophobie waren bei menschlichen Kolonisten oft zu beobachten, aber es gab nicht viele, die ein so starkes Vorurteil hatten wie Richard Voorhees.

Von einem Gefühl persönlicher Unzulänglichkeit gesteigert, wuchsen sich die irrationalen Ängste des Kindes bei dem erwachsenen Mann zu glühendem Haß aus. Richard lehnte es ab, in den Raumdienst einzutreten, und begann eine Laufbahn als Handelsschiffer. Als solcher konnte er seine Bordkameraden wie auch die Häfen, die er besuchte, sorgfältig auswählen. Farnum und Evelyn versuchten Verständnis für die Probleme ihres Bruders aufzubringen, aber

Richard wußte nur zu gut, daß die beiden Flottenoffiziere insgeheim auf ihn herabsahen.

»Unser Bruder, der Händler«, pflegten sie zu sagen, und dann lachten sie. »Na ja, das ist nicht ganz so schlimm, als wenn er Pirat wäre!«

Richard mußte mehr als zwanzig Jahre lang so tun, als trage er die Aufzieherei mit Humor. In dieser Zeit arbeitete er sich vom Leichtmatrosen zum Maat und weiter vom Skipper, der Aufträge übernahm, zum Schiffseigentümer und selbständigen Unternehmer hoch. Endlich kam der Tag, an dem er im Raumhafen Bedford vor dem Dock stand, das Viertelkilometer Glätte der CSS *Wolverton Mountain* bewunderte und sich freute, daß sie sein eigen war. Das Schiff war ein VIP-Schnellboot gewesen und mit dem leistungsstärksten Überlicht-Translator sowie mit übergroßen trägheitslosen Antrieben für das Reisen mit Unterlichtgeschwindigkeit ausgestattet. Voorhees hatte die für Passagiere gedachten Einrichtungen herausreißen und das Schiff zu einem vollautomatischen Expreßfrachter umbauen lassen, denn nur so ließ sich richtig Geld machen.

Er ließ wissen, daß für ihn keine Fahrt zu lang oder zu gefährlich sei und daß er jedes Risiko eingehe, um seltene oder dringend notwendige Artikel irgendwo in der Galaxis abzuliefern. Und die Kunden kamen.

In den Jahren, die nun folgten, machte Richard Voorhees die gefürchtete Tour zum Galaktischen Zentrum achtmal, bis die dortigen Kolonien ihrer ungünstigen Lage wegen aufgegeben wurden. Er brannte vier Sätze Ypsilon-Kraftfeld-Kristalle aus und ruinierte beinahe sein eigenes Nervensystem auf einer rekordbrechenden Fahrt zum Herkules-Haufen. Er beförderte Medikamente und lebensrettende Ausrüstungen und Ersatzteile zur Reparatur lebenswichtiger Maschinen. Er brachte Erzproben und Kulturen verdächtiger Organismen von den weit draußen liegenden menschlichen Kolonien zu den großen Laboratorien der Alten Welt. Es gelang ihm, auf Bafut eine eugenische Katastrophe zu verhindern, indem er eilends Ersatz-Sperma heranschaffte. Er hatte einem sterbenden Großmogul eine kleine Freude bereitet, als er eine kostbare Flasche Jack Daniels von der Erde ins ferne Cumberland-System beförderte. Er hatte so gut wie alles gemacht, wobei noch das Serum für Nome und die Botschaft an Garcia zu erwähnen wären.

Richard Voorhees wurde reich und ein bißchen berühmt, unterzog sich einer Verjüngung, entwickelte Geschmack an antiken Flugzeugen, seltenen Weinen von der Erde, Delikatessen und Tanzmädchen, ließ sich einen großen schwarzen Schnurrbart wachsen und sagte seinen distinguierten älteren Geschwistern, sie könnten ihn mal.

Und dann, an einem bestimmten Tag im Jahr 2110, legte Richard die Saat zu seinem eigenen Verderben.

Er war wie üblich allein auf der Brücke der *Wolverton Mountain,* tief im grauen Nichts des Subraums. Sein Ziel war das isolierte Orissa-System, 1870 Lichtjahre südlich der Galaktischen Ebene. Richards Fracht bestand in einem großen und komplizierten Tempel von Jagannath einschließlich heiliger Bilder und eines Fahrzeugparks. Er sollte einen religiösen Komplex ersetzen, der auf einem der von Hindus besiedelten Planeten durch eine Naturkatastrophe zerstört worden war. Kunsthandwerker der Alten Welt hatten unter Benutzung von Werkzeugen und anhand alter Vorlagen, die ihren kolonialen Brüdern nicht mehr zugänglich waren, eine perfekte Replik geschaffen, aber sie hatten dazu viel zu viel Zeit gebraucht. Eine Bedingung von Voorhees' Vertrag war, daß er den Tempel mitsamt Zubehör innerhalb von siebzehn Tagen bringen mußte. Dann fand das Rath-Yatra-Fest statt, bei dem das Bild des Gottes in feierlicher Prozession vom Tempel zu seiner Sommerwohnung getragen werden sollte. Kam das Schiff zu spät und mußten die Gläubigen ihre heiligen Tage ohne Tempel und Statuen abhalten, würde die Transportgebühr nur zur Hälfte ausgezahlt werden. Und es war eine sehr hohe Gebühr.

Voorhees war fest überzeugt gewesen, den Termin halten zu können. Er programmierte die kürzeste hyperräumliche Kettenlinie, vergewisserte sich, daß er zusätzliche Betäubungsmittel an Bord hatte, denn das Durchbrechen der Oberflächen an einer kurzen Leine war schmerzhaft, und setzte sich dann gemütlich hin, um Schach mit dem Steuercomputer zu spielen und mit den anderen Schiffssystemen zu klatschen. Die *Wolverton Mountain* war vollständig automatisiert, ausgenommen ihren Skipper, aber Richard lag gerade soviel an Gesellschaft, daß er alle automatischen Einrichtungen mit individuellen Persönlichkeiten und Stimmen versehen und ihnen die Skandalgeschichten seiner Lieblingswelten, Witze und Schmeichelphrasen eingespeist hatte. Es vertrieb ihm die Zeit.

»Kommunikation an Brücke«, sagte ein aufregender Kontra-Alt und unterbrach damit Richards Angriff auf die Königin des Computers.

»Hier Voorhees. Was ist, Lily, mein Liebling?«

»Wir haben ein mit uns gleichzeitiges Subraum-Notsignal aufgefangen«, antwortete das System. »Ein poltroyanisches Erkundungsschiff sitzt mit einem Translator-Schaden fest. Die Navigation berechnet seinen Pseudo-Standort.«

Verdammte grinsende Zwerge! Wahrscheinlich hatten sie in ihrer wichtigtuerischen Art überall herumgeschnüffelt und dabei die Y-Kristalle aus Mangel an ordnungsgemäßer Wartung verfallen lassen.

»Navigation an Brücke.«

»Ja, Fred?«

»Dies Schiff in Raumnot ist verdammt nahe an unserer Kettenlinie, Captain. Die Leute haben Glück. In diesem Stück Hyperraum gibt es nicht viel Verkehr.«

Richards Hand schloß sich um einen Bauern und drückte zu. Jetzt konnte er Kindermädchen für die Wichtel spielen. Und höchstwahrscheinlich der Hälfte seiner Kommission hinterherwinken. In Anbetracht der ungeschickten Finger dieser Poltroyaner und der Tatsache, daß die *Wolverton Mountain* nur drei frei bewegliche Robot-Ingenieure an Bord hatte, würden die Reparaturen bestimmt mehrere subjektive Tage dauern. Wenn da eine Schiffsladung Menschen in Not gewesen wäre, hätte Richard sich sofort zu ihnen auf den Weg gemacht. Aber Fremde?

»Ich habe den Empfang des Notsignals bestätigt«, berichtete Lily. »Das Lebenserhaltungssystem des poltroyanischen Schiffes ist kurz davor, zu versagen. Sie sitzen schon eine ganze Weile fest, Skipper.«

Zum Teufel! Er hatte nur noch zwei Tage bis Orissa. Die

Poltergeister hielten es bestimmt noch ein paar Tage länger aus. Er konnte sich ihrer auf dem Rückweg annehmen.

»Achtung, alle Systeme. Ursprünglichen Subraum-Vektor beibehalten. Kommunikation, alle Sendungen nach draußen einstellen. Lily, ich möchte, daß du das Notsignal und alle darauf folgenden Kommunikationen nach draußen wie innerhalb des Schiffes bis zu dem Wort ›jetzt‹ löschst. *Jetzt!*«

Richard Voorhees lieferte die Fracht termingerecht ab und kassierte die gesamte Gebühr von den dankbaren Verehrern Jagannaths ein.

Etwa zur gleichen Zeit, als Voorhees auf Orissa andockte, leistete ein Kreuzer der Lylmik-Flotte den Poltroyanern Hilfe. Die Poltroyaner hatten nicht einmal mehr für fünfzehn Stunden Sauerstoff in ihrem Lebenserhaltenssystem, als die Retter eintrafen.

Die Poltroyaner legten ihre Aufnahme von Voorhees' erster Antwort auf das Notsignal dem Sektor-Magistrat vor. Bei seiner Rückkehr nach Assawompset wurde Richard unter dem Verdacht, die Galaktischen Altruismus-Statuten, Abschnitt 24: »Moralische Verpflichtungen von Raumfahrzeugen« verletzt zu haben, unter Arrest gestellt.

Richard wurde im Sinne der Anklage für schuldig befunden und zu einer ungeheuerlichen Geldstrafe verurteilt, die den Großteil seines Besitzes verschlang. Die *Wolverton Mountain* wurde konfisziert, und ihrem Skipper verbot man, sich für den Rest seiner natürlichen Leben noch einmal mit irgendeinem Aspekt der Astrogation oder des interstellaren Handels zu befassen.

»Ich denke, ich werde die Alte Welt besuchen«, sagte Richard zu seinem Anwalt, als alles vorbei war. »Es heißt, daß es keinen geeigneteren Ort gibt, um sich das Gehirn auszublasen.«

4

Felice Landry saß kerzengerade im Sattel auf dem Rücken ihres drei Tonnen schweren Verruls, die Betäubungspistole im rechten Arm. Ein Neigen des Kopfes dankte für die Jubelrufe.

Es waren beinahe fünfzigtausend Fans zu dem großen Spiel in die Arena gekommen – eine überwältigende Zahl für einen so kleinen Planeten wie Acadie.

Mit unmerklichen Hilfen ließ Landry das Verrul eine komplizierte Schule durchgehen. Das scheußliche Tier, einem stelzbeinigen Nashorn mit der Halskrause einer Kragenechse und böse glühenden Augen ähnlich, tänzelte zwischen den Körpern hindurch, ohne auf einen einzigen zu treten. Von allen Spielern auf dem grünen und weißen Sägemehl-Feld war nur Landry noch im Sattel und bei Bewußtsein.

Andere Verruls in den seitlichen Pferchen hinter dem Plankenzaun mischten ihr Trompeten in den Applaus der Menge. Mit lässiger Geschicklichkeit ließ Felice ihr Reittier den scharlachroten Ring mit dem Nasenhorn aufspießen. Dann galoppierte sie auf das im Moment unverteidigte Tor der Weißen zu, obwohl es auf Schnelligkeit gar nicht mehr ankam.

»Lan-*driii!* Lan-*driii!*« brüllten die Zuschauer.

Es sah aus, als würden das junge Mädchen und das Tier in das höhlenartige Tor am Ende des Feldes krachen. Aber kurz davor zog Landry scharf die Zügel an und gab dem Verrul einen unausgesprochenen Befehl. Das Geschöpf drehte sich im Kreis und warf seinen monströsen Kopf zurück, der beinahe ebenso lang war wie der ganze Körper des Mädchens. Der Ring segelte durch die Luft und genau in die Mitte des Tors. Das Treffer-Signal leuchtete auf und verkündete gellend Triumph.

»Lan-DRIII!«

Sie hielt das Gewehr hoch und schrie zu der Menge zurück. Orgiastische Schockwellen durchliefen sie. Für eine lange Minute sah sie nichts und hörte das einmalige tiefe Läuten der Glocke des Schiedsrichters nicht, das das Ende des Spiels verkündete.

Als sie ihrer Sinne wieder mächtig war, geruhte sie, der springenden, gestikulierenden Menge zuzulächeln. Feiert meinen Sieg, Leute-Kinder-Liebhaber. Ruft meinen Namen! Aber kommt mir nicht zu nahe!

»Lan-*driii!* Lan-*driii!* Lan-*driii!*«

Ein Schiedsrichter näherte sich mit einer langen Lanze, an

GIUSEPPE MANGONI

deren Spitze das Siegesbanner hing. Sie steckte die Betäubungspistole ins Holster, nahm die Lanze und hob das Banner. Sie und das Verrul machten eine langsame Runde um die Arena. Beide nickten zu dem ohrenbetäubenden Applaus, den die Fans der Grünen wie die der Weißen spendeten.

Nie hatte es eine solche Spielsaison gegeben. Nie ein solches Endspiel. Nie vor dem Auftreten von Felice Landry.

Die sportbesessenen Bewohner des »kanadischen« Planeten Acadie nahmen ihr Ring-Hockey sehr ernst. Anfangs hatten sie Landry übelgenommen, daß sie es wagte, sich an diesem gefährlichen Spiel zu beteiligen. Dann hatten sie sie mit Haut und Haaren verschlungen. Felice war klein und schmächtig, besaß jedoch übernatürliche geistige und körperliche Kräfte und dazu ein unheimliches Geschick, die bösartigen Verruls zu beherrschen. In ihrer ersten Spielzeit als Professional hatte Felice talentierte und erfahrene männliche Gegner besiegt und war zum Sport-Idol geworden. Sie spielte sowohl offensiv als auch defensiv. Ihre blitzschnellen Betäubungstreffer wurden zur Legende. Sie selbst war nie unterlegen.

In diesem Endspiel um die Meisterschaft hatte sie acht Tore erzielt – ein neuer Rekord. Zum Schluß, als schon alle ihre Mannschaftskameraden am Boden lagen, hatte sie allein den letzten Angriff der Weißen auf das grüne Tor abgewehrt. Vier hartnäckige Giganten des weißen Teams mußten den Staub küssen, bevor sie triumphierend auf das gegnerische Tor zuritt und noch einen Punkt erzielte.

Jubelt mir zu! Betet mich an! Sagt mir, daß ich für euch Königin-Herrin-Opfer bin! Nur haltet euch von mir weit fern!

Felice lenkte das Verrul zum Spielerausgang. Auf dem Rücken des Ungeheuers sah sie sehr zart aus. Gekleidet war sie in einen schillernden grünen Kilt; grüne Federn wehten von dem zurückgekippten Helm. Ihr platinfarbenes Haar, sonst wild gekräuselt, hing jetzt in schlaffen Strähnen um das glänzende schwarze Leder ihrer knappsitzenden Rüstung, die der Bekleidung altgriechischer Hopliten nachempfunden war.

»Lan-*driiii!* Lan-*driii!*«

Ich habe mich für euch entleert und entladen, Sklaven-Menschenfresser-Vergewaltiger. Jetzt laßt mich gehen!

Kleine Krankenwagen rollten durch den Gang auf die Arena zu, um die betäubten Spieler einzusammeln. Felice mußte das nervöse Verrul unter fester Kontrolle halten, als sie sich der grünen Rampe näherte. Plötzlich waren rings um sie Leute – Helfer, Trainer, Verrul-Pfleger, Ersatzspieler, die bis zum Schluß die Bank gewärmt hatten, Schlachtenbummler und Fans. Sie brüllten alle durcheinander Begrüßungen und Glückwünsche, die zu vertraulich gefärbt waren. Die Heldin unter ihrem Volk.

Felice schenkte ihnen ein angespanntes, königliches Lächeln. Irgend jemand ergriff die Zügel des Verruls und beruhigte es mit einem Eimer voll Futter.

»Felice, Felice, Baby!« Coach Megowan, glühend von dem Aufenthalt in der heißen Beobachterkabine, schleppte Papierstreifen hinter sich her, als sei er bei einer Konfetti-Parade aus alten Zeiten mitmarschiert. Jetzt stampfte er von den oberen Rängen der Arena herab. »Du warst unglaublich, Liebchen! Glorreich! Pyrotechnisch! Kaleidoskopisch!«

»Da, nimm!« Sie beugte sich aus dem Sattel und gab ihm das Banner. »Unsere erste Lanze. Aber nicht unsere letzte.«

Die sich rempelnden Anhänger schrien los: »Du sagst es, Felice! Nochmal, Süße!« Das Verrul knurrte warnend.

Landry streckte dem Coach anmutig ihre in schwarzem Leder steckende Hand entgegen. Megowan rief, jemand solle einen Tritt zum Absteigen bringen. Verrul-Pfleger hielten das Tier, während das Mädchen dem Coach erlaubte, ihr hinunterzuhelfen.

Lob-Freude-Schmerz-Übelkeit. Die Bürde. Der Zwang.

Sie nahm ihren griechischen Helm mit dem hohen grünen Federbusch ab und reichte ihn einer sie anschmachtenden Trainerin. Einer ihrer Mannschaftskameraden, ein massiger Reserve-Verteidiger, ließ sich im Siegesrausch zu einer Kühnheit hinreißen.

»Gib uns einen dicken, nassen Schmatz, Landry!« kicherte er und nahm sie in die Arme, bevor sie einen Schritt zur Seite tun konnte.

Gleich darauf flog er gegen die Korridorwand. Felice lachte. Einen Herzschlag später stimmten die anderen ein. »Ein anderes Mal, Benny, mein Schatz!« Ihre Augen, braun und sehr groß, trafen sich mit denen des anderen Athleten. Ihm war, als habe ihn etwas an der Kehle gepackt.

Das Mädchen, der Coach und die meisten anderen gingen weiter zu den Umkleideräumen, wo die Reporter schon warteten. Nur der unglückliche Verteidiger wurde zurückgelassen. Langsam glitt er an der Wand nach unten, bis er auf dem Boden saß, die Beine lang ausgestreckt und die Arme schlaff herunterhängend. Er keuchte. Ein Sanitäter, der einen Fleischwagen fuhr, fand ihn ein paar Minuten später und half ihm auf die Füße.

»Junge, Junge ... und du warst nicht einmal auf dem Spielfeld!«

Ebenso finster wie verlegen gestand Benny, was sich ereignet hatte.

Der Sanitäter wägte erstaunt den Kopf. »Du hast aber Nerven, daß du das versucht hast! Ich habe vor dem kleinen Ding mit seinem süßen Gesicht so Angst, daß ich mir in die Hosen scheißen könnte!«

Der Verteidiger nickte nachdenklich. »Weißt du was? Es macht ihr *Spaß,* die Jungens niederzuschießen. Ich meine, für sie ist das so gut wie ein Orgasmus. Nur sieht man ihr an, daß die armen Teufel von ihr aus ebenso gut tot wie betäubt sein könnten. Kapierst du? Sie ist ein Ungeheuer! Ein großartiges, hochtalentiertes, niedlich aussehendes Ungeheuer!«

Der Sanitäter verzog das Gesicht. »Was sonst soll eine Frau sein, die diesen wahnsinnigen Sport betreibt? Komm schon, du Held! Ich bringe dich umsonst ins Krankenhaus. Wir haben da genau das richtige für dies üble Gefühl in deinem Magen.«

Der Verteidiger kletterte auf den Wagen neben einen schnarchenden Bewußtlosen. »Siebzehn Jahre alt! Kannst du dir vorstellen, wie sie sein wird, wenn sie einmal erwachsen ist?«

»Kerle wie du dürfen keine Phantasie haben. Es schadet dem Spiel.« Der Sanitäter steuerte den Wagen den Korridor hinunter auf das ferne Lachen und Rufen zu.

Draußen in der Arena hatte das Beifallsgeschrei aufgehört.

5

»Versuch es noch einmal, Elizabeth!«

Sie konzentrierte ihre ganze Geisteskraft auf den Projektionssinn oder das, was davon übrig war. Schwer atmend und mit rasendem Herzklopfen strengte sie sich an, bis sie den Sessel nicht mehr spürte und frei in der Luft zu schweben schien.

Projiziere von der Leseplatte vor dir:

LÄCHELN – BEGRÜSSUNG. AN DICH, KWONG CHUN-MEI, THERAPEUTIN, VON ELIZABETH ORME, FERNSPRECHERIN. WENN ICH FLÜGEL HÄTTE WIE EIN ENGEL, WÜRDE ICH ÜBER DIESE GEFÄNGNISMAUERN HINWEGFLIEGEN. ENDE.

»Versuch es noch einmal, Elizabeth!«

Sie versuchte es. Wieder und immer wieder. Sie sandte diese ironische kleine Botschaft, die sie selbst ausgewählt hatte. (Sinn für Humor ist ein Beweis für Persönlichkeitsintegration.) Sandte sie. Sandte sie.

Endlich öffnete sich die Tür der Zelle, und Kwong trat ein. »Tut mir leid, Elizabeth, aber ich empfange immer noch gar nichts.«

»Nicht einmal das Lächeln?«

»Tut mir leid. Noch nicht. Es sind überhaupt keine Bilder da – nur die einfache Trägerwelle. Hör mal, Liebes, warum sollen wir für heute nicht Schluß machen? Auf dem Überwachungsmonitor hast du gelbe Werte. Du brauchst wirklich mehr Ruhe, mehr Zeit zum Ausheilen. Du strengst dich zu sehr an.«

Elizabeth Orme lehnte sich zurück und drückte die Finger an die schmerzenden Schläfen. »Warum tun wir immer noch so als ob, Chun-Mei? Wir wissen, die Wahrscheinlichkeit, daß meine metapsychischen Fähigkeiten jemals wieder funktionieren werden, ist fast gleich Null. Der Tank hat gute Arbeit geleistet, als er mich nach dem Unfall wieder zusammenflickte. Keine Narben, keine Geistesverwirrung. Ich bin ein prächtiges, normales, gesundes Exemplar menschlicher Weiblichkeit. Normal. Mehr aber auch nicht, Leute.«

»Elizabeth ...« Die Augen der Therapeutin waren voller Mitleid. »Gib dir selbst eine Chance! Es war eine fast vollständige neokortikale Regeneration. Wir verstehen nicht, warum du deine Metafunktionen nicht zusammen mit deinen anderen geistigen Fähigkeiten zurückerhalten hast, aber mit der Zeit und bei fleißigem Üben könntest du dich doch noch erholen.«

»Es hat sich noch nie jemand erholt, der Verletzungen wie ich hatte.«

»Nein«, lautete die widerstrebende Antwort. »Aber es besteht Hoffnung, und wir müssen weiter versuchen durchzukommen. Du bist immer noch eine von uns, Elizabeth. Wir möchten, daß du wieder operant wirst, ganz gleich, wie lange es dauert. Aber du darfst nicht aufgeben.«

Gib nicht auf, eine Blinde die drei Vollmonde von Denali sehen zu lehren. Streng dich an, und eine Taube wird Bach schätzen, eine Zungenlose Bellini singen lernen. O ja!

»Du bist eine gute Freundin, Chun-Mei, und Gott weiß, daß du schwer mit mir gearbeitet hast. Aber es wäre gesünder, wenn ich den Verlust einfach akzeptierte. Denk nur an die Milliarden normaler Leute, die ein glückliches und erfülltes Leben führen, ohne über irgendwelche metapsychische Funktionen zu verfügen. Ich muß mich nur an eine neue Perspektive gewöhnen.«

Muß die Erinnerung an die verlorenen Engelsflügel des Geistes aufgeben. Glücklich sein innerhalb der Gefängnismauern meines eigenen Schädels. Die schöne Einheit, die Synergie, das erhebende Brückenschlagen von Welt zu Welt, die alle Angst verbannende Wärme von Seelengefährten, die Freude, Meta-Kinder in volle Operanz zu führen, vergessen. Die geliebte Persönlichkeit Lawrences vergessen. O ja.

Kwong zögerte. »Warum folgst du Czarnekis Rat nicht und machst schöne lange Ferien auf einer warmen, friedlichen Welt? Tuamotu, Riviera, Tamiami. Oder auch die Alte Erde! Wenn du zurückkommst, können wir von neuem mit einfachen Bildsendungen beginnen.«

»Das könnte genau das Richtige für mich sein, Chun-Mei.«

Aber der Therapeutin entging nicht, wie gering Elizabeths Begeisterung war. Kwong kniff besorgt die Lippen zusammen. Sie sprach nicht, weil sie fürchtete, noch tieferen Schmerz hervorzurufen.

Elizabeth zog ihren pelzgefütterten Mantel an und lugte durch die Vorhänge, die das Bürofenster verhüllten. »Lieber Himmel, sieh dir das an! Das Wetter ist noch schlimmer geworden. Ich wäre dumm, wenn ich die Chance, diesem Denali-Winter zu entkommen, nicht ergriffe. Hoffentlich startet mein armes Ei. Es war heute morgen das einzige im Transport-Pool, und es ist fast reif für den Schrotthaufen.«

Wie seine Fahrerin.

Die Therapeutin folgte Elizabeth Orme an die Tür und legte in impulsiver Empathie eine Hand auf ihre Schulter. Projizierte Frieden. Projizierte Hoffnung. »Du darfst den Mut nicht verlieren. Du schuldest es dir selbst und der ganzen Meta-Gemeinschaft, daß du dich weiter bemühst. Dein Platz ist bei uns.«

Elizabeth lächelte. Es war ein glattes Gesicht mit nur ein paar Fältchen in den Augenwinkeln, Stigmata der gefühlsmäßigen Reaktion auf die Regenerierung, die ihrem zerbrochenen vierundvierzigjährigen Körper perfekte Jugendlichkeit verliehen hatte. So problemlos, wie einem Krebs neue Glieder wachsen, waren in ihr neue Zellen entstanden, um Arme, Brustkorb und Becken, Lungen und Herz und Unterleibsorgane, zerschmetterte Knochen und die graue Materie von Großhirn und Rautenhirn zu ersetzen. Die Regenerierung war tatsächlich perfekt gelungen, hatten die Ärzte gesagt. O ja.

Sie drückte der Therapeutin die Hand. »Lebwohl, Chun-Mei. Bis zum nächsten Mal.«

Niemals, niemals wieder.

Sie trat hinaus in den Schnee, der bereits knöcheltief war. Die erleuchteten Bürofenster des Instituts für Metapsychologie von Denali zeichneten eckige goldene Muster auf den weißen Hof. Frank, der Hausmeister, der den Weg freischaufelte, winkte ihr zu. Die Abtauanlage mußte schon wieder streiken. Gutes altes Denali.

Sie würde nie mehr in das Institut zurückkehren, wo sie so

viele Jahre lang gearbeitet hatte – erst als Studentin, dann als beratende Fernsprecherin und Redakteurin und zum Schluß als Patientin. Der unablässige Schmerz über ihren Verlust war mehr, als ihre geistige Gesundheit ertrug, und Elizabeth war im Grunde eine praktisch denkende Frau. Es war Zeit für etwas vollständig anderes.

Erfüllt von neuer Entschlossenheit, richtete sie ihre Schritte nach dem Eier-Parkplatz, die Kapuze am Hals fest zusammenhaltend. Wie es jetzt ihre Gewohnheit war, bewegte sie beim Beten die Lippen.

»Gesegnete Diamant-Maske, leite mich auf meinem Weg ins Exil.«

6

Es war riskant gewesen, die menschliche Rasse ins Galaktische Milieu aufzunehmen, bevor sie ihre soziopolitische Reife erlangt hatte.

Auch dann noch, als die erste metapsychische Bedrohung des Milieus durch Menschen von Jack und Illusio, den beiden Heiligen, beseitigt worden war, blieben hartnäckige Indizien der menschlichen Erbsünde.

Zum Beispiel Menschen wie Aiken Drum.

Aiken war einer dieser eigentümlichen Charaktere, die Spezialisten für Verhaltensformung in den Wahnsinn treiben. Sein Chromosomensatz war normal. Sein Gehirn war frei von Verletzungen und Krankheiten und mit einem sehr hohen Intelligenzquotienten ausgestattet. Es war vollgestopft mit Patenten Metafunktionen, die vielleicht, wenn der Augenblick gekommen war, behutsam zur Operanz erweckt werden konnten. Die Ernährung, die er während seiner Kindheit in der neugegründeten Kolonie auf dem Planeten Dalriada erhalten hatte, unterschied sich in nichts von der der anderen dreißigtausend Nichtgeborenen, die Sperma und Ova von sorgfältig ausgewählten schottischen Vorfahren entstammten.

Aber Aiken war von Anfang an anders als der Rest der Brut gewesen. Er war von Natur aus ein Verbrecher.

Ungeachtet der Liebe seiner Ersatzeltern, der Hingabe guter Lehrer und der unvermeidlichen Korrekturkurse, die er während seiner stürmischen Jugendzeit durchmachen mußte, hielt sich Aiken hartnäckig an den ihm vorgezeichneten Pfad der Übeltaten. Er stahl. Er log. Er betrog, wenn er meinte, damit durchkommen zu können. Es amüsierte ihn, Vorschriften zu brechen, und er sah mit Verachtung auf seinesgleichen mit normaler psychosozialer Orientierung herab.

»Der p.p. Aiken Drum«, so wurde es in seiner Akte zusammengefaßt, »zeigt eine grundlegende Fehlfunktion seines kreativen Denkens. Besonders ist er unfähig, die gesellschaftlichen und persönlichen Folgen seiner eigenen Handlungen einzusehen. Seine Ichbezogenheit ist so stark, daß sie die Allgemeinheit gefährdet. Gegen alle Techniken zur moralischen Besserung hat er sich als resistent erwiesen.«

Aber Aiken Drum besaß Charme. Und Aiken Drum hatte einen schurkischen Sinn für Humor. Und Aiken Drum war, so schlimm er sein mochte, der geborene Anführer. Er war geschickt mit den Händen und genial im Erfinden neuer Möglichkeiten, das Establishment in Zorn zu versetzen. Deshalb neigten seine Zeitgenossen dazu, in ihm einen Schattenhelden zu sehen. Sogar die Erwachsenen auf Dalriada, auf deren Schultern die furchtbare Aufgabe lag, ihre leere neue Welt mit einer ganzen Generation von Reagenzglas-Kolonisten zu bevölkern, mußten über einige seiner Streiche lachen.

Als Aiken Drum zwölf war, erhielt seine Gruppe des Ökologie-Korps den Auftrag, den Strand in der Nähe der viertgrößten Siedlung des Planeten von einem verwesenden Wal-Kadaver zu säubern, der dort angespült worden war. Vernünftiger denkende Köpfe unter den Kindern stimmten dafür, die zwanzig Tonnen stinkender Masse oberhalb der Flutmarke mit einer Planierraupe unter dem Sand zu begraben. Aber Aiken überredete sie zu einer spektakuläreren Methode, den Kadaver loszuwerden. Folglich jagten sie den toten Wal mit einer von Aiken hergestellten Plastik-Bombe in die Luft. Faustgroße Stücke übelriechenden Fleisches regneten auf die ganze Stadt nieder und auch auf eine zu Besuch weilende Delegation von Milieu-Würdenträgern.

Als Aiken Drum dreizehn war, hatte er mit einem Team

von Ingenieuren daran gearbeitet, den Lauf eines kleinen Wasserfalls so zu verlegen, daß er den gerade fertiggestellten Bergstausee speiste. Eines Nachts stahl Aiken mit einigen Verbündeten Zement und Röhren. Sie gaben damit den Felsen am Rande des Falls eine neue Form. Der Sonnenaufgang auf Dalriada enthüllte das recht gelungene Konterfei gigantischer männlicher Organe, die sich in das vierzig Meter tiefer gelegene Reservoir erleichterten.

Als Aiken Drum vierzehn war, schmuggelte er seinen kleinen Körper in ein nach Caledonia bestimmtes Luxusschiff. Die Passagiere wurden Opfer von Juwelendiebstählen, aber Monitore zeigten, daß kein menschlicher Dieb ihre Räume betreten hatte. Eine Durchsuchung des Frachtdecks förderte den jungen Blinden Passagier zutage sowie die Robot-»Maus«, die er auf Beute ausgeschickt hatte. Sie war darauf programmiert, Edelmetalle und kostbare Steine auszuschnüffeln, die der Junge, wie er ungerührt zugab, in New Glasgow hatte verscheuern wollen.

Man schickte ihn natürlich nach Hause, und die Verhaltensforscher machten einen neuen Versuch, Aikens strauchelnde Schritte auf den engen Pfad der Tugend zurückzulenken. Aber die Konditionierung schlug nicht an.

»Er bricht einem das Herz«, gestand ein Psychologe einem anderen. »Man kann nicht anders, man muß den Jungen gernhaben, und er hat einen brillanten, erfinderischen Geist und sieht so niedlich aus. Aber, zum Teufel, was sollen wir mit ihm anfangen? Im Galaktischen Milieu gibt es nun einmal keine Nische für Till Eulenspiegel!«

Man versuchte, seinen Narzißmus für eine Tätigkeit als Schauspieler nutzbar zu machen, aber seine Bühnenkollegen lynchten ihn beinahe, als er die Vorstellungen mit seinen Streichen störte. Man versuchte seine manuelle Begabung in richtige Kanäle zu leiten, doch er benutzte die Werkstatt der Ingenieurschule dazu, sich heimlich elektronische Geräte zu bauen, die ihm illegalen Zugang zur Hälfte des computergesteuerten Kreditsystems im Sektor verschafften. Man versuchte es mit metaphysischer Tiefenredigierung und Entzugskonditionierung und Multiphasen-Elektroschock und Narkose-Therapie und guter alter Religion.

Aiken Drums Bosheit triumphierte über alles.

Und deshalb wurde Aiken Drum, als er, ohne Reue zu zeigen, seinen einundzwanzigsten Geburtstag feierte, eine Anzahl von Möglichkeiten vorgelegt, unter denen er die Wahl treffen und so seine Zukunft selbst bestimmen sollte.

Da Sie immer wieder rückfällig werden und nachgewiesenermaßen eine Gefahr für die Harmonie des Galaktischen Milieus darstellen, müssen Sie sich entscheiden für

a) dauernden Aufenthalt in der Besserungsanstalt von Dalriada

b) psycho-chirurgische Implantation einer Disziplinierungssteuerung

c) Euthanasie.

»Nichts davon«, erklärte Aiken Drum. »Ich wähle das Exil.«

7

Schwester Annamaria Roccaro lernte Claude kennen, als er seine sterbende Frau ins Oregon-Cascade-Hospiz brachte.

Die beiden alten Leute waren Bergungs-Exopaläontologen gewesen – Claude Majewski spezialisiert auf Makro- und Genevieve Logan auf Mikro-Fossilien. Sie waren seit mehr als neunzig Jahren und einer Verjüngung verheiratet und hatten gemeinsam die ausgestorbenen Lebensformen auf einigen vierzig von Menschen kolonisierten Planeten erforscht. Aber zum Schluß wurde Genevieve müde und lehnte eine dritte Lebenszeit ab, und Claude hatte sich ihrer Entscheidung angeschlossen, wie er es in ihrer gemeinsamen Zeit meistens getan hatte. Sie blieben solange wie möglich im Geschirr und verbrachten dann ein paar geruhsame Jahre in ihrem Häuschen auf der Alten Welt an der nordamerikanischen Pazifikküste.

Claude dachte niemals an das unvermeidliche Ende, bis es über sie kam. Er hatte eine vage Vorstellung, daß sie eines

Tages zusammen im Schlaf ruhig hinübergehen würden. Die Wirklichkeit war natürlich weniger schön. Claudes polnischer Bauernkörper zeigte ein größeres Durchhaltevermögen als der seiner afroamerikanischen Frau. Es kam die Zeit, daß Genevieve in das Hospiz mußte, und Claude begleitete sie. Empfangen wurden sie von Schwester Roccaro, einer hochgewachsenen Frau mit offenem Gesicht, die die medizinische und spirituelle Betreuung der sterbenden Wissenschaftlerin und ihres Gatten selbst übernahm.

Genevieve, ausgezehrt von Knochenschwund, teilweise gelähmt und von einer Reihe kleiner Schlaganfälle angegriffen, brauchte lange Zeit zum Sterben. Vielleicht war sie sich der Bemühungen ihres Mannes, sie zu trösten, bewußt, aber sie zeigte es sehr wenig. Ohne Schmerzen verbrachte sie ihre betäubten Tage träumend und schlafend. Schwester Roccaro stellte fest, daß sie ihre beruflichen Fähigkeiten mehr und mehr Claude zur Verfügung stellte, der vom langsamen Hintreiben seiner Frau auf das Lebensende zu entmutigt und tief deprimiert war.

Der alte Mann war im Alter von einhundertunddreiunddreißig körperlich immer noch kräftig, so daß die Nonne ihn oft zu Ausflügen in die Berge mitnahm. Sie durchwanderten die nebligen immergrünen Wälder der Cascade Range und angelten Forellen in Bächen, die von den Gletschern des Mount Hood abflossen. Der Hochsommer kam, und sie beobachteten Vögel und Wildblumen, erkletterten die Flanken des Hood und verbrachten heiße Nachmittage damit, im Schatten auf einem Hang zu sitzen, ohne zu sprechen, denn Majewski war nicht imstande oder nicht willens, seinem Kummer Worte zu verleihen.

Eines Morgens Anfang Juli 2110 ging es mit Genevieve Logan schnell zu Ende. Sie und Claude konnten sich nur noch berühren, da sie nicht mehr fähig war zu sehen, zu hören oder zu sprechen. Als der Krankenzimmer-Monitor zeigte, daß das Gehirn der alten Frau seine Funktion eingestellt hatte, zelebrierte die Schwester die Totenmesse und gab ihr die letzte Ölung. Claude stellte die Maschinen selbst ab. Er setzte sich an Genevieves Bett und hielt ihre zum Skelett abgemagerte Hand, bis die Wärme daraus entflohen war.

Sanft drückte Schwester Roccaro die verrunzelten kaffeebraunen Lider über die Augen der toten Wissenschaftlerin. »Möchten Sie noch eine Weile bei ihr bleiben, Claude?«

Der alte Mann lächelte geistesabwesend. »Sie ist nicht hier, Amerie. Würden Sie mit mir spazierengehen, falls Sie fürs erste niemand braucht? Es ist noch früh. Ich glaube, ich möchte gern reden.«

So zogen sie Stiefel an und besuchten wieder die Wälder. Die Fahrt mit dem Ei dauerte nur wenige Minuten. Sie parkten am Cloud Cap, stiegen auf einem leichten Weg die Cooper-Spur hoch und machten auf einem Grat in etwa 2800 Meter Höhe unterhalb des Tie-In-Rock halt. Sie fanden einen bequemen Sitzplatz und holten Feldflaschen und Lunchpakete hervor. Gleich unter ihnen lag der Eliot-Gletscher des Hood. Im Norden, jenseits der Columbia-River-Schlucht, erhoben sich der Mount Adams und der ferne Rainier, beide schneegekrönt wie der Hood. Der symmetrische Kegel des Mount St. Helens, flußabwärts im Westen, sandte eine große graue Wolke aus Rauch und vulkanischem Dampf in die Luft.

Majewski sagte: »Schön hier oben, nicht? Als Gen und ich Kinder waren, war der St. Helens kalt. Damals wurden in den Wäldern noch Bäume gefällt. Dämme sperrten den Columbia-River, so daß die Lachse flußaufwärts über Fischleitern klettern mußten. Port Oregon Metro wurde noch Portland und Fort Vancouver genannt. Und es gab ein bißchen Smog und ein bißchen Überbevölkerung, wenn man da leben wollte, wo Arbeit zu haben war. Aber alles in allem war es ein schönes Leben hier draußen, sogar in der schlechten alten Zeit, als der St. Helens ausbrach. Erst ganz am Ende, kurz vor der Intervention, als der Erde die Energie ausging und die Techno-Ökonomie zusammenbrach, kamen auch über dies nordwestliche Land am Pazifik einige der Leiden, die die übrige Welt zu ertragen hatte.«

Er zeigte nach Osten auf die trockenen Cañons und das Hochwüstengestrüpp des alten Lava-Plateaus unterhalb der Cascades.

»Da draußen liegen die John-Day-Fossilienbetten. Gen und ich machten hier in unserer Studentenzeit die ersten

Funde. Vor vielleicht dreißig oder vierzig Millionen Jahren war diese Wüste ein Land saftiger Wiesen und bewaldeter Hügel. Es war von vielen Säugetieren bevölkert: Nashörner, Pferde, Kamele, Oreodonten – wir nennen sie Krümelmonster – und sogar Riesenhunde und Säbelzahntiger. Dann brachen eines Tages die Vulkane aus. Sie breiteten eine dicke Decke aus Asche und Geröll über alle diese östlichen Ebenen. Die Pflanzen wurden begraben und die Bäche und Seen vergiftet. Es gab pyroklastische Flüsse – eine Art feuriger Wolke aus Gas, Asche und Lava-Stückchen –, die mit mehr als hundertfünfzig Kilometern die Stunde dahinrasten.«

Langsam wickelte er ein Sandwich aus, biß hinein und kaute. Die Nonne sagte nichts. Sie nahm ihre Kopfbinde ab und benutzte sie, um sich den Schweiß von der breiten Stirn zu wischen.

»Ganz gleich, wie schnell und wie weit diese armen Tiere rannten, sie konnten nicht entkommen. Sie wurden unter Ascheschichten begraben. Und dann hörte die vulkanische Tätigkeit auf. Regen wusch das Gift fort, und die Pflanzen kehrten zurück. Nach einiger Zeit kehrten auch die Tiere zurück und bevölkerten das Land von neuem. Aber das gute Leben hatte keine Dauer. Die Vulkane brachen von neuem aus, und weitere Ascheschichten lagerten sich ab. Das geschah in den nächsten rund fünfzehn Millionen Jahren immer wieder und wieder. Das Sterben und die Wiederbevölkerung, der Todesregen und die Rückkehr des Lebens. So entstand da draußen Schicht auf Schicht mit Fossilien. Die John-Day-Formation ist mehr als einen halben Kilometer mächtig – und darüber wie darunter gibt es ähnliche Formationen.«

Während der alte Mann erzählte, saß die Nonne da und blickte auf das Tafelland im Osten. Ein Paar riesiger Kondore kreiste langsam in einer Thermik. Unter ihnen folgte eine enggeschlossene Formation von neun eiförmigen Flugzeugen dem Lauf eines unsichtbaren Cañons.

»Die Aschenbetten waren mit dicker Lava bedeckt. Dann, nach weiteren Millionen Jahren, schnitten sich Flüsse durch den Stein und in die darunterliegenden Ascheschichten. Gen und ich fanden Fossilien entlang den Wasserläufen – nicht nur Knochen und Zähne, sondern sogar Abdrücke von Blättern und ganze Blumen, die in den feinen Staub gepreßt waren. Die Aufzeichnungen einer ganzen Reihe von verschwundenen Welten. Überwältigend. Nachts liebten wir uns unter den Wüstensternen und betrachteten die Milchstraße im Sagittarius. Wir fragten uns, wie die Konstellationen für all diese ausgestorbenen Tiere ausgesehen haben mochten. Und wieviel länger noch die arme alte Menschheit bestehen werde, bis sie ihr eigenes Aschebett bekomme und auf Paläontologen vom Sagittarius warte, die nach weiteren dreißig Millionen Jahren *uns* ausgrüben.«

Er lachte vor sich hin. »Melodramatisch. Das gehört dazu, wenn man Fossilien in einer romantischen Umgebung ausgräbt.« Er aß den Rest des Sandwichs auf und trank aus der Feldflasche. Dann sagte er: »Genevieve« und schwieg lange Zeit.

»War die Intervention ein Schock für Sie?« fragte Schwester Roccaro schließlich. »Einige von den älteren Leuten, die ich fragte, schienen fast enttäuscht zu sein, daß die Menschheit von der wohlverdienten ökologischen Strafe verschont blieb.«

»Für den Schadenfreude-Verein war es schon ärgerlich«, stimmte Majewski grinsend zu. »Für diejenigen, die die Menschheit als eine Art Krankheitserreger ansahen, ohne die die Erde ein sehr schöner Planet gewesen wäre. Aber Paläontologen neigen dazu, das Leben langfristig zu betrachten. Einige Geschöpfe überleben, einige sterben aus. Aber ganz gleich, wie groß die ökologische Katastrophe ist, das Paradoxon, Leben genannt, kämpft weiter gegen die Entropie an und versucht, sich selbst zu vervollkommnen. Schwere Zeiten scheinen der Evolution eher förderlich zu sein. Die Eiszeiten im Pleistozän und Pluvial hätten alle pflanzenfressenden Hominiden umbringen können. Statt dessen haben das rauhe Klima und die Veränderungen der Vegetation einige von unsern Vorfahren ermutigt, Fleischfresser zu werden. Und wenn man Fleisch ißt, braucht man nicht soviel Zeit auf die Nahrungssuche zu verwenden. Man kann sich hinsetzen und lernen zu denken.«

»Damals war es besser, ein Jäger-Killer zu sein?«

»Jäger ist nicht das gleiche wie Mörder. Ich glaube nicht an das Bild des durch und durch schlechten Affenmenschen, das einige Ethnologen als Vorfahr der Menschheit hinstellen. In unsern hominiden Ahnen war ebenso Güte und Nächstenliebe, wie es heutzutage in den meisten Leuten etwas Gutes gibt.«

»Aber das Böse ist wirklich«, sagte die Nonne. »Man nenne es Egozentrik oder bösartige Aggression oder Erbsünde oder sonstwie. Es ist da. Den Garten Eden gibt es nicht mehr.«

»Ist das biblische Eden ein ambivalentes Symbol? Mir kommt es so vor, als zeige der Mythos uns einfach, daß Selbstbewußtsein und Intelligenz gefährlich sind. Und sie können tödlich sein. Aber denken Sie einmal an die Alternative zum Baum der Erkenntnis. Würde sich irgend jemand Unschuld um einen solchen Preis wünschen? Ich nicht, Amerie. Wir möchten diesen Bissen Apfel im Grunde gar nicht zurückgeben. Unsere aggressiven Instinkte und unser hartnäckiger Stolz haben uns ja gerade geholfen, uns zu Beherrschern der Erde zu machen.«

»Und eines Tages ... vielleicht der Galaxis?«

Claude lachte kurz auf. »Gott weiß, daß wir lange genug über diese Vorstellung zu diskutieren pflegten, als die Gi und die Poltroyaner bei Fossilienbergungen mit uns zusammenarbeiteten. Übereinstimmend wird angenommen, daß wir Menschen trotz unserer Hybris und Rücksichtslosigkeit ein unglaubliches Potential besitzen – was die Intervention, bevor wir uns selbst umbringen konnten, rechtfertigt. Andererseits fragt man sich in Anbetracht der Schwierigkeiten, die wir während der metapsychischen Rebellion in den Achtzigerjahren verursachten, ob wir unsere Begabung für das Kaputtmachen nicht einfach von der planetarischen auf eine kosmische Ebene übertragen haben.«

Sie aßen ein paar Orangen, und nach einer Weile meinte Claude: »Was auch geschehen mag, ich bin froh, daß ich in meinem Leben Gelegenheit bekommen habe, zu den Sternen zu reisen, und daß Gen und ich uns kennenlernten und mit anderen denkenden Wesen guten Willens zusammenarbeiteten. Es ist jetzt vorbei, aber es war ein wundervolles Abenteuer.«

»Wie stand Genevieve zu Ihren Reisen?«

»Sie hatte eine stärkere Bindung an die Erde, obwohl es ihr Freude bereitete, andere Welten zu besuchen. Sie bestand darauf, daß wir ein Häuschen hier im pazifischen Nordwesten, wo wir aufgewachsen waren, behielten. Wenn wir hätten Kinder haben können, wäre sie vielleicht mit den Reisen nicht einverstanden gewesen. Aber sie war Sichelzellen-Trägerin, und die Technik der Veränderung des genetischen Kodes wurde erst entwickelt, als Genevieve über das optimale Gebäralter hinaus war. Später, als wir uns der Verjüngung unterzogen, war unser Elterninstinkt schon ziemlich verkümmert, und es gab soviel Arbeit. Deshalb fuhren wir fort, sie gemeinsam zu tun. Vierundneunzig Jahre lang …«

»Claude.« Schwester Roccaro hielt ihm die Hand hin. Eine leichte Brise verwuschelte ihr kurzes, lockiges Haar. »Sind Sie sich klar darüber, daß Sie geheilt sind?«

»Ich wußte, es würde geschehen. Nachdem Genevieve gestorben war. Nur die Zeit vorher war so schlimm. Wissen Sie, wir hatten uns schon Monate früher darüber ausgesprochen, als sie noch im Besitz ihrer Fähigkeiten war, und wir hatten bedauert und akzeptiert und uns emotional purgiert. Aber sie mußte immer noch gehen, und ich mußte zusehen und warten, während der Mensch, den ich mehr als mein eigenes Leben liebte, mir weiter und weiter entschwand, aber nie ganz fort war. Jetzt, wo sie tot ist, funktioniere ich wieder. Ich frage mich nur, was in aller Welt ich anfangen werde?«

»Ich mußte eine Antwort auf die gleiche Frage finden«, sagte die Nonne vorsichtig.

Majewski erschrak. Dann musterte er ihr Gesicht, als habe er es nie zuvor gesehen. »Amerie, Kind. Sie haben ihr Leben damit verbracht, Menschen, die es nötig hatten, Trost zu spenden, Sie haben den Sterbenden und ihren Angehörigen geholfen. Und immer noch müssen sie eine Antwort auf eine solche Frage finden?«

»Ich bin kein Kind, Claude. Ich bin eine Frau von siebenunddreißig, und ich habe fünfzehn Jahre lang im Hospiz gearbeitet. Die Aufgabe … war nicht leicht. Ich bin ausgebrannt. Ich hatte entschieden, daß Sie und Genevieve meine letzten Patienten sein sollten. Meine Vorgesetzten haben meine dringende Bitte, den Orden verlassen zu dürfen, genehmigt.«

Der alte Man starrte sie an, sprachlos vor Schreck. Sie fuhr fort: »Ich merkte, wie ich müde wurde, aufgezehrt von den Emotionen der Menschen, denen ich zu helfen versuchte. Auch der Glaube schrumpfte, Claude.« Sie zuckte leicht die Achseln. »Das widerfährt Leuten, die auf religiösem Gebiet tätig sind, nur zu leicht. Ein vernünftiger Wissenschaftler wie Sie wird wahrscheinlich darüber lachen ...«

»Ich würde niemals über Sie lachen, Amerie. Und wenn Sie wirklich meinen, ich sei vernünftig, kann ich Ihnen vielleicht helfen.«

Sie stand auf und klopfte Sandkörner von ihren Jeans. »Es ist Zeit, daß wir von diesem Berg hinunterkommen. Wir müssen mindestens zwei Stunden bis zum Ei laufen.«

»Und unterwegs«, drängte er, »werden Sie mir von Ihrem Problem und Ihren Zukunftsplänen erzählen.«

Annamaria Roccaro betrachtete den alten Mann halb ärgerlich, halb amüsiert. »Dr. Majewski, Sie sind ein pensionierter Knochenausgräber – kein geistlicher Ratgeber.«

»Erzählen werden Sie es mir ja doch. Falls Sie es noch nicht wissen, es gibt im Galaktischen Milieu nichts Sturereres als einen Polacken, der sich zu irgend etwas entschlossen hat. Und ich bin noch viel sturer als eine Menge anderer Polacken, weil ich mehr Zeit gehabt habe, mich zu üben. Und außerdem«, setzte er schlau hinzu, »hätten Sie Ihr Problem überhaupt nicht erwähnt, wenn Sie nicht den Wunsch hätten, mit mir darüber zu reden. Kommen Sie, machen wir uns auf den Weg!«

Er stieg langsam den Pfad hinab, und sie folgte ihm. Schweigend wanderten sie mindestens zehn Minuten dahin, bis sie zu sprechen begann.

»Als ich ein kleines Mädchen war, waren meine religiösen Heroen nicht die Heiligen des Galaktischen Zeitalters. Ich konnte mich nie mit Père Teilhard oder Sankt Jack dem Körperlosen oder Illusio Diamant-Maske identifizieren. Ich liebte die richtig alten Mystiker: Simeon den Styliten, Antonius den Einsiedler, Dame Julian von Norwich. Aber heute steht diese Art büßender Einsamkeit in Widerspruch zur neuen Ansicht der Kirche über menschliche Tatkraft. Wir sollen unsere individuelle Reise zur Vollkommenheit innerhalb einer Einheit von menschlicher und göttlicher Liebe machen.«

Claude drehte den Kopf zu ihr zurück und verzog das Gesicht. »Da komme ich nicht mehr mit, Kind.«

»Ohne den Fachjargon bedeutet es, daß karitative Aktivität ›in‹ und einsamer Mystizismus ›out‹ ist. Unser Galaktisches Zeitalter ist zu geschäftig für Einsiedler und Anachoreten. Ihre Lebensart wird als Selbstsucht, Eskapismus, Masochismus und Widerspruch zur sozialen Evolution der Kirche angesehen.«

»Aber Sie denken anders – ist es das, Amerie? Sie möchten fortgehen und an einem einsamen Ort fasten und meditieren und leiden und Erleuchtung erringen.«

»Lachen Sie mich nicht aus, Claude. Ich habe versucht, in ein Kloster zu kommen ... die Zisterzienserinnen, die Armen Klarissen, die Karmeliterinnen. Und man warf einen Blick auf mein psychosoziales Profil und sagte mir, ich solle verschwinden. Anderen Menschen zur Seite zu stehen, riet man mir. Nicht einmal die Zen-Brigittinen wollten mir eine Chance geben! Aber schließlich entdeckte ich, daß es doch einen Ort gibt, wo eine altmodische einsiedlerische Mystikerin nicht fehl am Platz wäre. Haben Sie schon einmal vom Exil gehört?«

»Welcher Paläontologe hätte das nicht?«

»Dann wissen Sie vielleicht auch, daß die Einreise viele Jahre lang illegal erfolgte. Aber was Sie wohl nicht wissen, ist, daß das Milieu vor vier Jahren aufgrund der zunehmenden Nachfrage das Zeitportal offiziell anerkannt hat. Leute mit jedem vorstellbaren Bildungsgrad und Beruf, von der Erde und aus den menschlichen Kolonien, alle diese Zeitreisenden haben eins gemeinsam: Sie möchten weiterleben, aber sie ertragen das Leben in dieser komplizierten, strukturierten Welt der galaktischen Zivilisation nicht mehr.«

»Und dafür haben Sie sich entschieden?«

»Mein Antrag ist vor mehr als einem Monat genehmigt worden.«

Sie kamen an einen schwierigen, mit Geröll bedeckten

Hang, den Überrest einer alten Steinlawine, und konzentrierten sich darauf, ihn sicher zu traversieren. Auf der anderen Seite angekommen, ruhten sie sich für einen Augenblick aus. Die Sonne brannte heiß hernieder. Die rückgezüchteten Kondore waren fortgeflogen.

»Amerie«, sagte der alte Mann, »es muß sehr interessant sein, fossile Knochen mit Fleisch darauf zu sehen.«

Sie hob eine Augenbraue. »Ist der Gedanke nicht ein bißchen impulsiv?«

»Mag sein, daß ich nichts Besseres zu tun habe. Es wäre ein krönender Abschluß einer langen Laufbahn als Paläontologe, lebendige Tiere des Pliozän zu sehen. Und das Überleben von Tag zu Tag würde mir keine Schwierigkeiten bereiten. Wenn man etwas draußen bei der Feldarbeit lernt, dann den Verzicht auf Komfort. Vielleicht könnte ich Ihnen ein bißchen dabei helfen, Ihre Einsiedelei einzurichten. Das heißt – wenn Sie in mir keine zu große Versuchung für Ihre Gelübde sehen.«

Sie lachte herzlich, doch dann hörte sie auf und sagte: »Claude! Sie machen sich *Sorgen* um mich. Sie glauben, ich könne von einem Säbelzahntiger gefressen oder von einem Mastodon totgetrampelt werden.«

»Verdammt, Amerie! Wissen Sie, auf was Sie sich da einlassen? Nur weil Sie ein paar zahme Berge erstiegen und eigens dafür rückgezüchtete Forellen in Oregon geangelt haben, glauben Sie, Sie können in einer heulenden Wildnis ein weiblicher Franz von Assisi werden!« Er wandte sein verfinstertes Gesicht ab. »Gott weiß, was für menschlicher Abschaum dort herumstrolcht. Ich möchte Ihnen Ihre Idee nicht madig machen, Kind, aber ich könnte Sie im Auge behalten. Ihnen Essen bringen und so. Sogar jene alten Mystiker erlaubten den Gläubigen, ihnen Opfergaben zu bringen, wissen Sie. Amerie – verstehen Sie denn nicht? Um nichts in der Galaxis möchte ich Ihnen Ihren Traum verderben.«

Plötzlich warf sie die Arme um ihn, dann trat sie zurück und lächelte, und einen Augenblick lang sah er sie nicht in Jeans, kariertem Hemd und Stirnband, sondern in einem Gewand aus weißem handgewebtem Tuch mit einem Strick um die Taille. »Dr. Majewski, es wäre mir eine Ehre, Sie als

Beschützer zu haben. Sie könnten durchaus eine Versuchung werden. Aber ich werde standhaft sein und der Verlockung widerstehen, obwohl ich Sie sehr liebe.«

»Das wäre also geregelt. Wir steigen jetzt besser ab und kümmern uns ohne Verzögerung um Genevieves Requiem. Ihre Asche werden wir mit uns nach Frankreich nehmen und sie im Pliozän verstreuen. Die Idee hätte Gen gefallen.«

8

Professor Théo Guderians Witwe war erstaunt gewesen, als der erste Zeitreisende vor dem Gartentor des Häuschens am Fuß der Monts du Lyonnais erschien.

Es war im Jahre 2041, Anfang Juni. Sie arbeitete in ihrem Rosengarten, knipste taube Knospen von den herrlichen hochstämmigen »Mme.A.Meilland«-Rosen und fragte sich, wie sie die Erbschaftssteuer bezahlen solle, als ein untersetzter Wanderer mit einem Dackel die staubige Straße von Saint-Antoine-des-Vignes heraufkam. Er hielt genau vor dem Törchen an und wartete, daß sie nähertrat. Die kleine Hündin setzte sich einen Schritt hinter dem linken Fuß ihres Herrn.

»Guten Abend, Monsieur«, sagte sie auf Standard-Englisch, klappte ihre Gartenschere zusammen und ließ sie in die Tasche ihrer schwarzen Gartenhose gleiten.

»Bürgerin Angélique Monmagny?«

»Ich ziehe zwar die ältere Form der Anrede vor. Aber ja, die bin ich.«

Er verbeugte sich förmlich. »Madame Guderian! Erlauben Sie mir, mich vorzustellen. Richter, Karl Josef. Von Beruf bin ich Dichter, und meine Heimat ist bis jetzt Frankfurt gewesen. Ich bin hergekommen, chère Madame, um Ihnen einen geschäftlichen Vorschlag bezüglich des Experimentiergeräts Ihres verstorbenen Gatten zu unterbreiten.«

»Ich bedauere, daß es mir nicht mehr möglich ist, den Apparat vorzuführen.« Madame schürzte die Lippen. Ihre feingeschwungene Adlernase war stolz erhoben. Ihre kleinen schwarzen Augen glitzerten von unvergossenen Tränen. »Tatsächlich werde ich ihn in Kürze abbauen lassen müssen, damit die wertvolleren Bestandteile verkauft werden können.«

»Das dürfen Sie nicht! Das dürfen Sie nicht!« rief Richter und umklammerte die Oberkante des Törchens.

Madame wich einen Schritt zurück und betrachtete ihn erstaunt. Er hatte ein Mondgesicht mit hellen, vorquellenden Augen und dicken rötlichen Brauen, die er nun bestürzt hochzog. Er war teuer gekleidet, wie für eine anstrengende Wanderung, und trug einen großen Rucksack. Daran festgezurrt waren ein Geigenkasten, ein lebensgefährlich aussehendes Dural-Katapult und ein Golf-Regenschirm. Die unerschütterliche Dackelhündin bewachte ein großes Paket mit Büchern, die aus papierenen Seiten bestanden. Es war sorgfältig in Folie eingewickelt und mit Riemen und einem Tragegriff versehen.

Richter brachte seine Emotionen wieder unter Kontrolle. »Verzeihen Sie mir, Madame. Aber Sie dürfen diese so wundervolle Erfindung Ihres verstorbenen Gatten nicht zerstören. Das wäre ein Sakrileg.«

»Trotzdem, da ist die Erbschaftssteuer«, erwiderte Madame. »Sie sprachen von einem Geschäft, Monsieur. Aber Sie müssen wissen, daß bereits viele Journalisten über das Werk meines Mannes geschrieben haben ...«

»Ich«, erklärte Richter, und ein Ausdruck des Abscheus huschte über sein Gesicht, »bin kein Journalist. Ich bin Dichter. Und ich hoffe, Sie werden meinen Vorschlag wohlwollend in Erwägung ziehen.« Er öffnete den Reißverschluß eines Seitenfachs an seinem Rucksack und entnahm ihm eine lederne Kartentasche, aus der er ein kleines blaues Rechteck zog. Er hielt es Madame hin. »Der Beweis meiner Kreditwürdigkeit.«

Die blaue Karte war eine Sichttratte auf die Bank von Lyon und berechtigte den Inhaber, einen außerordentlich hohen Geldbetrag abzuheben.

Madame Guderian öffnete das Törchen. »Bitte, treten Sie ein, Monsieur Richter. Ich vertraue darauf, daß der kleine Hund gute Manieren hat.«

Richter hob sein Bücherpaket auf und lächelte dünn. »Schatzi ist zivilisierter als die meisten Menschen.«

Sie setzten sich auf eine Steinbank unter einen bienendurchsummten, mit Soleil d'or bewachsenen Bogen, und Richter erklärte der Witwe, warum er gekommen war. Er hatte auf der Party eines Verlegers in Frankfurt von Guderians Zeitportal gehört und sich noch am gleichen Abend entschlossen, alles, was er besaß, zu verkaufen und nach Lyon zu eilen.

»Es ist sehr einfach, Madame. Ich möchte durch dieses Zeitportal gehen und ständig in der prähistorischen Einfachheit des Pliozän leben. Das friedliche Königreich! Locus amoenus! Der Wald von Arden! Das Heiligtum der Unschuld! Das stille Land, das noch nie von menschlichen Tränen benetzt wurde!« Er machte eine Pause und klopfte auf die blaue Karte, die sie noch in der Hand hielt. »Und ich bin bereit, für meine Passage sehr gut zu bezahlen.«

Ein Verrückter! Madame befingerte die Rosenschere tief in ihrer Tasche. »Das Zeitportal«, erläuterte sie vorsichtig, »öffnet sich nur in eine Richtung. Es gibt keine Wiederkehr. Und wir haben keine detaillierten Kenntnisse über das, was auf der anderen Seite im Land des Pliozän liegen mag. Es ist nie gelungen, Kameras oder irgendwelche andere Aufzeichnungsgeräte unbeschadet zurückzubringen.«

»Die Fauna der Epoche ist wohlbekannt, Madame, und das Klima ebenso. Ein umsichtiger Mensch wird nichts zu fürchten haben. Und Sie, gnädige Frau, dürfen sich keine Gewissensbisse machen, wenn Sie mir die Benutzung des Portals gestatten. Ich bin selbstgenügsam und durchaus imstande, in einer Wildnis auf mich aufzupassen. Ich habe meine Ausrüstung mit Sorgfalt zusammengestellt, und als Gesellschaft habe ich meine treue Schatzi. Zögern Sie nicht länger, ich bitte Sie sehr! Lassen Sie mich noch heute abend durchgehen. Jetzt!«

Tatsächlich ein Verrückter, aber vielleicht einer, den die Vorsehung geschickt hatte.

Sie machte noch eine Zeitlang Einwände, während sich der Himmel zu Indigo verdunkelte und die Nachtigallen zu singen begannen. Richter hatte auf alle ihre Argumente eine Antwort. Er hatte keine Familie, die ihn vermissen würde. Er hatte niemandem von seinen Absichten erzählt, deshalb würde man bei Madame keine Nachforschungen anstellen. Niemand hatte ihn auf der einsamen Straße vom Dorf hier herauf gesehen. Für ihn sei, was Madame für ihn tun könne, ein Segen, die Erfüllung eines Traums von Arkadien, der früher unmöglich zu realisieren gewesen wäre. Er begehe keinen Selbstmord, er fange lediglich ein neues, ruhigeres Leben an. Aber wenn sie ihm seine Bitte abschlüge, ließe ihm seine Seelenqual nur die schreckliche Alternative. Und da war das Geld ...

»C'est entendu«, sagte Madame schließlich. »Bitte, kommen Sie mit mir!«

Sie führte ihn in den Keller hinunter und schaltete das Licht ein. Da stand das Gazebo mit seinen Kabeln, genau wie der arme Théo es zurückgelassen hatte. Der Dichter eilte mit einem Freudenschrei auf den Apparat zu. Tränen rannen ihm über die runden Wangen.

»Endlich!«

Die Dackelhündin trottete ihrem Herrn gemächlich nach. Madame nahm das Bücherpaket und stellte es in den Lattenkäfig.

»Schnell, Madame! Schnell!« Richter rang in krampfhafter Aufregung die Hände.

»Hören Sie mir zu!« befahl sie scharf. »Bei Ihrer Ankunft müssen Sie sich sofort aus dem Apparat entfernen. Gehen Sie drei oder vier Meter weit weg und nehmen Sie den Hund mit. Ist das klar? Andernfalls werden sie als Toter zum heutigen Tag zurückgeschleudert und sofort zu Asche zerfallen.«

»Ich habe verstanden. Vite, Madame, vite. Schnell!«

Zitternd trat sie an das einfache Kontrollpaneel und aktivierte das Zeitportal. Die spiegelnden Kraftfelder sprangen an, und die Stimme des Dichters verstummte wie bei einer unterbrochenen Fernsehverbindung. Die alte Frau sank auf die Knie und betete dreimal den Englischen Gruß. Dann stand sie auf und schaltete die Energie ab.

Die Spiegel verschwanden. Das Gazebo war leer.

Madame Guderians Lippen entschlüpfte ein tiefer Seufzer. Als sparsame Frau knipste sie die Kellerlampen aus. Dann stieg sie die Treppe hoch. Sie befühlte die kleine blaue Plastikkarte, die sicher in ihrer Tasche steckte.

Nach Karl Josef Richter kamen weitere.

Die allererste Schenkung erlaubte es Madame, die Erbschaftssteuer zu bezahlen und alle ihre anderen Schulden loszuwerden. Ein paar Monate später, nachdem ihr Verstand durch die Ankunft weiterer Besucher den profitbringenden Möglichkeiten des Zeitportals geöffnet worden war, gab sie bekannt, daß sie eine ruhige Herberge für wandernde Touristen einrichte. Sie kaufte Land, das an ihr Häuschen angrenzte, und ließ ein hübsches Gästehaus bauen. Der Rosengarten wurde erweitert, und mehrere ihrer Verwandten wurden dazu verpflichtet, ihr bei den häuslichen Aufgaben zu helfen. Zum Erstaunen der skeptischen Nachbarn prosperierte die Herberge.

Nicht alle Gäste, die »chez Guderian« betraten, sah man das Haus auch wieder verlassen. Aber das war eine rein akademische Frage, da Madame ohne Ausnahme Bezahlung im voraus verlangte.

Ein paar Jahre vergingen. Madame unterzog sich der Verjüngung und entwickelte in ihrer zweiten Lebenszeit einen herben Schick. Im Tal unterhalb der Herberge machte auch das älteste städtische Zentrum Frankreichs eine Umwandlung zum Gefälligeren durch, ebenso wie alle Metropolen der Alten Erde in diesen mittleren Jahren des einundzwanzigsten Jahrhunderts. Jede Spur der häßlichen, ökologisch zerstörerischen Technik wurde in der großen Stadt am Zusammenfluß von Rhône und Saône nach und nach ausgemerzt. Notwendige Produktionsstätten, Dienstleistungs- und Transportsysteme baute man neu als unterirdische Infrastrukturen. Als die überschüssige Bevölkerung von Lyon zu den Sternen ausgewandert war, entstanden an Stelle der leeren Slums und traurigen Vorstädte Wiesen und Waldreservate, da und dort von Gartendörfern oder gut funktionierenden Wohnkomplexen unterbrochen. Lyons historische Bauten, die jedes Jahrhundert der mehr als 2000 Jahre seiner Lebenszeit repräsentierten, wurden restauriert und wie Edelsteine in angemessener natürlicher Umgebung zur Schau gestellt. Laboratorien, Büros, Hotels und Geschäftshäuser wurden in den restaurierten Gebäuden untergebracht oder so gestaltet, daß ihr Äußeres mit den Denkmälern der Nachbarschaft harmonierte. Plaisances und Boulevards ersetzten die scheußlichen Beton-Autobahnen. Vergnügungsviertel, pittoreske Sträßchen mit kleinen Läden und kulturelle Institutionen vervielfachten sich, als die Kolonisten von den fernen Sternen auf der Suche nach ihrem ethnischen Erbe zur Alten Welt zu pilgern begannen.

Auch andere Sucher kamen nach Lyon. Sie fanden ihren Weg zu der Herberge im westlichen Vorgebirge, jetzt ›l'Auberge du Portail‹ genannt, wo Madame Guderian persönlich sie willkommen hieß.

In diesen frühen Jahren, als sie das Zeitportal noch als geschäftliches Unternehmen betrachtete, stellte Madame einfache Kriterien für ihre Kunden auf. Wer in die Vergangenheit reisen wollte, mußte mindestens zwei Tage in der Herberge verbringen, während sie und ihr Computer bürgerliche Stellung und psychosoziales Profil überprüften. Sie schickte niemanden durch das Portal, der auf der Flucht vor der Justiz war, eine ernsthafte geistige Zerrüttung verriet oder noch keine achtundzwanzig Jahre zählte (denn der große Schritt verlangte volle Reife). Sie erlaubte niemandem, moderne Waffen oder Zwangsmittel ins Pliozän mitzunehmen. Nur die einfachsten mit Solarenergie betriebenen oder versiegelten Maschinen waren gestattet. Personen, die offensichtlich nicht auf das Überleben in einer urtümlichen Wildnis vorbereitet waren, wurden mit dem Rat weggeschickt, wiederzukommen, sobald sie sich die notwendigen Fähigkeiten angeeignet hätten.

Nachdem Madame gründlich über die Sache nachgedacht hatte, stellte sie eine weitere Bedingung für weibliche Kandidaten. Sie mußten auf ihre Fruchtbarkeit verzichten.

»Attendez!« pflegte sie die sprachlosen weiblichen Reisenden in ihrer unverfälschten gallischen Art anzufahren. »Führen Sie sich einmal das unausweichliche Geschick der Frau in einer primitiven Welt vor Augen. Ihre Bestimmung ist, Kind auf Kind zu gebären, bis ihr Körper verbraucht ist, und sich während dieser ganzen Zeit den Launen ihres Herrn und Gebieters zu unterwerfen. Sicher, wir modernen Frauen haben vollständige Kontrolle über unseren Körper und können uns vor Gewalttätigkeit schützen. Aber was soll aus den

Töchtern werden, die Ihnen in der alten Epoche geboren werden mögen? Die Mittel, mit denen Sie Ihre Freiheit vom Kinderkriegen an die nächste Generation weitergeben könnten, stehen Ihnen dort nicht zur Verfügung. Und mit der Rückkehr der alten biologischen Zwänge geht Hand in Hand die Rückkehr zur alten unterwürfigen Geisteshaltung. Sobald Ihre Töchter reif sind, werden sie ganz bestimmt versklavt. Möchten Sie ein geliebtes Kind einem solchen Leben überantworten?«

Dann war da noch die Sache mit dem Paradoxon.

Die Vorstellung, daß Zeitreisende die gegenwärtige Welt durch ihre Einmischung in die Vergangenheit zerstören könnten, hatte Madame Guderian viele Wochen nach Karl Josef Richters Abreise schwere Sorgen bereitet. Dann war sie zu dem Schluß gekommen, ein solches Paradoxon müsse unmöglich sein, da die Vergangenheit bereits in der Gegenwart manifest ist und das Kontinuum in den liebenden Händen von le bon dieu ruht.

Andererseits sollte man kein Risiko eingehen.

Menschliche Wesen, auch wenn es sich um die verjüngten und hochgebildeten Leute des rassenverbindenden Galaktischen Zeitalters handelte, konnten auf das Pliozän oder die ihm folgenden Perioden wenig Einwirkung haben, wenn sie daran gehindert wurden, sich fortzupflanzen. Abgesehen von dem sozialen Vorteil für weibliche Reisende war das für Madame ein Grund mehr, den Verzicht auf Mutterschaft zu einer Bedingung für den Transport zu machen.

Protestierte eine der Frauen, antwortete sie: »Natürlich ist es unfair, natürlich opfern Sie damit einen Teil Ihrer weiblichen Natur. Glauben Sie, das verstehe ich nicht? Ich, der zwei liebe Kinder gestorben sind, ehe sie das Erwachsenenalter erreichten? Aber Sie müssen akzeptieren, daß die Welt, die Sie betreten wollen, keine Welt des Lebens ist. Es ist ein Zufluchtsort für Menschen, die sich nicht anpassen können, ein Todesersatz, ein Zurückweisen der normalen menschlichen Bestimmung. Ainsi, wenn Sie in dieses Exil reisen, haben Sie allein die Konsequenzen zu tragen. Ist die Kraft des Lebens immer noch in Ihnen mächtig, dann sollten Sie hierbleiben. Nur jene, die in dieser gegenwärtigen Welt aller

Freuden beraubt worden sind, mögen Zuflucht in den Schatten der Vergangenheit finden.«

Nach dieser ernsten Ansprache pflegten die Bewerberinnen nachzudenken und schließlich zuzustimmen – oder die Auberge auf Nimmerwiedersehen zu verlassen. Die Zahl der männlichen Zeitreisenden stand zu der der weiblichen fast im Verhältnis vier zu eins. Das überraschte Madame nicht sehr.

Etwa drei Jahre, nachdem die Auberge du Portail ihren Betrieb aufgenommen hatte, nahmen die örtlichen Behörden das Vorhandensein des Zeitportals zur Kenntnis. Anlaß war ein unglücklicher Vorfall in Zusammenhang mit einem abgewiesenen Kandidaten. Aber Madames tüchtigen Rechtsanwälten in Lyon gelang es, nachzuweisen, daß das Unternehmen kein lokales oder galaktisches Gesetz verletze. Es hatte Genehmigungen als öffentliche Unterkunft, als Transportbetrieb, als psychosozialer Beratungsdienst und als Reisebüro. Danach machten die Regierungsstellen von Zeit zu Zeit einen Überfall mit dem Ziel, die Herberge schließen oder unter Aufsicht stellen zu lassen. Sie hatten nie Erfolg, weil es keinen Präzedenzfall gab ... und außerdem war das Zeitportal nützlich.

»Ich tue ein Werk der Nächstenliebe«, erklärte Madame Guderian einer Untersuchungskommission. »Es ist eine Arbeit, die noch vor knapp hundert Jahren unverständlich gewesen wäre, aber heute, in diesem galaktischen Zeitalter, ist sie ein Segen. Man braucht nur die Dossiers dieser erbarmungswürdigen Menschen zu studieren, um einzusehen, daß sie in der schnellebigen modernen Welt fehl am Platz sind. Solche Personen hat es immer gegeben, psychosoziale Anachronismen, die nicht in die Epoche paßten, in die sie hineingeboren wurden. Solange es kein Zeitportal gab, hatten sie keine Hoffnung, ihr Schicksal zu ändern.«

»Sind Sie wirklich so fest überzeugt, Madame«, fragte einer der Beamten, »daß das Zeitportal in eine bessere Welt führt?«

»Es führt auf jeden Fall in eine andere und einfachere Welt, Bürger Kommissar«, gab sie zurück. »Das scheint meinen Klienten zu genügen.«

Die Auberge legte sorgfältige Aufzeichnungen über alle nieder, die durch das Portal ins Pliozän reisten. Später wurden diese Unterlagen zu einem faszinierenden Futter für Statistiker. Zum Beispiel tendierten die Reisenden dazu, sehr gebildet, intelligent, in gesellschaftlicher Hinsicht unkonventionell und in ästhetischer von geschliffenem Geschmack zu sein. Vor allem waren sie romantisch. Es handelte sich bei ihnen eher um Bürger der Alten Welt als um solche der Kolonialplaneten. Viele der Zeitreisenden hatten sich ihren Lebensunterhalt in akademischen Berufen, als Wissenschaftler, Techniker und in anderen hohen Disziplinen verdient. Eine Analyse der Reisenden nach ethnischer Herkunft ergab wesentliche Anteile von Angelsachsen, Kelten, Germanen, Slawen, Latinern, eingeborenen Amerikanern, Arabern, Türken und anderen zentralasiatischen Völkern sowie Japanern. Es waren wenige afrikanische Schwarze dabei, aber viele Afroamerikaner. Inuit und Polynesier wurden von der Welt des Pliozän angezogen; Chinesen und Indo-Drawiden nicht. Weniger Agnostiker als Gläubige entschlossen sich, die Gegenwart zu verlassen, aber die religiösen Zeitreisenden waren oft Fanatiker oder Konservative, die sich von den modernen religiösen Richtungen enttäuscht fühlten, vor allem von dem Milieu-Gesetz, das revolutionären Sozialismus, Heilige Kriege und jede Art von Theokratie verbot. Viele nichtreligiöse, aber nur wenige orthodoxe Juden erlagen der Versuchung, in die Vergangenheit zu fliehen; eine überproportionale Anzahl von Moslems und Katholiken wollte die Reise machen.

Die Psychoprofile der Reisenden zeigten, daß ein signifikanter Prozentsatz der Bewerber überdurchschnittlich aggressiv war. Personen, die eine kurze Freiheitsstrafe abgesessen hatten, waren häufige Klienten, doch die größeren Übeltater zogen offenbar die zeitgenössische Szene vor. Es gab ein geringes, aber stetiges Tröpfeln von Liebenden mit gebrochenen Herzen, sowohl Homophile als auch Heterosexuelle. Wie zu erwarten, waren viele Bewerber narzißtisch und mit ausschweifender Phantasie begabt. Diese Leute waren imstande, verkleidet in der Herberge zu erscheinen, als Tarzan oder Robinson Crusoe oder Pocahontas oder Rima oder in sonst einem Kostüm aus jeder vorstellbaren Ära und Kultur der Alten Welt.

Einige statteten sich wie Richter mit spartanischem Pragmatismus für die Reise aus. Andere wollten »Einsame-Insel-Schätze« mitnehmen, zum Beispiel ganze Bibliotheken aus altmodischen Papierbüchern, Musikinstrumente und Aufnahmen, umfangreiche Waffenarsenale oder Garderobenbestände. Praktischer Veranlagte brachten Haustiere, Saatgut und Werkzeuge zur Errichtung einer Heimstätte im Stil der Schweizer Familie Robinson mit. Sammler und Naturforscher kamen mit ihren Ausrüstungen. Schriftsteller statteten sich mit Gänsefedern und großen Flaschen Sepiatinte aus – oder mit den neuesten Stimmschreibern, einigen Ries Durofilm-Blättern und Buchplatten-Übertragungsgeräten. Die frivolen Reisenden hatten vor allem an feste wie flüssige Delikatessen und psychoaktive Chemikalien gedacht.

Madame tat ihr Äußerstes, um das Sperrgut weiterzubefördern, was wegen des beschränkten Raums in dem Gazebo – ungefähr sechs Kubikmeter – nicht leicht war. Sie drängte die Reisenden, ihre Hilfsmittel zusammenzulegen, und manchmal folgte man ihrem Rat. (Die Zigeuner, die Mennoniten, die russischen Altgläubigen und die Inuit waren in solchen Sachen besonders geschickt.) Aber in Anbetracht der Wunderlichkeit der Zeitreisenden war zu erwarten, daß viele es vorzogen, von ihren Mitmenschen völlig unabhängig zu sein, während andere praktische Überlegungen beiseiteschoben, um sich ganz romantischen Idealen oder kostbaren Fetischen zu widmen.

Madame sorgte dafür, daß jede Person die notwendigste Überlebensausrüstung bekam, und außerdem wurden regelmäßig Lieferungen medizinischer Artikel durch das Portal geschickt. Darüber hinaus konnte man sein Vertrauen nur in die Vorsehung setzen.

Beinahe fünfundsechzig Jahre lang und durch zwei Verjüngungen überwachte Angélique Guderian persönlich die psychosoziale Überprüfung ihrer Klienten und gegebenenfalls ihre Versendung ins Pliozän. Als die mit Gewissensbissen vermischte Habgier der Anfangsjahre schließlich dem Mitgefühl für jene, denen sie diente, gewichen war, wurden die Gebühren für den Transport erschwinglich und oft ganz erlassen. Die Zahl der Bewerber stieg ständig, und es kam zu einer langen Warteliste. An der Wende zum zweiundzwanzigsten Jahrhundert hatten mehr als neunzigtausend Flüchtlinge das Zeitportal in ein unbekanntes Schicksal durchschritten.

2106 betrat Madame Guderian selbst die ›Exil‹ genannte Pliozän-Welt – allein, in ihrer Gartenarbeitskleidung, mit einem einfachen Rucksack und einem Bündel Stecklingen ihrer Lieblingsrosen. Da sie das Standard-Englisch des Milieus als Beleidigung ihres französischen Erbes stets verabscheut hatte, hieß es auf dem Zettel, den sie zurückließ:

»Plus qu'il n'en faut.«

Die Menschliche Sektion des Galaktischen Rats war jedoch nicht bereit, dies »Mehr-als-genug«-Urteil zu akzeptieren. Offensichtlich erfüllte das Zeitportal seinen Zweck als ruhmreiche Abgangsmöglichkeit für unbequeme Abweichler. Auf humanere und etwas wirksamere Weise organisiert, ging der Betrieb weiter. Für den Service wurde nicht geworben und Hinweise nur diskret professionell gegeben.

Das ethische Dilemma, ob man Menschen erlauben dürfe, sich selbst ins Pliozän zu exilieren, wurde durch eine wissenschaftliche Studie beigelegt. Sie bestätigte, daß ein Zeit-Paradoxon nicht möglich war. Was das Schicksal der Reisenden anging, so waren sie auf diese oder jene Weise sowieso zum Untergang verurteilt. Sie hatten keinen Einfluß auf die Zukunft.

9

Auf dem ganzen Weg von Brevon-su-Mirikon zur Erde plante Bryan Grenfell die Art seines Vorgehens. Er würde Mercy von Unst Starport anrufen, sobald er durch die Entgiftungskammer war, und sie erinnern, daß sie einer Segeltour mit ihm zugestimmt hatte. Sie konnten sich am Freitagabend in Cannes treffen. Das ließ ihm genug Zeit, die Konferenzdaten bei der CAS in London abzugeben und ein paar Kleider und das Boot aus seiner Wohnung zu holen. Für die nächsten paar Tage war gutes Wetter vorgesehen, so daß sie leicht bis Korsika oder sogar Sardinien segeln konnten.

In irgendeiner verborgenen Bucht, wenn der Mond das Mittelmeer beschien und leise Musik spielte, würde er ihr Jawort erhalten.

»Hier spricht Ihr Kapitän. Wir haben noch fünf Minuten bis zum Wiedereintritt in den Normalraum oberhalb des Planeten Erde. Es wird einen Augenblick des Unbehagens geben, wenn wir die Oberfläche des Subraums durchbrechen. Empfindliche Personen mögen darunter leiden. Bitte, zögern Sie nicht, sich an Ihren Flugbegleiter zu wenden, wenn Sie ein Anodyn haben wollen. Denken Sie daran, Ihre Zufriedenheit ist unser oberstes Ziel. Wir danken Ihnen, daß Sie mit United gereist sind.«

Grenfell beugte sich über das Bordsprechgerät. »Glendassary und Evian.« Als der Drink erschien, stürzte er ihn hinunter, schloß die Augen und dachte an Mercy. Diese traurigen seegrünen Augen, umgeben von dunklen Wimpern. Das zedernholzrote Haar, das ihr blasses Gesicht mit den hohen Wangenknochen umrahmte. Ihr Körper, beinahe so dünn wie der eines Kindes, aber hochgewachsen und elegant in einem langen Gewand, blattgrün mit nachschleppenden dunkleren Bändern. Er hörte ihre wohllautende Stimme wie an dem Abend, als sie nach dem mittelalterlichen Immersionsspiel im Apfelgarten spazierengegangen waren.

»So etwas wie Liebe auf den ersten Blick gibt es nicht, Bryan. Es gibt nur Sex auf den ersten Blick. Und wenn mein knochiger Charme dich entflammt, dann will ich gern mit dir schlafen, weil du ein süßer Mann bist und ich Trost brauche. Nur sprich nicht von Liebe.«

Aber er hatte von Liebe gesprochen. Er konnte nicht anders. Mit kummervoller Distanziertheit beobachtete er sich selbst aus der Ferne und erkannte die Unlogik der Sache, und doch war er nicht fähig, die Situation unter Kontrolle zu halten. Er liebte sie vom ersten Augenblick an, als er sie sah. Vorsichtig hatte er versucht, es ihr zu erklären, ohne als kompletter Esel zu erscheinen. Sie hatte nur gelacht und ihn auf den von Blütenblättern bestreuten Rasen niedergezogen. Ihre leidenschaftliche Vereinigung hatte sie beide entzückt, aber ihm keine wirkliche Befriedigung gebracht. Er war von ihr gefangengenommen. Er mußte sein Leben für immer mit ihr teilen oder elend werden.

Nur ein einziger Tag mit ihr! Ein Tag, und dann hatte sie zu dem wichtigen Treffen auf dem Planeten der Poltroyaner reisen müssen. Sie hatte ihm vorgeschlagen, er solle auf ihre Rückkehr warten, und dann könnten sie zusammen Segeln gehen. Aber auch er hatte Pflichten, und so hatte er abgelehnt. Welch ein Dummkopf war er gewesen! Vielleicht hatte sie ihn gebraucht. Wie hatte er sie allein lassen können?

Nur ein einziger Tag ...

In einem Restaurant in Paris hatte Bryan zufällig seinen alten Freund Gaston Deschamps getroffen, und dieser lud ihn ein, um ein paar leeren Stunden den Garaus zu machen, sich das Fête d'Auvergne von einem Platz hinter den Kulissen aus anzusehen. Gaston, der Regisseur, hatte es eine drollige Übung in angewandter Ethnologie genannt. Und das war es auch gewesen – bis er sie sah.

»Und jetzt kehren wir in die aufregende Vergangenheit zurück«, hatte Gaston verkündet, nachdem er Bryan soviel von dem Dorf und dem Château gezeigt hatte, wie in der Fünfzig-Pence-Besichtigungstour inbegriffen war. Der Regisseur stieg ihm voran die Treppe in einem hohen Turm hoch, riß die Tür zu dem mit allen Schikanen ausgestatteten Kontrollraum der Spielleitung auf – und sie hatte dort gesessen.

»Du mußt meine Mitarbeiterin kennenlernen, die Regie-Assistentin der Fête und die dem irdischen Mittelalter am engsten verbundene Dame des Galaktischen Milieus ... Mademoiselle Mercedes Lamballe!«

Sie hatte von ihrer Konsole aufgeblickt und gelächelt und ihm das Herz durchbohrt ...

»Hier spricht Ihr Kapitän. Wir treten jetzt in den Normalraum oberhalb des Planeten Erde ein. Der Vorgang wird nur zwei Sekunden in Anspruch nehmen, also bitte haben Sie wegen dieser kurzen Periode leichten Unbehagens Nachsicht mit uns.«

Peng.

ZahngezogenmitHammeraufDaumengeschlagenMusikantenknochenangestoßen.

Pong.

»Danke für Ihre Geduld, meine Damen und Herren und werte Passagiere anderen Geschlechts. Wir werden um genau 15.00 Uhr mittlerer planetarer Zeit auf den schönen Shetland-Inseln der Erde, Unst Starport, landen.«

Grenfell wischte sich die hohe Stirn und bestellte noch einen Drink. Diesmal trank er ihn langsam. Ein altes Lied erklang ungebeten in seinen Gedanken, und er lächelte, weil es ganz Mercy war.

Die Dame, die vorüberkam,
ist süß und hold und wundersam.
Nie ward mir solche Augenweid –
Jetzt lieb ich sie in Ewigkeit.

Er wollte die Röhre nach Nizza nehmen und nach Cannes weitereiern. Sicher stand sie am Kai dieser friedlichen alten Stadt und wartete auf ihn, und vielleicht trug sie einen grünen Spielanzug. Ihre Augen würden diesen Ausdruck sanfter Melancholie haben und grün oder grau sein, veränderlich wie das Meer und ebenso tief. Er sah sich auf sie zugehen, beladen mit einem großen Tuchbeutel und passendem Picknickkorb voll von guten Dingen (Champagner, Stilton-Käse, Gänseleber-Wurst, süße Butter, lange Brotlaibe, Orangen, Sauerkirschen), und dann stolperte er über die eigenen Füße, und endlich lächelte sie.

In Gedanken zog er schon das Boot hervor und forderte die kleinen Jungen am Steg auf, zurückzutreten. (Es standen immer kleine Jungen da, jetzt, wo die Familien die ruhige Côte d'Azur wiederentdeckt hatten.) Er befestigte den dünnen Füllschlauch und warf das Päckchen aus silbern und schwarzem Dekamol-Film ins Wasser. Die Jungen glotzten. Langsam, langsam wuchs die acht Meter lange Schaluppe: Wulstkiel, Hülle, Decks, fest mit dem Boden verbundene Möbel, Kabine, Cockpit, Reling, Mast. Dann produzierte er die Einzelstücke – Steuer, Kreisel, Rahen mit noch beschlagenen Segeln, Leinen, Decksitze, Kästen, Eimer, Bettzeug –, alles entstand wie durch ein Wunder aus strammem Dekamol und komprimierter Luft. Zapfsäulen am Kai füllten Kiel und

Kreisel mit Quecksilber und den Rest des Boots und seines Zubehörs als Ballast mit destilliertem Wasser. Das fügte der starren Mikrostruktur des Dekamols Masse hinzu. Er lieh sich Lampen, eine Pumpe, den Schwanenhals, den CQR-Anker und andere Metallteile, bezahlte den Hafenmeister und hielt die kleinen Jungen durch eine Bestechung davon ab, über die Kaimauer ins Cockpit zu spucken.

Mercy würde einsteigen. Er würde ablegen. Vor einer frischen Brise ging es nach Ajaccio. Und irgendwie würde er sie in den nächsten Tagen dazu bringen, daß sie einwilligte, ihn zu heiraten.

Die Dame, die vorüberkam …

Als das Sternenschiff auf den schönen Shetlands landete, betrug die Temperatur sechs Grad Celsius, und es wehte ein steifer Nordost. Mercedes Lamballes Sichtsprechnummer antwortete mit TEILNEHMER HAT ANSCHLUSS GEKÜNDIGT.

Bryan Grenfell in seiner Panik bekam schließlich Gaston Deschamps zu fassen. Zuerst machte der Regisseur Ausflüchte, dann wurde er wütend, dann warb er um Verständnis. »Tatsache ist, Bry, das verdammte Frauenzimmer ist abgehauen. Muß am Tag darauf gewesen sein, als du vor zwei Monaten die Erde verlassen hast. Ließ uns einfach im Stich – und das zu einer Zeit, wo wir die meiste Arbeit hatten!«

»Aber wohin, Gaston? Wohin ist sie gegangen?«

Auf dem Bildschirm wandte Deschamps den Blick ab. »Durch dies verdammte Zeitportal ins Exil. Es macht mich krank, Bry. Sie hatte alles, was sie sich vom Leben wünschen konnte. Natürlich war bei ihr eine Schraube locker, aber keiner von uns ahnte, daß es so schlimm um sie stand. Es ist eine verdammte Schande. Sie hatte von allen, die ich je gekannt habe, das beste Fingerspitzengefühl für das Mittelalter.«

»Ich verstehe. Danke, daß du es mir gesagt hast. Es tut mir sehr leid.«

Er unterbrach die Verbindung und saß nun da in der Sichtsprechzelle, ein Anthropologe mittleren Alters, der sich einen gewissen Ruf errungen hatte, ein Mann mit freundlichem Gesicht, konventionell gekleidet, eine Aktenmappe mit

Protokollen über die Fünfzehnte Galaktische Konferenz über Kultur-Theorien auf den Knien. Zwei Simbiari, die mit dem gleichen Raumschiff wie er gereist waren, warteten draußen mehrere Minuten lang geduldig, bis sie an die Tür klopften und kleine grüne Schmierflecken auf dem Glas hinterließen.

Jetzt lieb ich sie ...

Bryan Grenfell entschuldigte sich bei den Simbiari, indem er einen Finger hob, und wandte sich von neuem dem Apparat zu. Er berührte die #-Taste.

»Information über welche Stadt bitte?«

»Lyon«, sagte er.

... in Ewigkeit.

Bryan schickte die Daten per Post an die CAS und holte sein eigenes Ei in London ab. Obwohl er die Nachforschung ebenso gut zu Hause hätte durchführen können, reiste er noch am gleichen Nachmittag nach Frankreich ab. Sobald er sich ein Zimmer im Galaxie-Lyon genommen hatte, bestellte er ein Abendessen aus gegrillten Langusten, Orangen-Soufflée und Chablis und vertiefte sich augenblicklich in die Literatur.

Der Bibliotheksanschluß in seinem Zimmer zeigte eine deprimierend lange Liste von Büchern, Arbeiten und Artikeln über Guderians Zeitportal. Bryan wollte unter ›Physik‹ und ›Paläobiologie‹ katalogisierte Veröffentlichungen schon überspringen und sich auf ›Psychoanalogie‹ und ›Psychosoziologie‹ konzentrieren, doch dann schien ihm das Mercys unwürdig zu sein. Also steckte er seine Karte in den Schlitz und bestellte resigniert die ganze Sammlung. Die Maschine spuckte so viele dünne Buchplatten aus, daß er den Fußboden des großen Hotelzimmers sechsmal hätte damit pflastern können. Er sortierte die Bücher methodisch und begann, sie sich einzuverleiben. Einige projizierte er, andere las er, den Inhalt der langweiligsten ließ er sich im Schlaf einflößen. Drei Tage später steckte er die Platten wieder in den Anschluß. Er kündigte sein Zimmer, verlangte sein Ei und begab sich aufs Dach, um darauf zu warten. Das Wissen, das er soeben absorbiert hatte, polterte ohne Form oder Struktur in seinem Kopf herum. Ihm war klar, daß er den ganzen Komplex mitsamt den sich daraus ergebenden Folgerungen unterbewußt zurückwies, aber es half ihm nicht viel, daß er es wußte.

Gebrochene Herzen heilten, und Erinnerungen an eine entschwundene Liebe verblaßten, sogar an eine Liebe, wie sie ihm so seltsam noch nie begegnet war. So ist es, sagte er sich immer wieder. Der gesunde Menschenverstand, die Schlußfolgerungen aus den angsteinflößenden Daten, mit denen er sich vollgestopft hatte, das nicht von Emotionen belastete Urteilsvermögen sagten ihm, was er tun mußte. Was er vernünftigerweise tun müßte.

Oh, Mercy. Oh, meine Liebste. Der fernste Teil der Galaxis ist mir näher als du, meine Dame, die vorüberkam. Und doch. Und doch.

10

Nur Georgina tat es leid, daß Stein ging. Sie hatten seinen letzten Tag in Lissabon mit einem fundamentalen Besäufnis gefeiert, und sie hatte gefragt: »Wie würde es dir gefallen, es in einem Vulkan zu treiben?« Und er hatte hingerissen gemurmelt, sie sei eine verrückte fette Sau, aber sie versicherte ihm, sie kenne einen Kerl, der für ein angemessenes Trinkgeld zur anderen Seite sehen würde, wenn sie einen Tiefbohrer für Forschungszwecke aus Messina herausholten. Dort befand sich der Stollen, der genau in die Hauptkammer des Stromboli führte.

Also, zum Teufel, sie eierten hinüber, und der Kerl ließ sie mit der Maschine abhauen. Es kostete sechs Kilobucks. Na und? Da unten brodelte die Lava, farbige Gasblasen stiegen langsam wie ein Schwarm Quallen in einer Schüssel mit leuchtender Tomatensuppe an dem Beobachtungsfenster hoch.

»Oh, Georgina«, stöhnte er in der postkoitalen Traurigkeit. »Komm mit mir!«

Sie rollte sich auf dem gepolsterten Boden des Cockpits herum, weißes Fleisch von dem Glühen da draußen in Scharlach und Schwarz verwandelt, und zog den weinenden Riesen mütterlich tröstend an ihre melonengroßen Brüste.

»Steinie, Lieber. Ich habe drei schöne Kinder, und mit meinem genetischen Quotienten kann ich drei mehr haben, wenn ich möchte. Mit ihnen und solange ich verschüttete Energietunnel öffnen und jeden Mann lieben kann, der keine Angst hat, daß ich ihn lebendig fresse, bin ich glücklich wie eine Muschel bei Flut. Steinie, was soll ich im Exil? Dies ist meine Welt. Diese Welt, die in drei Millionen Richtungen auf einmal explodiert! Die Erdlinge vermehren sich und erobern jeden Winkel der Galaxis, und die Rasse entwickelt sich vor jedermanns Augen zu etwas phantastisch Praktischem. Weißt du, daß eins meiner Kinder Begabung zum Meta hat? Das geschieht jetzt überall. Zum ersten Mal seit der Steinzeit macht der Mensch mit den kulturellen auch biologische Fortschritte. Ich muß dabeisein, Lieber. Es geht einfach nicht.«

Er entzog sich ihr, wischte sich die Augen mit den Fingerknöcheln und empfand Abscheu gegen sich selbst. »Dann kannst du nur hoffen, daß ich dir nichts in deine Kartoffelkiste gepflanzt habe, Mädchen. Ich glaube nicht, daß meine Gene deinem Standard entsprechen.«

Sie nahm seinen Kopf in beide Hände und küßte ihn. »Ich weiß, warum du gehen mußt, Blauauge. Aber ich habe auch dein PS-Profil gesehen. Die Macken darin haben nichts mit Vererbung zu tun, glaub mir das. Hättest du eine andere Kindheit gehabt, dann wäre es tadellos, Junge.«

»Tier. Er hat mich ein mordendes kleines Tier genannt«, flüsterte Stein.

Sie wiegte ihn in ihren Armen. »Er war schrecklich verstört, als sie ums Leben kam, und ihm war nicht klar, daß du verstandest, was er sagte. Versuch, ihm zu verzeihen, Steinie! Versuch, dir selbst zu verzeihen!«

Der Stromboli rülpste dicke Gasblasen, und der Tiefbohrer begann heftig zu schwanken. Sie sahen ein, daß sie sich schleunigst davonmachen mußten, bevor die Sigmafeld-Hitzeschilde versagten, und so verließen sie die Lavakammer durch eine erloschene Unterwasser-Öffnung. Als sie schließlich auf dem Boden des Mittelmeers westlich der Insel angelangt waren, schlugen Steine, die durch das Wasser fielen, klirrend und laut dröhnend auf die Hülle der Bohrmaschine.

Sie stiegen an die Oberfläche auf und gerieten in ein verrücktes nächtliches Melodram. Der Stromboli war ausgebrochen. Er entsandte rote und gelbe Wolken und glühende Lavabrocken, die wie Raketen dahinzischten, bevor sie sich im Meer ertränkten.

»Heiliges Kanonenrohr«, sagte Georgina. »Haben wir das verursacht mit unserem Fick?«

Stein grinste sie eulenhaft an. Die Bohrmaschine schaukelte auf dampfenden Wellen. »Willst du einmal versuchen, ob du einen Kontinent zum Abtreiben bringen kannst?« fragte er und packte sie, um sie gleich noch mal zu besteigen.

11

Richard Voorhees nahm die Expreßröhre von Unst nach Paris und Lyon. Dann lieh er sich für den letzten Teil seiner Reise ein Hertz-Ei. Ursprünglich hatte er vorgehabt, sich fressend und saufend und bumsend durch Europa zu arbeiten und dann von einem Gipfel der Alpen zu springen. Doch davon war er abgekommen, als ein anderer Passagier auf dem Linienschiff von Assawompset zufällig das Phänomen »Exil« auf der Alten Erde erwähnte.

Richard erkannte sofort, daß das genau *die* Möglichkeit für ihn war, um einen Selbstmord herumzukommen. Ein neuer Anfang auf einer primitiven Welt, voll von menschlichen Wesen ohne Gesetze. Nichts, was einem auf die Nerven gehen konnte, abgesehen von einem gelegentlichen prähistorischen Ungeheuer. Keine grünen Schleimscheißer, keine Polterzwerge, keine obszönen Gi, keine glühenden Krondaku, bei deren Anblick einem zumute war, als sei ein Alptraum Wirklichkeit geworden, und *vor allem* keine Lylmik.

Er ließ seine Verbindungen spielen, sobald er die Entgiftungskammer hinter sich hatte und an ein Sichtsprechgerät gelangen konnte. Die meisten Exil-Kandidaten bewarben sich Monate im voraus durch ihre psychosozialen Berater und brachten alle Tests hinter sich, bevor sie ihre Heimat verließen. Aber Voorhees, der alte Praktiker, wußte, daß man die Sache auch beschleunigen konnte. Das Zaubermittel kam von einer großen irdischen Firma, für die er vor noch nicht einmal einem Jahr einen kitzligen Auftrag ausgeführt hatte. Sowohl für die Firma als auch für den Ex-Raumhändler war es von Vorteil, daß er das Hier und Heute so schnell wie möglich verließ. Deshalb konnte er beinahe darauf verzichten, jemandem den Arm umzudrehen. Sofort erklärte sich das Büro des Vizepräsidenten jener Gesellschaft bereit, der ihnen geleisteten guten Dienste wegen die Leute in der Auberge zu überreden, Richard abgekürzte Tests gleich am Raumhafen ablegen zu lassen und seinen Namen an die Spitze der Warteliste zu setzen.

Doch an diesem Abend, als er aus dem Rhône-Tal auf die Monts du Lyonnais zuglitt, kamen ihm Bedenken. Er landete in Saint-Antoine-des-Vignes, nur ein paar Kilometer von der Herberge entfernt, und beschloß, sich eine letzte Mahlzeit zu leisten, solange er noch in Freiheit war. Die Augustsonne war hinter dem Col de la Luère untergegangen, und das voll Stolz altmodische Dorf schlummerte in der zurückgebliebenen Hitze. Das Café war klein, aber es war auch dunkel und kühl und, Gott sei Dank, zu sehr auf seine Atmosphäre bedacht, um Komfort zu bieten. Richard schlenderte hinein und stellte zu seiner Freude fest, daß das Drei-D-Gerät abgestellt war und die Musikbox ihre mißtönige Weise nur gedämpft spielte. Es duftete unglaublich verlockend nach Essen.

Ein junges Paar und zwei ältere Männer – Einheimische nach ihrer Arbeitskleidung – saßen an Fenstertischen und leerten große Platten mit Wurst und Schüsseln mit Salat. Auf einem Hocker an der Theke saß ein riesiger blonder Mann in einem glänzenden Anzug aus mitternächtlichem Nebulin. Er aß ein ganzes Huhn mit irgendeiner rosafarbenen Soße und spülte es mit Bier aus einem Zwei-Liter-Krug hinunter. Richard zögerte einen Augenblick lang, und dann nahm er ebenfalls an der Theke Platz.

Der große Bursche nickte, grunzte und futterte weiter. Aus der Küche kam der Wirt, ein munterer, speckbäuchiger Mann mit heroischer Adlernase. Er strahlte Voorhees, den er sofort als Außenweltler einschätzte, zur Begrüßung an.

»Ich habe gehört«, sagte Richard vorsichtig, »daß das Essen in diesem Teil der Erde niemals mit synthetischen Stoffen zubereitet wird.«

Der Wirt antwortete: »Wir müssen uns eher den Magen rausnehmen lassen, als unsere Bäuche mit Algiprot oder Biokeks oder einer anderen dieser Scheußlichkeiten zu beleidigen. Sie können jeden im Dorf fragen.«

»Das kannst du zweimal sagen, Louie!« gackerte einer der Alten am Fenstertisch und schwenkte ein tropfendes Wurststück auf seiner Gabel.

Der Wirt stützte sich mit den Handflächen auf die Theke. »Dieses unser Frankreich hat eine Menge Veränderungen gesehen. Unser Volk hat sich über die ganze Galaxis verteilt. Unsere französische Sprache ist tot. Unser Land ist unter der Erde ein industrieller Bienenstock und über der Erde ein historisches Disney-Land. Aber drei Dinge bleiben unverändert und unsterblich – unser Käse, unser Wein und unsere Küche! Doch wie ich sehe, haben Sie einen langen Weg hinter sich.« Der Mann kniff vielsagend ein Auge zu. »Wie dieser andere Gast hier haben Sie vielleicht auch noch einen langen Weg vor sich. Wenn Sie also eine wirklich kosmische Mahlzeit wünschen – nun, wir sind ein bescheidenes Haus, aber Küche und Keller haben vier Sterne, *falls* Sie dafür bezahlen können.«

Richard seufzte. »Ich vertraue Ihnen. Vertrauen Sie mir!«

»Dann ein Apéritif, der bereits kühl steht! Dom Pérignon 2100. Genießen Sie ihn, während ich Ihnen eine Auswahl von Kleinigkeiten bringe, um Ihren Appetit anzuregen.«

»Ist das Champagner?« erkundigte sich der Huhnkauer. »In so einer winzigen Flasche?«

Richard nickte. »Wo ich herkomme, würde ein Bruchteil davon Sie drei Centibucks kosten.«

»Im Ernst? Von welchem fernen Planeten stammen Sie?«

»Assawompset. Wir nennen die Welt den Arsch des Universums. Aber machen Sie nicht etwa Anstalten, das auch zu sagen.«

Stein lachte um sein Huhn herum. »Ich schlage mich nie mit einem, dem ich nicht offiziell vorgestellt bin.«

Der Wirt brachte eine Serviette mit zwei Pastetchen und

einen kleinen Silberteller mit weißen, dampfenden Stücken. »Brioche de foie gras, Croustade de ris de veau à la financière und Quenelles de brochet au beurre d'écrevisses. Essen Sie! Genießen Sie!« Schon war er wieder verschwunden.

»So, so, à la financière«, murmelte Richard. »Das ist eine gute Grabschrift.« Er aß die Pastetchen. Eins schmeckte wie Blätterteig, gefüllt mit köstlich gewürzter Leber. Das andere schien eine Teigmuschel mit einer Füllung aus Fleisch, Pilzen und nicht identifizierbaren Stückchen in Madeira-Soße zu sein. Das Gericht mit der weißen Soße bestand aus delikaten Fischklößen.

»Das ist köstlich – aber was esse ich eigentlich?« fragte Richard den Wirt, der aufgetaucht war, um die Kreditkarten der einheimischen Gäste entgegenzunehmen.

»Die Brioche ist mit Gänseleber-Pâté gefüllt. Der Belag des Törtchens besteht aus einer Scheibe Trüffel und geschmorter Kalbsmilch und ist garniert mit winzigen Hühnerfleisch-Klößchen, Hahnenkämmen und Nieren in Weinsoße. Die Fischklöße sind in geschlagener Krebsbutter serviert.«

»Großer Gott!« murmelte Richard.

»Ich werde zum Hauptgang einen vorzüglichen Jahrgang bringen. Aber zuerst gegrilltes Lammfilet mit Gemüschen und dazu ein herrlicher junger Fumé vom Château du Nozet.«

Richard aß und trank, trank und aß. Schließlich kam der Wirt mit einem Hühnchen, so wie Stein eins vertilgt hatte. »Die Spezialität des Hauses – Poularde Diva! Ein ganz junges Huhn, gefüllt mit Reis, Trüffeln und Fois gras, übergossen mit Paprika-Suprême-Soße. Zur Begleitung ein ausgezeichneter Château Grillet.«

»Sie machen Witze!« rief Richard aus.

»Er verläßt den Planeten Erde nie«, versicherte der Wirt ihm feierlich. »Er verläßt auch Frankreich nur selten. Netzen Sie damit Ihr Zäpfchen, Mann, und Ihr Magen wird glauben, Sie seien gestorben und in den Himmel gekommen.« Wieder flitzte er hinaus.

Stein stand der Mund offen. »Mein Huhn hat gut geschmeckt«, stieß er hervor. »Aber ich habe Tuborg dazu getrunken.«

»Jedem das Seine«, meinte Richard. Nach einer langen Pause, in der er sich ganz auf das Huhn konzentrierte, wischte er sich rosa Soße vom Schnurrbart und fragte: »Glauben Sie, jemand auf der anderen Seite des Portals wird wissen, wie man guten Schnaps brennt?«

Stein kniff die Augen zusammen. »Woher wissen Sie, daß ich hinüber will?«

»Weil Sie ganz und gar nicht wie ein Tourist aus den Kolonien aussehen, der die Alte Welt besucht. Haben Sie je darüber nachgedacht, woher Ihr nächster Eimer Bier im Pliozän kommen soll?«

»Jesus Christus!« entfuhr es Stein.

»Also, ich habe mich immer an Wein gehalten. Soweit das möglich war, als ich meinen Arsch durch die ganze Milchstraße gezerrt habe. Ich war Raumhändler. Damit ist es aus. Ich möchte nicht darüber reden. Du kannst mich Richard nennen. Nicht Rick. Nicht Dick. Richard.«

»Ich bin Steinie.« Der große Bohrarbeiter dachte eine Minute lang nach. »In den Unterlagen, die man mir über dies Exil geschickt hat, heißt es, sie ließen einen jede einfache Technik schlaflernen, die man für nützlich in der anderen Welt hält. Ich erinnere mich nicht, daß es auf der Liste stand, aber ich wette, die Technik des Bierbrauens könnte ich mir schnell aneignen. Und das härtere Zeug – das kann man aus fast allem herstellen. Das einzig Knifflige an der Sache wäre die Kondensationssäule, und auch die könnte man aus Kupferfolien-Dekamol herstellen und im hohlen Zahn verstekken, wenn sie einen damit nicht durchlassen wollen. Aber du wirst mit deinem Wein wohl Probleme haben. Braucht man dazu nicht besondere Trauben und so?«

»Ich glaube wohl«, sagte Richard düster und schielte durch sein Glas Grillet. »Ich vermute außerdem, der Boden wird in der Vergangenheit anders sein als heute. Aber es müßte zu schaffen sein, ein halbwegs anständiges Getränk herzustellen. Laß uns nachdenken. Ableger von Reben natürlich und ganz bestimmt Hefe-Kulturen, sonst erhält man als Endprodukt Elchpisse. Und man müßte wissen, wie eine Art von Flaschen herzustellen wäre. Was haben die Menschen benutzt, bevor sie Glas und Plass hatten?«

»Kleine braune Krüge?« überlegte Stein.

»Richtig. Keramik. Und ich glaube, man kann Flaschen aus Leder machen, wenn man es erwärmt und in Wasser formt – Jesus Christus! Hörst du mir auch zu? Der hinausgeworfene Raumfahrer beginnt eine neue Karriere als Traubenmatsch-Verwandler.«

»Könntest du auch ein Rezept für Aquavit besorgen?« erkundigte Stein sich sehnsüchtig. »Das ist nichts als reiner Alkohol mit ein bißchen Kümmelsamen. Ich werde dir allen abkaufen, den du produzieren kannst.« Er merkte, was er gesagt hatte. »Abkaufen? Ich meine natürlich eintauschen oder so etwas ... Scheiße. Glaubst du, daß uns da *irgend etwas* Zivilisiertes erwartet?«

»Sie haben beinahe siebzig Jahre Zeit gehabt, um es aufzubauen.«

»Ich denke, es kommt darauf an«, meinte Stein zögernd.

Richard grunzte. »Ich weiß, was du denkst. Es kommt ganz darauf an, was die übrigen Verrückten die ganze Zeit gemacht haben. Haben sie ein kleines Pionier-Paradies in Gang gebracht, oder verbringen sie ihre Zeit damit, sich die Flohbisse zu kratzen und sich gegenseitig die Eier abzuschneiden?«

Der Wirt kam mit einer staubigen alten Flasche, die er im Arm trug wie ein geliebtes Kind. »Und hier ... der Höhepunkt! Aber es wird Sie etwas kosten. Château d'Yquem 2083, der berühmte Verlorene Jahrgang aus dem Jahr der Metapsychischen Rebellion.«

Richards Gesicht, gefurcht von altem Schmerz, verklärte sich plötzlich. Er studierte ehrfürchtig das abgewetzte Etikett. »Ob er immer noch lebt?«

»So Gott will.« Der Wirt zuckte die Achseln. »Vier Komma fünf Kilobucks die Flasche.«

Stein klappte der Unterkiefer herab. Richard nickte, und der Wirt begann, den Korken zu ziehen.

»Jesus, Richard, wirst du mich einen kleinen Schluck probieren lassen? Ich bezahle, was du willst. Aber ich habe noch nie etwas getrunken, das soviel kostet.«

»Herr Wirt – drei Gläser! Wir wollen alle auf meinen Toast trinken.«

Der Wirt schnüffelte hoffnungsvoll an dem Korken, lächelte selig und goß drei Gläser halbvoll mit einer goldbraunen Flüssigkeit, die im Laternenlicht wie Topase funkelte.
Richard hob sein Glas den andern beiden entgegen.

> Zum Abschied küßt ein Mann sein Trinchen,
> Den Kelch der Rose küßt das Bienchen,
> Der Wein küßt das Kristallgefäß,
> Doch ihr könnt küssen mein Gesäß!

Der ehemalige Raumhändler und der Café-Besitzer schlossen die Augen und nippten an dem Wein. Stein goß sein Glas in einem Zug hinunter, grinste und sagte: »He! Das schmeckt nach Blumen. Aber nicht viel Kraft drin, oder?«
Richard zuckte zusammen. »Bringen Sie meinem Freund hier einen Krug Eau de vie. Das wird dir schmecken, Steinie. Eine Art Aquavit ohne den Kümmel ... Sie und ich, Herr Wirt, werden fortfahren, unsere Mandeln mit dem Sauternes zu segnen.«
So verging der Abend, und Voorhees und Oleson erzählten sich redigierte Fassungen der traurigen Geschichte ihres Lebens, während der Café-Besitzer teilnehmend mit der Zunge schnalzte und nicht vergaß, sein eigenes Glas nachzufüllen. Eine zweite Flasche Yquem wurde bestellt, und dann eine dritte. Nach einiger Zeit erzählte Stein ihnen verschämt, was Georginas *andere* Abschiedsgeschenke seien. Seine neuen Freunde verlangten sie zu sehen. Also ging er hinaus in den dunklen Eierpark, holte das Zeug aus dem Kofferraum und kam zurück in das Café, prächtig in einen Wolfsfell-Kilt, einen breiten Lederkragen und einen mit Gold und Bernstein besetzten Gürtel gekleidet. Auf dem Kopf trug er einen bronzenen Viksø-Helm, über der Schulter eine große Kampfaxt mit Stahlblatt.
Richard trank dem Wikinger mit dem letzten Château d'Yquem zu, den er aus der Flasche quetschen konnte.
Stein sagte: »Die Hörner auf dem Helm waren eigentlich nur für Feierlichkeiten, sagte Georgina. In der Schlacht trugen die Wikinger sie nicht. Deshalb kann man diese abmontieren.«

Richard kicherte. »Du siehst perfekt aus, Steinie, alter Halunke! Einfach perfekt! Die Mastodons und Dinosaurier und wer noch alles sollen nur kommen. Sie brauchen dich nur anzusehen, und sie werden blau pissen.« Sein Gesicht verzog sich. »Warum habe ich kein Kostüm mitgebracht? Jetzt muß ich in blöden Zivilkleidern durch das Zeitportal gehen. Du hast nie Stil gehabt, Voorhees, verdammter dummer Dutchman. Nie ein kleines bißchen Stil.«

»Nun sei nicht traurig, Richard«, bat der Cafébesitzer. »Du willst doch dein Essen und den guten Wein nicht verderben.« In seinen Knopfaugen leuchtete die Schlauheit des Betrunkenen auf. »Ich hab's! Da ist ein Kerl in Lyon, der hat mit der Oper zu tun. Kommt her und schlägt sich den Bauch voll. Und ist au ciel du cochon, wenn er einen bestimmten Wein bekommt, und ich habe eine ganze Kiste davon. Damit kannst du ihn bestechen, wenn du noch genug Geld hast. Da in der Oper haben sie jedes Kostüm, das du dir wünschen kannst. Merde alors, es ist noch nicht einmal zweihundert Uhr! Der Kerl ist vielleicht noch nicht mal im Bett! Was sagst du dazu?«

Stein schlug seinem neuen Busenfreund auf den Rücken, und Voorhees umklammerte die Kante der Theke. »Komm, Richard! Die Rechnung teilen wir uns!«

»Ich könnte den Kerl sofort anrufen«, überlegte grinsend der Wirt. »Aber er wird wohl in der Oper sein.«

Sie besprachen die Sache hin und her, und schließlich steuerte Stein das Ei mit einem halb bewußtlosen Richard und einer Kiste Château Mouton-Rothschild 2095 an Bord zum Cours Lafayette im schlafenden Lyon, wo eine schattenhafte Gestalt sie zu einem unterirdischen Parkplatz und dann durch einen Irrgarten von winkligen Gängen zur Hinterbühne und zum Fundus führte.

»Das da«, sagte Richard endlich und wies darauf.

»Aha! Der Fliegende Holländer!« stellte der Impresario fest. »So hätte ich Sie nie klassifiziert, Junge.«

Er half Richard, die Tracht des 17. Jahrhunderts anzulegen. Sie bestand aus einem prachtvollen schwarzen Wams mit geschlitzten Ärmeln und breitem Spitzenkragen, schwarzen Kniehosen, Stiefeln, deren trichterförmige Oberteile umgeschlagen werden konnten, einem kurzen Cape und einem breitrandigen Hut mit schwarzer Feder.

»Teufel, jetzt siehst du nach etwas aus!« Wieder schlug Stein seinem Freund auf den Rücken. »Du gibst einen sehr guten Piraten ab. Also das bist du ganz tief in deinem Innern? Ein richtiger Blackbeard?«

»Black *Mustache*«, berichtigte Voorhees. Er brach zusammen und verlor das Bewußtsein.

Stein bezahlte den Impresario, flog sie zurück zu dem dunkel gewordenen Café, um Richards Gepäck aus dem geliehenen Ei umzuladen, und eilte dann zur Auberge du Portail. Bis sie dort eintrafen, war der ehemalige Raumhändler wieder zu sich gekommen.

»Trinken wir noch einen«, schlug Stein vor. »Probier mal mein Oh-de-vie.«

Richard nahm einen Schluck von dem reinen Alkohol. »Nicht viel Bouquet ... aber be*trächtliche* Kraft!«

Die beiden kostümierten Helden stolperten lärmend und singend durch den Rosengarten und donnerten mit der stumpfen Seite von Steins Kampfaxt gegen die Eichentür der Herberge.

Das Personal nahm sie gleichmütig in Empfang. Man war daran gewöhnt, daß Klienten in mehr oder weniger angeheitertem Zustand eintrafen. Sechs kräftige Hausdiener nahmen sich des Wikingers und Black Mustaches an, und in kürzester Frist schnarchten sie zwischen lavendelduftenden Laken.

12

Felice Landry und der Psychosozialberater spazierten in den gepflasterten Hof der Auberge, einen Weg hinunter und in ein Büro, das auf den Springbrunnen und die Blumen hinausging. Der Raum war die Kopie des Arbeitszimmers einer Äbtissin aus dem 15. Jahrhundert. Der steinerne Kamin mit dem Phantasie-Wappen war mit einem riesigen Strauß feuerroter Gladiolen geschmückt, flankiert von hundeköpfigen Feuerböcken.

»Sie haben einen so weiten Weg zu uns zurückgelegt, Bürgerin Landry«, sagte der Berater. »Ein Jammer, daß Ihre Bewerbung auf solche Schwierigkeiten gestoßen ist.«

Er lehnte sich in dem geschnitzten Sessel zurück und legte seine Finger zum »Kirchendach mit Turm« zusammen. Er hatte eine spitze Nase, ein ständiges Halblächeln und dicht gekräuseltes schwarzes Haar mit einer auffälligen weißen Strähne über der Stirn. Seine Augen waren wachsam. Er hatte ihr Profil gelesen. Dessenungeachtet sah sie sehr fügsam aus, wie sie in diesem graublauen Kleid dasaß und vor Angst ihre armen Händchen rang.

Freundlich fuhr er fort: »Sehen Sie, Felice, Sie sind wirklich noch zu jung, um einen so einschneidenden Schritt in Erwägung zu ziehen. Wie Sie vielleicht wissen, verlangte die erste Betreuerin des Zeitportals ...« – er deutete mit einem Kopfnicken zu einem Ölporträt der geheiligten Madame hin, das über dem Kamin hing – »bei ihren Klienten ein Mindestalter von achtundzwanzig Jahren. Heute mögen wir den Standpunkt vertreten, daß Angélique Guderians Einschränkung, basierend auf veralteten thomistischen Vorstellungen von der psychischen Reife, nicht unanfechtbar ist. Aber trotzdem, das Grundprinzip bleibt gültig. Ein voll ausgebildetes Urteilsvermögen ist bei einer Entscheidung auf Leben und Tod wesentliche Voraussetzung. Und Sie sind achtzehn. Ich bin überzeugt, Sie sind sehr viel reifer als die meisten Personen Ihres Alters, und dennoch wäre es klug, ein paar Jahre zu warten, bevor Sie sich für das Exil entscheiden. Es gibt keine Rückkehr, Felice.«

Ich bin harmlos und ängstlich und klein. Ich bin in deiner Gewalt, und ich brauche deine Hilfe so notwendig, und ich wäre dir so dankbar. »Sie haben mein Profil studiert, Berater Shonkwiler. Bei mir muß vieles nicht stimmen.«

»Ja, ja, aber das kann behandelt werden, Bürgerin!« Er beugte sich vor und nahm ihre kalte Hand. »Hier auf der Erde haben wir dazu ganz andere Möglichkeiten, als Ihr Heimatplanet sie besitzt. Acadie ist so abgelegen! Man kann kaum erwarten, daß die dortigen Berater von den neuesten Therapie-Techniken wissen. Aber Sie könnten nach Wien oder New York oder Wuhan gehen, und die besten Leute dort wären sicher imstande, Ihr kleines SM-Problem und die männerneidische Hyperaggression zu beseitigen. Ihre Persönlichkeit würde dadurch nur ein ganz kleines bißchen verändert. Und nach der Behandlung wären Sie so gut wie neu.«

Die schmelzenden, unterwürfigen Augen füllten sich mit Tränen. »Ich bin überzeugt, Sie haben nur mein Bestes im Sinn, Berater Shonkwiler. Aber bitte, versuchen Sie, mich zu verstehen.« Mitleid, Hilfe, hab Verständnis, laß dich herab, der rührenden Kleinen zu helfen! »Ich ziehe es vor, zu bleiben, wie ich bin. Deshalb habe ich eine Behandlung abgelehnt. Der Gedanke, daß andere Menschen meinen Geist manipulieren – verändern –, erfüllt mich mit entsetzlicher Angst. Ich könnte es einfach nicht zulassen.«

Ich würde es nicht zulassen.

Der Berater befeuchtete seine Lippen, und plötzlich ertappte er sich dabei, daß er ihre Hand streichelte. Er fuhr zusammen, ließ die Hand des Mädchens fallen und erklärte: »Nun, Ihre psychosozialen Probleme sind nicht der eigentliche Grund, warum Ihnen das Exil verweigert wird. Aber abgesehen von Ihrer Jugend ist da noch etwas. Wie Sie selbst wissen, erlaubt der Rat es nicht, daß Personen mit operanten metapsychischen Kräften ins Exil gehen. Sie sind zu wertvoll für das Milieu. Jetzt haben Ihre Tests gezeigt, daß Sie *latente* Metafunktionen mit koerziblen, psychokinetischen und psychokreativen Potentialen in ungewöhnlicher Stärke besitzen. Zweifellos waren sie teilweise Ursache für Ihren Erfolg als professionelle Sportlerin.«

Felice zeigte ein bedauerndes Lächeln. Dann senkte sie langsam den Kopf, so daß das jetzt schlaffe platinfarbene Haar wie ein Vorhang ihr Gesicht verbarg. »Das ist nun alles vorbei. Sie wollen mich nicht mehr haben.«

»Ja, so ist es«, sagte Shonkwiler. »Aber nach einer erfolgreichen Behandlung Ihrer psychosozialen Probleme wäre es den Leuten im MP-Institut unter Umständen möglich, Ihre latenten Fähigkeiten zur Operanz zu bringen. Denken Sie, was das heißen würde! Sie gehörten dann zur Elite des Milieus – wären eine Person von großem Einfluß –, könnten buchstäblich die Welt erschüttern! Eine noble Laufbahn im Dienst einer dankbaren Galaxis läge vor Ihnen. Vielleicht stiegen Sie sogar bis in den Rat auf!«

»Oh, so etwas möchte ich gar nicht! Es ängstigt mich, an all diese Gehirne zu denken ... Außerdem könnte ich das, was ich bin, nie aufgeben. Es *muß* einen Weg für mich geben, durch das Zeitportal zu gehen, auch wenn ich noch nicht alt genug bin. Sie müssen mir helfen, den Weg zu finden, Berater!«

Er zögerte. »Die Rückfälligkeitsklausel hätte angewandt werden können, wenn die unglücklichen MacSweeny und Barstow Anzeige erstattet hätten. Für Rückfällige gibt es keine Altersbeschränkung.«

»Daran hätte ich selbst denken sollen!« Ihr erleichtertes Lächeln verwirrte ihn. »Dann ist alles ganz einfach!«

Sie stand auf und ging um den Schreibtisch herum auf Shonkwilers Seite. Immer noch lächelnd, nahm sie seine beiden Schultern in ihre kühlen kleinen Hände, drückte mit den Daumen zu und brach ihm die Schlüsselbeine.

13

Zikaden schrillten in den Zweigen der alten Platanen, die die Speise-Terrasse beschatteten. Die Mittagshitze entlockte den Mignonettes im Garten ihren Duft und mischte ihn mit dem der Rosen. Elizabeth Orme stocherte in ihrem Obstsalat herum und trank geeisten Pfefferminztee. Dabei schüttelte sie den Kopf über die Liste, die sich langsam auf der Oberfläche der Buchplatte vor ihr abspulte.

»Willst du dir diese Berufe einmal anhören, Aiken? Baumeister, Fachwerk. Baumeister, Holz. Baumeister, unvermörtelter Stein. Bambus-Bearbeiter. (Ich wußte gar nicht, daß im Pliozän in Europa Bambus gewachsen ist!) Bäcker. Ballonfahrer. Korbmacher. Imker. Brauer. Kerzen- und Binsenlichtmacher. Töpfer. Kohlenbrenner. Käsemacher. Dompteur (-euse) ... Was in aller Welt soll das sein? Hast du eine Ahnung?«

Aiken Drums schwarze Augen blitzten. Er sprang auf die Füße, das rötliche Struwwelpeter-Haar nach allen Seiten starrend, und knallte mit einer imaginären Peitsche. »Ha, Säbelzahn-Kätzchen! Platz, Sirrah! So widersetzt du dich den Befehlen deines Herrn? Rollen! Bring Apport ... Nicht den Zirkusdirektor, du dummes Vieh!«

Mehrere der Leute, die an den Nachbartischen aßen, sahen her. Elizabeth lachte. »Natürlich. Wildtierzähmer wären im Pliozän sehr nützlich. Einige dieser großen Antilopen und ähnliche Tiere könnten vielleicht domestiziert werden und dem Menschen von Nutzen sein. Trotzdem hätte ich keine Lust, mich nach einem Schnell-Schlafkurs in dieser Kunst an ein Mastodon oder Nashorn zu wagen.«

»Oh, die Leute hier werden besser für dich sorgen, Zukkerpuppe. Es spielt sich so ab: Du absorbierst im Schlaf nichts weiter als eine Grundausbildung in neusteinzeitlicher Technik und Überlebensregeln. Danach weißt du, wie du eine Latrine gräbst, die dich nicht mit Haut und Haar verschluckt, und welche Früchte des Pliozäns du essen darfst, ohne danach die Gänseblümchen von unten anschieben zu müssen. Wenn du das intus hast, suchst du dir einen oder mehrere Berufe aus dieser Liste aus, auf die du dich spezialisieren willst. Darin bekommst du dann einen detaillierten Schlaflernkurs und ein Praktikum und Nachschlagwerke für die schwierigeren Teile.«

»Hm-m-m«, machte Elizabeth.

»Ich vermute, sie werden versuchen, einen in einen Beruf zu steuern, der noch nicht überlaufen ist. Ich meine, die Leute auf der anderen Seite des Portals könnten empfindlich reagieren, wenn sie dreiundachtzig Lautenspieler und einen Bonbonzieher geschickt bekommen, obwohl sie eigentlich jemanden haben wollten, der Seife herstellen kann.«

»Weißt du, so komisch ist das gar nicht, Aiken. Falls es irgendeine Art von organisierter Gesellschaft auf der anderen Seite gibt, hängt sie völlig davon ab, daß das Portal-Personal ihr richtig ausgebildete Leute zuschickt. Da die weiblichen Zeitreisenden steril sind, können sie drüben auch keine jungen Lehrlinge ausbilden, um Arbeiter zu ersetzen, die gestorben oder einfach abgewandert sind. Verliert eine Siedlung ihren Käsemacher, muß sie Dickmilch essen, bis ein neuer durch das Portal kommt.«

Drum trank seinen Eistee aus und begann, die Zuckerwürfel zu zerbeißen. »Es kann im Exil nicht gar so schlecht stehen. Zeitreisende gibt es seit 2041. Eine Ausbildung in passenden Berufen findet natürlich noch längst nicht so lange statt – erst seit etwa vier Jahren –, aber die älteren Insassen des Irrenhauses müssen doch irgend etwas in Gang gebracht haben. Wenigstens irgend etwas.« Er überlegte eine Minute lang. »Denk daran, daß die meisten, die durch das Portal gegangen sind, makroimmun und vielleicht auch verjüngt waren, denn die Verjüngung wurde Anfang der Vierzigerjahre perfektioniert. Zieht man eine gewisse Zahl ab für solche, die Unfälle gehabt haben, von Ungeheuern gefressen worden oder zu den pliozänischen Antipoden ausgewandert oder der bekannten menschlichen Blutgier zum Opfer gefallen sind, muß sich immer noch eine ziemliche Menge dort herumtreiben. Leicht achtzig-, neunzigtausend. Wahrscheinlich beruht ihre Wirtschaft auf Tauschhandel. Die meisten Zeitreisenden waren verdammt intelligent.«

»Und Spinner«, stellte Elizabeth Orme fest. »So wie du und ich.«

Sie wies unauffällig zum Nachbartisch hin, wo ein großer blonder Mann in Wikingertracht Bier mit einem melancholischen, blasierten Reisenden in weiten Seemannsstiefeln und gekräuseltem schwarzem Hemd trank.

Aiken rollte die Augen und sah koboldhafter denn je aus. »Findest du die Kostüme ausgefallen? Warte, bis du meins siehst, Schätzchen!«

»Laß mich raten! Du gehst als Schotte mit Dudelsack und kariertem Kilt und einer Tasche voll von explodierenden Joints.«

»Falsch, falsch! Du hast wirklich die Wahrheit gesagt, als du erklärtest, deine Fähigkeit zum Gedankenlesen verloren zu haben. Nein-nein-nein! Fang gar nicht erst an zu betteln! Es soll eine große Überraschung werden. Aber jetzt schon verraten will ich dir, welchen Beruf ich mir für das Leben ohne Wiederkehr ausgesucht habe. Ich werde ein Hans Dampf in allen Gassen sein. Die schottische Version des Connecticut-Yankees an König Arthurs Hof! ... Und was ist mit dir, meine schöne, ausgebrannte Gehirnmanipulatorin?«

Elizabeth lächelte träumerisch. »Ich werde keine neue Persona annehmen. Ich möchte einfach ich sein – vielleicht in rotem Denim – und zur Erinnerung an vergangene Zeiten meinen Fernsprecherinnen-Ring mit einem Diamanten der Gesegneten Illusio tragen. Was den Beruf betrifft ...« Sie erhöhte die Lesegeschwindigkeit, so daß die Berufsliste vorbeiraste und dann an den Anfang zurücksprang. Elizabeths Stirn furchte sich vor Konzentration. »Ich werde mehr als einen brauchen. Korbmacher, Kohlenbrenner, Lohgerber. Nimm alle zusammen und füge einen hinzu, der mit B beginnt ... und errate meinen Beruf, Aiken Drum!«

»Das nenne ich Mut, Frau!« grölte er und schlug vor Begeisterung mit der Hand auf den Tisch. Der Wikinger und der Pirat blickten leicht erstaunt herüber. »Eine Ballonfahrerin! Oh, du entzückende Lady. Du wirst auf andere Weise wieder in den Lüften schweben, nicht wahr, Elizabeth?«

Ein melodischer Gongton erklang. Die körperlose Stimme einer Frau verkündete: »Kandidaten der Gruppe Grün, wollen Sie die Freundlichkeit haben, Berater Mishima im Petit Salon aufzusuchen? Es wartet dort ein höchst interessantes Orientierungsprogramm auf Sie ... Kandidaten der Gruppe Gelb ...«

»Grün. Das sind wir«, sagte Aiken. Die beiden schlenderten in das Hauptgebäude der Herberge, ganz aus weißgetünchtem Stein mit schweren, dunklen Balken erbaut, voll von unschätzbaren Kunstwerken. Der Petit Salon war ein gemütlicher Raum mit Klimaanlage, brokatbezogenen Lehnstühlen, phantastisch geschnitzten Schränken und einem verblaßten Gobelin, der eine Jungfrau mit einem Einhorn zeigte. Gruppe Grün, die nach fünftägiger Ausbildung gemeinsam durch das Zeitportal gehen sollte, traf hier zum ersten Mal zusammen. Elizabeth beobachtete die anderen Versager und versuchte zu erraten, welche ausweglosen Situationen sie gezwungen hatten, sich für das Exil zu entscheiden.

In dem ansonsten leeren Salon wartete ein hübsches, hellhaariges Kind in einem einfachen schwarzen Cheongsam auf sie. Ihr Sessel stand zwei Meter von den anderen entfernt. Eins ihrer schmalen Handgelenke war mit einer zierlichen Silberkette an die schwere Armlehne gefesselt.

Der Pirat und der Wikinger spähten durch die Tür. Sie wirkten ebenso verlegen wie furchterregend, weil außer ihnen keiner im Kostüm war. Dann stapften sie herein und setzten sich genau in die Mitte der Sesselreihe. Ein weiteres Paar, das miteinander bekannt zu sein schien, trat wortlos ein – eine Frau, frisch und gesund wie ein Milchmädchen, mit braunlockigem Haar, gekleidet in einen weißen Overall, und ein untersetzter Mann, der mittleren Alters zu sein schien, eine Stupsnase, slawische Backenknochen und sehnige, haarige Unterarme besaß, die aussahen, als könne er damit einen Ochsen erwürgen. Ein wie ein Akademiker wirkender Typ in einem antiken Harris-Jackett, der eine Aktenmappe trug, kam als letzter. Er blickte so selbstbewußt drein, daß Elizabeth sich nicht vorzustellen vermochte, welche Probleme er haben könnte.

Berater Mishima, groß und schlank, trat strahlend ein und verbeugte sich. Er drückte sein Entzücken über ihre Anwesenheit aus und hoffte, die Einführung in Geographie und Ökologie des Pliozän, die ihnen vorzutragen er die Ehre habe, werde ihnen Freude machen.

»Wir haben unter uns eine distinguierte Persönlichkeit, die über Paläontologie weit mehr weiß als ich.« Der Berater verbeugte sich tief vor dem slawischen Typ. »Ich bitte Sie sehr, mich zu unterbrechen, wenn meine kleine Vorlesung einer Berichtigung oder Ergänzung bedürfen sollte.«

Nun, das ist eine Erklärung für *seine* Anwesenheit, dachte Elizabeth. Ein pensionierter Paläontologe, der den fossilen Zoo besichtigen möchte. Und das Püppchen an der Leine ist eine rückfällige Kriminelle, zweifellos um noch ein paar Schattierungen schwärzer als der arme Aiken. Die kostümierten Jungs haben sich offensichtlich ihrer anachronistischen Einstellung wegen nicht anpassen können. Aber wer ist die Weiße Dame? Und der Große Denker, der im August Tweed trägt?

Die Zimmerbeleuchtung verglomm. Der Gobelin hob sich und enthüllte einen großen Hologramm-Schirm. Musik erklang. (Herr Jesus, dachte Elizabeth. Nicht Strawinsky!) Auf dem schwarzen Schirm entstand das farbige, dreidimensionale Bild der Erde, wie sie im Pliozän vor sechs Millionen Jahren – plus minus ein paar – aus einer Umlaufbahn gesehen worden wäre.

Aus dieser Entfernung wirkte sie recht vertraut. Aber dann fuhr die Kamera näher heran.

Mishima erklärte: »Sie werden feststellen, daß die Erdteile sich ungefähr in der heutigen Position befinden. Doch ihre Umrisse sehen anders aus, hauptsächlich aus dem Grund, weil seichte vorkontinentale Meere einige Gebiete noch bedecken, während Stellen, die jetzt unter Wasser liegen, damals trockenes Land waren.«

Der Globus drehte sich langsam und hielt an, als Europa sich in der richtigen Lage befand. Die Kamera fuhr näher und näher heran.

»Sie alle werden mit einem Satz Durofilm-Landkarten ausgestattet werden – in kleinem Maßstab für die gesamte Erde des Frühen Pliozän, eins zu sieben Millionen von Europa und eins zu einer Million von Frankreich. Sollten Sie eine Exkursion zu anderen Teilen der Erde planen oder einfach Interesse daran haben, werden wir unser Möglichstes tun, um Ihnen auch dafür die entsprechenden Land- und Seekarten zu liefern.«

»Wie genau werden die sein?« erkundigte sich der Pirat.

»Außerordentlich genau – glauben wir«, antwortete Mishima ohne Zögern. »Das Pliozän gehört zu den jüngsten geologischen Epochen, und so waren unsere Computer imstande, die Topographie mit einer Akkuratesse wiederzugeben, die sich zweiundachtzig Prozent nähern muß. Bei den im Detail erforschten Gebieten sind sogar Küstenablagerungen, kleine Wasserläufe und bestimmte Aspekte des mediterranen Beckens angegeben.«

Er begann ihnen Nahaufnahmen von verschiedenen Landschaften zu zeigen, alle in deutlichem Relief und ergänzt durch Einzeichnungen der neuzeitlichen Umrisse.

»Die britischen Inseln hängen als eine einzige, sehr große Masse – Albion – zusammen und sind mit der Normandie wahrscheinlich durch einen schmalen Isthmus verbunden. Die Niederlande und ebenso das nordwestliche Deutschland liegen unter dem Anversischen Meer. Fennoscandia ist eine ungebrochene Einheit, noch nicht durch die Ostsee geteilt.

Polen und Rußland sind mit Sümpfen und Seen bedeckt – einige davon recht groß. Ein weiterer großer Süßwassersee liegt südlich der Vogesen in Frankreich, und da sind große alpine Seen ...«

Weiter ostwärts sah die Landschaft fast völlig fremd aus. Eine brackige Lagune, das Pannonische Becken, bedeckte Ungarn und ergoß sich durch das Eiserne Tor und die Dakische Straße in die seichten Überreste des früher dominierenden Tethys-Meers, auch Lac Mer genannt. Dies streckte sumpfige Lagunen und Salzwasser-Arme weit nach Zentralasien hinein und nordwärts zu dem eislosen Boreischen Ozean hinauf. In späteren Jahrmillionen würden nur der Aral-See und das Kaspische Meer als Andenken an das Tethys-Meer zurückbleiben.

»Auch das Euxinische Becken, das eines Tages das Schwarze Meer werden wird, enthält Süßwasser. Gespeist wird es von den hohen Gebirgszügen von Kaukasien, Anatolien und im Westen den Alpen. Ein großer Sumpf nimmt das Gebiet des heutigen Marmara-Meers ein. Hier darunter ist der Levante-See, der in etwa dem jetzigen Ägäischen Meer entspricht.«

»Das Mittelmeer kommt mir ziemlich durcheinandergebracht vor«, bemerkte der Wikinger. »Ich brauchte in meinem Beruf einige Kenntnisse über die verrückte Geologie dieser Region. Mir scheint, beim Zeichnen dieser Karte haben Sie eine Menge nur geraten.«

Mishima ließ den Einwand gelten. »Die zeitliche Festlegung der aufeinanderfolgenden mediterranen Überschwemmungen ist in der Tat problematisch. Wir halten diese Darstellung des frühen Pliozän für die plausibelste. Bitte beachten Sie, daß die jetzt verschwundene Balearische Halbinsel ostwärts von Spanien vorspringt. Anstelle Korsikas und Sardiniens ist eine einzige schmale Insel da. Von Italien liegt in jener Zeit nur das Rückgrat, die Apenninen, über Meeresniveau, dazu ein unstabiles südliches Gebiet, Tyrrhenis genannt, das einmal viel größer war, aber jetzt absinkt.«

Er zeigt ihnen eine nähere Ansicht des westlichen Europa.

»Dies ist die Region, die für Sie von unmittelbarem Interesse sein wird. Der Rhône-Saône-Graben enthält einen großen Fluß, austrocknende Sümpfe nördlich der Schweiz und den großen Lac de Bresse. Das untere Rhône-Tal des Pliozän hat sich wahrscheinlich das Mittelmeer erobert. Viele der Vulkane im Massif Central waren aktiv, und auch in Deutschland, Spanien, Mittelitalien und dem noch übrigen tyrrhenischen Gebiet gab es Vulkanismus. Im Norden Frankreichs sehen wir, daß die Bretagne eine Insel ist, vom Festland durch die enge Straße von Redon getrennt. Der Atlantik schiebt eine tiefe Bucht in das Anjou vor. Auch ein Teil der Gascogne ist vom Meer bedeckt.«

»Aber Bordeaux scheint in Ordnung zu sein, Gott sei Dank«, sagte der Pirat.

Mishima lachte. »Ah! Ein weiterer Connoisseur! Sie werden entzückt sein zu hören, Bürger, daß schon eine Reihe Zeitreisender den Wunsch ausdrückte, sich im Bordeaux-Gebiet anzusiedeln. Sie haben gewisse tragbare Apparate und Stecklinge vieler verschiedener Weinreben mitgenommen ... Übrigens, Bürger, alle Informationen dieser Art, die wir über frühere Zeitreisende in unserm Computer gespeichert haben, stehen Ihnen zur Verfügung. Und falls Sie weitere Daten wünschen – zum Beispiel über religiöse und ethnische Gruppen oder Bücher, art matériel und andere Kulturgegenstände, die durch das Portal geschickt worden sind – bitte, zögern Sie nicht, sie zu verlangen!«

Der akademische Typ in dem Tweed-Jackett fragte: »Wird der Computer Auskunft über Einzelpersonen geben?«

Aha! dachte Elizabeth.

»Ja, wenn es sich um die üblichen statistischen Unterlagen, ähnlich denen in Ihren eigenen Dossiers, über bereits abgereiste Personen handelt. Außerdem können Sie Informationen über die als Gepäck mitgenommenen Gegenstände und den Zielort des Reisenden im Pliozän, sofern er ihn angegeben hat, erhalten.«

»Danke.«

»Wenn es keine weiteren Fragen gibt ...?« Mishima nickte Felice zu, die matt die Hand gehoben hatte.

»Ist es wahr, daß keiner dieser Reisenden irgendwelche Waffen mit sich genommen hat?«

»Madame Guderian ließ keine *modernen* Waffen zu, und

wir sind ihrem weisen Diktum gefolgt. Keine Strahler, keine Betäubungsgewehre, keine Atomwaffen, keine Schallbrecher, keine Solarzellen-Blaster, keine Gase, keine auf Schießpulver basierenden Waffen. Keine psychokoerziblen Drogen und Geräte. Doch viele Arten primitiver Waffen aus unterschiedlichen Epochen und Kulturen sind ins Pliozän gebracht worden.«

Landry nickte. Ihr Gesicht war bar jeden Ausdrucks. Ohne sich bewußt zu werden, was sie tat, versuchte Elizabeth, mit einer redaktiven Sonde in sie einzudringen, aber natürlich war es zwecklos. Trotzdem verblüffte es die Ex-Meta, als das junge Mädchen den Kopf wandte und sie eine ganze Minute lang anstarrte, bevor sie den Blick wieder dem Bildschirm zuwandte.

Sie kann nichts gespürt haben, redete Elizabeth sich zu. Es gab nichts zu spüren. Und selbst wenn die Trägerwelle hinausging, war es ihr nicht möglich, festzustellen, daß sie von mir kam. Oder doch?

Berater Mishima sagte: »Wir wollen uns kurz ein paar der Namen notieren, die den geographischen Strukturen gegeben worden sind. Dann werden wir uns dem Pflanzen- und Tierleben der sogenannten Pontischen Fazies des frühen Pliozän zuwenden ...«

14

Die Vorlesung war kaum beendet, als Grenfell auch schon auf sein Zimmer und an das Computer-Terminal eilte, das in einer Renaissance-Kredenz aus wurmstichigem Birnbaumholz untergebracht war. Er verlangte die Daten auf dauerhaften Durofilm-Blättern, ohne recht zu wissen, was er erwartete. Die Ausbeute war kläglich – aber zu seiner Überraschung war ein farbiges Porträt in ganzer Figur dabei, wahrscheinlich kurz vor ihrem Zeitportal-Durchgang aufgenommen.

Mercy Lamballe trug einen Kapuzenmantel in rötlichem Dunkelbraun, der ihr kastanienfarbenes Haar zum größten Teil verdeckte und aus ihren Augen dunkle Höhlen machte. Ihr Gesicht war weiß und gespannt. Das Kleid war lang, einfach geschnitten, nilgrün mit goldener Stickerei um den Ausschnitt, an den Ärmeln und am Saum. Um die schlanke Taille schlang sich ein Gürtel in einer dunkleren Farbe. Von ihm hingen ein Beutel und eine kleine Scheide mit nicht zu identifizierenden Instrumenten herab. Sie trug goldene Armbänder und ein goldenes Halsband, alles mit purpurnen Steinen besetzt. Ein großer Brokatkoffer stand neben ihr. In der Hand hielt sie einen zugedeckten Korb und einen ledernen Kasten, der aussah, als enthalte er eine kleine Harfe.

Begleitet wurde sie von einem riesigen weißen Hund, der ein Stachelhalsband umhatte, und vier Schafen.

Er betrachtete das Bild einige Zeit und prägte es seinem Gedächtnis ein. Seine Augen brannten. Dann las er ihr kurz zusammengefaßtes Dossier:

LAMBALLE, MERCEDES SIOBHAN 8-049-333-032-421F. Geb.: St.-Brieuc 48:31N, 0:45W, Frankr., Eur., Sol-3 (Erde), 15. 5. 2082, Tochter von George Bradford Lamballe 3-946-2202-664-117 und Siobhan Maeve O'Connell 3-429-697-551-418. Geschwister: keine. Eheschließungen: keine. Scheidungen: keine. Kinder: keine. Beschreibung: Größe 170 cm, Gewicht 46 kg, Haut hell 1, Haare rot 2, Augen grün 4, Muttermal rechtes Schulterblatt. Genetischer Kode: Ia+146(+3B), PSA+5+4, 2+3,0-0,7+6,1,MPQ-0,079(L)+28+6+133+4468+1. Krankengeschichte: nicht angegeben (s. Anlage 1). Psychogramm: Xenophobie –4 (unwesentlich), Vermeidungsgradient –5 (unwesentlich), Medikamentenabhängigkeit –2 (s. Anlage 2). Ausbildung: Bachelor of Arts Paris 2102, Master of Arts (Anthropologie) Oxon 2103, Dr. phil. (Geschichte des franz. Mittelalters) Paris 2104, Dr. phil. (keltische Folklore) Dublin 2105. Berufstätigkeit: Immersionsspiele Eire (Techn. Ass. 4-1) 2105-2108; (Regie-Ass. 3-2) 2108-2109. Immersionsspiele Frankreich (Regie-Ass. 1) 2109-2110. Letzter Wohnort: 25a Hab Cygne, Riom 45:54 Nord, 03:07 Ost, Frankr., Europa, Sol-3. Bürgerlicher Status: *1*A-0010. Krediteinstufung: A-01-3, Lizenzen: E3, Tv, Ts, E1Tc2, Hund.

ANMERKUNGEN: Ankunft: 10. 5. 2110. Erwählte Berufe: Färber, Schafzüchter, Kleinbauer, Weber, Wolleverarbeiter. Persönl. Inventar: (s. Anlage 3). Zielort: nicht angegeben. Persönl. Bind.: nicht angegeben.

DURCHGANG: 10. 5. 2110 gez.: J.D. Evans GC2

ANLAGE 3: Persönliches Inventar, Lamballe, M.S.

Kleidung: Kleid, Seide, grün und gold gestickt. Kleid, Seide, weiß, rot und grün bestickt. Kleid, Polchro, schwarz, mit Silberfaden bestickt. Tücher, Seide, 3. Wettermantel, terracotta. Unterwäsche, Seide, weiß, 3 Garnit. Strümpfe, Seide, weiß, 3 P. Halbschuhe, Leder, 2 P. Gürtel, Leder. Tasche, Leder. Koppel, Leder + Schere, Messer, Feile, Kamm, Schreibstift, Gabel, Löffel.

Gepäck: Überlebenspack A-6*. Kleinbauern-Pack F-1+, Schäfer-Pack Ov-1*. Musikplatten (s. Anlage 4). Buchplatten (s. Anlage 5). Dekamol-Werkzeuge: Spinnrad, Handspindel, Kardätsche, Webstuhl L4H, Färbebottich. Koffer, Leder-Brokat. Korb, geflochten, mit Deckel. Halsband, Gold & Amethysten. Armbänder, Gold & Amethysten, 3. Ring, Gold mit Perle. Spiegel, Silber, 10 cm. Notizbuch. Nähzeug S-1*. Harfe, vergoldetes geschnitztes Sycamorenholz, keltisch, mit Kasten, Leder. Harfensaiten & -wirbel, Ersatzteile. Querflöte, unverpackt, Silber.

Pflanzen: Erdbeeren »Hautbois Supérieur 12e«, 100 Stck. Hanf (Cannabis s. sinsemilla) 150 g. Küchenkräuter-Pack CH-1*. Kornsaat-Pack SG-1*. Verschiedenes Saatgut: Glockenblumen (Campanula bellardi), Indigo (Indigofera tinctoria), Krapp (Rubia tinctorum), Erbsen »Mangetout«.

Tiere: Pyrenäenhund »Bidarray's Deirdre Stella-Polaris« (1 weibl., trächtig; 4 männl. + 4 weibl.). Schafe, Rambouillet × Débouillet (3 weibl. & 2 weibl., trächtig; 1 männl.).

Es war noch mehr da – die Anlagen mit ihrer medizinischen und psychiatrischen Geschichte, die Listen mit ihren Musikalien und Büchern. Er überflog sie und widmete sich dann wieder dem erschütternden Inventar und dem Porträt.

Werde ich dich wiederfinden, Mercy mit dem seidenen Gewand und dem Goldschmuck, der Harfe und der Querflöte, den Erdbeeren und den Glockenblumen? Wo wirst du deine trächtigen Schafe weiden lassen? (Zielort: Nicht angegeben.) Werde ich dich allein antreffen, ausgenommen deine treue Deirdre und ihre Hündchen, wie du immer gelebt hast? (Persönliche Bindungen: Nicht angegeben.) Wirst du mich willkommen heißen und mich die Lieder des alten Languedoc und des alten Irland lehren, oder wird deine Herzenswunde immer noch zu tief sein, als daß ich sie heilen könnte? (Medikamentenabhändigkeit –2.)

Was hast du auf der anderen Seite des Zeitportals gefunden, als du an deinem Geburtstag hindurchgingst und dein neunundzwanzigstes Lebensjahr sechs Millionen Jahre vor deiner Geburt begannst? Und warum verlasse ich diese schönste aller neuen Welten, um mich ins beklemmend Unbekannte zu begeben? Was ist im Dunkeln, das ich zu finden/nicht zu finden so fürchte?

Weiß nicht, was ihr Macht verleiht, doch lieb ich sie in Ewigkeit.

15

Claude Majewski öffnete die Augen, säuberte sie mit einem Papiertaschentuch vom Schlaf und entfernte den Ohrstöpsel, der ihn, während er schlummerte, gelehrt hatte, wie man vom Sturm abgebrochene Äste zu einem Blockhaus zusammenfügt. Sein linker Arm prickelte wie von tausend Nadeln, und seine Füße waren kalt. Verdammter alter Blutkreislauf im Eimer. Während er das Blut zurück in seine Muskeln knetete, sann er darüber nach, daß er den Luxus der Herberge – Gänsedaunenkissen, Wassermatratze und echte Baumwolllaken – vermissen würde. Er hoffte, die Überlebensausrüstung, die sie heute ausprobieren wollten, enthielt ein anständiges Feldbett.

Er patschte durch das sonnige Zimmer ins Bad. Hier manifestierte sich Madame Guderians Mitgefühl in schwarzem und weißem Marmor und goldenen Installationen, in dicken Handtüchern, parfümierter Seife und Toilettenartikeln von Chanel, in einer Sauna und einer Sonnenlampe und la Masseuse, die nach den ernüchternden Vorlesungen über la vie sauvage schon bereitstand, die Klienten in wohltuend eleganter Umgebung zu behandeln.

Manch ein armer Zeitfahrer würde sich im Kampf mit der Welt des Pliozän an die letzten Tage in der Auberge erinnern, an die französische Küche, die weichen Betten, die kostbaren Kunstwerke. Aber Majewski wußte, seine liebsten Erinnerungen würden die an das sybaritische Klo sein. Der warme, gepolsterte Sitz, der seine dürren Schenkel willkommen hieß! Das Papier, perforiertem Kaninchenfell gleichend! Er dachte an einige der primitiven Örtlichkeiten zurück, unter denen er und Gen auf unerschlossenen Planeten gelitten hatten: Fertighäuschen mit kaputter Heizung, stinkende Plumpsklosetts aus Stein und Holz, in denen Ungeziefer lauerte, ungehobelte Zweisitzer über Spülgräben – und an eine grauenhafte Sturmnacht auf Lusatia, als er sich auf einem Baumstamm niedergehockt und dann erst entdeckt hatte, daß er kleinwinzige Ungeheuer beherbergte.

O gesegnete Sanitär-Installation! Wenn kein anderer ein pliozänisches Wasserklosett erfand, beabsichtigte Claude, das ernsthaft in Angriff zu nehmen.

Er duschte mit kühlem, parfümiertem Wasser, reinigte seine Zähne (die dritten, so gut wie neu) und schnitt sich in dem Louis-XIV-Spiegel eine Grimasse. Nicht gar zu hinfällig. Wer ihn flüchtig betrachtete, mochte sein Alter auf Ende Fünfzig schätzen. Er war stolz auf seine polnischen grünen Augen und den dichten Busch gewellten Silberhaars, darauf zurückzuführen, daß er die Männern vorbehaltene Kahlheit bei der letzten Verjüngung aus seinem genetischen Erbgut hatte entfernen lassen. Aber Gott sei Dank, daß die übrige Behaarung depiliert worden war! Typen wie dieser Pirat, die Wert auf Gesichtsbehaarung legten, würden in einer primitiven Welt wohl ein anderes Lied anstimmen – besonders in einer warmen und verwanzten wie dem pontischen Europa.

Der alte Paläontologe hatte mit grimmiger Erheiterung festgestellt, daß die Vorlesungen und geschickt animierenden Filme über die Ökologie des Pliozän tags zuvor die Insekten und andere den Gliedertieren angehörige Bewohner kaum erwähnten. Es war dramatischer, große Herden von Hipparions und anmutigen Gazellen zu zeigen, die von kaum weniger anmutigen Leoparden gejagt wurden, oder Säbelzahntiger, die ihre langen Fänge in brüllende Eber schlugen.

Claude kehrte in sein Schlafzimmer zurück und bat den Zimmer-Service, ihm Kaffee und Croissants heraufzuschikken. Da an diesem zweiten Tag einfache Überlebenstechniken durchgenommen werden sollten, zog er die Kleidung an, die er beim Portal-Durchgang zu tragen beabsichtigte. Aus Erfahrung hatte er leichte und bequeme Sachen gewählt: Netzunterwäsche, ein altmodisches Buschhemd und Hosen aus der besten langfasrigen ägyptischen Baumwolle, Socken aus orcadianischer Wolle, der das Fett belassen worden war, und unzerstörbare Stiefel von Etruria. Er hatte seinen alten Rucksack mitgebracht, obwohl alle Art von Ausrüstung in der Auberge zu haben war. Der Rucksack enthielt seinen Poncho aus atmender Grintla-Haut und einen orcadianischen Pullover. Und in einem Reißverschlußfach befand sich ein schöner Zakopan-Kasten aus Holz, reich mit Schnitzereien verziert. Gens Kasten. Er wog so gut wie nichts.

Beim Frühstück studierte er das Programm für den heutigen Tag. Einführung in Überlebenspack A-6*. Unterkunft und Feuer. Minimierung der umweltbedingten Risiken (haha!). Orientierung. Angeln und Fallenstellen.

Er seufzte, trank den köstlichen Kaffee und aß ein knuspriges, lockeres Croissant. Es würde ein langer Tag werden.

16

Schwester Annamaria Roccaro hatte einige Erfahrung im Camping, aber die teure neue Dekamol-Ausrüstung, die zu Pack A-6* gehörte, bedeutete für sie eine begeisternde Offenbarung.

Sie und die anderen Mitglieder der Gruppe Grün waren

zuerst im Unterrichtsraum gewesen, wo eine handfeste Instruktorin sie informierte. Dann hatten sie sich in Paaren aufgeteilt und waren in eine Höhle hinabgestiegen, die 200 Meter unter den Kellern der Auberge aus dem gewachsenen Fels herausgehauen war. Sie wurden auf eine sonnige Wiese mit einem sich schlängelnden Bach losgelassen und angewiesen, sich mit der Überlebensausrüstung bekanntzumachen.

Die stimulierte Sonne machte ihnen heiß, obwohl ihre Körper-Thermostate mit der steigenden Temperatur mühelos Schritt hielten. Nachdem Amerie und Felice ein kurzes Stück weitergewandert waren, entschied die Nonne, daß sie auf die Sandalen, die sie sich als Fußbekleidung für das Pliozän ausgesucht hatte, würde verzichten müssen. Sie sahen recht klösterlich aus und waren luftig, aber sie ließen auch Zweige und Steinchen ein. Halbstiefel oder sogar modernes Schuhwerk würden für Reisen über Land zweckmäßiger sein. Außerdem kam sie zu dem Schluß, daß das weiße Wildleder-Habit zu warm war, auch wenn es abnehmbare Ärmel hatte. Handgewebtes Tuch war besser. Als Wetterschutz konnte sie ein Skapulier und einen Kapuzenmantel aus Wildleder tragen.

»Ist dir nicht heiß in deinem Kostüm, Felice?« fragte sie ihre Gefährtin. Landry hatte die grün und schwarze Ringhokkey-Uniform angelegt, die offensichtlich ihre Wahl für das Pliozän darstellte.

»Mir ist es angenehm«, antwortete das Mädchen. »Ich bin es gewöhnt, darin zu arbeiten, und mein Planet war viel wärmer als die Erde. Das Wildleder-Gewand sieht ganz nach Hoherpriesterin aus, Amerie. Es gefällt mir.«

Die Nonne fühlte sich merkwürdig verwirrt. Felice wirkte so unpassend in dem Krieger-Küraß, den Beinschienen und dem griechischen Helm mit den wackeren grünen Federn, der auf ihrem Hinterkopf thronte. Stein und Richard hatten sie am Morgen, als sie in dieser Aufmachung erschien, aufziehen wollen, aber aus irgendeinem Grund hatten sie fast sofort wieder damit aufgehört.

»Sollen wir unser Lager hier errichten?« schlug die Nonne vor. Eine große Korkeiche wuchs neben dem Bach und beschattete eine flache Stelle, die nach einem guten Platz für die

Hütte aussah. Die beiden Frauen legten ihre Rucksäcke ab. Amerie holte aus ihrem den faustgroßen Inflator hervor und betrachtete ihn. Ihre Instruktorin hatte gesagt, der versiegelte Energiespeicher werde zwanzig Jahre vorhalten. »Hier sind zwei Düsen, die eine, um Luft einzublasen, und die andere, um sie abzusaugen. Da steht: UNBENUTZTE DÜSE UNBEDINGT VERSCHLIESSEN.«

»Versuch es mit meinem Hütten-Pack.« Felice hielt ihr ein Päckchen ungefähr von der Größe eines Butterbrots hin. »Ich kann nicht glauben, daß es zu einem vier mal vier Meter großen Haus wachsen wird.«

Schwester Roccaro befestigte die von dem Päckchen baumelnde flache Röhre an dem Inflator und drückte auf den Aktivierungsknopf. Komprimierte Luft strömte ein und verwandelte das Butterbrot in ein großes silbriges Viereck. Die beiden Frauen legten es auf den für die Hütte vorgesehenen Platz und beobachteten, wie es wuchs. Der Fußboden verdickte sich zu etwa neun Zentimetern und wurde ganz hart, als Luft die komplizierte Mikroporen-Strukturen zwischen den Folienschichten füllte. Die Wände, der Isolierung wegen etwas dicker, stiegen in die Höhe, komplett mit durchsichtigen Fenstern, die durch Reißverschlüsse zu öffnen waren und auf der Innenseite Scheibengardinen hatten. Ein steil gegiebeltes silbriges Dach, das über der Eingangstür vorsprang, wurde als letztes aufgeblasen.

Felice lugte in den türlosen Eingang. »Sieh mal! Aus dem Fußboden sprießen feststehende Möbel.«

Da gab es Kojen für zwei Personen mit an einer Seite festhängenden Kissen, einen Tisch, Regale und an der Rückwand einen silbrigen Kasten, aus dem ein Rohr zum Dach führte. Felice las laut vor: »OFEN MIT SAND BESCHWEREN, ANDERNFALLS WIRD EINHEIT BEIM ABKÜHLEN ZUSAMMENFALLEN ... Es muß so gut wie unmöglich sein, dies Material zu zerstören!« Sie faßte hinter ihre linke Beinschiene und zog einen glitzernden kleinen Dolch mit goldenem Heft hervor. »Man kann nicht mal hineinstechen.«

»Wie schade, daß man es nur für zwanzig Jahre haltbar gemacht hat. Immerhin, bis dahin sollten wir eins mit unserer Umwelt geworden sein.«

Große, eimerförmige Vertiefungen in den Ecken der Hütte mußten mit Ballast aus Steinen, Erde, Wasser, oder was sonst zur Hand war, gefüllt werden. In einer sehr kleinen Vertiefung nahe der Tür fand sich eine ganze Handvoll Dekamol-Pillen, die gesondert aufgeblasen und mit Sand oder Wasser beschwert werden sollten. Letzteres konnte mittels eines einfachen zusammenlegbaren Kolbenhebers zwischen die Schichten eingespritzt werden. Die Pillen wuchsen zu einer Tür, Sesseln, Kochgeräten (mit dem Hinweis über den Sand-Ballast), faserigen Teppichen und Decken und anderem heran. In weniger als zehn Minuten, nachdem sie mit dem Lageraufschlagen begonnen hatten, ruhten sich die beiden Frauen in einer voll ausgestatteten Hütte aus.

»Ich kann es kaum glauben«, begeisterte sich Schwester Roccaro und schlug gegen die Wände. »Sie fühlen sich ganz fest an. Aber wenn ein bißchen Wind wehte, würde die ganze Hütte wie eine Seifenblase davonfliegen, es sei denn, sie ist beschwert worden.«

»Sogar Holz besteht hauptsächlich aus dünner Luft und Wasser«, meinte Felice mit einem Achselzucken. »Dies Dekamol scheint einfach die strukturell verstärkte Schale eines Dings zu reproduzieren, der man dann Masse hinzufügen muß. Wie das Zeug wohl Hitze und Druck kompensiert? Vermutlich durch irgendwelche Ventile. Offensichtlich muß man dieses Haus bei starkem Wind vertäuen, selbst wenn man die Hohlräume der Wände fast vollständig mit Wasser oder Erde gefüllt hat. Aber wieviel besser ist es als ein Zelt! Es hat sogar Ventilatoren!«

»Sollen wir das Boot oder die Notunterkunft oder die Brükkenabschnitte aufblasen?«

»Die Wahl hat man uns überlassen. Jetzt, wo ich gesehen habe, wie Dekamol funktioniert, nehme ich den Rest der Ausrüstung auf Treu und Glauben.« Felice schlug die Beine übereinander und zog langsam ihre Handschuhe aus. Sie saß an dem kleinen Tisch. »Glauben. Darum geht es dir bei der Zeitreise, nicht wahr?«

Die Nonne setzte sich. »In gewisser Weise. Genauer gesagt, möchte ich Eremitin werden, eine Art religiöser Einsiedlerin. Das ist eine Berufung, die im Milieu völlig in Vergessenheit geraten ist, aber im Dunklen Zeitalter hatte sie ihre Fans.«

»Was in aller Welt wirst du tun? Nur so den ganzen Tag lang in einem fort beten?«

Amerie lachte. »Einen Teil der Nacht auch. Ich beabsichtige, die kanonischen Stundengebete wiederzubeleben. Das ist ein alter Zyklus täglicher Gebete. Der Matutin beginnt um Mitternacht. In der Morgendämmerung spricht man die Laudes. Während des Tages liegen die Gebete in der alten ersten, dritten, sechsten und neunten Stunde. Die Vesper oder Abendandacht bei Sonnenuntergang und das Komplet vor dem Zubettgehen. Die Horae canonicae sind eine Sammlung von Psalmen und Schriftlesungen und Kirchenliedern und speziellen Gebeten und spiegeln Jahrhunderte religiöser Tradition wider. Ich finde, es ist sehr schade, daß sie niemand mehr in der ursprünglichen Form betet.«

»Und die ganze Zeit sprichst du nur diese Gebete?«

»Du meine Güte, nein! Ein Stundengebet dauert ja keine ganze Stunde. Ich werde auch die Messe zelebrieren und Buße tun und mich der tiefen Meditation, ein bißchen beeinflußt vom Zen-Buddhismus, widmen. Und wenn ich Unkraut jäte oder andere Arbeiten verrichte, habe ich immer den Rosenkranz dabei. Es ist beinahe wie ein Mantra, wenn man es auf die alte Weise tut. Sehr beruhigend.«

Felice betrachtete sie mit brunnentiefen Augen. »Es hört sich sehr seltsam an. Und auch einsam. Hast du gar keine Angst dabei, wenn du planst, ganz allein mit niemandem als deinem Gott zu leben?«

»Der liebe alte Claude sagt, er will stilgerecht für mich sorgen, aber ich bin mir nicht ganz sicher, ob ich ihn ernstnehmen darf. Wenn er mir etwas Essen bringt, finde ich vielleicht Zeit, Dinge zu basteln, mit denen wir Tauschhandel treiben können.«

»Claude!« rief Landry verächtlich aus. »Der weiß, wo es langgeht, dieser alte Mann. Er ist kein so klarer Fall von Irrsinn wie die beiden kostümierten Heinis, aber ich habe ihn dabei erwischt, daß er mich auf schmutzige Weise angesehen hat.«

»Du kannst es den Leuten nicht zum Vorwurf machen,

wenn sie dich ansehen. Du bist sehr schön. Ich habe gehört, daß du auf deiner Heimatwelt eine berühmte Sportlerin warst.«

Die Lippen des Mädchens verzogen sich zu einem bitteren kleinen Lächeln. »Acadie. Ich war die beste Ring-Hockey-Spielerin aller Zeiten. Aber sie hatten Angst vor mir. Schließlich weigerten sich die anderen Spieler – die Männer –, gegen mich anzutreten. Sie machten mir allen möglichen Ärger. Als dann zwei Spieler behaupteten, ich hätte absichtlich versucht, sie schwer zu verletzen, wurde ich disqualifiziert.«

»Hattest du es versucht?«

Felice senkte den Blick. Sie verdrehte die Finger ihrer Handschuhe, und die Röte stieg ihr vom Hals in die Wangen. »Mag sein. Ich glaube schon. Sie waren mir verhaßt.« Trotzig hob sie ihr spitzes Kinn. Der auf den Hinterkopf geschobene Hopliten-Helm gab ihr das Aussehen einer Pallas Athene en miniature. »Sie wollten keine Frau dabei haben, weißt du. Sie wollten nichts als mich verletzen, mich ruinieren. Sie waren neidisch auf meine Kraft, und sie hatten Angst. Die Leute haben immer Angst vor mir gehabt, schon als ich noch ein Kind war. Kannst du dir vorstellen, wie das für mich war?«

»Oh, Felice.« Amerie zögerte. »Wie ... wie bist du überhaupt dazu gekommen, an diesem brutalen Spiel teilzunehmen?«

»Ich war gut im Umgang mit Tieren. Meine Eltern waren Bodenwissenschaftler, und sie zogen immerfort auf Feldexpeditionen herum. Neu erschlossene Gebiete, noch voll von Wildleben. Wenn die Kinder der Siedler nicht mit mir spielen wollten, legte ich mir Tiere als Freunde zu. Anfangs waren es kleine – dann größere und gefährlichere. Und auf Acadie gibt es da ein paar Schönheiten, das kann ich dir versichern! Schließlich, als ich fünfzehn war, zähmte ich ein Verrul. Das ist etwas Ähnliches wie ein sehr großes irdisches Nashorn. Ein Tierhändler der Gegend wollte es mir abkaufen, um es für Ring-Hockey trainieren zu lassen. Bis dahin hatte ich nicht viel Interesse an dem Spiel gehabt, aber es erwachte, nachdem ich das Tier verkauft hatte. Mir ging auf, daß ich bei meinen speziellen Talenten dabei viel Geld verdienen konnte.«

»Aber wie kann sich ein junges Mädchen im Profi-Sport durchsetzen?«

»Ich sagte meinen Eltern, ich wolle eine Lehre als Verrul-Trainerin und -Pflegerin machen. Dagegen hatten sie nichts. Ich war immer ein überflüssiges Gepäckstück gewesen. Sie bestanden nur darauf, daß ich die Schule beendete; dann ließen sie mich gehen. Sie sagten: ›Viel Glück, Baby.‹«

Sie hielt inne und sah Amerie ausdruckslos an. »Ich war nur so lange Pflegerin, bis der Team-Manager sah, wie ich die Tiere kontrollieren konnte. Das ist das Geheimnis bei diesem Spiel, weißt du. Das Verrul muß die Tore machen und die Manöver ausführen, die einen davor bewahren, von den nur auf kurze Entfernung wirksamen Betäubungsgewehren der gegnerischen Spieler getroffen zu werden. Man setzte mich in der Vorsaison als Neuheit ein, um Zuschauer an die Kassen der Grünen zu locken. Die Mannschaft war drei Jahre hintereinander ganz unten gewesen. Als sich herausstellte, daß ich mehr war als ein Werbegag, stellten sie mich für das Eröffnungspiel der Vorsaison auf. Die Kerle aus meiner Mannschaft gerieten so ins Schäumen, um mich zu übertreffen, daß wir das verdammte Spiel gewannen. Und alle folgenden ... und die Siegesfahne auch.«

»Großartig!«

»Es hätte großartig sein sollen. Aber ich hatte keine Freunde. Ich unterschied mich zu sehr von den übrigen Spielern. War zu fremdartig. Und im zweiten Jahr ... als sie begannen, mich wirklich zu hassen, und ich erkannte, daß sie mich hinausdrängen wollten, da ... da ...«

Sie schlug mit beiden Fäusten auf den Tisch, und ihr Kindergesicht verzog sich vor Qual. Amerie wartete auf die Tränen, doch es kamen keine. Das kurz enthüllte Verletztsein wurde beinahe ebenso schnell wieder maskiert, wie es sich gezeigt hatte. Felice, die der Nonne gegenüber am Tisch saß, entspannte sich und lächelte die andere Frau an.

»Ich will Jägerin werden, weißt du. Auf der anderen Seite. Ich könnte viel besser für dich sorgen als der alte Mann, Amerie.«

Die Nonne stand auf. Das Blut pochte ihr in den Schläfen. Sie wandte sich von Felice ab und verließ die Hütte.

»Ich glaube, jede von uns braucht die andere«, sagte das Mädchen.

17

Auberge du Portail, FrankrEur, Erde
24. August 2110

Meine liebe Varya,
wir haben unsere Überlebens- und Handwerksspielchen jetzt beendet, und unsere Körper sind an die tropische Welt, die das Pliozän der Erde war, voll akklimatisiert. Es bleibt nur noch ein Letztes Abendmahl und ein guter Nachtschlaf, bevor wir bei Sonnenaufgang durch das Portal gehen. Der Apparat befindet sich im Innern eines putzigen Häuschens im Garten der Auberge, und ein unpassenderer Standort für das Tor in eine andere Welt läßt sich gar nicht denken. Vergebens hält man nach der Schrift über dem Eingang Ausschau: PER ME SI VA TRA LA PERDUTA GENTE, aber das Gefühl ist trotzdem da.

Nachdem wir fünf Tage lang miteinander gearbeitet haben (es glich eher einem Ferienlager als einer Grundausbildung, verstehst Du), haben wir acht von Gruppe Grün eine recht unsichere Kompetenz auf den gewählten Gebieten primitiver Technik und einen Glauben an unsere eigene Fähigkeit, es zu schaffen, erworben, der wahrscheinlich gefährlich übersteigert ist. Nur wenige der anderen scheinen die mögliche Gefahr zu erkennen, die uns seitens unserer Vorgänger im Exil droht. Meine Mit-Grünen machen sich eher Sorgen darüber, daß wir von Mammuts totgetrampelt oder von pythongroßen Vipern gebissen werden könnten, als daß sie sich ein feindliches menschliches Empfangskomitee vorstellen, das mit geöffneten Schnappsäcken gierig auf die gutbetuchten Reisenden des Tages wartet.

Du und ich wissen, daß die Ankunft Zeitreisender von den Leuten auf der anderen Seite inzwischen bestimmt auf irgendeine Weise ritualisiert worden ist. Worin das Ritual besteht, ist eine andere Frage. Wir können kaum erwarten, daß von uns so wenig Aufhebens gemacht wird wie von Zeitkarteninhabern, aber ob wir auf ein Willkommen oder auf Ausbeutung stoßen, läßt sich unmöglich ergründen. Die Literatur bietet gewisse spekulative Drehbücher, bei denen es mich kalt überläuft. Das Personal in der Auberge achtet streng darauf, uns neutrale Gesichter zu zeigen, während gleichzeitig das Selbstverteidigungstraining unserer Kindheit aufgefrischt wird. Wir werden das Portal in zwei Gruppen von je vier Personen durchschreiten, worauf die größeren Gepäckstücke folgen. Wie ich glaube, wird das so gemacht, damit uns die Anzahl eine gewisse Sicherheit gibt – obwohl man bei einer Zeitreise wahrscheinlich ebenso unter einem kurzen Schmerz und Desorientierung zu leiden haben wird wie bei einer normalen Subraum-Translation. Das verschafft uns während der ersten Minute nach unserer Ankunft im Pliozän einen taktischen Nachteil.

Deine amüsierten Spekulationen über meinen neuen Beruf in der primitiven Welt haben mir viel Spaß gemacht. Doch da die letzten Dinosaurier wenigstens 60 Millionen Jahre vor dem Pliozän ausgestorben sind, wird man kaum Bedarf für einen Mann haben, der hinter ihnen auffegt! Soviel für deine Visionen von mir als voreiszeitlichem Düngemittelhändler. So prosaisch es ist, mit meinem neuen Job baue ich nur mein früheres Hobby, das Segeln, aus. Ich werde für meinen Lebensunterhalt fischen, suchend die Meere durchpflügen und vielleicht, wenn sich Gelegenheit bietet, ein bißchen Handel treiben. Die Schaluppe war ein viel zu kompliziertes Fahrzeug, als daß ich sie ins Pliozän mitnehmen könnte. Deshalb tauschte ich sie für einen kleineren Trimaran ein, der anstelle von Quecksilber mit Wasser und Sand als Ballast fährt. Wenn es sein muß, kann ich auch aus allen möglichen Abfällen ein sehr einfaches Boot bauen. Wir bekommen Werkzeugköpfe aus Vitredur mit, einem edelsteinähnlichen glasigen Material, das immer scharf bleibt und buchstäblich etwa 200 Jahre lang unzerstörbar ist. Dann löst es sich auf, wie Dekamol. Außer mit den Dockarbeiter-Werkzeugen bin ich noch mit dem Überlebenspack der Auberge (sehr eindrucksvoll) und dem, was sie den Kleinbauern-Pack nennen, ausgerüstet – Werkzeuge und Dekamol-Päckchen, um eine Landwirtschaft einzurichten, von der man sich ernähren kann, dazu ein paar Samentüten und eine umfangreiche Platten-Bibliothek mit einer Reihe kluger Bücher über jedes Thema von Tierhaltung bis hin zu Fermentierungsprozessen.

Letzteres ist übrigens der erwählte Beruf unseres Wikingers. Er gestand mir auch, sollte es Nachfrage für säbelrasselnde Söldner geben, werde er die beiden Geschäftszweige vielleicht kombinieren.

Das Individuum, das ich den Piraten getauft habe, will sich ebenfalls mit alkoholischen Getränken beschäftigen – das heißt mit Wein und Branntwein. Er und der Wikinger sind jetzt die engsten Freunde. Ihre freien Stunden verbringen sie damit, die teuersten Spirituosen, die die Auberge liefern kann, hinunterzukippen und sich Gedanken über die Qualität weiblicher Tröstungen zu machen, die in Kürze verfügbar sein werden. (Gruppe Grün selbst bietet nur eine dürftige Auswahl.) Abgesehen von der Nonne sind unsere weiblichen Mitglieder: eine finstere jungfräuliche Jägerin, die Körperverletzung oder etwas Schlimmeres an einem Berater der Auberge begangen zu haben scheint, um sich als rückfällige Kriminelle zu qualifizieren, und eine extrem vorsichtige Ex-Meta-Lady, die sich, zumindest im Augenblick, damit zufriedengibt, nichts weiter als ein Gruppenmitglied zu sein.

Der gestrige Abend bescherte uns einen faszinierenden Einblick in den Background des Piraten. Sein Bruder und seine Schwester tauchten überraschend auf, um ihm Lebewohl zu sagen. Es erwies sich, daß beide Flottenoffiziere von sehr beeindruckendem Rang sind. Der arme P. geriet völlig aus der Fassung, und die Ex-Meta-Lady vermutet, er müsse selbst ein geschaßter Raumfahrer sein. Er ist ein kompetenter Typ, sofern man sich nicht an seiner mürrischen Art stößt. Ich arbeitete ein paar Stunden lang bei einer Übung mit ihm zusammen, durch die er etwas über Bootsführung lernen wollte, und er machte mir den Eindruck, als habe er ein angeborenes Geschick für das Wasser.

Die meisten anderen aus Gruppe Grün scheinen allein in der Welt zu stehen. Die Nonne führte ein langes Konferenzgespräch mit ihren religiösen Schwestern in Nordamerika, die ihr bon voyage wünschen wollten. Und heute morgen traf sie sich mit einem Franziskaner in voller Kriegsbemalung, der ihr zweifellos die letzte Beichte oder so etwas abnahm. (Der Bruder kam in einem dieser hochfrisierten Gambini-Eier mit Wärmedämmungsfinnen geritten, nicht auf dem geduldigen grauen Esel, den man nach Biographien über Il Poverello erwartet hätte.) Die Nonne war medizinische und psychologische Beraterin von Beruf und hat vor, sich in eine Einsiedelei zurückzuziehen. Ich hoffe, die arme Frau verläßt sich nicht zu sehr auf helfende Engel wie den alten Paläontologen. Er ist ein feiner Bursche mit Neigung für Zimmermannsarbeiten, aber ich möchte der Ex-Meta recht geben, wenn sie ihn als von einem Todeswunsch Besessenen klassifiziert.

Deiner Analyse des kleinen Hanswurst stimme ich bei. Es muß einen sehr handfesten Grund geben, daß er aus seiner Heimatwelt hinausgeworfen worden ist, aber es ist ein Jammer, daß seine Talente nicht für das Milieu nutzbar gemacht werden konnten. Armer kleiner Ungeborener. Wir anderen Grünen haben ihn ins Herz geschlossen – nicht nur wegen seines fürchterlichen Sinns für Humor, sondern auch wegen seiner phantastischen Fähigkeit, etwas aus nichts zu machen. Er hat sich eine große Sammlung von Vitredur-Werkzeugköpfen angelegt, die nur noch mit Schäften oder Griffen versehen werden müssen, um benutzbar zu sein. Man bekommt das Gefühl, wenn dieser Junge so eine Woche im Pliozän gewesen ist, wird die Industrielle Revolution toben. Er besitzt eine komplette Dekamol-Ausrüstung für seine Tätigkeit als Dorfschmied und ländlicher Mechaniker und hat sich eine Menge geologischer Karten verschafft, die ihm für den unwahrscheinlichen Fall, daß noch keiner der anderen Exilbewohner ernsthaft ans Prospektieren gegangen ist, Hinweise auf Metallerze geben.

Die eigentümliche soziale Struktur der Gruppe Grün mag Dich interessieren. Die Gründerin der Auberge war eine praktische Psychologin von nicht geringen Graden und erkannte ziemlich früh, daß ihre Klienten Unterstützung von Reisegefährten brauchen würden, um die Überlebenschancen jenseits des Portals zu maximieren. Andererseits waren sie bestimmt viel zu exzentrisch, um sich einer der offensichtlicheren Arten aufgezwungener Organisation einzufügen. Deshalb bediente sich Madame Guderian des alten Kunstgriffs: »Jag sie zusammen durch die Hölle – danach werden sie Kameraden sein.« Du mußt zugeben, daß das bei allen bis auf die schlimmsten Soziopathen Solidaritätsgefühle erwekken wird (und, mit der auf der Hand liegenden Ausnahme, auch erweckte).

Bei den täglichen Gruppenübungen wurden wir großen Anstrengungen unterworfen. Oft fanden wir uns in einer ungewohnten Situation, in der wir zur Zusammenarbeit gezwungen waren, um eine schwierige Aufgabe schnell und gut zu lösen. Zum Beispiel schlugen wir in einer Unterrichtsstunde eine Brücke über einen dreißig Meter breiten Teich voller Alligatoren. In einer anderen fingen, schlachteten und ›verwerteten‹ wir einen Elch, und wir verteidigten uns in einer dritten gegen uns beschleichende menschliche Feinde. Komischerweise ist der fortgeschrittenste Primitive der Gruppe der alte Paläontologe, der sich beim Auflesen fossiler Knochen länger als ein Jahrhundert an den wilderen Gestaden Galacticas herumgetrieben haben muß.

Wir sind einander nur mit den Vornamen bekannt, und Einzelheiten aus unserer Vergangenheit enthüllen wir nur, wenn es uns paßt. Wie Du Dir sicher vorstellen kannst, läßt das einen weiten Spielraum für die Salon-Psychoanalyse – mit der Ex-Meta-Lady als oberster Spielleiterin. Mich hatte sie schon nach dem ersten Tag als Irrenden Liebhaber durchschaut, und ich fürchte, sie sieht ein trauriges Ende meiner Suche voraus, denn sie bemüht sich ständig, mich mit Betrachtungen über das Rollenspiel unter den Auberge-Bewohnern, die politischen Implikationen des Exils und anderen anthropologischen Amüsements abzulenken.

Glaubst auch Du, Varya, daß ich in mein Unglück laufe? *Ich* glaube es nicht, weißt Du.

Heute am späten Nachmittag erhielt ich einen Anruf aus London. Es waren Kaplan und Djibutunji und Hildebrand und Catherwood, Gott segne sie, die mir Lebewohl sagen wollten. Tante Helen schickte mir einen Gruß, aber sie ist jetzt, wo die Wirkung der Verjüngung nachläßt, fast völlig gaga.

Dein lieber Brief kam mit der heutigen Morgenpost. Ich brauche Dir nicht erst zu sagen, wie sehr ich mich über Deinen Entschluß freue, mit dem Verbindungskomitee weiterzumachen. Es tut mir wirklich leid, diese Arbeit unbeendigt zurückzulassen. Immer noch ist eine endgültige Korrelierung des chaotischen Vorrebellion-Materials nicht geschafft, aber ich habe den Eindruck, daß Alicia und Adalberto das sehr gut in der Hand haben.

Und so komme ich schließlich zum Lebewohl, Varya. Ich wünschte, ich wäre wortgewandter und der Erinnerung wert, statt nichts als ein langweiliger Zeitgenosse. Mein phantastischer Entschluß wird für mich zu sprechen haben. Was Du auch tust, trauere nicht. Meine einzige Hoffnung auf Glück liegt auf der anderen Seite des Exil-Portals, und ich muß es wagen, ihm nachzulaufen. Erinnere Dich an die Jahre, die wir als Liebende und Kollegen und Freunde gemeinsam verbrachten, und wisse, daß ich froh bin, sie erlebt zu haben. Freude und Licht Dir, meine liebe Varya.

Für immer
Dein BRY

18

Als das Letzte Abendmahl mit seinem verrückten Smörgåsbord verlangter Gerichte endlich vorüber war, nahmen die acht Mitglieder der Gruppe Grün ihre Drinks mit hinaus auf die Terrasse, wo sie sich instinktiv abseits von den anderen Gästen zusammenscharten. Obwohl es erst zwanzig Uhr dreißig war, hatte sich der Himmel über Lyon völlig verfinstert – das einmal pro Woche vorgesehene Unwetter baute sich im Norden auf. Rosa Blitze zeigten die Umrisse sich nähernder Gewitterwolken.

»Wie sich die Statik auflädt!« rief Elizabeth aus. »Auch wenn meine Metafunktionen erloschen sind, packt mich die Ionisierung vor einem richtig schweren Gewitter doch jedes Mal. Alle Sinne werden schärfer. Ich beginne, mich so klug zu fühlen, daß ich kaum noch an mich halten kann! Der Kondensator Erde lädt sich auf, und ich mich mit ihm, und noch eine oder zwei Minuten, und ich werde imstande sein, Berge wegzublasen!«

Sie wandte das Gesicht dem stärker werdenden Wind zu; das lange Haar flatterte, der Jumpsuit aus rotem Drillich klebte an ihrem Körper. Das erste Grollen fernen Donners ließ die Luft gerinnen.

Felice fragte mit bemühter Lässigkeit: »Hast du früher Berge versetzen können?«

»Eigentlich nicht. Unter den Metas sind größere psychokinetische Kräfte wirklich sehr selten – beinahe so selten wie echte Kreativität. Meine PK-Talente langten nur für ein paar unterhaltsame Tricks. Meine Spezialität war das Fernsprechen, diese vielgepriesene telepathische Funktion. Eigentlich müßte man sie Fernwahrnehmen nennen, weil sie eine Art von Sehen ebenso einschließt wie das Hören. Außerdem war ich in hohem Maß auf dem Gebiet der Redigierung operant – das ist die therapeutische und analytische Kraft, die die meisten Laien Persönlichkeitsveränderung nennen. Mein Mann hatte ähnliche Fähigkeiten. Wir arbeiteten als Team daran, den Geist sehr kleiner Kinder auf den ersten schwierigen Schritten zur metapsychischen Einheit hin zu trainieren.«

»Man hat von *mir* verlangt, daß ich zu einem Redakteur gehe.« Felices Stimme war geladen mit Verachtung. »Ich sagte ihnen, lieber würde ich sterben. Ich verstehe nicht, wie ihr Meta-Leute es aushaltet, in den Gehirnen anderer herumzustöbern. Oder immer einen anderen Meta in Reichweite zu haben, der imstande ist, eure eigenen geheimen Gedanken zu lesen. Es muß gräßlich sein, wenn man nie allein ist. Sich nie verstecken kann. Ich würde verrückt werden.«

Elizabeth antwortete freundlich: »So war es ganz und gar nicht. Was das Gedankenlesen der Metas unter sich angeht ... da gibt es viele verschiedene geistige Ebenen. ›Modi‹ nennen wir sie. Man kann mit vielen Leuten im deklamatorischen Modus fernsprechen oder auf kurze Entfernung mit einer Gruppe im Konversations-Modus. Dann gibt es den intimen Modus, bei dem einen nur eine einzige Person empfangen kann. Und dazu kommen viele andere bewußte und unbewußte Schichten. Sie können mit mentalen Techniken, die alle Metapsychiker in ganz jungen Jahren lernen, abgeschirmt werden. Wir haben unsere privaten Gedanken genau wie ihr. Der Großteil der telepathischen Kommunikation ist nicht mehr als eine Art stimmloser Sprache und Bildprojektion. Man kann es mit elektronischen audiovisuellen Sendungen vergleichen – ohne die elektromagnetische Strahlung.«

Felice behauptete: »Tiefenredakteure können in die innersten Gedanken einer Person eindringen.«

»Das stimmt. Aber dann besteht fast immer eine Arzt-Patient-Beziehung. Der Patient gibt bewußt die Erlaubnis für die Durchforschung. Und selbst dann kann eine Fehlfunktion so stark programmiert sein, daß der Therapeut machtlos ist – ganz gleich, wie bereit der Patient zur Zusammenarbeit sein mag.«

»Ja-a«, sagte Stein. Er kippte seinen großen Bierkrug und hielt ihn vors Gesicht.

Felice blieb dabei: »Ich *weiß,* daß Metas geheime Gedanken lesen können. Manchmal setzte der Coach unseres Teams Redakteure auf Jungs an, die nicht in Form waren. Die Metas fanden immer diejenigen heraus, die die Nerven verloren hatten. Du kannst mir nicht erzählen, die armen Schweine hätten den Seelenbohrern freiwillig etwas verraten, weswegen sie gefeuert wurden!«

Elizabeth antwortete: »Eine nicht trainierte Person, ein Nichtmeta, gibt auf subvokale Weise Informationen ab, ohne sich dessen bewußt zu sein. Stell es dir als mentales Gemurmel vor. Hast du nie in der Nähe eines Menschen gestanden, der mit sich selbst sprach, indem er halblaut vor sich hin murmelte? Wenn jemand ängstlich oder wütend ist oder sich große Mühe gibt, ein Problem zu lösen, oder auch nur sexuell erregt ist, werden seine Gedanken ... laut. Sogar Nichtmetas können die Vibrationen manchmal auffangen – die bildlichen Vorstellungen oder subvokale Sprache oder emotionale Ausbrüche. Je besser der Redakteur ist, desto leichter erkennt er den Sinn hinter dem verrückten Mischmasch, den menschliche Gehirne aussenden.«

»Gibt es irgendeine Möglichkeit, daß eine gewöhnliche Person einen Gedankenleser ausschließen kann?« fragte Bryan.

»Natürlich. Oberflächliches Schnüffeln kann man ziemlich leicht abwehren. Man muß die Sendungen des Gehirns nur fest im Griff behalten. Wenn du glaubst, irgend jemand wolle tiefer bohren, stell dir ein neutrales Bild wie zum Beispiel ein großes schwarzes Viereck vor. Oder mach irgendeine einfache Übung, wenn du nicht gerade laut sprichst. Zähle eins-zwei-drei-vier, immer und immer wieder. Oder sing ein dummes Lied. Das wird alle bis auf die besten Redakteure abblocken.«

»Ich bin froh, daß du *meine* Gedanken jetzt nicht lesen kannst, Schätzchen«, warf Aiken Drum ein. »Du würdest in einen Sumpf schierer Feigheit fallen. Ich habe so Angst davor, durch dieses Zeitportal zu gehen, daß sich meine roten Blutkörperchen in Eiter verwandelt haben! Ich habe versucht auszusteigen. Ich habe den Beratern sogar versichert, ich würde mich bessern, wenn sie mich hierbleiben ließen. Aber niemand wollte mir glauben.«

»Ich kann mir nicht vorstellen, warum«, meinte Bryan.

Ein rötlicher Blitz schoß oberhalb der Hügel von Wolke zu Wolke, aber der Donner, als er kam, war gedämpft und unbefriedigend, ein Schlag auf ein gesprungenes Trommelfell.

Aiken erkundigte sich bei Elizabeth: »Wie bist du mit dem Ballonfahren vorangekommen, Süße?«

»Ich habe die Theorie intus, wie man einen aus verfügbarem Material baut – man gerbt Fischhäute für die Hülle und flicht einen Korb und dreht Seile aus Rindenbast. Aber praktisch geübt habe ich in einem von diesen hier.« Sie nahm ein Paket in der Größe zweier Ziegelsteine aus ihrer Schultertasche. »Er bläht sich fünf Stockwerke hoch auf, hat eine doppelte Hülle und ist halb lenkbar. Feuerrot wie mein Anzug. Ich habe eine Energiequelle, um Heißluft zu injizieren. Natürlich hält die Energie für nicht mehr als ein paar Flugwochen vor, so daß ich letzten Endes auf Holzkohle übergehen muß. Eine dreckige Arbeit, die herzustellen. Aber es ist der einzige verfügbare Brennstoff des Pliozän – es sei denn, ich kann Kohle finden.«

»Mach dir darüber keine Gedanken, Püppchen«, sagte Aiken. »Halt dich nur an mich und meine geologischen Karten.«

Stein lachte verächtlich auf. »Und wie willst du das Zeug abbauen? Schneewittchen und die sieben Zwerge anheuern? Die nächste Kohle liegt hundert Kilometer weiter nördlich um Le Creusot und Montceau und auf halbem Weg zur Hölle unter der Oberfläche. Selbst wenn du ohne Sprengungen herankommst, wie willst du das Zeug an einen Ort verfrachten, wo es dir von Nutzen ist?«

»Dann brauche ich eben eine oder zwei Wochen, um die verdammten Einzelheiten auszuarbeiten!« schoß Aiken zurück.

»Es muß viel näher andere Kohlenlager geben«, erklärte Claude Majewski. »Deine modernen Karten sind trügerisch, Aiken. Sie zeigen die Strata und Lager, wie sie heute, im zweiundzwanzigsten Jahrhundert, existieren – nicht so, wie sie vor sechs Millionen Jahren waren. Es hat im ganzen Massif Central kleine limnische Kohlenbecken und eine richtig große Ablagerung bei Saint-Etienne gegeben, aber sie sind Ende des zwanzigsten Jahrhunderts alle abgebaut worden. Geh zurück ins Pliozän, und du wirst wahrscheinlich nur ein paar Kilometer südlich von hier leicht zugängliche Kohle finden. Such welche in der Nähe eines Vulkans, vielleicht hast du dann das Glück, auf natürlichen Koks zu stoßen.«

»Warte lieber damit, die Pliozän-Bergbaugesellschaft mit unbeschränkter Haftung zu gründen, bis du das Territorium beaugapfelt hast«, riet Richard mit einer säuerlichen Grimasse. »Die örtlichen Bosse mögen ihre eigenen Vorstellungen darüber haben, ob wir uns der natürlichen Hilfsquellen bedienen dürfen.«

»Durchaus möglich«, stimmte Bryan zu.

»Wir könnten sie überreden, uns ein Stück vom Kuchen abzugeben«, meinte Felice. Sie lächelte. »Auf die eine oder andere Weise.«

»Wir könnten auch versuchen, Konflikte zu vermeiden«, sagte die Nonne, »indem wir in ein unbesiedeltes Gebiet gehen.«

»Ich glaube nicht, daß das Felices Stil ist«, fiel Aiken ein. »Sie freut sich schon auf ein bißchen Keilerei mit Schneegestöber – nicht wahr, Baby?«

Landrys helles, krauses Haar stand ihr in einer aufgeladenen Wolke vom Kopf ab. Sie trug wieder das einfache Cheongsam. »Auf was ich mich auch freuen mag, ich werde es finden. Im Augenblick möchte ich nichts anderes als noch ein Glas. Kommt jemand mit?« Sie schlenderte in die Auberge zurück, gefolgt von Stein und Richard.

»Irgend jemand sollte den beiden sagen, daß sie ihre Zeit verschwenden«, murmelte der alte Mann.

»Arme Felice«, bemerkte Amerie. »Es ist ein so unpassender Name für sie, wo sie doch so furchtbar unglücklich ist. Diese aggressive Pose ist nur eine andere Form der Rüstung, wie die Hockey-Uniform.«

»Und darunter weint sie wohl nach Liebe?« fragte Elizabeth, die Augen fast geschlossen und ein schwaches Lächeln auf den Lippen. »Sei vorsichtig, Schwester. Die da hat es nötig, daß für sie gebetet wird, o ja. Aber sie hat mehr von einem Schwarzen Loch als von einem Schwarzen Schaf an sich.«

»Diese Augen fressen einen bei lebendigem Leib«, sagte Aiken. »Da drin geht etwas vor, das verdammt unmenschlich ist.«

»Es ist nicht einmal normal homophil«, sagte Majewski. »Aber darin, daß es verdammt ist, gebe ich dir recht.«

»Es ist grausam und zynisch, das zu sagen, Claude!« rief die Nonne aus. »Du weißt gar nichts über die Vergangenheit des Mädchens, nichts über die Dinge, die ihren Geist verstümmelt haben. Du redest, als sei sie ein Ungeheuer – und dabei ist sie nichts als ein rührendes, stolzes Kind, das niemals gelernt hat zu lieben.« Sie holte tief Atem. »Ich bin Medizinerin ebenso wie Nonne. Eins meiner Gelübde ist, den Leidenden zu helfen. Ich weiß nicht, ob ich Felice helfen kann, aber versuchen werde ich es bestimmt.«

Ein Windstoß hob Ameries Schleier, und sie hielt ihn ungeduldig mit einer starken Hand fest. »Bleibt nicht zu lange auf, Leute! Wir haben morgen früh etwas vor.« Sie eilte von der Terrasse und verschwand in dem dunkel gewordenen Garten.

»Vielleicht ist es das Nönnchen, das die Gebete braucht«, kicherte Aiken.

»Halt den Mund, du!« bellte Claude. Dann sagte er: »Entschuldige, Sohn. Aber du mußt deine spitze Zunge im Zaum halten. Wir werden genug Probleme haben, auch ohne daß du noch dazu beiträgst.« Er blickte zum Himmel auf; ein mächtiger, lange sichtbarer Blitz ging über den Bergen im Osten nieder. Wetterleuchten stieg auf, ihm entgegen, und Donner rollte. »Das Gewitter ist da. Ich gehe ebenfalls zu Bett. Wissen möchte ich nur, wer, zum Teufel, die Omina für unsere Unternehmung bestellt hat!«

Der alte Mann stapfte davon. Elizabeth, Aiken und Bryan blickten ihm nach. Drei aufeinanderfolgende Donnerschläge verschafften ihm einen theatralischen Abgang, aber von den noch auf der Terrasse sitzenden Leuten lächelte keiner mehr.

»Ich habe dir noch gar nicht gesagt, Aiken«, sagte Elizabeth schließlich, »wie sehr mir dein Kostüm gefällt. Du hattest recht. Es ist das spektakulärste in der ganzen Auberge.«

Der kleine Mann begann wie ein Flamenco-Tänzer mit den Fingern zu schnippen und den Absätzen zu klappern, er drehte sich und stellte sein Kostüm zur Schau. Blitze leuchteten auf dem locker sitzenden Kleidungsstück. Was ein Gewebe aus Gold zu sein schien, war in Wirklichkeit ein kostbarer Stoff, hergestellt aus den zähen Fäden franconischer Mollusken, in der ganzen Galaxis wegen seiner Schönheit und Haltbarkeit berühmt. Die Arme und Beine des Anzugs waren von oben bis unten mit kleinen Klappen und Taschen besetzt, Taschen bedeckten die Brust, die Schultern und Hüften, und auf dem Rücken befand sich eine sehr große Tasche, die sich nach unten öffnete. Aikens goldene Stiefel hatten Taschen. Sein Gürtel hatte Taschen. Sogar sein goldener Hut, dessen Rand auf der rechten Seite keck aufgeschlagen war, hatte eine Handvoll winziger Taschen. Und jede Tasche, ob groß oder klein, wölbte sich über einem Werkzeug oder Instrument oder komprimierten Dekamol-Teil. Aiken Drum war ein wandelnder Eisenwarenladen, Fleisch geworden als goldenes Idol.

»König Arthur würde dir, sobald er dich sähe, den Namen Sir Boss geben«, sagte Elizabeth und setzte für Bryan die Erklärung hinzu: »Er hat vor, sich als Connecticut-Yankee des Pliozäns zu etablieren.«

»Du würdest dich nicht mit Twains solarer Eklipse abzumühen brauchen, um Aufmerksamkeit zu erregen«, gestand ihm der Anthropologe zu. »Der Anzug genügt vollauf, um das Landvolk in Ehrfurcht versinken zu lassen. Aber ist er nicht ziemlich auffällig, wenn du das Land ausspionieren willst?«

»Diese große Tasche auf meinem Rücken enthält einen Chamäleon-Poncho.«

Bryan lachte. »Merlin hätte keine Chance gegen dich.«

Aiken beobachtete, wie die Lichter der Stadt Lyon matter wurden und verschwanden. Die näherkommende Gewitterfront verhängte das Tal mit Regen. »Der Connecticut-Yankee mußte in der Geschichte mit Merlin in Wettstreit treten, nicht wahr? Moderne Technik gegen Zauberei. Wissenschaft gegen den Aberglauben des Dunklen Zeitalters. Ich erinnere mich nicht mehr so genau an das Buch. Las es dort auf Dalriada, als ich ungefähr dreizehn war, und ich weiß noch, daß ich von Twain enttäuscht war, weil er soviel Raum auf halbgare Philosophie verschwendet, statt Handlung zu bringen. Wie ging es aus? Ich habe es vergessen, wißt ihr. Ich werde mir vom Computer eine Platte von dem Ding als Bettlektüre geben lassen.« Er zwinkerte Bryan und Elizabeth zu. »Aber ich entschließe mich vielleicht, mir ein höheres Ziel zu setzen, als Sir Boss es tat!«

Er huschte davon, in die Auberge.

»Da waren's nur noch zwei«, bemerkte Bryan.

Elizabeth trank ihren Rémy Martin aus. Sie erinnerte ihn in vieler Beziehung an Varya – ruhig, von messerscharfer Intelligenz, aber immer mit geschlossenen Fensterläden. Sie projizierte kühle Kameradschaft ohne die geringste Beimischung von Sex.

»Du wirst nicht lange mit Gruppe Grün zusammenbleiben, nicht wahr, Bryan?« fragte sie. »Wir übrigen haben in diesen fünf Tagen eine Abhängigkeit voneinander entwickelt. Aber du nicht.«

»Dir entgeht auch nichts! Bist du sicher, daß deine Metafunktionen wirklich ausgelöscht sind?«

»Nicht ausgelöscht«, antwortete sie. »Aber praktisch läuft es auf das Gleiche hinaus. Ich bin wegen einer Gehirnverletzung in den Zustand zurückgefallen, den wir ›latent‹ nennen. Meine Funktionen sind noch da, aber nicht mehr zugänglich, eingemauert in der rechten Hälfte meines Gehirns. Manche Personen werden latent geboren – mit den Mauern. Andere werden operant geboren, wie wir sagen, und ihre Geisteskräfte stehen ihnen zur Verfügung, besonders wenn sie von früher Kindheit an richtig ausgebildet werden. Es ist dem Erlernen von Sprachen durch Babies sehr ähnlich. Meine Arbeit auf Denali bestand zum großen Teil aus dieser Art von Ausbildung. Sehr selten gelang es uns, Latente in den operanten Zustand zu überführen. Aber mein eigener Fall liegt anders. Ich besitze nur noch ein paar Teelöffel voll meines ursprünglichen Cerebrums. Das Übrige ist regeneriert. Der Rest genügte für eine Wiederbelebung, und ein Spezialist stellte meine Erinnerungen wieder her. Aber aus irgendeinem unbekannten Grund überlebt metapsychische Operanz selten ein wirklich schweres Gehirn-Trauma.«

»Was ist geschehen, wenn ich das fragen darf?«

»Mein Mann und ich gerieten in einen Tornado, als wir mit unserem Ei auf Denali unterwegs waren. Es ist eine hübsche kleine Welt mit so ungefähr dem schlechtesten Wetter der Galaxis. Lawrence war auf der Stelle tot. Ich wurde in Stücke zerbrochen, aber letzten Endes wiederhergestellt. Mit Ausnahme meiner MP-Funktionen.«

»Und ist ihr Verlust so unerträglich ...«, begann er. Dann fluchte er und entschuldigte sich.

Aber sie blieb ruhig wie immer. »Es ist für einen Nichtmeta nahezu unmöglich, das zu verstehen. Stell dir vor, taub, stumm, blind zu werden. Stell dir vor, am ganzen Körper gelähmt und gefühllos zu sein. Stell dir vor, du verlierst deine sexuellen Organe, du wirst scheußlich entstellt. Leg alle diese Qualen zusammen, und immer reichen sie noch nicht aus, wenn man die andere Sache einmal gekannt und dann verloren hat ... Aber auch du hast etwas verloren, nicht wahr, Bry? Vielleicht verstehst du ein bißchen, was ich empfinde.«

»*Etwas* verloren. Vielleicht ist es logischer, es so auszudrücken. Gott weiß, daß nichts logisch ist an der Art, wie ich für Mercy fühle.«

»Wo willst du nach ihr suchen? Wenn die anderen im Pliozän nun nicht wissen, wohin sie gegangen ist?«

»Alles, was ich habe, ist ein Instinkt. Zuerst werde ich es mit Armorica versuchen, ihrer bretonischen Herkunft wegen. Und dann mit Albion – das zu Britannien werden wird. Ich brauche das Boot, weil es fraglich ist, ob der Kanal gerade zu der Zeit, in der wir leben werden, trockenes Land war. Der Meeresgrund scheint sich zu Beginn des Pliozän auf merkwürdige Weise verlagert zu haben. Doch irgendwie werde ich Mercy finden, ganz gleich, wohin sie gegangen ist.«

Und was werde ich in meinem schönen Ballon finden? fragte sich Elizabeth. Wird es darauf ankommen? Wird die Exil-Welt weniger leer sein als diese hier?

Vielleicht, wenn sie und Lawrence Kinder gewollt hätten – aber darunter hätte ihre Arbeit gelitten, und deshalb waren sie übereingekommen, auf Kinder zu verzichten und Liebeserfüllung ineinander zu finden. Sie hatten sich fürs Leben vereint, wie es die meisten Metapsychiker taten, denn sie wissen, wenn der eine Partner unwiderruflich gegangen ist, gibt es immer noch die Einheit, die milliardenfache Geistumarmung des Galaktischen Milieus.

Vielmehr, es hätte sie gegeben ...

Die ersten großen Regentropfen prasselten auf die Blätter der Platanen. Blauweiße Blitze erhellten das ganze Tal, und der Donner schien die Wurzeln der Berge zu erschüttern. Bryan packte Elizabeth an der Hand und zog sie ein paar Sekunden, bevor es zu gießen begann, durch die Porte-fenêtre in den Hauptsalon.

19

Vor Morgengrauen war es kühl. Graue Wolken eilten südwärts, als hätten sie sich für eine Verabredung mit dem Mittelmeer verspätet. Das Rhônetal lief über von Nebel. Ein kleines Holzfeuer war im Hauptsalon angezündet worden, und dort war der Ort, wo sich die Mitglieder von Gruppe Grün nach dem auf den Zimmern eingenommenen Frühstück versammelten. Jede Person trug die Gegenstände für ein neues Leben und war für die gewählte Rolle gekleidet. (Ihr Extra-

Gepäck war vor ihnen an das Zeitportal gebracht worden: Claudes Kiste mit Wybrowa, Bryans Scotch, Richards Vorräte an Gewürzen und Hefe und Natriumbisulfit, Steins Bierfaß, Elizabeths Likörpralinen und Ameries großes Gemälde des Heiligen Sebastian.) Richard und Stein blickten in die schwachen Flammen und flüsterten miteinander. Amerie, ein dünnes Lächeln auf den Lippen, ließ die Perlen eines großen hölzernen Rosenkranzes, der ihr vom Gürtel hing, durch die Finger gleiten. Die anderen standen abseits, warteten.

Um genau fünfhundert Uhr kam Berater Mishima die breite Treppe vom Mezzanin herunter und entbot ihnen feierlich einen guten Morgen.

»Bitte, begleiten Sie mich.«

Sie nahmen ihre Sachen und folgten ihm hintereinander aus dem Salon, über die Terrasse und in den durchweichten Garten, wo die Pflastersteine immer noch unter Wasser standen und die Blüten der Rosenstöcke vom Sturm zerfetzt und geknickt niederhingen.

Die Balkons des Hauptgästehauses gingen auf den Garten hinaus. Von oben beobachteten sie undeutliche Gesichter hinter Glastüren – genau wie sie selbst im Morgengrauen andere Prozessionen von acht Zeitreisenden, angeführt von einem Berater, beobachtet hatten. Sie hatten Zigeuner und Kosaken und Wüstennomaden und Voortrekker gesehen, Polynesier mit Federmänteln und Krieger mit Armbrüsten, Schwertern und Assegais; es waren bayrische Wanderer in Knielederhosen, bärtige Propheten in weißen Roben, orientalische Mönche mit kahlgeschorenen Schädeln, amerikanische Pionierfrauen mit Sonnenhüten, Cowboys, rührend grotesk kostümierte Fetischisten und vernünftig wirkende Leute in Jeans oder Tropenausrüstung dabei gewesen. Die Reisenden hatten sich bei den frühmorgendlichen Paraden durch den Garten zu einem alten Häuschen begeben, beschattet von Maulbeerbäumen, das hölzerne Fachwerk und die weißen Zwischenfelder verhüllt von Kletterpflanzen. Madame Guderians Spitzengardinen hingen noch an den Fenstern, und ihre rosa und weißen Geranien blühten in irdenen Töpfen neben der großen Eingangstür. Die acht Gäste und der Berater pflegten das Häuschen zu betreten, und dann schloß sich die Tür hinter ihnen. Nachdem eine halbe Stunde vergangen war, trat der Berater allein wieder heraus.

Bryan Grenfell stand hinter Berater Mishima, als dieser das Guderian-Häuschen mit einem altmodischen Messingschlüssel öffnete. Ein großer ingwerfarbener Kater saß auf einem trockenen Fleck unter den schützenden Büschen und beobachtete die Gruppe mit einem hämischen goldenen Auge. Grenfell nickte ihm beim Eintreten zu. Du hast viele diesen Weg gehen sehen, nicht wahr, Monsieur le Chat? Und wieviele von ihnen sind sich bisher so ausgelaugt und töricht und müde vorgekommen wie ich – und waren doch zu stur, um kehrtzumachen? Hier gehe ich in meinem praktischen Tropenanzug mit einem Brotbeutel voll von einfachen Gebrauchsgegenständen und proteinreicher Nahrung, bewaffnet mit einem Bergstock und einem kleinen Wurfmesser, das an meinem linken Unterarm unter dem Ärmel verborgen ist, und Mercys liebem Bild und Dossier in meiner Brusttasche. Hier gehe ich in den tiefen Keller ...

Stein Oleson mußte den Kopf einziehen, als er die Tür durchschritt, und vorsichtig durch den Flur gehen, um nicht Madames hohe Standuhr mit ihrem schaukelnden Messingpendel mitzunehmen oder irgendein zerbrechliches Bibelot von seinem Platz an der Wand zu fegen oder sich mit den gebogenen Hörnern seines Wikingerhelms nicht in dem kleinen Kristallkronleuchter zu verfangen. Stein fand es immer schwieriger, ruhig zu sein. Irgend etwas in ihm dehnte sich aus und verlangte zu schreien, zu brüllen, ein lautes Gelächter auszustoßen, das alle übrigen der Gruppe vor ihm zurückweichen lassen würde wie vor der sich plötzlich öffnenden Tür eines Schmelzofens. Er spürte, daß sein Penis unter dem Wolfsfell-Kilt zum Leben erwachte und sich erhob, es seine Füße juckte, zu springen und zu trampeln, seine Armmuskeln sich spannten, um die Kampfaxt zu schwingen oder den Speer mit der Vitredur-Spitze, den er seiner Waffensammlung hinzugefügt hatte, zu werfen. Bald! Bald! Der Drang in seinem Inneren würde freikommen, das Feuer in seinem Blut ihn zu Heldentaten führen, und die Freude würde so riesig sein, daß er verdammt nahe an den Rand des Sterbens geriet, wenn er sie hinunterschluckte ...

Richard Voorhees folgte Stein vorsichtig in den Keller. Seine schweren, umgeschlagenen Schifferstiefel waren ungeeignet für die abgetretenen Stufen. Er hatte den Verdacht, daß er zu den bequemeren Turnschuhen in seinem Rucksack werde überwechseln müssen, sobald sie das Portal passiert und auf der anderen Seite die ersten Erkundungen durchgeführt hatten. Zuerst die praktischen Erfordernisse, dann das Rollenspiel! Das Geheimnis des Erfolges, sagte er zu sich selbst, würde in einem schnellen Erfassen der örtlichen Machtstruktur, einem versteckten Appell an die Habenichtse und dem Aufbau einer angemessenen Basis liegen. Sobald er die Destillerie in Betrieb hatte (wobei Stein und vielleicht auch Landry die Ansässigen von Gewaltakten abhalten konnten), hatte er sich einen gesunden wirtschaftlichen Rückhalt geschaffen und war bereit, nach politischem Einfluß zu streben. Er lächelte voller Vorfreude und schob sorgfältig den Hüftgurt seines Rucksacks zurecht, damit er ihm die Schöße seiner Weste nicht verdrückte. Hatten sich nicht einige jener alten Seeräuber im frühen Amerika zu richtigen Königen gemacht? Jean Lafitte, Bloody Morgan, sogar der alte Schwarzbart selbst? Und wie gefällt dir Richard Voorhees als König von Barataria? Er lachte bei dem Gedanken laut auf und vergaß ganz, daß sein Kostüm nicht eigentlich das eines Piraten, sondern das eines Seefahrers ganz anderer Art war ...

Felice Landry sah zu, wie Berater Mishima den komplizierten Mechanismus des Schlosses bediente. Die schwere Tür schwang auf, und sie betraten den alten Weinkeller, feucht und muffig und mit einem schwachen Nebengeruch nach Ozon. Sie starrte auf das Gazebo, dieses unwahrscheinliche Tor in die Freiheit, und drückte ihre neue Armbrust an ihren schwarzgepanzerten Busen. Sie zitterte, ihr wurde übel, und sie brauchte ihre ganze Willenskraft, um sich nicht in diesem entscheidenden Augenblick zu entwürdigen. Zum ersten Mal seit ihrer frühen Kindheit wurden die Wimpern ihrer Augen in der T-förmigen Öffnung des griechischen Helms klebrig von Tränen ...

»Wir werden Sie in Gruppen von vieren senden, wie ich bereits erklärt habe«, sagte Berater Mishima. »Ihr zusätzliches

Gepäck folgt Ihnen dann nach einer Pause von fünf Minuten. Halten Sie sich also bereit, es rasch aus dem Tau-Feld-Gebiet zu entfernen. Und jetzt, wenn die ersten Leute bitte ihre Position einnehmen wollen ...«

Elizabeth Orme beobachtete ungerührt, daß Bryan, Stein, Richard und Felice sich in der Gitterzelle eng zusammendrängten und bewegungslos dastanden. Sie alle, dachte sie, haben Pläne gemacht, nur ich nicht. Jeder hat sein Ziel – ein rührendes oder komisches oder verrücktes. Aber ich werde es zufrieden sein, in meinem scharlachroten Ballon durch die Exilwelt zu schweben, hinunterzublicken auf all die Leute und Tiere, dem Wind und den Rufen der Vögel zuzuhören, Blütenstaub, Harz aus dem Wald, Rauch von einem Steppenbrand zu riechen. Auf den Boden hinunterkommen werde ich nur, wenn ich das Gefühl habe, daß die Erde wieder wirklich ist, daß ich wieder wirklich bin. Falls das je geschieht ...

Spiegelwände entstanden, als Mishima den Schalter umlegte. Die vier Leute in dem Gazebo waren unterwegs. Aiken Drum, dessen goldener Anzug die Kellerlampen in hundertfältigem Glitzern widerspiegelte, trat impulsiv vor.

»Verdammt! Mehr ist nicht daran? Es wird nicht einmal soviel Energie entzogen, daß die Lampen trüber werden?« Er studierte die schlingpflanzenähnlichen Kabel, die aus dem gestampften Lehmboden zu wachsen und irgendwo kurz unterhalb der gewölbten Decke zu verschwinden schienen. Mishima warnte ihn, er dürfe nichts berühren, und Aiken antwortete ihm mit einer beruhigenden Geste. Aber genau ansehen mußte er sich die Sache. Das glasige Rahmenwerk war durchschossen mit sich schwach bewegenden Mustern, die am Rand der Sichtbarkeit schwebten. Die schwarzen Knoten an den Verbindungen der Gitterstäbe umschlossen jeder einen winzigen Punkt nicht flackernden Lichts, das wie aus großer Ferne leuchtete.

»Wie lange braucht man, um von hier nach da zu kommen?« fragte Aiken. »Oder sollte ich sagen, von jetzt nach damals?«

»Die Übertragung erfolgt theoretisch ohne Zeitverlust«, erwiderte Mishima. »Wir halten das Feld für ein paar Minuten aufrecht, damit ein sicheres Verlassen gewährleistet ist.

GIUSEPPE MANGONI

Und ich darf sagen, daß niemals in den vier Jahren, die der Menschliche Sektor das Werk Madame Guderians fortgeführt hat, einem Zeitreisenden ein Unfall zugestoßen ist.«

Aiken erklärte: »Berater, ich möchte noch einen Gegenstand mehr mit ins Exil nehmen. Können Sie mir eine Beschreibung und eine Zeichnung dieser Erfindung geben?«

Wortlos öffnete Mishima das Eichenschränkchen und entnahm ihm eine kleine Buchplatte. Offensichtlich hatten schon andere Reisende diese Bitte gestellt. Aiken küßte die Platte triumphierend und verstaute sie in einer großen Tasche unter dem rechten Knie seines glänzenden Anzugs.

Mishima trat an die Kontrollkonsole und schaltete das Feld ab. Die Spiegelwände verschwanden. Das Gazebo war leer.

»Sie haben das Portal sicher passiert. Nun können Sie übrigen eintreten.«

Claude Majewski nahm seinen Zwanzig-Kilo-Packen und war als erster drinnen. Alter Mann, du bist verrückt, sagte er zu sich selbst – und dann lächelte er, weil er hören konnte, wie Gen es sagte. Auf einen plötzlichen Impuls hin öffnete er das Fach seines Rucksacks, das den mit Schnitzereien und Einlegearbeiten verzierten Kasten aus den polnischen Bergen enthielt, und nahm ihn heraus. Gibt es wirklich eine Pliozän-Welt jenseits des Portals, schwarzes Mädchen? Oder ist es schließlich doch nur ein Betrug, und wir treten aus dem Glaskäfig in den Tod? Oh, Gen, geh mit mir! Wohin auch immer ...

Schwester Annamaria Roccaro nahm ihre Position als letzte ein. Sie lächelte entschuldigend, als sie sich neben Aiken Drum zwängte und die harten Werkzeuge in seinen Taschen sich durch die Ärmel und Röcke ihres Habits pressen fühlte. Aiken war beinahe einen Kopf kleiner als die kräftige Nonne, beinahe ebenso klein wie Felice, aber ganz und gar nicht so verwundbar. Er würde überleben, dieser Aiken Drum. Möge es den übrigen ebenso gelingen! Und jetzt, Mutter Gottes, höre mein archaisches Gebet: Salve Regina, mater misericordiae; vita, dulcedo, et spes nostra, salve. Ad te clamamus, exsules, filii Hevae. Ad te suspiramus, gementes et flentes in hac lacrimarum valle. Eia ergo, advocata nostra, illos tuos misericordes oculos ad nos converte. Et Jesum, benedictum fructrum ventris tui, nobis post hoc exilium ostende ...

Mishima legte den Schalter um.

Da war der Schmerz der Translation und ein heftiger Ruck, der sie in den grauen Limbo warf. Sie hingen ohne Atem und Herzschlag, und jeder einzelne schrie einsam und für sich in die Stille. Und dann spürten sie plötzlich Wärme und öffneten die Augen. Vor ihnen ein blendendes Durcheinander von Grün und Blau. Hände zogen sie, Stimmen drängten sie, hinauszutreten aus dem schimmernden Gebiet, das das Gazebo gewesen war, ein Stückchen abwärts zu gehen, schnell herauszukommen, bevor das Feld sich umpolte, einzutreten ins Exil.

* * *

ENDE DES ERSTEN TEILS

Zweiter Teil

Die Initiierung

1

»Komm mit, Sportsfreund, nun komm schon! Ein Stückchen abwärts. Wir sind die Wächter des Zeitportals. Wir sind hier, um euch zu helfen. Komm weiter! Du fühlst dich im Augenblick wie ausgewrungen, aber das wird schnell vorübergehen. Entspanne dich einfach und komm mit! Du bist sicher im Exil gelandet. Du bist in Sicherheit – verstehst du mich, Kumpel? Komm jetzt! Wir gehen alle in die Torburg. Dort kannst du dich ausruhen. Wir werden einen netten Plausch veranstalten und alle deine Fragen beantworten. Komm schon!«

Als der Schmerz nachließ und sein Verstand wieder funktionierte, nahm Bryan zuerst nur die quälende Stimme und das gleißende Licht wahr. Was für eine gewöhnliche, näselnde Stimme. Was für ein außergewöhnliches Licht! Er war sich bewußt, daß ihn jemand am rechten Handgelenk und Oberarm hielt, eine verwischte Gestalt, auf die er seine Augen nicht richtig einstellen konnte. Jemand anders schien seine Kleider mit einem Handstaubsauger vom Staub zu reinigen. Dann wurde er gezwungen zu gehen, und er blickte auf seine Füße und sah sie ganz deutlich, gekleidet in ein Paar schweinslederne Stiefel mit Profilsohlen. Sie bewegten sich erst über feuchten Granit, dann über dichten Rasen, der gemäht oder kurzgeschnitten war. Er trat auf kleine Blumen, Gänseblümchen ähnlich. Ein Schmetterling mit Zebrastreifen und langen Schwalbenschwänzen hing bewegungslos an einem taubenetzten Kraut.

»Warte«, murmelte er. »Halt!« Das hartnäckige Zerren hörte auf, und er war imstande, stehenzubleiben und Umschau zu halten. Die eben aufgegangene Sonne schien auf ein weites grünes Tafelland nieder, das in seinen höheren, trokkeneren Bereichen golden wurde. Tanzania? Nebraska? Dorubezh?

Frankreich.

Näher lagen bucklige Steine aus kristallinem Fels. Sie waren benutzt worden, um die Seitenlinien eines Pfades zu markieren, der zu einem eigentümlichen, undeutlichen Block führte. Er hing in der Luft wie eine Fata morgana. In gleichartige weiße Jacken und Hosen gekleidete Männer mit blauen Stricken als Gürtel scharten sich um Richard und Stein und Felice. Einige weitere Wächter standen da und warteten darauf, daß die übrigen Mitglieder der Gruppe Grün eintrafen. Das flackernde Kraftfeld ging aus. Bryan bestand darauf, stehenzubleiben, bis es mit vier weiteren menschlichen Gestalten wiedererschien. Die Wächter beeilten sich, sie auf freies Feld zu führen.

»Alles in Ordnung, Sportsfreund. Du kannst jetzt mit mir kommen. Die anderen werden uns schon folgen.«

Bryan entdeckte, daß die gewöhnliche Stimme einem dürren, tiefgebräunten Mann mit gräulich-blondem Haar und einer langen, nach einer Seite gebogenen Nase gehörte. Er hatte einen vorstehenden Adamsapfel und trug ein gewundenes Halsband aus dunklem Metall, etwa so dick und so rund wie ein Finger. Es war mit komplizierten kleinen Einkerbungen versehen und vorn mit einem knopfähnlichen Schloß befestigt. Seine Jacke, offensichtlich aus feingesponnener Wolle, trug eine Spur eingetrockneten verkleckerten Essens die Vorderfront herunter. Aus irgendeinem Grund beruhigte Bryan das. Er widersetzte sich nicht, als der Mann von neuem begann, ihn den Pfad entlangzuziehen.

Sie stiegen einen kleinen Hügel hinauf, zweihundert Meter vom Standort des Zeitportals entfernt. Die Gedanken des Anthropologen klärten sich, und nun bemerkte er aufgeregt eine steinerne Festung von beträchtlicher Größe, die, nach Osten blickend, auf der Erhebung thronte. Sie hatte keine Ähnlichkeit mit den Märchenschlössern Frankreichs, sondern eher mit den einfacheren Burgen seines englischen Heimatlandes. Abgesehen davon, daß die Motte fehlte, sah sie ungefähr wie Bodiam in Sussex aus. Als sie näherkamen, sah Bryan, daß sie einen äußeren Ringwall aus rauhem Mauerwerk hatte, ungefähr zweimal mannshoch. Dahinter lag ein ringsumlaufender Außenhof, und in diesem erhob sich ein vierseitiges Gebäude, ein hohler Würfel ohne zentralen

Turm, mit Türmchen an den Ecken und einem großen Wachtturm am Eingang. Über dem Tor hing das Bild eines bärtigen menschlichen Gesichts, aus gelbem Metall geschmiedet. Sie waren kurz vor der Außenmauer, als Bryan ein unheimliches Heulen hörte.

»Hier durch, Kumpel«, sagte der Führer beruhigend. »Achte gar nicht auf die Amphicyons!«

Sie betraten einen Torweg, der durch die Außenmauer zu den Fallgattern des Wachtturms führte. Auf beiden Seiten waren starke hölzerne Gitter. Ein Dutzend riesiger Geschöpfe galoppierte schwerfällig an die Stangen heran und begann zu geifern und zu knurren.

»Interessante Wachhunde«, bemerkte Bryan mit nicht ganz fester Stimme.

Der Führer trieb ihn weiter. »Ganz recht! Primitive Caniden. Bärenhunde nennen wir sie. Sie wiegen etwa dreihundert Kilo und fressen alles, was sie nicht zuerst frißt. Wenn wir die Festung sichern müssen, ziehen wir einfach diese Gitter hoch und geben den Tieren Zugang zum ganzen Außenhof.«

Innerhalb des großen Wachtturms führte ein Korridor nach rechts und links zu peripheren Räumen hinter der dicken Mauer. Der Führer brachte Bryan über eine offene Treppe in das erste Stockwerk. Hier waren die Flure weiß getüncht, und es gab hübsche bronzene Wandleuchter mit Ölbehältern, die bei Dunkelwerden angezündet werden konnten. Fenster in tiefen Nischen, die auf den Innenhof gingen, ließen Tageslicht in den Flur.

»Wir haben für jeden von euch einen kleinen Empfangsraum bereit«, sagte der Wächter. »Setz dich und ruh dich aus und mach ein Nickerchen, wenn du willst!« Er stieß eine schwere Holztür auf und ging in ein Zimmer voran, das etwa vier mal vier Meter maß. Auf dem Boden lag ein dicker wollener Teppich in Braun- und Grautönen. Sessel und Bänke aus gedrechseltem Holz zeigten überraschend gute Handwerksarbeit. Einige hatten geflochtene Sitze und Lehnen, während andere mit schwarzen wollenen Kissen gepolstert waren. Auf einem niedrigen Tisch standen Keramikkrüge mit heißen und kalten Flüssigkeiten, Trinkbecher, eine Schüssel mit purpurnen Pflaumen und kleinen Kirschen und ein Teller mit Kümmelkuchen.

Der Führer half Bryan, den Rucksack abzunehmen. »Toilette hinter der Tür mit dem Vorhang. Manche Neuankömmlinge haben das Bedürfnis. Ein Mann vom Befragungsausschuß wird in etwa zehn Minuten zu dir kommen. Mach es dir inzwischen gemütlich.«

Er ging hinaus und schloß die Tür.

Bryan trat an ein schießschartenähnliches Fenster in der Außenwand und betrachtete durch ein ornamentales Bronzegitter die Landschaft. In dem schmalen Raum unten konnte er Amphicyons herumspazieren sehen. Jenseits der Umfassungsmauer lagen der Pfad und der Felsvorsprung mit den vier Ecksteinen, die die Position des Zeitportals markierten. Bryan beschattete seine Augen gegen die aufgehende Sonne und sah auf die sich in sanften Wellen zum Rhônetal hin absenkende Savanne. Eine kleine Herde vierfüßiger Tiere graste in weiter Ferne. Ein Vogel sang ein kunstvoll aufgebautes Lied. Irgendwo in der Burg hallte kurz menschliches Lachen wider.

Bryan Grenfell seufzte. Das also war das Pliozän!

Er begann seine Umgebung zu untersuchen. Sein Gehirn nahm automatisch all die häuslichen Einzelheiten in sich auf, die einem Anthropologen so viel über die Kultur einer neuen Welt verraten. Wände aus vermörtelten Steinen, weiß getüncht (Kasein?). Die Türrahmen und die Läden für die glaslosen Fenster waren aus gebeiztem Eichenholz. Das Örtchen hatte der Ventilation wegen in der Wand einen kleineren Luftschlitz. Die Toilette war ein einfaches Loch im Mauerwerk und erinnerte an die Klosetts, wie man sie in den englischen Burgen des Mittelalters findet. Sie konnte sich eines hölzernen Sitzes und eines hübsch geschnitzten Deckels rühmen, und daneben war an der Wand ein Kasten mit grünen Blättern angebracht. Zum Waschen waren ein Wasserkrug und ein Becken aus Keramik da (Kalk-Steingut mit Schnur-Ornamenten und Salzglasur). Die Seife war feinkörnig, ordnungsgemäß gealtert und mit irgendeinem Kraut parfümiert. Das Handtuch ähnelte grobem Leinen.

Bryan schlenderte zurück in den Empfangsraum. Das auf

dem Tisch stehende Essen lieferte ihm weitere Informationen. Er aß eine Kirsche, legte den großen Kern ordentlich in ein leeres Schüsselchen und stellte fest, daß das Fruchtfleisch mager, aber süß war. Wahrscheinlich die ursprüngliche europäische Vogelkirsche oder eine nahe Verwandte. Die winzigen Pflaumen schienen ebenfalls wild zu sein. Wenn irgendwelche Zeitreisende Schößlinge von veredelten Steinfrüchten mitgebracht hatten, mochten die daraus entstandenen Bäume gegen die Insekten und Krankheiten des Pliozän zu anfällig gewesen sein, um ohne chemischen Schutz zu überleben. Wie war es wohl mit Weinreben und Erdbeeren? Doch Bryan glaubte sich zu erinnern, daß beide ziemlich resistent waren, und deshalb bestand eine gewisse Wahrscheinlichkeit, daß Richard seinen Wein und Mercy ihre Erdbeeren mit Sahne bekommen würden ...

Das kalte Getränk schmeckte nach Zitrusfrüchten, und der Inhalt des dampfenden Krugs stellte sich als heißer Kaffee heraus. Obwohl er Agnostiker war, sandte Bryan für letzteren ein Dankgebet zum Himmel. Die Kümmelkuchen hatten eine feste Masse und schmeckten schwach nach Honig. Sie waren fachgerecht gebacken und mit Haselnüssen obendrauf verziert. Der Kuchenteller hatte ein einfaches Motiv eingeritzt und eine hübsche Sang-de-boeuf-Glasur.

Es klopfte leicht an der Tür. Die Bronzeklinke hob sich, um einen mildblickenden älteren Mann mit sauber geschnittenem Schnurr- und Knebelbart einzulassen. Er lächelte versuchsweise und schob sich herein, als Bryan ihn mit einem freundlichen Gemurmel bedachte. Der Mann trug eine blaue Jacke mit einer weißen Kordel um die Taille und hatte ein ebensolches Halsband aus dunklem Metall wie die Wächter. Anscheinend fühlte er sich unbehaglich. Er hockte sich auf die äußerste Kante einer Bank.

»Mein Name ist Tully. Ich bin Mitglied des Befragungsausschusses. Wenn es Ihnen nichts ausmacht – ich meine, wir können Ihnen wahrscheinlich helfen, sich hier zurechtzufinden und all das, wenn Sie uns nur ein bißchen über sich selbst und Ihre Pläne erzählen. Wir wollen Sie nicht aushorchen, verstehen Sie. Aber wenn wir nur ein bißchen über Ihre Vergangenheit und Ihren erlernten Beruf erfahren könnten, würde es uns so sehr helfen. Ich meine, wir könnten Ihnen sagen, an welchen Orten Bedarf für Ihre ... äh ... Talente besteht, falls Sie daran interessiert sind, sich anzusiedeln. Und falls Sie sich nicht ansiedeln wollen, haben Sie vielleicht Fragen, die Sie *mir* stellen möchten. Ich bin hier, um Ihnen zu helfen, verstehen Sie?«

Er hat Angst vor mir, stellte Bryan verblüfft fest. Und dann dachte er an die Typen, die durch das Portal kamen – Menschen wie Stein und Felice zum Beispiel –, die auf die anfängliche Desorientierung und den Kulturschock mit Gewalttätigkeit reagieren mochten, und er sagte sich, daß Tully guten Grund hatte, bei einem ersten Zusammensein mit einem Neuankömmling vorsichtig zu sein. Wahrscheinlich stand ihm Gefahrenzulage zu. Um den Mann zu beschwichtigen, lehnte sich Bryan bequem in einem der Sessel zurück und kaute auf einem Kümmelkuchen.

»Die sind sehr gut. Aus Hafer gemacht, ja? Und Sesam? Es ist tröstlich, mit zivilisierter Nahrung begrüßt zu werden. Ein ausgezeichnetes psychologisches Manöver Ihrerseits.«

Tully lachte entzückt auf. »Ja, finden Sie? Wir haben uns sehr viel Mühe gegeben, die Torburg zu einem Ort zu machen, der freundliches Willkommen signalisiert, aber es kommen manchmal Zeitreisende in zerrüttetem Nervenzustand an, und dann haben wir Probleme, sie zu besänftigen.«

»Zuerst fühlte ich mich ein bißchen wackelig auf den Beinen, aber jetzt geht es mir gut. Blicken Sie nicht so ängstlich drein, Mann! Ich bin harmlos. Und ich werde jede vernünftige Frage beantworten.«

»Ausgezeichnet!« Der Befrager lächelte erleichtert. Er zog ein Blättchen Schreibmaterial (Papier? Pergament?) aus einer Gürteltasche und dazu einen gewöhnlichen Schreibstift des zweiundzwanzigsten Jahrhunderts. »Ihr Name und Ihre frühere Beschäftigung?«

»Bryan Grenfell. Ich war Kultur-Anthropologe und hatte mich auf die Analyse bestimmter sozialer Konflikte spezialisiert. Ich bin außerordentlich interessiert daran, ihre Gesellschaft hier zu studieren, obwohl ich nicht allzu optimistisch über die Möglichkeit bin, meine Arbeit irgendwann zu veröffentlichen.«

Tully zollte dem Scherz ein Kichern. »Faszinierend, Bryan! Wissen Sie, es sind noch *sehr* wenige Angehörige Ihres Berufs durch das Portal gekommen. Bestimmt werden Sie in die Hauptstadt gehen und mit den Leuten dort reden wollen. Sie werden höchst interessiert an Ihnen sein. Sie könnten einmalige Einsichten liefern!«

Bryan blickte überrascht drein. »Ich bin ausgerüstet, meinen Lebensunterhalt als Fischer oder Küstenhändler zu verdienen. Ich hätte nie gedacht, daß meine akademischen Zeugnisse im Pliozän Anerkennung finden würden.«

»Wir sind doch keine Wilden!« protestierte Tully. »Ihre wissenschaftlichen Fähigkeiten werden sich höchstwahrscheinlich unschätzbar für ... hm ... Verwaltungsleute erweisen, die für Ihren Rat dankbar wären.«

»Also haben Sie eine strukturierte Gesellschaft.«

»Sehr einfach, sehr einfach«, beeilte sich der Mann zu versichern. »Aber ich bin überzeugt, Sie werden sie einer sorgfältigen Untersuchung würdig finden.«

»Damit habe ich bereits begonnen, wissen Sie.« Bryan betrachtete Tullys sorgfältig rasiertes Gesicht. »Dies Gebäude zum Beispiel ist auf Sicherheit hin angelegt. Ich würde zu gern wissen, gegen was Sie sich sichern.«

»O – es gibt verschiedene Arten von Tieren, die ziemlich gefährlich sind. Die Riesenhyänen, die Säbelzahnkatzen ...«

»Aber diese Burg scheint eher geeignet zu sein, sich gegen menschliche Angreifer zu verteidigen.«

Der Befrager befingerte seinen Halsring. Seine Augen huschten hierhin und dahin und richteten sich schließlich voller Aufrichtigkeit auf Bryan. »Nun, natürlich kommen zuweilen labile Persönlichkeiten durch das Portal, und obwohl wir uns sehr große Mühe geben, jede einzelne zu assimilieren, stehen wir dem unvermeidlichen Problem der ernsthaft Schlechtangepaßten gegenüber. Doch Sie brauchen keine Angst zu haben, Bryan, denn Sie und der Rest Ihrer Gesellschaft sind hier bei uns ganz sicher. Tatsächlich neigen die ... hm ... gestörten Elemente dazu, sich in den Bergen und an anderen entlegenen Orten zu verstecken. Bitte, machen Sie sich keine Sorgen. Sie werden feststellen, daß kultivierte Personen hier im Exil die Oberhand haben. Das alltägliche Leben ist so ruhig, wie es in einer ... hm ... *ursprünglichen* Umgebung nur sein kann.«

»Wie schön für Sie.«

Tully knabberte am Ende seines Schreibstifts. »Für unsere Unterlagen – das heißt, es würde helfen, wenn wir genau wüßten, welche Ausrüstung Sie mitgebracht haben.«

»Damit sie zum Nutzen der Allgemeinheit eingezogen werden kann?«

Tully war entsetzt. »Oh, nichts dergleichen, das versichere ich Ihnen. Alle Reisenden *müssen* ihr Handwerkszeug behalten, um zu überleben und nützliche Mitglieder der Gesellschaft zu sein, stimmt das nicht? Wenn Sie über diese Sache lieber nicht diskutieren wollen, werde ich Sie nicht drängen. Aber manchmal kommen Leute mit außergewöhnlichen Büchern oder Pflanzen oder anderen Dingen durch, die jedermann von großem Nutzen sein könnten, und wenn diese Personen einwilligen zu teilen, erhöht sich die Lebensqualität für jedermann.« Er lächelte gewinnend und zückte den Schreibstift.

»Abgesehen von einem Trimaran-Segelboot und der Fischerausrüstung habe ich nichts Besonderes. Einen Stimmschreiber mit Plattenumwandler. Eine ziemlich große Bibliothek mit Büchern und Musik. Eine Kiste Scotch, die mir abhanden gekommen zu sein scheint ...«

»Und Ihre Reisegefährten?«

Bryan meinte gemütlich: »Ich halte es für besser, wenn Sie sie für sich selbst sprechen lassen.«

»Oh, gewiß. Ich dachte nur, ich könnte ... nun ja.« Tully steckte sein Schreibzeug weg und ließ von neuem ein strahlendes Lächeln aufblitzen. »Also dann! Sie müssen Fragen haben, die Sie *mir* stellen möchten!«

»Im Augenblick nur ein paar. Wie hoch ist Ihre Gesamteinwohnerzahl?«

»Tja, wir führen keine genauen Volkszählungen durch, verstehen Sie, aber ich glaube, etwa fünfzigtausend Seelen wäre eine recht zuverlässige Schätzung.«

»Seltsam. Ich hätte mehr erwartet. Haben Sie unter Krankheiten zu leiden?«

»Oh, kaum. Unsere normale Makro-Immunisierung und

die durch Gensteuerung erzielte Widerstandsfähigkeit scheinen uns hier im Pliozän sehr gut zu schützen, wenn dies bei den allerersten Reisenden auch nicht im gleichen Umfang der Fall war wie bei denen, die in den letzten dreißig Jahren oder so ins Exil kamen. Und natürlich haben jene, die erst vor kurzem verjüngt wurden, eine höhere Lebenserwartung als solche, die sich zu einem früheren Stand der Wissenschaft behandeln ließen. Die meisten unserer ... hm ... Verluste sind auf Unfälle zurückzuführen.« Er nickte ernst. »Selbstverständlich haben wir Ärzte. Und bestimmte Medikamente werden regelmäßig durch das Zeitportal geschickt. Aber Leute, die wirklich schwere Verletzungen erlitten haben, können wir nicht regenerieren. Und diese Welt darf man wohl zivilisiert nennen, aber *zahm* ist sie kaum, wenn Sie verstehen, was ich meine.«

»Ich verstehe. Im Augenblick habe ich nur noch eine weitere Frage.« Grenfell faßte in seine Brusttasche und holte das farbige Bild von Mercedes Lamballe hervor. »Können Sie mir sagen, wo ich diese Frau finde? Sie ist Mitte Juni dieses Jahres hier angekommen.«

Der Befrager nahm das Bild und studierte es mit Augen, die immer größer wurden. Schließlich sagte er: »Ich glaube – Sie werden feststellen, daß sie sich in unsere Hauptstadt im Süden begeben hat. Ich erinnere mich sehr gut an sie. Sie hat auf uns alle einen sehr lebhaften Eindruck gemacht. In Anbetracht ihrer ungewöhnlichen Talente wurde sie eingeladen, in die Hauptstadt zu kommen und ... hm ... in der Verwaltung mitzuarbeiten.«

Bryan runzelte die Stirn. »Was für ungewöhnliche Talente?«

Ziemlich hastig erklärte Tully: »Unsere Gesellschaft ist ganz verschieden von der des Galaktischen Milieus, Bryan. Wir haben spezielle Bedürfnisse. All das wird Ihnen später erläutert werden, wenn Sie von Leuten in der Hauptstadt einen vollständigeren Überblick bekommen. Vom beruflichen Standpunkt aus erwarten Sie fesselnde Untersuchungen.«

Tully erhob sich. »Bedienen Sie sich jetzt bitte mit den Erfrischungen. Jemand anders würde Sie in Kürze gern ebenfalls befragen, und dann können Sie sich ihren Gefährten wieder anschließen. Ich hole Sie in etwa einer halben Stunde ab, soll ich?«

Von neuem lächelnd schlüpfte er aus der Tür. Bryan wartete für einen Augenblick, dann stand er auf und drückte auf die Klinke. Sie bewegte sich nicht. Er war eingeschlossen.

Er hielt im Zimmer Umschau nach seinem Wanderstock mit der eisernen Spitze. Er war nirgends zu finden. Er rollte den Ärmel auf, um nach dem kleinen Wurfmesser in seiner Scheide zu sehen. Es überraschte ihn nicht, daß die Lederhülle leer war. War der ›Staubsauger‹, mit dem man gleich anfangs über seine Kleider gefahren war, ein Metalldetektor gewesen?

Ja, ja, sagte er zu sich selbst. Also *das* ist das Pliozän!

Er setzte sich wieder hin und wartete.

2

Richard Voorhees hatte die psychische Desorientierung des Zeitportals als Variante dessen erkannt, was Menschen jedes Mal erleben, wenn Sternenschiffe vom normalen Universum während einer Reise mit Überlichtgeschwindigkeit in den quasidimensionalen grauen Subraum überwechseln. Der ›Ruck‹ der zeitlichen Versetzung war jedoch um ein Vielfaches länger gewesen als der eines Übergangs in den Hyperraum. Richard hatte außerdem eigentümliche Unterschiede in der Textur des grauen Zwischenreichs bemerkt. Da war eine undeutlich wahrgenommene Rotation um aufeinanderfolgende Achsen, eine Kompression (war alles, jedes Atom im Universum, vor sechs Millionen Jahren ein bißchen kleiner gewesen?), eine Eigenschaft der grauen Düsternis, die weniger flüssig und deshalb zerbrechlicher war (schwamm man durch den Raum und brach man durch die Zeit?), ein Gefühl, als verringere sich die Lebenskraft rings um ihn, was sehr gut zu den Vorstellungen bestimmter Philosophen über das Wesen des Milieus passen würde.

Als Richard ein kurzes Stück durch die Luft fiel und auf dem Granitblock des Exils landete, hatte er sich fast sofort wieder unter Kontrolle, wie es bei jedem Sternenschiff-Kapitän nach einer räumlichen Translation sein muß. Er schob die eifrigen Hände eines Wächters beiseite, verließ das Tau-Feld unter eigenem Dampf und verschaffte sich einen schnellen optischen Überblick, während der Führer nichtssagende Bemerkungen murmelte.

Genau wie Berater Mishima versprochen hatte, war das Rhônetal des Pliozän viel schmaler, und das Land auf dieser westlichen Flanke, wo eines Tages die Auberge auf einem bewaldeten Berghang stehen würde, war jetzt flacher und weniger von Wasserläufen zersägt. Es war tatsächlich ein Plateau, das nach Süden hin leicht anstieg. Richard entdeckte die Burg. Hinter ihr rauchten am Horizont zwei gewaltige, schneebedeckte Vulkane im ersten Sonnenlicht. Der nördliche mußte der Mont-Dore sein, der größere, südlichere Kegel der Cantal.

Es gab Gras. Es gab karnickelartige Tierchen, die sich bewegungslos duckten und taten, als seien sie Steine. Weiter entfernt in einer Senke stand ein Wäldchen. Durchstreiften die kleinen affenähnlichen Ramapithecinae diese Wälder?

Wächter führten Bryan, Stein und Felice den Pfad zur Burg hinauf. Weitere Männer in Weiß halfen der zweiten Gruppe aus dem Umkreis des Zeitportals. Wer herrschte hier? Irgendein Pliozän-Baron? Gab es hier eine Aristokratie? Würde er, Richard, imstande sein, sich mit den Ellbogen in sie hineinzudrängen? Sein Gehirn warf Frage um Frage auf; es sprühte mit einer jugendlichen Begeisterung, die ihn erstaunte und entzückte. Er war sich bewußt, was ihm geschah. Es war ein verspäteter Rückfall von Raumfahrers Lieblingskrankheit – das Landungsfieber. Jeder, der weite Reisen durch die Galaxis unternimmt und die Langeweile des invarianten Subraums erträgt, arbeitet sich mit großer Wahrscheinlichkeit (falls er nicht zu erschöpft ist) in schäumende Vorfreude auf die bevorstehende Landung auf einer bislang unbesuchten Welt hinein. Ob die Luft gut riecht? Ob die Ionen beleben oder ermüden? Ob Flora und Fauna das Auge und die dortigen Nahrungsmittel die Geschmacksnerven entzücken oder beleidigen? Ob die Bewohner erfolgreich und munter oder von Mühsalen niedergeschlagen sind? Ob die Damen mitkommen, wenn man sie fragt?

Er pfiff ein paar Takte des unanständigen alten Liedes durch die Zähne. Erst dann wurde er sich der drängenden Stimme und des Zupfens an seinem Ärmel bewußt.

»Kommen Sie, Sir! Ihre Freunde sind schon zur Torburg weitergegangen. Wir müssen ihnen nach. Sie werden sich ausruhen und erfrischen und wahrscheinlich ein paar Fragen stellen wollen.«

Der Wächter war ein dunkelhaariger Mann, gut gebaut, aber ziemlich mager. Er hatte die unechte Jugendlichkeit und die überweisen Augen eines, der erst vor kurzer Zeit verjüngt worden ist. Richard bemerkte das Halsband aus dunklem Metall und die weiße Jacke, die in dem tropischen Klima wahrscheinlich viel bequemer war als Richards Kleidung aus schwarzem Samt und schwerem Tuch.

»Laß mich nur ein bißchen Umschau halten, Junge«, sagte Richard, aber der Mann hörte nicht auf, ihn zu zupfen. Um einen Streit zu vermeiden, begann Richard, den zur Burg führenden Pfad hinaufzugehen.

»Da habt ihr eine hübsch beherrschende Position, Junge. Ist der Hügel künstlich? Wie habt ihr hier oben die Frage der Wasserversorgung gelöst? Wie weit ist es bis zur nächsten Stadt?«

»Immer mit der Ruhe, Reisender. Komm nur einfach mit mir! Der Mann vom Befragungsausschuß wird deine Fragen besser beantworten können als ich.«

»Dann gib mir wenigstens über eins einen Tip. In der Gegenwart – oder der Zukunft oder wie, zum Teufel, ihr es nennt – ist uns gesagt worden, das Verhältnis Männer zu Frauen betrage hier etwa vier zu eins. Ich kann dir verraten, das hat mich fast davon abgehalten, herzukommen! Wenn es nicht wegen bestimmter zwingender Umstände gewesen wäre, hätte ich das Exil vielleicht nie betreten. Wie ist das nun wirklich? Habt ihr Frauen oben in der Burg?«

Der Mann erwiderte streng: »Wir beherbergen eine Anzahl weiblicher Reisender, und im Augenblick weilt Lady Epone bei uns. Keine Frau lebt für ständig in der Torburg.«

»Wie kommt ihr Jungs dann zu einer Abwechslung? Ist da ein Dorf oder eine Stadt für Wochenendbesuche oder was?«

Der Mann erklärte sachlich: »Viele Leute des Burgpersonals sind homophil oder autoerotisch. Die übrigen werden von reisenden Unterhalterinnen aus Ronian oder Burask bedient. Es gibt keine kleinen Dörfer in diesem Gebiet, nur weit voneinander entfernte Städte und Pflanzungen. Die unter uns, die in der Burg Dienst tun, bleiben nur zu gern da. Wir werden für unsere Arbeit gut belohnt.« Mit einem kleinen Lächeln befingerte er das Halsband, und dann verdoppelte er seine Bemühungen, den Neuankömmling zur Eile anzutreiben.

»Hört sich wie ein gut durchorganisierter Betrieb an«, meinte Richard in zweifelndem Ton.

»Du bist in eine wundervolle Welt gekommen. Du wirst hier sehr glücklich sein, wenn du erst einmal ein bißchen über unsere Lebensweise gelernt hast ... keine Bange vor den Bärenhunden. Wir halten sie der Sicherheit wegen. Sie können nicht an uns heran.«

Sie eilten durch den Außenhof und in das Gebäude, wo der Wächter versuchte, Richard die Treppe hinaufzulotsen. Aber der Ex-Raumfahrer riß sich los. »Bin gleich zurück! Muß mir diesen faszinierenden Ort eben mal ansehen!«

»Aber du kannst nicht ...«, rief der Wächter.

Richard konnte jedoch. Er faßte seinen federgeschmückten Hut und rannte los. Seine Geschwindigkeit wurde nur wenig durch das Gewicht seines Rucksacks beeinträchtigt. Über das hallende Kopfsteinpflaster ging es tief hinein in das Innere des Wachtturms. Er bog aufs Geratewohl um Ecken, bis er auf den großen Innenhof der Burg geriet. So früh am Morgen lag der Hof, an vier Seiten von der zweistöckigen Hohlwand mit ihren Ecktürmen und Brustwehren umgeben, tief im Schatten. Der Hof war beinahe achtzig Quadratmeter groß. In seinem Mittelpunkt stand ein Brunnen, um den in Steinkübeln Bäume gepflanzt waren. Weitere Bäume wuchsen in regelmäßigen Abständen am Rand des Hofs. Eine ganze Seite nahm ein großer Doppelpferch ein, mit perforiertem Stein sauber ummauert. Die eine Hälfte beherbergte ein paar Dutzend große Vierfüßer einer Rasse, die Richard nie zuvor gesehen hatte. Die andere Hälfte des Pferchs schien leer zu sein.

Nun hörte Richard die Stimmen seiner Verfolger und verschwand in einer Art Kreuzgang, der um die anderen drei Seiten des Innenhofs lief. Er rannte ein kurzes Stück und bog dann in einen Seitenkorridor ein. Es war eine Sackgasse. Aber auf beiden Seiten führten Türen in Wohnungen, die sich innerhalb der großen Hohlmauer befanden.

Er öffnete die erste Tür rechter Hand, schlüpfte hinein und schloß sie hinter sich.

Der Raum war dunkel. Richard stand völlig still, hielt den Atem an, war dankbar, als das Geräusch von laufenden Füßen erst lauter wurde und dann erstarb. Für den Augenblick war er entkommen. Er suchte in einem Fach seines Rucksacks nach der Taschenlampe. Bevor er sie anknipsen konnte, hörte er ein leises Scharren. Er erstarrte. Quer durch das dunkle Zimmer sprang ein Lichtstreifen. Jemand öffnete mit unendlicher Langsamkeit eine andere Tür. Die Beleuchtung des Innenraums schoß in einem sich verbreiternden Strahl auf ihn zu und fing ihn ein.

Im Eingang hob sich die Silhouette einer sehr hochgewachsenen Frau ab. Sie war in ein schleierartiges ärmelloses Gewand gekleidet, das beinahe unsichtbar wirkte. Richard erkannte ihr Gesicht nicht, aber er wußte, sie konnte nicht anders als schön sein.

»Lady Epone«, sagte er und wußte nicht, warum.

»Du darfst hereinkommen.«

Er hatte noch nie eine solche Stimme gehört. Ihr süßer Wohllaut enthielt ein unmißverständliches Versprechen, das ihn in Brand setzte. Er ließ seinen Rucksack fallen und ging zu ihr, eine ganz in Schwarz gekleidete Gestalt, angelockt vom Glanz. Als sie langsam in den Innenraum zurückwich, folgte er ihr. Dutzende von Lampen hingen von der Decke und schimmerten auf goldenen Draperien und weißer Gaze, die die Vorhänge eines breiten Bettes bildeten.

Die Frau breitete die Arme aus. Ihr loses Gewand war hellblau, ohne Gürtel, und lange gelbe Stoffbahnen flossen von ihren Schultern wie neblige Flügel. Sie trug ein goldenes Halsband und ein goldenes Diadem auf dem blonden Haar. Das Haar fiel ihr fast bis auf die Taille nieder, und ebenso war es, wenn Richards Augen ihn nicht täuschten, mit den unglaublich großen, hängenden Brüsten unter dem Spinnwebkleid.

Sie war fast einen halben Meter größer als er. Mit unmenschlich glühenden Augen blickte sie auf ihn nieder und befahl: »Komm näher!«

Das Zimmer drehte sich um ihn. Und die Augen begannen zu lodern, und weiche Haut liebkoste ihn, bis er in einen Abgrund so intensiver Lust fiel, daß sie ihn zerstören mußte. Sie rief: »Kannst du? Kannst du?«

Er versuchte es. Und er konnte nicht.

Da verwandelte sich das süßatmende Licht in einen Wirbelsturm, der kreischte und fluchte und an ihm riß, nicht an seinem Körper, sondern an etwas, das sich um Gnade flehend hinter seinen Augen verbarg, ohne ein Wort sich bewußt, daß es Strafe verdiente. Erschöpft, der Lächerlichkeit preisgegeben, zu Boden geworfen und mit Füßen getreten, von Haß niedergeknüppelt, schrumpfte das formlose Ding zu immer geringerer Masse, bis es ein Fleck ohne jede Bedeutung war und schließlich in weißloderndem Schmerz verschwand.

Richard erwachte.

Ein Mann in einer blauen Jacke kniete zu seinen Füßen und machte sich an seinen Knöcheln zu schaffen. Richard war an einen schweren Sessel gefesselt. Er befand sich in einem kleinen Raum, dessen Wände aus schmucklosen grauen Kalksteinblöcken bestanden. Lady Epone stand vor ihm, die jadefarbenen Augen ausdruckslos, den Mund zu einem verächtlichen Lächeln verzogen.

»Er ist soweit, Lady.«

»Danke, Jean-Paul. Das Kopfstück bitte.«

Der Mann brachte eine einfache Silberkrone mit fünf Spitzen und setzte sie Richard auf den Kopf. Epone wandte sich einem Gerät auf einem Tisch neben dem Sessel zu. Richard hatte es irrtümlich für eine mit Edelsteinen besetzte, komplizierte metallische Skulptur gehalten. Die kristallinen Teile des Apparats glühten schwach. Vielfarbige Lichter glommen auf und erloschen, was offensichtlich von einer Fehlfunktion herrührte. Epone schnippte mit Daumen und Zeigefinger ungeduldig gegen das größte Prisma, ein rosafarbenes Ding vom Umfang einer Faust.

»Ah bah! Funktioniert denn gar nichts an diesem verfluchten Ort? Da! Jetzt wollen wir anfangen.«

Sie kreuzte die Arme und richtete den Blick auf Richard. »Wie lautet dein Vorname?«

»Geh zum Teufel!« murmelte er.

Ein schrecklicher Schmerz schien ihm die Schädelplatte abzuheben.

»Bitte sprich nur, um meine Fragen zu beantworten! Gehorche meinen Befehlen auf der Stelle! Hast du verstanden?«

Er sackte gegen die Sesselgurte und flüsterte: »Ja.«

»Wie lautet dein Vorname?«

»Richard.«

»Schließ die Augen, Richard! Ich möchte, daß du, ohne zu sprechen, das Wort *Hilfe* aussendest.«

Süßer Jesus, das war eine leichte Aufgabe! *Hilfe!*

Die Stimme eines Mannes stellte fest: »Fernsprechen minus sechs.«

»Öffne die Augen, Richard!« befahl Epone. »Jetzt möchte ich, daß du aufmerksam zuhörst. Hier ist ein Dolch.« Sie zog von irgendwo aus ihrem Schleiergewand einen Dolch und hielt ihn ihm auf beiden Handflächen hin, deren milchige Weichheit nur von wenigen schwachen Linien durchzogen war. »Zwinge mich, mir diesen Dolch ins Herz zu stoßen, Richard! Räche dich an mir! Vernichte mich durch meine eigene Hand. Töte mich, Richard!«

Er versuchte es. Er wollte den Tod dieser monströsen Hure. Er versuchte es.

»Koerzibilität minus zwei«, meldete der Helfer, der hinter dem Sessel stand.

Epone sagte: »Konzentriere dich auf das, was ich zu dir sage, Richard! Dein Leben und deine Zukunft hier im Exil hängen davon ab, was du in diesem Raum tust.« Sie warf den Dolch auf den Tisch, weniger als einen Meter von seinem gefesselten rechten Arm entfernt. »Laß das Messer hochsteigen, Richard. Schick es zu mir! Treib es mir in die Augen! Tu es, Richard!«

Diesmal lag schrecklicher Nachdruck in ihrer Stimme, und

GIUSEPPE MANGONI

er versuchte verzweifelt, ihr den Gefallen zu tun. Er wußte jetzt, was sich abspielte. Sie testeten ihn auf latente Metafunktionen – diesmal auf Psychokinese. Aber er hätte ihnen gleich sagen können ...

»PK minus sieben.«

Epone beugte sich dicht über ihn, duftend, lieblich. »Verbrenne mich, Richard. Erzeuge Flammen mit deinen Gedanken und laß sie diesen Körper schwärzen und braten und zu Asche werden, diesen Körper, den du nie kennenlernen wirst, weil du kein Mann bist, sondern ein armseliger Wurm ohne Sex und Verstand. Verbrenne mich!«

Aber er war es, der brannte. Tränen liefen ihm über die Wangen und blieben an seinem Schnurrbart hängen. Er versuchte sie anzuspucken, doch sein Mund war trocken und seine Zunge geschwollen. Er drehte den Kopf weg, weil er die Augen nicht zumachen konnte, um die blaue und primelgelbe Kälte ihrer Grausamkeit auszuschließen.

»Kreativität plus zwei.«

»Interessant, aber natürlich nicht gut genug. Ruh dich jetzt einen Augenblick aus, Richard! Denke an deine Gefährten oben. Einer nach dem anderen werden sie in diesen Raum kommen, wie schon so viele gekommen sind, und ich werde sie kennenlernen, wie ich dich kennengelernt habe. Und einige werden den Tanu auf diese und andere auf jene Weise dienen, aber dienen werden sie alle, ausgenommen ein paar Auserwählte, auf die die Erfahrung wartet, daß das Portal ins Exil schließlich doch das Tor zum Paradies ist ... Du hast eine letzte Chance. Dring in meine Gedanken ein! Spüre mich! Erkunde mich, reiß mich in Stücke und setze mich zu einem willfährigeren Wesen wieder zusammen.« Sie rückte ihm näher und näher, bis sich die makellose Haut ihres Gesichts nur noch ein paar Handbreit von seinem entfernt befand. Keine Poren, keine Fältchen in diesem Gesicht. Nur stecknadelgroße Pupillen in den jadefarbenen Augen. Aber Schönheit! Eine böse und quälende Schönheit von unglaublichem Alter und unermeßlicher Erfahrung.

Richard wehrte sich gegen die Gurte des Sessels. Seine Gedanken schrien.

Ich hasse dich und vergewaltige dich und zerreiße dich

und bedecke dich mit Exkrementen! Und ich nenne dich *tot!* Ich nenne dich *verwest!* Du windest dich in ewiger Qual, ausgestreckt auf dem Marterrost der Oberflächen, bis der Atem des Universums erstirbt und der Weltraum in sich zusammenbricht ...

»Redigierung minus eins.«

Richard fiel nach vorn. Die Krone polterte von seinem Kopf und schlug mit einem Glockenton der Endgültigkeit auf den Steinboden.

»Du hast wieder versagt, Richard«, stellte Epone gelangweilt fest. »Mach eine Liste von seinen Habseligkeiten, Jean-Paul. Dann steckst du ihn zu den anderen, die für die Karawane nach Finiah bestimmt sind.«

3

Elizabeth Orme war so benommen von dem Schock der Translation, daß sie die führenden Hände, die sie auf den Pfad zur Burg drängten, kaum spürte. Irgend jemand nahm ihr den Rucksack ab, und sie war froh darüber. Das beruhigende Gemurmel der Stimme des Wächters führte sie zurück in eine andere, lange zurückliegende Zeit der Schmerzen und der Angst. Sie war in einer warmen Lösung, die sie umhüllte wie ein Mutterleib, erwacht. Neun Monate lang hatte sie sich in einem Geflecht aus Röhren und Drähten und Anzeigegeräten regeneriert. Von dem langen Liegen in der amniotischen Flüssigkeit waren ihre Augen erblindet, ihre Hautnerven des Gefühls beraubt. Und trotzdem konnte sie eine sanfte menschliche Stimme hören, die ihre Angst beschwichtigte, ihr sagte, sie sei wieder heil und ganz und werde in Kürze befreit werden.

»Lawrence?« wimmerte sie. »Bist du in Ordnung?«

»Kommen Sie jetzt mit, Missy! Kommen Sie einfach mit! Sie sind jetzt in Sicherheit, und Sie sind unter Freunden. Wir gehen alle zur Torburg hinauf, und da werden Sie sich ausruhen können. Marschieren Sie nur immer weiter wie ein braves Mädchen!«

Seltsames Geheul wahnsinnig gewordener Tiere. Öffne die

Augen vor Entsetzen und schließe sie wieder. *Wo ist dieser Ort?*

»Die Torburg in der Welt, die Sie das Exil nennen. Nehmen Sie es leicht, Missy. Die Amphicyons können uns nicht kriegen. Nun diese Stufen hoch, und Sie können sich hinlegen und hübsch ausruhen. Da sind wir schon.«

Türen öffneten sich. Sie sah ein kleines Zimmer mit – was? Hände drückten sie nieder, damit sie sich setzte, sich legte. Jemand hob ihre Füße an und stopfte ihr ein Kissen unter den Kopf.

Geh nicht weg! Laß mich hier nicht allein!

»Ich bin in ein paar Minuten mit dem Heiler zurück, Missy. Wir werden nicht zulassen, daß Ihnen irgend etwas passiert, da können Sie sicher sein! Sie sind eine ganz spezielle Lady. Entspannen Sie sich jetzt, während ich jemanden hole, der Ihnen helfen kann. Die Toilette ist hinter dem Vorhang da.«

Als sich die Tür schloß, lag Elizabeth bewegungslos, bis die Übelkeit sie würgte. Sie kämpfte sich hoch, stürzte in die Toilette und erbrach sich in das Becken. Ein gräßlicher Schmerz durchstach ihr Gehirn, und sie brach beinahe zusammen. Sie lehnte sich an die weißgetünchte Steinwand und rang nach Atem. Die Übelkeit kehrte wieder, und etwas langsamer auch die Pein in ihrem Kopf. Sie merkte, daß jemand das Zimmer betrat, daß zwei Personen sprachen. Arme stützten sie, der Rand einer dicken Tasse wurde an ihre Lippen gedrückt.

Ich will nichts.

»Trinken Sie das, Elizabeth! Es wird Ihnen helfen.«

Mund öffnen. Schlucken. So. Gut. Jetzt wieder sitzen.

Eine Stimme, tief und schmeichelnd. »Danke, Kosta. Jetzt werde ich mich um sie kümmern. Du kannst uns verlassen.«

»Ja, Herr.« Geräusch einer sich schließenden Tür.

Elizabeth umklammerte die Lehnen ihres Sessels, wartete darauf, daß der Schmerz zurückkehrte. Als er nicht kam, entspannte sie sich und öffnete langsam die Augen. Sie saß an einem niedrigen Tisch, auf dem Speisen und Getränke standen. Ihr gegenüber stand neben einem hohen Fenster ein außergewöhnlicher Mann. Er war in Weiß und Rot gekleidet und trug einen schweren Gürtel aus verbundenen viereckigen Goldplatten, die mit roten und milchweißen Edelsteinen besetzt waren. Um seinen Hals schlang sich ein goldener Reif, dicke gedrehte Stränge mit einer Schmuckschließe vorn. Seine Finger, die die Steinguttasse mit der Medizin hielten, waren seltsam lang mit hervorstehenden Gelenken. Die vage Frage tauchte in ihr auf, wie er es fertiggebracht haben mochte, die vielen Ringe überzustreifen, die im morgendlichen Sonnenschein glänzten. Das Haar des Mannes, blond und schulterlang, war über seinen Augen zu einem Pony geschnitten. Die Augen waren von einem sehr hellen Blau, scheinbar ohne Pupillen und tief in den Höhlen liegend. Sein Gesicht war schön, trotz des feinen Liniennetzes an den Winkeln des lächelnden Mundes.

Er war beinahe zweieinhalb Meter groß.

O Gott. Wo bist du? Was ist das hier für ein Ort? Ich dachte, ich würde zurück in der Zeit ins Pliozän der Erde reisen. Aber dies ist nicht ... dies kann nicht ...

»O doch.« Seine melodische Stimme klang freundlich. »Mein Name ist Creyn. Sie sind tatsächlich in der Epoche, die als das Pliozän bekannt ist, und auf dem Planeten Erde – einige nennen diese Welt das Exil und andere das Vielfarbene Land. Sie sind wegen der Passage durch das Zeitportal desorientiert – vielleicht schlimmer als Ihre Gefährten. Aber das ist verständlich. Ich habe Ihnen ein mildes Stärkungsmittel gegeben, das Sie wiederherstellen wird. In ein paar Minuten werden wir uns unterhalten, wenn Sie mögen. Ihre Freunde werden im Augenblick von Leuten unseres Stabes befragt, die alle Neuankömmlinge willkommen heißen. Sie ruhen sich in Zimmern wie diesem aus, essen und trinken eine Kleinigkeit und stellen Fragen, die wir beantworten, so gut wir können. Die Wächter des Portals machten mich auf Ihren Zustand aufmerksam. Sie waren außerdem fähig zu erkennen, daß Sie eine höchst unübliche Reisende sind, was der Grund ist, warum ich Sie selbst befrage ...«

Elizabeth hatte die Augen wieder geschlossen, während der Mann in leichtem Plauderton sprach. Friede und Erleichterung durchdrangen ihr Gehirn. Es gibt also wirklich ein Land des Exils! Und ich habe es wirklich geschafft, heil hineinzukommen. Jetzt kann ich vergessen, was ich verloren habe. Ich kann mir ein neues Leben aufbauen.

Sie öffnete die Augen weit. Das Lächeln des großen Mannes war ironisch geworden.

»Ihr Leben wird bestimmt neu sein«, stimmte er zu. »Aber was ist verloren?«

Du ... du kannst mich hören.

Ja.

Sie sprang auf die Füße, holte tief Atem, stieß einen markerschütternden Schrei aus. Lautwerdung der Ekstase. Leben – gefunden – wiederhergestellt – erneuert! Dankbarkeit.

Langsam! riet sie sich selbst. Zieh dich von dem Gipfel zurück. Behutsam. Geh nach dem ersten verrückten inneren Sprung vorsichtig. Greif nach dem simpelsten Modus hinaus, mit breiter, breiter Streuung, denn du bist schwach von der Wiedergeburt.

Ich/wir freuen uns mit dir Elizabeth.

Creyn. Du erlaubst Seichtfrage?

Achselzucken.

Elizabeth schlüpfte unbeholfen unter die Oberfläche seines Lächelns, wo ein ordentlich gewebtes Datennetz passiv darauf wartete, von ihr erforscht zu werden. Aber die tieferen Schichten wurden durch warnende Härte abgeschirmt. Sie schnappte sich die angebotenen Informationen und zog sich schnell zurück. Ihre Kehle war trocken geworden, und ihr Herz hämmerte unter dem Schock der Assimilierung. Sachte! Sachte! Zwei mentale Blocks innerhalb weniger Minuten auf ihre schalenlose Empfindlichkeit. Schiebe Heilung hinaus, erlaube Selbstredigierung. Er kann weder tief noch weit lesen. Aber koerzieren ja. Redigieren ja, nicht stark. Andere Fähigkeiten? Keine Daten.

Endlich sprach sie laut, mit ruhiger Stimme. »Creyn, du bist kein menschliches Wesen, und du bist kein echter operanter Metapsychiker. Diese beiden Dinge widersprechen meiner Erfahrung, so daß ich verwirrt bin. In der Welt, aus der ich komme, sind nur Personen mit operanten metapsychischen Kräften imstande, in rein mentaler Sprache zu kommunizieren. Und nur sechs Rassen in unserer ganzen Galaxis besitzen die Gene für Metafähigkeiten. Du gehörst zu keiner von ihnen. Darf ich tiefer forschen, um mehr über dich zu erfahren?«

»Ich bedauere, daß ich das im Augenblick nicht erlauben kann. Später wird es für uns passende Gelegenheiten geben, uns ... kennenzulernen.«

»Gibt es viele von deinen Leuten hier?«

»Eine ausreichende Anzahl.«

In dem Sekundenbruchteil, als er antwortete, schleuderte sie mit aller Kraft eine redigierende Tiefensonde genau zwischen seine hellblauen Augen. Sie sprang ab und zerfiel. Elizabeth schrie unter der Heftigkeit des Rückschlags auf, und der Mann namens Creyn lachte.

Elizabeth. Das war sehr unhöflich. Und es funktioniert nicht.

Scham. »Es war ein Impuls, ein gesellschaftlicher Fehlgriff, für den ich mich entschuldige. In unserer Welt würde kein Metapsychiker auch nur im Traum daran denken, ohne Aufforderung zu sondieren, es sei denn, er wird bedroht. Ich weiß nicht, was über mich gekommen ist.«

»Das Zeitportal hat dich durcheinandergebracht.«

Wundervolles schreckliches erbarmungsloses Einweg-Portal! »Es ist mehr als das.« Elizabeth ließ sich im Sessel zurücksinken. Sie musterte schnell ihre mentalen Verteidigungen. Vorhanden und ziemlich sicher, Wunden verschorfend, vertraute Muster sich wiederherstellend.

»Drüben in der anderen Welt«, erklärte sie, »habe ich eine schwere Gehirnverletzung erlitten. Meine Metafunktionen gingen im Regenerierungsprozeß verloren. Man war der Meinung, der Verlust sei endgültig. Andererseits ...« – sie fügte den Worten eine mentale Unterstreichung bei – »hätte man mir nie erlaubt, ins Exil zu gehen. Ich hätte es auch gar nicht gewollt.«

Wir haben sehr großes Glück. Willkommen von allen Tanu!

»Es sind noch keine anderen operanten Metas zu euch durchgekommen?«

»Vor siebenundzwanzig Jahren kam plötzlich eine Gruppe von beinahe hundert an. Es tut mir leid, zu sagen, daß sie nicht fähig waren, sich den hier geltenden Bedingungen anzupassen.« Vorsicht! Vorsicht! Abschirmung zu!

Elizabeth nickte. »Es müssen flüchtige Rebellen gewesen sein. Es war eine traurige Zeit für unser Galaktisches Milieu.

Dann sind alle tot? Bin ich die einzige operante Person im Exil?«

Vielleicht nicht für lange.

Sie stützte sich auf den Tisch, erhob sich und trat vor ihn. Sein liebenswürdiger Gesichtsausdruck veränderte sich. »Es ist bei uns nicht Brauch, ohne weiteres in den privaten Bereich eines anderen zu treten. Ich bitte dich höflich, dich zurückzuziehen.«

Höfliches Bedauern. »Ich hatte nur vor, mir deinen goldenen Kragen anzusehen. Würdest du ihn abnehmen, damit ich ihn betrachten kann? Er scheint ein bemerkenswertes Stück Kunsthandwerk zu sein.«

Entsetzen! »Tut mir leid, Elizabeth. Dieser goldene Ring hat unter uns die Bedeutung eines religiösen Symbols. Wir tragen ihn, solange wir leben.«

»Ich glaube, ich verstehe.« Sie begann zu lächeln.

SONDE.

Elizabeth lachte laut heraus. »Jetzt mußt *du* dich entschuldigen, Creyn!«

Kummer, Unbehagen. »Bedauere, Elizabeth. Du wirst dich an so Ungewohntes gewöhnen müssen.«

Sie wandte sich ab. »Was wird aus mir werden?«

»Du wirst in unsere Hauptstadt reisen, in das reiche Muriah auf der Weißsilbernen Ebene. Es liegt im Süden dieses Vielfarbenen Landes. Wir werden dir dort ein wundervolles Willkommen unter den Tanu bereiten, Elizabeth.«

Sie fuhr herum und begegnete seinem Blick. »Und jene, die ihr regiert – werden auch sie mich willkommen heißen?«

Vorsicht. »Sie werden dich lieben, wie sie uns lieben. Versuche ein Urteil über uns zurückzuhalten, bis du alle Daten hast. Ich weiß, deine Situation hat Aspekte, die dich im Moment beunruhigen. Aber hab Geduld. Du bist nicht in Gefahr.«

»Was geschieht mit meinen Freunden? Den Leuten, die mit mir durch das Zeitportal gekommen sind?«

»Einige werden ebenfalls in die Hauptstadt reisen. Andere haben bereits angegeben, daß sie es vorziehen, sich anderswohin zu begeben. Wir werden gute Plätze für sie alle finden. Sie werden glücklich sein.«

Glücklich beherrscht? Unfrei?

»Wir herrschen zwar, Elizabeth, aber freundlich. Du wirst sehen. Urteile nicht, bis du gesehen hast, was wir aus dieser Welt gemacht haben. Sie war nichts, und wir haben sie – nur diese kleine Ecke – in etwas Wundervolles verwandelt.«

Es war zu viel ... in ihrem Kopf begann es wieder zu hämmern, und Schwindel befiel sie. Sie sank auf die weichen Kissen der Bank zurück. »Woher ... woher seid ihr gekommen? Ich kenne jede intelligente Rasse in unserm Milieu sechs Millionen Jahre in der Zukunft – ob sie mit uns zusammenarbeitet oder nicht. Und ich bin sicher, du bist nicht von unserm Geschlecht. Dein mentales Muster ist anders.«

Unterschiede, Ähnlichkeiten, Parallelen, Sternenstrudel in zahllosen Mengen bis zur äußersten Grenze.

»Ich verstehe. In meiner, der zukünftigen Zeit ist niemand zu intergalaktischen Reisen imstande. Wir haben es noch nicht einmal geschafft, die Schmerzbarriere der notwendigen Translation abzubauen. Sie steigt mit zunehmender Entfernung in geometrischer Reihe an.«

Verneinung.

»Wie interessant. Wenn es nur möglich wäre, Informationen durch das Portal zurückzuschicken.«

»Darüber können wir später diskutieren, Elizabeth. In der Hauptstadt. Es gibt andere, noch aufregendere Möglichkeiten, die dir in Muriah klargemacht werden sollen.« Ablenkung. Er berührte sein goldenes Halsband, und sofort klopfte es an der Tür. Ein nervöser kleiner Mann in Blau trat ins Zimmer und grüßte Creyn, indem er die Finger an die Stirn legte. Der Tanu dankte mit einer königlichen Geste.

»Elizabeth, dies ist Tully, einer der Befrager, die unser ganzes Vertrauen besitzen. Er hat mit deinen Gefährten gesprochen, mit ihnen über ihre Zukunftspläne diskutiert und ihre Fragen beantwortet.«

»Haben sich alle von dem Durchgang erholt?« erkundigte sich Elizabeth. »Ich würde sie gern sehen. Mit ihnen reden.«

»Zu gegebener Zeit, Lady«, sagte Tully. »Alle Ihre Freunde sind gesund und in guten Händen. Sie brauchen sich keine Sorgen zu machen. Teils werden sie mit Ihnen nach Süden gehen, teils haben sie sich entschlossen, zu einer anderen

Stadt im Norden zu reisen. Sie meinen, da oben wird man ihre Talente mehr zu schätzen wissen. Es wird Sie interessieren, daß noch heute abend Karawanen in beiden Richtungen von hier aufbrechen.«

»Ich verstehe.« Aber verstand sie? Wieder verwirrten sich ihre Gedanken. Sie warf Creyn versuchsweise eine Frage zu, die er glatt parierte.

Vertraue mir Elizabeth. Alles wird gut werden.

Sie wandte sich wieder dem kleinen Befrager zu. »Ich möchte auf jeden Fall denen von meinen Freunden, die nach Süden gehen, Lebewohl sagen.«

»Natürlich, Lady. Dafür wird gesorgt werden.« Der kleine Mann legte eine Hand an seinen Halsring, und Elizabeth sah ihn sich genau an. Er schien identisch mit dem zu sein, den Creyn trug, abgesehen von der dunklen Farbe des Metalls.

Creyn. Ich möchte den da sondieren.

Mißbilligung. Er steht unter unserm Schutz. Willst du ihn in Verzweiflung stürzen wegen übereilter Versuche, Neugier zu befriedigen? Sondierung würde ihn ganz verstören. Vielleicht für immer schädigen. Er bietet wenige Daten. Aber tu mit ihm, was du willst.

»Danke, daß Sie mir von meinen Freunden erzählt haben, Tully«, sagte sie freundlich.

Der Mann in Blau wirkte erleichtert. »Dann werde ich jetzt zur nächsten Befragung laufen, ja? Wie ich annehme, hat Lord Creyn bereits alle Ihre Fragen über ... hm ... *Allgemeines* beantwortet.«

»Nicht alle.« Sie griff nach Krug und Glas und goß sich etwas von dem kalten Getränk ein. »Aber ich hoffe, er wird es irgendwann tun.«

4

Der blaugekleidete Befrager hatte das Zimmer kaum verlassen, als Aiken Drum schon die Holztür untersuchte, feststellte, daß sie abgeschlossen war, und etwas dagegen unternahm.

Er benutzte die widerstandsfähige glasähnliche Spitze einer für Lederarbeiten bestimmten Ahle, um in dem Schlitz zu popeln, durch den der bronzene Riegel führte, bis es ihm gelang, einen verborgenen Sperrhaken zu heben, der verhinderte, daß die gekerbte Stange sich bewegte. Vorsichtig öffnete er die Tür und entdeckte die Vorrichtung auf der anderen Seite, die den Verschlußmechanismus aktivierte. Ein Steinchen auf dem Fußboden diente ihm dazu, sie zu blockieren.

Er zog die Tür zu und schlich den Flur hinunter, vorbei an anderen geschlossenen Türen, hinter denen, wie er annahm, seine Kameraden aus Gruppe Grün gefangensaßen. Er wollte sie jetzt noch nicht herauslassen, erst dann, wenn er die seltsame Situation so weit übersah, daß er sie zu seinem Vorteil zu nutzen verstand. Hier im Pliozän war etwas am Werk, das ebenso mächtig wie seltsam war, und es lag auf der Hand, daß mehr dazu gehören würde, die ansässigen Dorftölpel übers Ohr zu hauen, als die simplen Pläne von Stein und Richard vorsahen.

... Paß auf!

Er tauchte in eine der tiefen Fensternischen, die auf den Innenhof der Burg hinausgingen, riß seinen Chamäleon-Poncho aus der Tasche, duckte sich in den Schatten und versuchte, unauffällig mit dem Steinboden zu verschmelzen.

Vier kräftige Wächter, angeführt von einem Mann in Blau, eilten den Korridor in der Richtung entlang, aus der Aiken gekommen war. Sie sahen nicht einmal zu ihm hin, und gleich darauf wurde der Grund dafür offenbar.

In der Ferne waren ein Wutgebrüll und ein gedämpftes Krachen zu hören. Schwere Schläge donnerten von innen gegen die Tür eines der Empfangsräume. Aiken lugte noch rechtzeitig aus seinem Alkoven heraus, um zu sehen, wie eine Gruppe der Burg-Lakaien von der ersten Tür am Ende der Treppe zurückwich. Sogar von seinem zehn Meter entfernten Standort erkannte Aiken, daß die dicken Eichenbohlen unter der Wucht rhythmischer Hiebe erbebten.

Der Wächter in Blau blieb vor der Tür stehen und befingerte in schrecklicher Vorahnung seinen Halsring. Die vier anderen Männer glotzten, als ihr Anführer kreischte: »Ihr habt ihm die eiserne Axt gelassen? Ihr blöden Arschlöcher!«

»Aber, Meister Tully, wir haben genug Schlafmittel in sein Bier getan, um ein Mastodon zu betäuben!«

»Nicht genug, um diesen wahnsinnigen Wikinger auch nur langsamer werden zu lassen, das ist offensichtlich!« zischte Tully. Die Tür erzitterte unter einem besonders mächtigen Schlag, und die Spitze von Steins Axtklinge war kurz durch das gesplitterte Holz zu sehen, bevor sie zurückgerissen wurde. »Er wird in Minuten draußen sein! Salin, lauf und hole Lord Creyn! Wir werden einen *sehr* großen grauen Ring brauchen. Alarmiere auch Kastellan Pitkin und die Sicherheitstruppe. Kelolo, hol weitere Wächter mit einem Netz! Und sag Fritz, er soll die Fallgatter schließen, für den Fall, daß er nach unten gelangt! Beeilt euch! Wenn wir den Bastard im Netz fangen können, sobald er durchbricht, bekommen wir diese Scheißsituation vielleicht doch noch unter Kontrolle!«

Die beiden Wächter rannten in entgegengesetzten Richtungen davon. Aiken zog sich wieder in den Schatten zurück. Guter alter Steinie. Irgendwie hatte er die Fassade vorgetäuschter Freundlichkeit durchschaut und sich zu direktem Handeln entschlossen. Schlafmittel im Bier! Guter Gott – wenn der Kaffee nun auch mit Drogen versetzt gewesen war? Aber er hatte nicht mehr als eine halbe Tasse getrunken. Und er hatte versucht, Tully bei der Befragung nach dem Mund zu reden. Aiken war überzeugt, er habe sich als ein potentiell nützlicher, aber harmloser kleiner Clown präsentiert. Vielleicht betäubten sie nur die großen, gefährlich wirkenden Typen.

»Schnell, schnell, *schnell,* ihr Dummköpfe!« jammerte Tully. »Er bricht aus!«

Diesmal wagte Aiken es nicht, hinzusehen. Aber er hörte ein triumphierendes Brüllen und das Krachen splitternden Holzes.

»Ich will euch lehren, mich einzuschließen!« donnerte Steins Stimme. »Wartet, bis ich die kleine weißbäuchige Ratte in die Finger bekomme, die mein Bier gewürzt hat! *Yah! Yah! Yah!*«

Ein sehr großer Mann in Rot und Weiß schritt an Aikens Zufluchtsort vorüber. Ihm folgte rasselnd ein Trupp von

Kriegern, alle menschlich, die Kesselhelme und schwere Schuppenpanzer aus gelblichem Metall trugen.

»Lord Creyn!« war Tullys Stimme zu hören. »Ich habe Boten um das Netz und mehr Männer geschickt ... Oh, Tana sei Dank! Sie sind da!«

Aiken, der flach auf dem Boden unter dem Poncho lag, kroch über die Steine, bis er einen guten Blick den Korridor hinunter hatte. Stein, der bei jedem Zuschlagen mit der Axt brüllte, hatte das Loch in der Tür so erweitert, daß es ihm schon fast die Flucht erlaubte. Die Leute aus der Burg hatten bei der Ankunft Creyns zur Disziplin zurückgefunden und standen wartend da.

Sechs gepanzerte Männer hatten ein starkes Netz auf dem Fußboden ausgelegt. Zwei weitere Soldaten standen zu beiden Seiten der sich auflösenden Tür mit Keulen, so dick wie ein Männerarm und mit runden Metallknöpfen besetzt. Die unbewaffneten Wächter traten zurück und bildeten einen Schutzwall vor der aufragenden Gestalt Creyns.

»Hei-*yah!*« röhrte Stein und trat die letzten ihn hindernden Stücke Eichenholz aus der Öffnung. Sein gehörnter Wikingerhelm war einen Augenblick lang sichtbar und wurde dann für den Angriff zurückgezogen.

Er kam mit einem Sprung heraus, der ihn beinahe bis auf die andere Seite des breiten Korridors trug, aus der Reichweite des Netzes hinaus und in die Mitte der Wächter, die sich um ihren ehrfurchtgebietenden Herrn scharten. Männer in Weiß warfen sich mit verzweifelten Schreien auf den Berserker. Stein schlug auf sie ein. Er schwang die Streitaxt mit beiden Händen in kurzen, bösartigen Bogen, die durch Fleisch und Knochen schnitten, abgetrennte Körperteile prallten von den Wänden und sprangen über den Boden, rote Ströme vergießend. Die gepanzerten Soldaten schlugen ohne Wirkung mit den Keulen nach ihm und versuchten, seine Arme festzuhalten, während er weiter auf die Barriere aus lebenden und toten Männern einhackte, die ihn von Creyn trennte. Irgendwie hatte Stein ganz genau erfaßt, wer sein eigentlicher Feind war.

»Ich kriege dich noch!« tobte der Wikinger.

Creyns Robe zeigte jetzt kaum noch weiße Stellen. Er stand

ungerührt vor der Wand und befingerte den goldenen Ring um seinen Hals. Endlich riß ein Soldat Stein den gehörnten Helm vom Kopf, während ein anderer seine Keule schwang und den Riesen mit solcher Gewalt im Nacken traf, daß die Knochen einer weniger heroischen Halswirbelsäule zerschmettert worden wären. Drei lange Sekunden lang stand der Wikinger starr wie eine groteske Statue, die Axt so nahe vor Creyns Kopf erhoben, daß er bequem hätte treffen können. Dann lockerte sich Steins Griff. Die Waffe polterte hinter seinem Rücken zu Boden. Seine Knie knickten langsam ein, und der Kopf sank ihm auf die Brust. Verspätet wurde das Netz über ihn geworfen.

Einer der Krieger zog ein kurzes Bronzeschwert und stürzte mit glitzernden Augen vor. Ehe er zuschlagen konnte, blieb er wie gelähmt stehen. Ein zweiter Soldat nahm ihm die Klinge aus der Hand.

»Niemand wird diesem da ein Leid zufügen«, sagte der Tanu-Gebieter. Er bahnte sich einen Weg durch das Chaos, bis er auf Steins bewußtlosen Körper niederblicken konnte. Creyn kniete auf den blutbesudelten Steinen nieder, streckte die Hand nach dem Kurzschwert aus und benutzte es, um die Maschen durchzuschneiden, die Steins Kopf bedeckten. Dann entnahm er einer großen Tasche an seinem Gürtel einen grauen Metallreif und legte ihn dem gefallenen Felsenbohrer um den Hals.

»Er ist jetzt harmlos. Ihr könnt das Netz entfernen. Bringt ihn in einen anderen Empfangsraum und säubert ihn, damit ich seine Wunden behandeln kann. Er wird in der Hauptstadt höchst willkommen sein.«

Creyn erhob sich und winkte einem Paar Soldaten, ihn zu begleiten. Alle drei hinterließen blutige Fußabdrücke, als sie auf Aikens Versteck zuschritten. Sie wurden langsamer und blieben stehen.

»Komm heraus!« sagte Creyn.

»Schon gut!« Aiken grinste ihn an und krabbelte auf die Füße. Er schwenkte den Hut zum spöttischen Gruß und verbeugte sich aus der Taille heraus. Ehe er merkte, wie ihm geschah, hatte Creyn sich zu ihm niedergebückt und etwas um seinen Hals zuschnappen lassen.

GIUSEPPE MANGONI

O Christus, dachte Aiken. Nicht ich auch!

Du bist eine völlig andere Katzenbrut, Aiken Drum, und für feinere Vergnügungen bestimmt als dein muskulöser Freund.

Aiken verrenkte den Hals, um in die frostigen Augen weit über sich zu blicken. Das Haar des Tanus, vorher so glatt und schimmernd, war jetzt mit dem Blut der Männer verklebt, die ihn verteidigend gestorben waren – unfreiwillig gestorben waren, wie Aiken aus ihren hoffnungslosen Schreien herausgehört hatte. Erst in dem Augenblick, wo Steins Klinge ihnen den Kopf vom Rumpf trennte, waren sie von dem Symbol und der Quelle ihrer Knechtschaft befreit worden.

»Ich vermute, Sie können mit uns tun, was Sie wollen, sobald sie uns erst einmal diese verdammten Hundehalsbänder angelegt haben«, meinte Aiken bitter und berührte das Ding um seinen Hals. Es war warm. Einen Sekundenbruchteil lang raste ein Lustgefühl, in seinen Lenden geboren, durch seine Nerven wie Strom durch Draht, bis es seinen Körper mittels prickelnder Finger und Zehen erregte.

Zum Teufel!

Hat dir das gefallen? Es ist nur eine Probe von dem, was wir dir geben können. Aber unser größtes Geschenk wird die Erfüllung deines eigenen Potentials sein. Indem du uns dienst, wirst du Befreiung finden.

So wie diese armen Narren gedient haben? Kopflose Rümpfe, aufgetürmte Glieder, schwimmend in Blut?

Belustigung. Dein Halsring ist silbern, nicht grau. Wie es einem latenten Metapsychiker, der operant gemacht worden ist, zukommt. Du wirst das Pliozän voll und ganz genießen, mein Junge.

»Also, ich will verdammt sein!« rief Aiken laut. Entzücken. *Entzücken.* ENTZÜCKEN! »In wie vielen der Funktionen bin ich stark?«

Finde es selbst heraus.

Und wie ich annehme, ist in diesen Halsring ein Mechanismus eingebaut, mit dem ihr mich kontrollieren könnt.

Das kannst du dir denken.

Aiken grinste schief. »Besser als grau, weniger als Gold. Ich will dir was sagen. Ich nehme es!« Er faltete seinen Poncho sorgsam zusammen und verstaute ihn wieder in der Rückentasche. »Was nun, Chef?«

»Wir lassen dich vorerst in einem neuen Empfangsraum warten. In einem mit widerstandsfähigerem Schloß. In wenigen Stunden reist du nach unserer Hauptstadt Muriah ab. Mach dir keine Sorgen. Das Leben hier im Exil kann sehr angenehm sein.«

Solange ich nicht vergesse, wer der Boß ist?

Bestätigung.

Die Wächter trieben Aiken Drum durch eine Tür. Er rief über die Schulter zurück: »Laß mir von einem deiner Lakaien einen schönen steifen Drink bringen, ja, Chef? Soviel Kampf erweckt schrecklichen Durst in einem Mann.«

Creyn mußte lachen. »Du bekommst ihn.« Dann knallten die Wächter die Tür zu und verriegelten sie.

5

Amerie hatte die Kampfgeräusche im Flur draußen gehört und ihr Ohr an die Bohlen der verschlossenen Tür gedrückt, um eine Bestätigung für ihren Verdacht zu erhalten. Es mußte Stein oder Felice sein. War vielleicht einer von ihnen durch den Translationsschock in den Wahnsinn getrieben worden? Oder gab es einen Grund für den Ausbruch von Gewalttätigkeit?

Sie riß ihren Rucksack auf und suchte in der Kleinbauern-Ausrüstung nach der kleinen Plastikhülle, die die Bandsäge enthielt. Dann zog sie eine der Bänke zum Fenster hinüber, stopfte ihre Röcke in den Gürtelstrick und sprang hinauf.

Jetzt säge ich die oberen Stangen des Metallgitters auf der Innenseite halb durch! Ich säge die unteren Stangen vollständig durch, hebele das ganze Ding mit dem Sitzbrett einer anderen Bank, die ich in Stücke schlage, nach außen. Ich könnte den Teppich auflösen und ein Seil aus der Wolle machen – aber halt! Mit den Dekamol-Brückenabschnitten müßte es gehen – zwei als Leiter und ein dritter zur Überquerung des Hofs mit diesen verdammten Bärenhunden ...

»Oh, Schwester. Was machen Sie denn da?«

Sie fuhr herum, behindert durch die Tatsache, daß beide Zeigefinger in den Ringen der Bandsäge steckten. Tully und ein stämmiger Wächter standen in der offenen Tür. Die Jacke des kleinen Befragers war mit dunklen Flecken bedeckt.

»Bitte, steigen Sie herunter, Schwester. Glauben Sie mir, Sie sind nicht in Gefahr!«

Amerie kreuzte den Blick mit ihm, dann stieg sie resigniert von der Bank. Der große Wächter streckte die Hand nach der Säge aus, und sie gab sie ihm wortlos. Er steckte die Säge in eine Tasche ihres Rucksacks und sagte: »Ich werde das für Sie tragen, Schwester.«

Tully erklärte: »Wir müssen unser übliches Befragungsprogramm wegen eines höchst bedauerlichen Vorfalls beschleunigen. Wenn Sie also Shubash und mich begleiten wollen ...«

»Ich habe Geräusche eines Kampfes gehört«, erwiderte Amerie. »Wer ist verletzt worden? War es Felice?« Sie ging zu der offenen Tür und sah in den Korridor hinaus. »Barmherziger Gott!«

Wächter hatten die Toten und Verwundeten entfernt, und Reinigungstrupps spülten mit großen Wassereimern die Wände und den Fußboden ab, aber Spuren der Katastrophe waren immer noch genug vorhanden, daß Übelkeit in ihr aufstieg.

»Was habt ihr getan?« rief Amerie.

»Das Blut ist das unserer eigenen Leute«, stellte Tully ernst fest. »Es wurde von Ihrem Gefährten Stein vergossen. Er ist übrigens bis auf blaue Flecken unverletzt geblieben. Aber fünf von unsern Männern sind tot und sieben weitere schwer verwundet.«

»O Gott! Wie ist das geschehen?«

»Es tut mir leid, sagen zu müssen, daß Stein zum Berserker wurde. Es muß eine verzögerte Reaktion auf die temporale Translation gewesen sein. Die Passage durch das Zeitportal läßt manchmal tief verborgenen psychischen Sprengstoff explodieren. Wir versuchen, sowohl die Reisenden als auch uns selbst dadurch zu schützen, daß wir Neuankömmlinge in der Erholungszeit eine Weile auf diese Empfangsräume beschränken – was auch der Grund ist, warum *Ihre* Tür verschlossen wurde.«

»Das mit Ihren Männern tut mir leid«, versicherte Amerie ihm mit aufrichtigem Bedauern. »Steinie ist – seltsam, aber ein lieber Mann, wenn man ihn erst einmal kennenlernt. Was wird jetzt mit ihm geschehen?«

Tully befingerte seinen grauen Kragen. »Wir, die wir das Tor bewachen, haben unsere Pflicht zu tun, und manchmal ist es eine schwere Pflicht. Ihrem Freund ist eine Behandlung zuteil geworden, die einer weiteren Attacke vorbeugen müßte. Er wird ebenso wenig bestraft werden wie ein Kranker für sein Leiden ... Doch nun, Schwester, müssen wir Sie schnell zur nächsten Phase unserer Befragung bringen. Lady Epone braucht Ihre Hilfe.«

Sie gingen durch den grausigen Flur und die Treppe hinunter in ein kleines Büro auf der anderen Seite des Gebäudes. Felice Landry wartete allein. Sie saß in einem normalen Polstersessel neben einem Tisch, auf dem eine über und über mit Edelsteinen besetzte metallene Skulptur stand. Die beiden Männer führten Amerie hinein, zogen sich zurück und schlossen die Tür.

»Felice! Stein hat ...«

»Ich weiß«, unterbrach die Athletin sie flüsternd. Sie legte einen behandschuhten Finger an die Lippen und saß dann wieder schweigend da. Ihren Lederhelm mit dem smaragdgrünen Federbusch hielt sie sittsam auf dem Schoß. Mit dem vom Kopf abstehenden Haar und ihren riesigen braunen Augen sah sie wie ein hübsches Kind aus, das darauf wartet, zur Mitwirkung bei irgendeinem unheimlichen Theaterstück auf die Bühne gezerrt zu werden.

Die Tür öffnete sich, und Epone glitt herein. Amerie betrachtete die ungewöhnlich hohe Gestalt mit großem Erstaunen.

»Eine weitere intelligente Rasse?« platzte die Nonne heraus. »Hier?«

Epone neigte ihr majestätisches Haupt. »Ich werde es Ihnen in Kürze erklären, Schwester. Alles wird Ihnen zu gegebener Zeit klar werden. Im Augenblick brauche ich Ihre Hilfe, um das Vertrauen Ihrer jungen Gefährtin zu gewinnen, damit wir einen einfachen Test auf mentale Fähigkeiten durchführen können.« Sie nahm eine Silberkrone vom Tisch und näherte sich Felice damit.

»Nein! Nein! Ich habe Ihnen gesagt, ich werde es nicht zulassen!« kreischte das Mädchen. »Und wenn Sie mich zwingen, sind die Ergebnisse nutzlos. Ich weiß alles über diese faulen Gedankenlesetricks!«

Epone wandte sich an Amerie. »Ihre Ängste sind unbegründet. Alle frisch eingetroffenen Zeitreisenden erklären sich mit dem Test auf latente Metafunktionen einverstanden. Wenn wir feststellen, daß Sie sie besitzen, steht uns die Technik zur Verfügung, sie operant zu machen, so daß Sie und die ganze Gemeinschaft Nutzen davon haben.«

»Sie wollen in meinen Gedanken schnüffeln!« Felice spie die Worte aus.

»Ganz bestimmt nicht. Der Test ist eine einfache Messung.«

Amerie schlug vor: »Vielleicht testen Sie mich als erste. Ich bin ganz sicher, daß meine eigenen latenten Metafunktionen minimal sind. Aber es würde Felice wahrscheinlich ihre Angst nehmen, wenn sie zusehen könnte, was bei dem Test geschieht.«

»Eine ausgezeichnete Idee.« Epone lächelte.

Amerie ergriff Felices Hand und zog sie in die Höhe. Trotz der Lederhandschuhe des Mädchens spürte sie, daß die Finger zitterten, aber die Emotion, die in diesen unergründlichen Augen verborgen war, stellte etwas ganz anderes als Angst dar. Die Nonne sagte beruhigend: »Stell dich hierhin, Felice! Du kannst zusehen, wie der Test bei mir gemacht wird, und wenn dir die Vorstellung dann immer noch Furcht einjagt, bin ich überzeugt, daß diese Dame deine persönlichen Überzeugungen respektieren wird.« Sie drehte sich zu Epone um. »Nicht wahr?«

»Ich versichere Ihnen, ich will Ihnen nichts Böses tun«, erwiderte die Tanu-Frau. »Und wie Felice gesagt hat, ergibt der Test unzuverlässige Daten, wenn die Versuchsperson nicht mitarbeitet. Bitte setzen Sie sich, Schwester!«

Amerie löste die Nadel, die ihren schwarzen Schleier festhielt. Dann nahm sie das weiche weiße Kopftuch ab, das ihr

Haar bedeckte. Epone setzte die Silberkrone auf die braunen Locken der Nonne.

»Zuerst wollen wir die Funktion des Fernwahrnehmens testen. Bitte, Schwester, versuchen Sie, mir ohne zu sprechen *Grüße* zu senden.«

Amerie kniff die Augen zusammen. An einer Zacke der Krone erschien ein schwacher violetter Funke.

»Minus sieben. Sehr schwach. Jetzt die koerzible Fähigkeit. Schwester, richten Sie Ihre ganze Willenskraft auf mich. Zwingen Sie mich, die Augen zu schließen.«

Amerie glühte vor Konzentration. Eine andere Zacke der Krone ließ einen etwas kräftigeren blauen Funken entstehen.

»Minus drei. Stärker, aber immer noch viel zu schwach, um nützlich eingesetzt werden zu können. Lassen Sie uns jetzt die Psychokinese prüfen! Geben Sie sich alle Mühe, Schwester. Erheben sie sich mit Ihrem Sessel nur einen Zentimeter über den Fußboden.«

Der resultierende rosig-goldene Funke war kaum sichtbar, und der Sessel blieb fest auf dem Steinfußboden stehen.

»Ah, zu schade. Minus acht. Entspannen Sie sich jetzt, Schwester! Beim Testen der kreativen Funktion werden wir Sie bitten, eine Illusion für uns zu erzeugen. Schließen Sie die Augen und stellen Sie sich einen ganz gewöhnlichen Gegenstand vor – vielleicht Ihren Schuh –, der vor Ihnen in der Luft schwebt. Richten Sie Ihren Willen darauf, daß dieser Gegenstand vor uns erscheint. Geben Sie sich Mühe!«

Ein grünlicher Funke wie ein Miniatur-Stern. Und – war es wirklich da? – ein ganz schwaches Abbild eines Wanderstiefels.

»Sehen Sie das, Felice?« rief die Tanu-Frau aus. »Plus drei Komma fünf!«

Amerie riß die Augen auf, und die Illusion verschwand. »Wollen Sie sagen, das war wirklich ich?«

»Die Krone verstärkt Ihre natürliche Kreativität künstlich und verwandelt sie von latent in operant. Unglücklicherweise ist Ihr psychisches Potential auf diesem Gebiet so niedrig, daß es buchstäblich nutzlos ist, selbst bei maximaler Verstärkung.«

»Das habe ich mir gedacht«, sagte die Nonne. »Veni creator spiritus. Ruf mich nicht, ich rufe dich.«

»Da ist noch ein Test – für die MP-Funktion, die die wichtigste von allen ist.« Epone machte sich an dem kristallinen Gerät zu schaffen, das zu flackern begonnen hatte. Als sich das Glühen der Edelsteine stabilisierte, befahl sie: »Sehen Sie mir in die Augen, Schwester. Sehen Sie tiefer, in mein Gehirn, wenn Sie dazu fähig sind. Erkennen Sie, was dort versteckt ist? Können Sie es analysieren? Die verstreuten Bruchteile zu einem Ganzen zusammenfügen? Die Wunden und Narben und Abgründe des Schmerzes heilen? Versuchen Sie es! *Versuchen Sie es!*«

Oh, du Arme. Du möchtest, daß es mir gelingt, nicht wahr? Aber ... stark, zu stark. Du siehst mich an, schlägst gegen transparente Wände, so stark ... und jetzt dunkel ... dunkel ... Schwarz.

Ein roter Funke war für einen kurzen Augenblick aufgeflackert, eine mikroskopische Nova. Er verdämmerte bis fast zur Unsichtbarkeit. Epone seufzte.

»Letztendliche Redigierung minus sieben. Ich hätte viel darum gegeben – aber genug.« Sie entfernte die Krone und wandte sich mit freundlichem Gesicht an Felice. »Wollen Sie mir jetzt erlauben, Sie zu testen, Kind?«

Felice flüsterte: »Ich kann nicht. Bitte, zwingen Sie mich nicht!«

»Wir können bis später warten, in Finiah«, antwortete Epone. »Sehr wahrscheinlich sind Sie eine normale Menschenfrau wie Ihre Freundin. Aber auch Ihnen, die Sie keine Metafähigkeiten besitzen, haben wir eine Welt des Glücks und der Erfüllung zu bieten. Im Vielfarbenen Land erfreuen sich alle Frauen einer privilegierten Stellung, weil so wenige durch das Zeitportal kommen. Man wird Sie anbeten.«

Amerie hielt in der Tätigkeit, ihre Kopfbedeckung wieder anzubringen, inne und sagte: »Sie müßten durch Studium unserer Sitten wissen, daß einige unserer Priesterinnen Jungfräulichkeit gelobt haben. So ist es bei mir. Und Felice ist nicht heterosexuell orientiert.«

Epone meinte: »Das ist ein Jammer. Aber mit der Zeit werden Sie sich Ihrem neuen Status anpassen und glücklich sein.«

Felice trat vor. Sie sprach sehr leise. »Wollen Sie uns erzählen, daß die Frauen hier im Exil den Männern sexuell untertan sind?«

Epones Mundwinkel hoben sich. »Was ist ›untertan‹ und was ist ›Erfüllung‹? Es liegt in der Natur des Weibes, ein Gefäß zu sein, das sich sehnt, gefüllt zu werden, Ernährerin und Erhalterin zu sein, sich selbst hinzugeben in der Sorge für den geliebten anderen. Wenn diese Bestimmung abgelehnt wird, ist nichts da als Leere, Weinen und Wüten ... wie ich und so viele andere Frauen meiner Rasse nur zu gut wissen. Wir Tanu kamen vor langer Zeit aus einer Galaxis, die von der Erde aus gerade eben noch sichtbar ist. Wir sind vertrieben worden, weil wir uns weigerten, unsere Lebensweise Prinzipien anzupassen, die uns widerwärtig waren. In vieler Beziehung hat sich dieser Planet als idealer Zufluchtsort erwiesen. Aber seine Atmosphäre schirmt gewisse Partikel nicht ab, die unsere Fortpflanzung beeinträchtigen. Tanu-Frauen gebären selten und nur unter großen Schwierigkeiten gesunde Kinder. Trotzdem sind wir entschlossen, als Rasse zu überleben. Jahrhunderte der Hoffnungslosigkeit hindurch beteten wir, und endlich hat uns Mutter Tana geantwortet.«

Amerie dämmerte es. Felice zeigte keine Bewegung. Die Nonne sagte: »Alle Frauen, die durch das Zeitportal kommen, sind sterilisiert worden.«

»Durch eine rückgängig zu machende Eileiter-Durchtrennung«, stellte die Epone fröhlich fest.

Amerie sprang auf. »Selbst wenn Sie das tun, sind unsere Gene ...«

»... kompatibel. Unser Schiff, das uns hergebracht hat (gesegnet sei sein Andenken!), erwählte diese Galaxis und diese Welt wegen der perfekten Kompatibilität des Keimplasmas. Man rechnete damit, daß Äonen vergehen müßten, bis wir das volle reproduktive Potential erreichten, selbst wenn wir die eingeborene Lebensform, die Sie Ramapithecinae nennen, als Ernährung der Zygoten benutzten. Aber wir leben so sehr lange! Und wir haben soviel Kraft! Deshalb hielten wir aus, bis das Wunder geschah und das Zeitportal sich öffnete und euch zu uns zu senden begann. Schwester, Sie und Felice sind jung und gesund. Sie werden kooperieren, wie andere Ihres Geschlechts es getan haben, denn die Belohnung ist groß und die Strafen sind unerträglich.«

»Ekelhaft!« sagte die Nonne.

Epone ging zur Tür. »Die Befragung ist zu Ende. Sie werden sich beide auf die Karawanenreise nach Finiah vorbereiten. Es ist eine schöne Stadt im Tal des Urrheins, in der Gegend Ihrer zukünftigen Stadt Freiburg. Menschen guten Willens leben glücklich dort, bedient von unsern braven kleinen Ramas, so daß sie von aller Mühsal befreit sind. Auch Sie werden Zufriedenheit lernen, glauben Sie mir!« Sie ging hinaus und schloß leise die Tür.

»Diese Schweinehunde!« sagte Amerie zu Felice. »Diese dreckigen Schweinehunde!«

»Mach dir keine Sorgen, Amerie«, antwortete die Athletin. »Sie hat mich nicht getestet. Das allein ist wichtig. Ich habe meine Gedanken, solange sie in meiner Nähe war, mit einem kläglichen Gewimmer übertüncht. Wenn sie mich also überhaupt lesen konnte, dann hält sie mich wahrscheinlich für nichts anderes als eine harmlose kleine Lesbierin.«

»Was hast du vor? Einen Fluchtversuch?«

Felices dunkle Augen glühten, und sie lachte laut heraus. »Mehr. Ich werde sie hereinlegen. Die ganze verdammte Bande.«

6

Es standen Bänke unter den Bäumen innerhalb des ummauerten Hofs, aber Claude Majewski zog es vor, auf dem Pflaster im Schatten des Tierpferchs zu sitzen, wo er grübeln und die lebenden Fossilien beobachten konnte. In seinen großen Händen drehte er immerzu den geschnitzten Zakopane-Kasten.

Ein schönes Ende deiner Leichtfertigkeit, alter Mann. In deinem einhundertunddreiunddreißigsten Jahr wirst du den Fluß hinunter verkauft! Und das alles wegen eines verrückten

Einfalls. Oh, ihr Polacken wart immer schon romantische Narren!

Hast du mich deshalb geliebt, Schwarzes Mädchen?

Der wirklich demütigende Aspekt war, daß er so lange gebraucht hatte, um dahinterzukommen. Hatte er sich nicht über den ersten freundlichen Kontakt gefreut, über den hübschen Wohnraum mit dem Essen (und dem Klo), alles wohlgezielt darauf berechnet, den verängstigten alten Knacker nach der Aufregung der Translation einzulullen? War Tully nicht nett und harmlos gewesen? Und dabei hatte er ihn ausgeholt und ihm geschmeichelt und ihm den Blödsinn über das großartige Leben in Frieden und Glück aufgetischt, das sie alle im Exil genießen würden! (Na gut, Tully hatte wirklich ein klein bißchen zu dick aufgetragen.) Und der erste Anblick Epones hatte ihn völlig umgeworfen, die unerwartete Anwesenheit einer fremden intelligenten Lebensform auf der Erde des Pliozän seine angeborene Vorsicht betäubt, während sie ihm Maß nahm, ihn als mangelhaft klassifizierte und entließ.

Noch als die bewaffneten Posten ihn höflich über den Hof führten, war er friedlich wie ein Lamm gewesen ... bis zur letzten Minute, als sie ihm seinen Rucksack wegnahmen, das Tor öffneten und ihn in den Menschenpferch hineinschoben.

»Immer mit der Ruhe, Reisender!« hatte einer der Wächter gesagt. »Du wirst deinen Rucksack später wiederbekommen, wenn du dich gut benimmst. Mach uns Ärger, und wir haben die Mittel, dich kleinzukriegen! Versuche zu entfliehen, und du kommst zur Fütterungszeit zu den Bärenhunden!«

Claude hatte mit offenem Mund dagestanden, bis ein vernünftig wirkender Mitgefangener in Bergsteigertracht zu ihm trat und ihn in den Schatten führte. Nach etwa einer Stunde wurde Claudes Rucksack von einem Wächter zurückgebracht. Jeder Gegenstand, der bei einer Flucht von Nutzen hätte sein können, war entfernt worden. Claude wurde informiert, seine Vitredur-Werkzeuge zur Holzbearbeitung bekäme er wieder, sobald er »sicher« in Finiah sei.

Als der erste Schreck überwunden war, sah sich Claude in dem Menschenpferch um. In Wirklichkeit war es ein großer und angenehm schattiger Hof mit mehr als drei Meter hohen ornamentalen Mauern aus durchbohrten Steinen. Wachtposten patrouillierten. Hinter einem Mauervorsprung ging es in einen recht bequemen Schlafsaal und Waschraum. In der Anlage befanden sich acht Frauen und dreiunddreißig Männer. Claude erkannte die meisten wieder, hatte er doch ihren frühmorgendlichen Marsch durch den Garten der Auberge zu dem Guderian-Häuschen beobachtet. Sie stellten ungefähr eine Wochenladung an Zeitreisenden dar. Wer fehlte, war vermutlich durch Epones Test aussortiert und für einen anderen Bestimmungsort bereitgestellt worden.

Bald entdeckte Claude, daß der einzige seiner Kameraden aus Gruppe Grün hier im Pferch Richard war. Er schlief in unheimlicher Reglosigkeit auf einem der Betten im Schlafsaal. Als der alte Mann ihn an der Schulter schüttelte, wollte er nicht aufwachen.

»Wir haben noch ein paar wie ihn«, erklärte der Bergsteiger. Sein Gesicht war lang und wettergegerbt. Ein feines Netz von Fältchen und ein unbestimmbar mittelalterliches Aussehen sprachen von einer nachlassenden Verjüngung. Er hatte humorvolle grauen Augen, und unter seinem Tirolerhut lugte aschfarbenes Haar hervor. »Manche Leute haut es einfach um, die armen Teufel. Trotzdem sind sie besser dran als die Frau, die sich vorgestern erhängte. Ihr von heute seid die letzten für die wöchentliche Karawane. Heute abend geht's los. Sei nur froh, daß du hier nicht, wie manche von uns, sechs Tage hast herumsitzen müssen.«

»Hat schon irgend jemand versucht zu entfliehen?« forschte Claude.

»Ein paar, bevor ich kam. Ein Kosak namens Prischchepa aus meiner Gruppe. Drei Polynesier gestern. Die Bärenhunde haben sogar ihre Federumhänge mitgefressen. Ein Jammer. Magst du Rekorder-Musik? Mir ist nach einem bißchen Purcell. Mein Name ist übrigens Basil Wimborne.«

Er setzte sich auf ein leeres Bett, holte eine Holzflöte hervor und begann eine klagende Melodie zu spielen. Der alte Mann erinnerte sich, daß Bryan oft Bruchstücke davon gepfiffen hatte. Claude hörte ein paar Minuten lang zu, dann wanderte er wieder nach draußen.

Andere Zeitreisende reagierten auf ihre Gefangenschaft entsprechend ihrer individuellen Psyche. Ein alternder Maler beugte sich über einen Skizzenblock. Seite an Seite saß unter einem Baum ein junges Paar, das wie Yankee-Pioniere gekleidet war; versunken in ihre Leidenschaft, liebkosten sie sich. Fünf Zigeuner unterhielten sich verschwörerisch und übten Nahkampftricks mit unsichtbaren Messern. Ein schwitzender Mann mittleren Alters in kaninchenfellbesetzter Toga und Ziegenleder-Domino verlangte fortwährend, die Wachen sollten ihm seine Schüler zurückgeben. Zwei japanische Ronin, ohne Schwerter, aber ansonsten in die schönen Rüstungen des vierzehnten Jahrhunderts gekleidet, spielten Goban mit einem Dekamol-Brett. Eine reizende Frau in regenbogenfarbenen Chiffon-Schleiern baute ihre Spannungen im Tanz ab; die Wachen draußen mußten sie andauernd daran hindern, auf die Mauer zu klettern und mit dem Ruf: »Paris – adieu!« wie ein bauschiger Schmetterling herunterzuspringen. An einer schattigen Stelle saß ein Australneger in einem scharf gebügelten weißen Hemd, Reithosen und Stiefeln mit elastischen Einsätzen, umgeben von den vier winzigen Lautsprechern seiner Musik-Bibliothek, die endlos abwechselnd den »Erlkönig« und eine alte Aufnahme von Will Bradleys »Celery Stalks at Midnight« erklingen ließen. Ein wie ein Hofnarr gekleideter Bursche jonglierte ohne jedes Geschick mit drei Silberbällen; sein Publikum waren eine ältliche Frau und ihr Shih-Tzu-Hündchen, das nie müde wurde, den Bällen nachzujagen. Den vielleicht jammervollsten Anblick bot ein großer, robuster Mann mit ingwerfarbenem Bart und hohlen Augen, prachtvoll kostümiert mit einem imitierten Kettenpanzer; der seidene Überrock eines Ritters aus dem Mittelalter trug das Emblem eines goldenen Löwen. Der Ritter schritt in höchster Erregung im Hof umher, spähte durch die Löcher in der Mauer und rief: »Aslan! Aslan! Wo bist du jetzt, da wir dich brauchen? Rette uns vor la belle dame sans merci!«

Lauter Verrückte. Claude kam zu dem Schluß, daß er richtig in der Scheiße saß. Aus irgendeinem perversen Grund war er beinahe zufrieden mit sich selbst.

Er hob einen belaubten Zweig vom Boden auf und steckte ihn durch eine der ornamentalen Öffnungen in den anstoßenden Tier-Korral.

»Hier, Junge! Hier, Junge!«

Eins der Geschöpfe auf der anderen Seite der Mauer spitzte seine mit Büscheln besetzten, pferdeähnlichen Ohren und trottete näher heran, um den Zweig zu probieren. Claude beobachtete voller Entzücken, wie es zuerst die Blätter mit winzigen Schneidezähnchen abknabberte und dann die holzigen Teile mit starken Backenzähnen kaute. Als der Leckerbissen hinuntergeschluckt war, bedachte ihn das Tier mit einem Blick, der ihm ganz deutlich Mangel an Großzügigkeit vorwarf. Also sammelte Claude weitere Blätter.

Es war ein Chalicotherium, Mitglied einer der seltsamsten und faszinierendsten Familien känozoischer Säugetiere. Sein Körper war massig, mit tiefer Brust und beinahe drei Meter lang, der Hals pferdeähnlich, der Kopf zeugte von seiner Verwandtschaft mit den Unpaarzehern. Die Vorderbeine waren etwas länger als die hinteren und mindestens doppelt so kräftig wie die eines Zugpferdes. Statt in Hufen zu enden, wiesen die Füße drei Zehen mit großen, halb einziehbaren Klauen auf. Die inneren Klauen an den Vorderfüßen hatten fast die Größe einer menschlichen Hand, die anderen waren halb so groß. Der Körper des Chalicotheriums war mit einem kurzen Pelz in bläulichem Grau bedeckt, um Widerrist, Flanken und Hinterteil mit weißen Tupfen gesprenkelt. Der Schwanz war rudimentär, aber das Geschöpf prunkte mit einer herrlichen Mähne aus langem schwarzem Haar, einem schwarzen Streifen das Rückgrat entlang und auffallenden schwarzen Haarbüscheln an den Fesseln. Die intelligenten Augen saßen ein bißchen weiter vorn im Schädel als bei einem Pferd und waren von schweren schwarzen Wimpern umsäumt, mit denen das Tier rührend klimperte. Es trug einen ledernen Zaum und war völlig domestiziert. Der Korral enthielt mindestens sechzig dieser Tiere, die meisten davon apfelgrau mit einem gelegentlichen weißen oder fuchsfarbenen Exemplar.

Die Pliozän-Sonne stieg über die Burg. Schließlich schien sie direkt in den Hof und trieb alle bis auf die widerstandsfähigsten Gefangenen in die relative Kühle des steinernen Schlafsaals. Ein überraschend anständiges Mittagessen aus einem mit Lorbeerblättern gewürzten Stew, Obst und Weinpunsch wurde serviert. Von neuem versuchte Claude vergebens, Richard zu wecken, und dann schob er die Portion des Piraten unter dessen Bett. Nach dem Essen zogen sich die meisten Gefangenen zu einer Siesta zurück, aber Claude ging wieder nach draußen, um sein Verdauungssystem mit Auf- und Abwandern gefügig zu machen und um Spekulationen über sein Schicksal anzustellen.

Etwa zwei Stunden später schleppten in Grau gekleidete Stallknechte große Körbe mit knotigen Knollen und fetten, Runkelrüben ähnlichen Wurzeln herbei und kippten sie für die Tiere in Tröge. Während die Chalicotherien fraßen, misteten die Männer das Gehege mit großen Reisigbesen und hölzernen Schaufeln aus, warfen den Dung in Räderkarren und fuhren ihn in Richtung des Gangs davon, der zum Hintertor der Burg führte. Zwei der Leute blieben mit einem tragbaren Pumpapparat zurück. Sie tauchten ihn in den zentralen Brunnen. Der eine Mann trat die Pumpe, und der andere entrollte einen steifen Segeltuch-Schlauch, mit dem er den Boden des Korrals abspülte. Das überschüssige Wasser lief in Gossen ab. Als das Pflaster sauber war, bespritzte er die fressenden Tiere. Sie wieherten und quietschten vor Vergnügen.

Der alte Paläontologe nickte zufrieden. Die Tiere liebten das Wasser. Sie fraßen Wurzeln. Also waren Chalicotherien tatsächlich Bewohner des feuchten, subtropischen Waldes und der schlammigen Flußniederungen. Und sie benutzten tatsächlich ihre Klauen dazu, nach Wurzeln zu graben. Ein kleineres Rätsel der Paläobiologie war gelöst – zumindest für ihn. Aber sollten die Gefangenen wirklich diese archaischen Reittiere besteigen? Sie würden nicht so schnell sein wie Pferde, aber sie machten den Eindruck großer Ausdauer. Und ihr Gang! Claude wand sich. Wenn eine dieser Kreaturen mit ihm an Bord lostrabte, mußten seine alten Knie und Hüftgelenke brechen wie alter Christbaumschmuck.

Ein Geräusch in dem schattigen Kreuzgang erweckte seine Aufmerksamkeit. Soldaten führten zwei neue Gefangene zu der Hintertür des Hofs, die sich in den Schlafsaal öffnete. Claude erhaschte einen Blick auf eine wallende grüne Feder und ein Habit in Schwarz und Weiß. Felice und Amerie!

Er eilte hinein und stand da, als die beiden Frauen in das

Gefängnis gebracht wurden. Ein Wachtposten setzte ihre Rucksäcke ab, die er getragen hatte, und meinte auf freundliche Art: »Ihr werdet jetzt nicht mehr lange zu warten brauchen. Nehmt euch nur zu essen von den Resten auf dem Tisch da drüben.«

Der fahrende Ritter lief mit tragischem Gesichtsausdruck zu ihnen. »Ist Aslan unterwegs? Habt Ihr ihn gesehen, gute Schwester? Vielleicht gehört diese Kriegerjungfrau zu seinem Gefolge? Aslan muß kommen, oder wir sind verloren!«

»O Gott, hau ab!« murmelte Felice.

Claude nahm den Ritter bei einem gerüsteten Ellbogen und führte ihn zu einem Bett in der Nähe der anderen Tür. »Warte hier auf Aslan!« Der Mann nickte feierlich und setzte sich nieder. Irgendwo in der Dunkelheit weinte ein anderer Gefangener. Der Alpinist spielte »Greensleeves« auf seinem Rekorder.

Als Claude zu seinen Freundinnen zurückkehrte, wühlte Felice in ihrem Rucksack herum und fluchte dabei. »Alles weg! Die Armbrust, meine Häutemesser, die Seile – so gut wie jedes verdammte Stück, das ich hätte benutzen können, um uns hier hinauszubringen!«

»Das kannst du gleich vergessen«, riet Claude ihr. »Wenn du Zuflucht zur Gewalt nimmst, werden sie dir ein Halsband umlegen. Der Mann, der die Flöte spielt, hat mir von einem Gefangenen erzählt, der durchdrehte und einen Kantinenhelfer angriff. Soldaten schlugen ihn mit Keulen nieder und verpaßten ihm einen dieser grauen Metallringe. Als er aufhörte zu schreien und wieder zu sich kam, war er sanft wie Milch. Und das Halsband konnte er einfach nicht abbekommen.«

Felice fluchte noch blumiger. »Dann haben sie vor, uns alle mit diesen Halsringen zu schmücken?«

Claude blickte ringsum, aber niemand zollte ihnen die geringste Aufmerksamkeit. »Offenbar nicht. So weit ich es beurteilen kann, sind die grauen Halsbänder primitive Psychoregulatoren, wahrscheinlich verbunden mit den goldenen, die Lady Epone und andere Fremde tragen. Nicht alle Männer des Burgpersonals tragen welche. Soldaten und Wächter schon, ebenso kleine Chefs wie der würdige Tully. Aber die

Stallknechte haben keine Halsbänder, und die Kantinenhelfer auch nicht.«

»Ihre Positionen sind vielleicht nicht verantwortungsvoll genug?« überlegte die Nonne.

»Oder die Hardware ist knapp«, sagte Claude.

Felice runzelte die Stirn. »Das könnte sein. Es muß eine ausgefeilte Technologie erfordern, solche Dinge herzustellen. Und der Betrieb hier sieht verdammt nach Mickymaus aus. Habt ihr bemerkt, daß diese Gehirnmeßmaschine dauernd versagte? Und kein fließendes Wasser in diesen Empfangsräumen.«

»Sie haben sich nicht die Mühe gemacht, mir meine Pharmazeutika wegzunehmen«, berichtete Amerie. »Die Halsbänder müssen die Wächter vor allen Drogen schützen, die wir an ihnen auszuprobieren versucht sein könnten. Wirksame Instrumente. Kein Sklavenaufseher sollte darauf verzichten.«

»Vielleicht haben sie es gar nicht nötig, Menschen mit Ringen zu versehen, um sie unterwürfig zu machen«, mutmaßte Claude grimmig. Er wies auf die lustlosen Insassen des Schlafsaals. »Seht euch nur diese Leute an! Ein paar Unternehmungslustige versuchten zu fliehen, und sie wurden an die Bärenhunde verfüttert. Ich glaube, die meisten, die in einen Alptraum wie diesen versetzt werden, stehen so unter Schock, daß sie sich einfach eine Weile treiben lassen und hoffen, es wird nicht noch schlimmer kommen. Die Wächter sind vergnügt und erzählen Geschichten von dem schönen Leben, das auf uns wartet. Die Verpflegung ist nicht schlecht. Möchtet ihr es nicht lieber langsam angehen lassen und sehen, was sich entwickelt, statt dagegen zu kämpfen?«

»Nein«, erklärte Felice mit Entschiedenheit.

Und Amerie setzte hinzu: »Die Aussichten der Frauen sind nicht ganz so rosig, Claude.« Sie berichtete ihm knapp von dem Gespräch mit Epone, von dem Ursprung der Fremden sowie der mißlichen Lage bezüglich der Fortpflanzung, in der sie sich befanden. »Während du also vielleicht in Frieden leben und Blockhäuser bauen kannst, Claude, wird man aus Felice und mir Zuchtstuten machen.«

»Verdammt sollen sie sein!« flüsterte der alte Mann. »*Ver-*

dammt sollen sie sein!« Er starrte auf seine großen Hände. Sie waren immer noch stark, aber von Leberflecken und hervortretenden blauen Adern bedeckt. »Bei einem Kampf wäre ich keinen Pfennig wert. Was wir wirklich brauchen, ist Stein.«

»Sie haben ihn mitgenommen.« Amerie berichtete, daß Tully ihr gesagt habe, der Wikinger sei »behandelt« worden, um weitere Schwierigkeiten zu verhindern. Sie alle wußten, was das hieß.

»Ist irgend jemand von den anderen hier?« erkundigte sich Felice.

»Nur Richard«, antwortete der alte Mann. »Aber er schläft, seit er heute morgen hergebracht wurde. Ich konnte ihn nicht wach kriegen. Vielleicht solltest du ihn dir einmal ansehen, Amerie.«

Die Nonne nahm ihren Rucksack und folgte Claude zu Richards Bett. Es war von leeren Betten umgeben, und der Grund dafür war nur zu klar. Der schlafende Mann hatte sich beschmutzt. Er hatte die Arme fest über der Brust verschränkt und die Knie beinahe bis ans Kinn gezogen.

Amerie hob sein eines Augenlid, dann maß sie ihm den Puls. »Jesus, das ist beinahe schon Katatonie. Was können sie nur mit ihm gemacht haben?«

Sie suchte in ihrem Rucksack und fand eine Minispritze, die sie an Richards Schläfe drückte. Als der winzige Kolben in sich zusammenfiel und das wirksame Medikament in den Blutkreislauf des Bewußtlosen geriet, gab er ein schwaches Stöhnen von sich.

»Es gibt eine Chance, daß das ihn wieder zu sich bringt, falls er noch nicht zu weit hinüber ist«, sagte die Nonne. »Wollt ihr mir inzwischen helfen, ihn zu säubern?«

»In Ordnung.« Felice begann sich aus ihrer Rüstung zu schälen. »Sein Rucksack ist hier. Er hat bestimmt andere Sachen dabei.«

»Ich hole Wasser.« Claude ging in den Waschraum, wo ein Steintrog über eine Leitung vom Brunnen her mit Wasser versorgt wurde. Er füllte einen hölzernen Eimer und nahm Seife und mehrere rauhe Handtücher an sich. Als er sich auf dem Rückweg zwischen den Betten hindurchwand, erspähte ihn einer der Zigeuner.

»Du hilfst deinem Freund, alter Mann. Aber vielleicht ist er besser dran, wie er ist. Ohne Nutzen für sie!«

Eine Frau mit haarlosem Kopf klammerte sich an Claude fest. Sie trug ein zerknittertes gelbes Gewand, und ihr orientalisches Gesicht war von Narben verwüstet, ein ungewöhnlicher Anblick. Möglich, daß sie mit ihrer Religion zusammenhingen. »Wir wollten frei sein«, krächzte sie. »Aber diese Ungeheuer aus einer anderen Galaxis werden uns versklaven. Und das Schlimmste daran ist, daß sie *menschlich* aussehen.«

Claude machte sich von ihr frei und setzte seinen Weg zu Richards Bett fort. Das Schreien und Flüstern anderer Gefangener versuchte er zu ignorieren.

»Ich habe ihm noch einen Schuß gegeben«, sagte Amerie finster. »Er wird ihn aufwecken oder umbringen. Verdammt – wenn wir ihm doch nur einen Zuckertopf geben könnten!«

Der Ritter schrie auf. »Sie beginnen, die Feenrosse zu satteln! Bald werden wir auf dem Weg nach Narnia sein!«

»Sieh nach, was da vor sich geht, Claude!« befahl Felice.

Er drängte sich zwischen denen hindurch, die nach draußen eilten, und es gelang ihm, bis dicht an die perforierte Mauer vorzudringen, die den Innenhof abgrenzte. Stallknechte führten Chalicotherien paarweise aus dem Gehege und banden sie an Reihen von Stangen fest, die quer über den Hof führten. Weitere Diener trugen Sattelzeug herbei und befestigten Packen auf den Rücken der Tiere. Auf einer Seite waren acht Tiere zu einer speziellen Behandlung abgesondert worden. Ihre mit Bronzenägeln besetzten Geschirre und andere Teile der Ausrüstung kennzeichneten sie als Reittiere für Soldaten.

Eine belustigte Stimme neben Claude sagte: »Man scheint der Meinung zu sein, daß wir auf der Reise nicht viel Bewachung brauchen, stimmt's?« Es war Basil, der Bergsteiger, der den Vorgängen interessiert zusah. »Ah! Das ist die Erklärung. Begreifst du die sinnige Veränderung an den Steigbügeln?«

Bronzeketten baumelten von ihnen nieder. Sie waren mit

engen Lederhülsen gepolstert und würden wahrscheinlich locker genug um die Knöchel sitzen, um nur wenig unbequem zu sein, sobald sie festgemacht waren.

Das Satteln brauchte seine Zeit, und die Sonne senkte sich im Westen hinter der Burg. Es lag auf der Hand, daß ein Nachtmarsch geplant war, um die Tageshitze auf der Savanne zu vermeiden. Eine Gruppe von vier Mann, angeführt von einem Offizier in einem kurzen blauen Mantel, marschierte an das Hoftor und öffnete es. Die Soldaten trugen leichte bronzene Kesselhelme und Rüstungsteile über braunen Hemden und kurzen Hosen. Bewaffnet waren sie mit kompliziert zusammengesetzten und gespannten Bogen, bronzenen Kurzschwertern und Vitredur-Lanzen. Als die Soldaten den Pferch betraten, wichen die Gefangenen zurück. Der Offizier redete die Menge in sachlichem Ton an.

»Ihr Reisenden! Es ist gleich Zeit, von hier aufzubrechen. Ich bin euer Karawanenführer, Captal Waldemar. Wir werden einander in der nächsten Woche oder so recht gut kennenlernen. Ich weiß, einige von euch haben eine schwere Zeit hinter sich, da sie in diesem heißen Hof darauf warten mußten, bis das Kontingent voll war. Aber bald wird alles besser werden. Wir reisen nordwärts nach der Stadt Finiah, wo ihr eine Heimat finden werdet. Es ist ein schöner Ort. Viel kühler als hier. Die Reise geht über rund vierhundert Kilometer, und wir werden dazu etwa sechs Tage brauchen. Hier in dem heißen Land werden wir zwei Tage lang des Nachts unterwegs sein und dann, wenn wir den Hercynischen Wald erreichen, bei Tag weiterreiten.

Und jetzt, ihr Reisenden, hört zu! Macht mir keinen Ärger, und ihr bekommt an den Rastplätzen entlang des Weges gutes Essen. Macht euch mausig, und ihr werdet auf Sparrationen gesetzt. Macht mich richtig unglücklich, und ihr werdet überhaupt nichts essen. Jeder von euch Reisenden, der gern fliehen würde, sollte einmal an den fossilen Zoo denken, der mit gespannter Aufmerksamkeit auf Einzelgänger zu Fuß wartet. Wir haben Säbelzahntiger, Super-Löwen und Hyänen in der Größe von Grizzlybären. Wir haben wilde Eber, größer als Ochsen, die ein menschliches Bein mit einem Biß abreißen. Wir haben Rhinos und Mastodons, die euch zu

Tode trampeln, sobald sie euch vor Augen haben. Und die Deinotherien, die Stoßzahn-Elefanten, die lieben es, Menschen für ihr putziges Tauziehen zu benutzen und nachher auf den Stücken zu tanzen! Sie haben übrigens nur vier oder fünf Meter Schulterhöhe. Entkommt den großen Tieren, und die kleinen werden euch fassen. Die Bäche sind voll von Schlangen und Krokodilen. Die Wälder beherbergen Giftspinnen mit Körpern so groß wie Pfirsiche und Fängen wie Gabun-Vipern. Ihr weicht den Tieren aus, und die Firvulag werden euch aufspüren und Teufelsmelodien auf euren Gehirnen spielen, bis ihr wahnsinnig seid oder vor Entsetzen sterbt.

Es ist schlimm da draußen, Reisende! Es ist nicht der schöne Garten Eden, von dem sie euch Anno Domini 2110 erzählt haben. Aber niemand braucht sich Sorgen zu machen, wenn er bei der Karawane bleibt. Ihr reitet die Tiere, die ihr in dem Pferch nebenan gesehen habt. Es sind Chalicotherien, eine Art entfernter Verwandter des Pferdes, und wir nennen sie Chalikos. Sie sind klug, und sie mögen Menschen, und bei den Klauen, die sie haben, greift sie kaum etwas an. Seid nett zu eurem Chaliko. Es ist Transportmittel und Leibwächter in einem ...

Und für den Fall, daß irgend jemand unter euch Lust verspüren sollte, sich in die Büsche zu schlagen – vergeßt es! Diese Ringe, die Halsreifen, die wir Soldaten tragen, geben uns vollständige Kontrolle über die Chalikos. Das Einhalten der Richtung überlaßt ihr uns. Und wir haben außerdem dressierte Amphicyonen dabei, die die Karawane flankieren werden. Diese Bärenhunde wissen, daß jeder Reiter, der abzuhauen versucht, Fleisch für sie ist. Deshalb seid vernünftig, und wir werden alle einen sehr angenehmen Ritt haben.

Gut! Jetzt möchte ich, daß ihr eure Sachen zusammensucht. Ihr könnt eure Besitztümer entweder in die Satteltaschen umpacken oder die Rucksäcke einfach hinter der Sattellehne festzurren. Wie ich hörte, haben zwei von euch Schoßtiere bei sich. Wir haben für Tragkörbe gesorgt, in denen sie untergebracht werden können. Der Mann, der die trächtige Ziege mitgebracht hat ... dein Tier wird hierbleiben müssen, bis die wöchentliche Handels- und Versorgungskarawane es mitnimmt. Der Großteil eurer beschlagnahmten Werkzeuge und Waffen und die sperrigen Güter, die euch bei eurer Ankunft abgenommen wurden, werden auf unsern Packtieren befördert. Später erhaltet ihr das meiste davon zurück, wenn ihr euch gut benehmt.

Alles klar? Gut! Ich möchte euch in einer halben Stunde bereit zum Aufbruch zu zweit hier angetreten sehen. Wenn ihr eine große Glocke läuten hört, wißt ihr, daß ihr noch fünf Minuten Zeit habt, oder ihr seid dran. Das ist *alles!*«

Er drehte sich auf dem Absatz um und marschierte, gefolgt von seinen Männern, hinaus. Sie machten sich nicht einmal die Mühe, das Tor zu verriegeln.

Unter Gemurmel schlurften die Gefangenen zurück, um ihre Siebensachen zu holen. Claude dachte bei sich, der nächtliche Ritt sei – neben der übertriebenen Schilderung der Fauna des Pliozän – eine weitere darauf berechnete Maßnahme, die Gefangenen zu demoralisieren und jeden Gedanken an Flucht zu ersticken. Spinnen so groß wie Pfirsiche, in der Tat! Als nächstes kam sicher die Riesenratte von Sumatra! Andererseits waren die Amphicyonen Drohung genug. Er fragte sich, wie schnell sie auf diesen primitiven Zehenfüßen laufen konnten. Und was in aller Welt waren diese fürchterlichen Firvulag?

Jenseits des Hofes kam eine weitere unter Bewachung stehende Gruppe aus dem Torhaus. Stallknechte teilten sechs Tiere von der Haupt-Remuda ab und führten sie an eine Aufsteigplattform. Claude sah eine schlanke Gestalt in Goldlamé, der auf ein gesatteltes Chaliko geholfen wurde. Und daneben stand jemand in einem scharlachroten Jumpsuit, und eine dritte Person ...

»Aiken!« rief der alte Mann. »Elizabeth! Ich bin es! Claude!«

Die Gestalt in Rot begann mit dem zweiten Captal der Wachmannschaft zu streiten. Der Wortwechsel wurde lauter und lauter, und schließlich stampfte Elizabeth mit dem Fuß auf, und der Mann zuckte die Achseln. Sie brach aus der Gruppe aus und rannte über den Hof, der Offizier im blauen Mantel folgte ihr gemächlich. Sie zog das Tor des Menschenpferchs auf und warf sich dem weißhaarigen Paläontologen in die Arme.

»Küß mich!« flüsterte sie atemlos. »Ich habe gesagt, du seist mein Liebhaber.«

Er zog sie an seine Brust, während der Soldat ihn voll interessanter Spekulationen beäugte. Elizabeth sagte: »Sie schicken uns in die Hauptstadt Muriah. Meine Metafunktionen kehren zurück, Claude! Ich werde mein Bestes tun, ihnen zu entkommen. Wenn ich es schaffe, werde ich versuchen, euch allen irgendwie zu helfen.«

»Das reicht, Lady«, erklärte der Offizier. »Mir is es gleich, was Lord Creyn Ihnen erzählt hat. Sie müssen jetzt aufsteigen.«

»Lebewohl, Claude!« Sie gab ihm einen richtigen Kuß, mitten auf den Mund, dann führte man sie schnell über den Hof zurück und half ihr auf ihr Chaliko. Einer der Soldaten befestigte die dünnen Ketten um ihre Knöchel.

Claude hob die Hand. »Lebewohl, Elizabeth!«

Aus einem überdachten Stück hinter dem Tierpferch ritt eine majestätische Erscheinung auf einem schneeweißen Chaliko mit scharlachrotem und silbernem Aufputz hervor. Der Captal salutierte. Dann schwangen er und zwei Soldaten sich in die Sättel. Ein Befehl erklang.

»Alles zum Abmarsch bereit! Fallgatter hoch!«

Die Reihe von zehn Reitern verschwand langsam in dem Bogengang des Gebäudes. Von fern war das aufgeregte Heulen der Bärenhunde zu hören. Der letzte Gefangene drehte sich um und winkte Claude zu, bevor er in die dunkle Öffnung eintauchte.

Und Lebewohl auch dir, Bryan! dachte der alte Mann. Ich hoffe, du findest deine Mercy. Auf die eine oder andere Weise.

Er ging zurück in den Schlafsaal, um bei Richard mit anzufassen. Er fühlte sich alt und müde und gar nicht mehr mit sich selbst zufrieden.

7

Die Gruppe von zehn Reitern rückte zu Zweierreihen auf, sobald sie die Torburg hinter sich hatten. Creyn und sein Captal hielten die Spitze, und die beiden Soldaten folgten hinter der kleinen Schar der Gefangenen. Die Sonne war gerade untergegangen, und sie bewegten sich nach Osten in die Dämmerung hinein, den sanften Abhang des Plateaus hinunter, auf das im Dämmerlicht liegende Rhône-Saône-Tal zu.

Elizabeth saß entspannt im Sattel, die Augen geschlossen und die Hände um den Sattelknopf geschlungen, während die Zügel frei hingen. Ein Glück, daß das Chaliko nicht von seinem Reiter gelenkt werden mußte, denn Elizabeth war voll damit beschäftigt zu lauschen.

Zu lauschen – aber nichts von den Geräuschen zu hören, die die Füße der Reittiere auf dem weichen Boden verursachten. Hör nicht auf die Grillen, nicht auf die Frösche, die in den nebligen, feuchten Senken des Tafellandes ihr Lied anstimmen! Sei taub für den Abendgesang der Vögel, das ferne Bellen der Hyänen, die zur nächtlichen Jagd aufbrechen, die murmelnden Stimmen der anderen Reiter! Lausche nicht mit den Ohren, sondern mit der wiederentdeckten metapsychischen Wahrnehmungsfähigkeit!

Greife weit hinaus, weit! Such nach anderen Gehirnen wie deinem eigenen, anderen Sprechern, anderen von Gott Auserwählten. (Dafür schäme dich, du arrogantes Stück – doch dies eine Mal sei dir vergeben.)

Lausche, lausche! Der wiedergeborene Ultrasinn ist noch nicht voll operant, und doch gibt es etwas zu hören. Hier in dieser Karawane: der beherrschte, fremdartige Geist Creyns, der in Verbindung mit Zdenko, dem Captal mit dem finsteren Gemüt, steht, beide hinter einem von ihrem Halsring erzeugten Schirm verborgen, der leicht zu durchdringen ist. Aber paß auf, damit sie davon nichts merken! Übergehe Aiken und die anderen silberberingten Gefangenen, den Mann Raimo und die Frau Sukey! Ihr infantiles mentales Gebrabbel schabt an den Nerven, wie das Gekratze eines Anfängers den empfindlichen Ohren eines Violinvirtuosen wehtut. Ignoriere die grauberingten Wächter und den armen, bewußtlosen Stein und Bryan, dessen Gehirn noch frei ist und von anderen Ketten als denen, die er selbst geschmiedet hat! Laß sie alle und schweife weit hinaus!

Lausche zurück zu der Burg, wo die Stimme eines anderen Fremden – ja – singt. Die goldenen Klänge rufen ein Echo von gedämpfteren Silber- und Graunoten hervor. Lausche voraus, näher heran an den großen Fluß, auf einen ganzen Komplex fremdartigen Gemurmels: Frohlocken, Ungeduld, Vorfreude auf dunkle Lust, Grausamkeit. (Laß diese Scheußlichkeit bis später.) Lausche nach Osten, Norden, Nordwesten und Süden. Nimm andere Konzentrationen wahr, goldene amorphe Klumpen, die die Anwesenheit weiterer künstlich verstärkter fremder Gehirne anzeigen. Ihre Gedanken sind zu zahlreich und zu ungezielt, als daß dein sich erholendes Gehirn sie aussortieren könnte, ihre Harmonien und gelegentlichen Energiespitzen, so merkwürdig und doch so schmerzend vertraut in ihrer Ähnlichkeit mit dem metapsychischen Netzwerk des lieben verlorenen Milieus.

Lausche auf die Anomalien! Verwischtes Geschnatter und kindische Vorstöße. Weitere nichtmenschliche Gehirne – unverstärkt von Halsreifen, vielleicht echt operant? Was? Wer? Wo? Daten unzureichend, aber es sind viele vorhanden. Lausche auf die schwachen Spuren der Angstmuster und Schmerzmuster und Resignations-Verlust-Muster, die von Gott weiß woher kommen und durch Gott weiß was entstehen. Zieh dich zurück! Drück dich an ihnen vorbei und zieh weiter hinaus und lausche! Lausche!

Da! Ein flüchtiger Kontakt aus dem Norden, der in krampfhafter Wahrnehmung zerbricht, sobald du ihn aufnimmst. Tanu? Ein besonders starker menschlicher Fernsprecher? Du rufst ihn, aber du erhältst keine Antwort. Du projizierst Freundschaft und Sehnsucht, aber du hörst nichts ... Vielleicht hast du es dir doch nur eingebildet.

Lausche weit, weit hinaus! Horch die ganze Exilwelt ab! Ist irgend jemand von euch hier, Schwestern und Brüder des Geistes? Vermag irgendwer in der einmaligen menschlichen Art, von der die Fremden nicht wissen können, fernzuspüren? Antwortet Elizabeth Orme Fernsprecherin Redakteurin Sucherin Hofferin Beterin! Antwortet ...

Planetare Aureole. Emanationen von niedrigeren Lebensformen. Mentales Gewisper von normaler Menschheit. Das Geschwätz der Tanu und ihrer beringten Diener. Ein unkenntliches Gemurmel von der anderen Seite der Welt, vergehend wie ein erinnerter Traum. Ist das wirklich oder ein Echo? Phantasie oder Realität? Du spürst ihm nach, du verlierst es. Du schwebst verzweifelnd über ihm und kommst zu dem Schluß, daß es nie vorhanden war. Die Erde ist stumm.

Geh über den Welt-Halo hinaus und erkenne die dröhnenden Harmonien der verborgenen Sonne und die dünneren Arpeggios der Sterne nah und fern, das Klingen ihrer eigenen Planeten und ihres Lebens. Keine metapsychische Menschheit? Dann rufe die zu deiner Zeit schon alte Lylmik-Rasse, die zarten Kunsthandwerker mentaler Wunder ... – sie existieren noch nicht. Ruf die Krondaku – ungeachtet ihrer furchterregenden Körper Brüder im Geiste ... – aber auch sie sind noch eine embryonale Rasse, und ebenso ist es mit den Gi, den Poltroyanern und den groben Simbiari. Das lebende Universum ist noch nicht vereint, der Geist noch zu sehr der Materie verhaftet. Das Milieu ist in seiner Kindheit und die Gesegnete Diamant-Maske noch ungeboren. Da ist niemand, der antworten könnte.

Elizabeth zog sich zurück.

Ihre Augen richteten sich auf ihre Hände. Der Diamantring, das Symbol ihres Berufs, leuchtete schwach, spöttisch. Banale mentale Bilder fluteten an sie heran und bespritzten sie. Die weit offene Subvokalisierung des Soldaten Billy, der über die alternden, aber erreichbaren Reize einer Kneipenwirtin in einem Ort namens Roniah nachdenkt. Der andere Wächter, Seung Kyu mit Namen, ganz damit beschäftigt, wie er bei irgendeinem Wettstreit setzen soll, dessen Ausgang von der Teilnahme Steins abhängen mochte. Der Captal sandte Schmerzwellen von einer Brandwunde in seiner Achselhöhle aus, auf die die bronzene Brustplatte seiner leichten Rüstung drückt. Stein schlief anscheinend, befriedet von seinem grauen Ring. Aiken und die Frau namens Sukey webten einen primitiven, aber wirkungsvollen Schirm über gewisse mentale Spitzbübereien. Creyn war jetzt in eine verbale Konversation mit dem Anthropologen vertieft. Sie sprachen über die Entwicklung der Tanu-Gesellschaft seit der Öffnung des Zeitportals.

Elizabeth wob sich einen Schild, hinter dem sie trauern konnte, undurchdringlich wie der Diamant ihrer zukünftigen Schutzheiligen. Und als der Schild fertig war, ließ sie das bittere Leid und den Zorn aufflammen. Sie weinte über die Ironie des Schicksals, daß sie vor Einsamkeit und Verlust geflohen war, nur um ihnen in neuer Form wiederzubegegnen. In ihrem Kokon, im Feuer ihres Leids trieb sie dahin. Ihr Gesicht war im hellen Licht der Pliozän-Sterne so ruhig wie das einer Statue, und ihr Geist ebenso unerreichbar wie diese Sterne.

»... das Schiff hatte keine Möglichkeit zu erfahren, daß diese Sonne in Kürze eine lange Zeitspanne der Instabilität durchmachen werde, ausgelöst von einer nahen Supernova. Innerhalb eines Jahrhunderts nach unserer Ankunft wurde nur eins von dreißig empfangenen Kindern geboren. Und von denen, die geboren wurden, war nur etwa die Hälfte normal. Wir leben nach menschlichen Begriffen lange, aber wir sahen uns vom Aussterben bedroht, wenn der Katastrophe nicht irgendwie begegnet werden konnte.«

»Sie konnten nicht einfach Ihre Sachen packen und weggehen?«

»Unser Schiff war ein lebender Organismus. Es starb heroisch, als es uns zur Erde brachte, indem es einen in der Geschichte unserer Rasse noch nicht vorgekommenen intergalaktischen Sprung machte ... Nein, wir konnten nicht weiterreisen. Wir mußten eine andere Lösung finden. Das Schiff und seine Gattin hatten die Erde wegen der grundsätzlichen Kompatibilität zwischen unserem Plasma und dem der höchsten eingeborenen Lebensform, den Ramapithecinae, für uns ausgewählt. Das ermöglichte es uns, sie mit unserer Psychotechnik zu beherrschen ...«

»Sie zu versklaven, meinen Sie?«

»Warum einen so herabsetzenden Ausdruck benutzen, Bryan? Haben Ihre Leute davon gesprochen, Schimpansen oder Wale zu versklaven? Die Ramas stehen kaum auf einer höheren Stufe. Oder würden Sie wünschen, daß wir uns in einer steinzeitlichen Kultur befänden? Wir kamen freiwillig her, um weiter nach unseren alten Sitten zu leben, die auf den Welten unserer Galaxis nicht mehr erlaubt sind. Aber wir hatten wirklich nicht die Absicht, uns von Wurzeln und Beeren zu ernähren und in Höhlen zu wohnen.«

»Scheußliche Vorstellung. Sie machten also die Ramas zu Ihren Dienern und lebten froh und munter, bis die Sonne Flecken bekam. Und dann, nehme ich an, fanden Ihre Genetik-Ingenieure eine neue Verwendung für die Ramas.«

»Setzen Sie unsere Technologie nicht mit der Ihren gleich, Bryan. In diesem späten Stadium des Lebens unserer Rasse sind wir sehr armselige Genetik- und sonstige Ingenieure. Wir brachten nicht mehr fertig, als daß wir die weiblichen Ramas als Pflanzbetten für unsere befruchteten Eier benutzten. Es erhöhte unsere Reproduktionsrate nur wenig und war bestenfalls ein Notbehelf. Sie werden verstehen, daß uns die Ankunft menschlicher Zeitreisender – genetisch kompatibel und buchstäblich immun gegen die Wirkung der Strahlung – wie ein Akt der Vorsehung erschien.«

»Oh, durchaus. Trotzdem müssen Sie zugeben, daß die Vorteile hauptsächlich auf einer Seite liegen.«

»Sind Sie dessen so sicher? Denken Sie daran, daß nur schlecht angepaßte menschliche Wesen sich für das Exil entscheiden. Wir Tanu haben ihnen viel zu bieten. Mehr, als sie je für möglich gehalten haben, falls sie latente Metafunktionen besitzen. Und wir verlangen dafür wirklich so wenig.«

Irgend etwas stach Elizabeth.

Hör auf damit!

Piekpiekpiek.

Geh weg!

Piek. Piekpiek. Komm hervor und hilf, ich hab es versaut.

Laß mich, kleiner piekender Kindergeist Aiken!

PIEK!

Lästiges Insekt, geh Aiken! Quäle jemand anders!

PiekkratzKNUFF. Verdammt Elizabeth sie wird STEIN kaputtmachen.

Langsam wandte sich Elizabeth in ihrem Sattel und starrte auf den Reiter neben ihr. Aikens Gedanken plapperten weiter, während sie ihre Augen auf eine weibliche Gestalt in einem dunklen, fließenden Gewand einstellte. Sukey. Ein angespanntes Gesicht mit runden Wangen und einer Knopfnase. Indigoblaue Augen, zu nahe beieinander stehend, um schön zu sein, blickten glasig vor Entsetzen.

Elizabeth drang ohne Einladung in sie ein und erfaßte die Situation sofort. Aiken und dem zu spät kommenden Creyn überließ sie es, hilflos von draußen zuzusehen. Sukey befand sich im Griff von Steins aufgebrachtem Geist, ihr Verstand war von der mentalen Kraft des verwundeten Mannes schon fast überwältigt. Es lag auf der Hand, was geschehen war. Sukey war eine potentiell starke latente Redakteurin, und ihr neuer Silberreif hatte die Metafunktion operant gemacht. Von Aiken angestiftet, hatte sie ihre Fähigkeit getestet, indem sie in Stein herumschnüffelte. Die offensichtliche Hilflosigkeit des schlafenden Riesen hatte ihre Neugier gereizt. Der graue Ring, mit dem Creyn den Berserker hatte beruhigen und die heilenden Wunden von Schmerzen hatte freihalten wollen, erzeugte ein Nervenbad niedriger Ebene. Die junge Frau war unter diese Decke geschlüpft und hatte den erbarmungswürdigen Zustand von Steins Unterbewußtsein erkannt – die alten psychischen Krebsgeschwüre, die neuen Risse in seinem Selbstbewußtsein, alles in einem Mahlstrom unterdrückter Gewalttätigkeit strudelnd.

Der Versucher hatte Sukey zugeflüstert, und ihr mitleidiges Herz hatte geantwortet. Sie hatte mit einer hoffnungslos inkompetenten Redigierungsoperation an Stein begonnen, fest überzeugt, daß sie ihm helfen könne. Aber das Tier, das in der schmerzerfüllten Wikingerseele wohnte, war aufgesprungen und hatte sie ihrer Einmischung wegen angegriffen. Nun waren sowohl Sukey als auch Stein in einem fürchterlichen Konflikt von Psychoenergien gefangen. Wenn die Antagonismen nicht sofort aufgelöst wurden, drohte Stein die völlige Auflösung der Persönlichkeit und der Frau Schwachsinn.

Elizabeth sandte Creyn einen einzigen flammenden Gedanken zu. Sie tauchte ein und faltete die großen Schwingen ihrer eigenen Redigierungsfähigkeit um das panikerfüllte Paar. Der Geist der jungen Frau wurde ohne jede Förmlichkeit hinausgeworfen, um von Creyn aufgefangen zu werden.

Er setzte Sukey mühelos ab und beobachtete mit einer Hochachtung, der sich auch ein anderes Gefühl beimischte, wie das Unheil gutgemacht wurde.

Elizabeth wob Widerstände, hielt den psychischen Strudel an, beruhigte die Eruptionen der Wut. Sie pflückte das von Sukey fabrizierte wackelige Gebäude der Persönlichkeitsveränderung mit seinen naiven und unverschämten Drainage-Kanälen, die zu winzig für eine echte Katharsis waren, weg. Sie trug Steins beschädigtes Ego mit liebender Kraft, während sie die Ränder der Wunden schmolz und die zerrissenen Teile zusammendrückte, so daß die Heilung beginnen konnte. Sogar die älteren psychischen Abszesse schwollen unter ihrer Behandlung an und barsten und entließen etwas von ihrem Gift. Das Gefühl, gedemütigt und zurückgewiesen zu sein, milderte sich. Das Vater-Ungeheuer schrumpfte zu kläglicher Männlichkeit ein, und die Liebende Mutter verlor etwas von ihrem Phantasiegewand. Der erwachende Stein blickte in Elizabeths Heilungsspiegel und schrie auf. Er ruhte.

Elizabeth tauchte wieder auf.

Die Gruppe der Reiter hatte angehalten und sich dicht um Elizabeth und ihr Reittier geschart. Sie erschauerte in der drückenden Abendluft. Creyn nahm seinen eigenen weichen, scharlachrot und weißen Mantel und legte ihn ihr um die Schultern.

»Das war großartig, Elizabeth. Keiner von uns – nicht einmal Lord Dionket, unser Größter – hätte es besser machen können. Sie sind beide in Sicherheit.«

»Es ist noch nicht abgeschlossen«, zwang sie sich zu sagen. »Ich kann mit ihm nicht zu Ende kommen. Sein Wille ist sehr stark, und er widersetzt sich. Es hat mich alles gekostet, was ich jetzt habe.«

Creyn berührte den goldenen Ring um seinen Hals. »Ich kann die neurale Hülle, die sein grauer Reif erzeugt, verstärken. Heute abend, wenn wir Roniah erreichen, werden wir mehr für ihn tun können. In ein paar Tagen wird er sich erholen.«

Stein, der sich während des metapsychischen Kampfes nicht ein einziges Mal bewegt hatte, stieß einen tiefen Seufzer aus. Die beiden Soldaten stiegen ab und verstellten seinen

Sattel, so daß daraus eine hohe, ihn stützende Rückenlehne wurde.

»Nun besteht keine Gefahr mehr, daß er herunterfällt«, sagte Creyn. »Später machen wir es ihm bequemer. Im Augenblick sollten wir besser weiterreden.«

Bryan fragte: »Will mir nicht jemand erzählen, was, zum Teufel, vorgeht?« Da er keinen Reif trug, hatte er einen großen Teil der Nebenhandlung, die telepathisch gewesen war, verpaßt.

Ein untersetzter Mann mit strohfarbenem Haar und einem vage orientalischen Gesichtsschnitt zeigte mit dem Finger auf Aiken Drum. »Frag den da! Er hat angefangen.«

Aiken grinste und drehte an seinem Silberring. Mehrere weiße Motten erschienen plötzlich aus der Dunkelheit und umkreisten Sukeys Kopf in einem verrückten Halo. »Da ist nur eine gute Tat schiefgegangen.«

»Hör auf damit!« befahl Creyn. Die Motten flogen davon. Der hochgewachsene Tanu sprach zu Aiken in einem Ton kaum verhehlter Drohung. »Sukey war das ausführende Organ, aber es ist kein Zweifel daran, daß *du* der Urheber warst. Du hast dich damit amüsiert, deinen Freund und diese unerfahrene Frau in Lebensgefahr zu bringen.«

Aikens Kaspergesicht zeigte keine Reue. »Ah. Sie schien stark genug zu sein. Niemand hat sie gezwungen, sich mit ihm zu befassen.«

Sukey meldete sich. Ihre Stimme klang nach verstockter Selbstgerechtigkeit. »Ich habe nur versucht zu helfen. Er war in einem verzweifelten Zustand! Das hat keinen von euch gekümmert!«

Creyn erklärte streng: »Weder der Augenblick noch der Ort waren geeignet, eine schwierige Redigierung vorzunehmen. Stein wäre zur richtigen Zeit schon behandelt worden.«

»Das möchte ich ganz genau wissen«, sagte Bryan. »Sie hat versucht, seine Persönlichkeit zu verändern?«

»Sie hat versucht, ihn zu heilen«, antwortete Elizabeth. »Ich vermute, Aiken hat sie gedrängt, ihre neuen Metafähigkeiten auszuprobieren, ebenso wie er seine eigenen testet. Sie konnte jedoch nicht damit fertigwerden.«

»Hört auf, über mich zu reden, als sei ich ein Kind!« rief

Sukey. »Dann habe ich eben mehr abgebissen, als ich schlukken konnte. Aber ich habe es gut gemeint!«

Ein hartes Auflachen kam von dem Mann mit dem strohfarbenen Haar, dessen Silberreif von einem karierten Flanellhemd beinahe verborgen wurde. Er trug Hosen aus schwerem Köper und Holzfällerstiefel. »Du hast es gut gemeint! Das wird eines Tages auf dem Grabstein der Menschheit stehen. Sogar diese verdammte Madame Guderian hat es gut gemeint, als sie Leute in diese Höllenwelt gehen ließ.«

Creyn erklärte: »Die Hölle wird diese Welt für dich nur sein, wenn du sie dazu machst, Raimo. Jetzt müssen wir weiterreiten. Elizabeth – wenn du dich dazu imstande fühlst, würdest du dann Sukey helfen, ihre neuen Kräfte verstehen zu lernen? Informiere sie wenigstens über die Grenzen, die sie vorerst einhalten muß.«

»Ich glaube, es muß sein.«

Aiken ritt nahe an die finsterblickende Sukey heran und klopfte ihr brüderlich auf die Schulter. »Nun, nun, Süße. Die ehemalige Meisterin der Persönlichkeitsveränderung wird dir einen Blitzkurs verpassen, und dann darfst du an *mir* arbeiten! Ich verspreche, daß ich dich nicht bei lebendigem Leib fresse. Wir werden eine Menge Spaß haben, wenn du die Knitter in meiner armen, kleinen, bösen Seele ausbügelst!«

Elizabeth langte mit ihren Gedanken hinaus und zwickte Aiken so, daß er laut quietschte. »Das ist genug, Junge! Übe deinen Willen an Fledermäusen und Igeln oder dergleichen.«

»Ich gebe dir gleich Fledermäuse«, versprach Aiken dunkel. Er drängte sein Reittier auf der breiten Spur nach vorn, und die Kavalkade setzte sich wieder in Bewegung.

Elizabeth öffnete sich Sukey, besänftigte die Angst und das Unbehagen der Frau.

Ich möchte dir gern helfen. Kleine Schwester im Geist. Entspanne dich. Ja?

(Hartnäckig festgehaltener Kummer löste sich langsam auf.) Oh, warum nicht? Ich habe ein schreckliches Kuddelmuddel angerichtet.

Alles vorbei jetzt. Entspanne dich! Laß mich dich kennenlernen ...

Sue-Gwen Davies, Alter siebenundzwanzig, geboren und

aufgewachsen auf der letzten Orbit-Kolonie der Alten Welt. Ehemals Jugendbetreuerin voll Mitgefühl und mütterlicher Besorgnis um ihre schlimmen jungen Schutzbefohlenen. Die Heranwachsenden des Satelliten hatten einen Aufstand angezettelt. Sie rebellierten gegen das unnatürliche Leben, das technokratische idealistische Großeltern für sie ausgewählt hatten. Verspätet bestimmte dann das Milieu, die Kolonie müsse aufgelöst werden. Sukey Davies hatte sich gefreut, obwohl sie dadurch ihre Aufgabe verlor. Sie empfand keine Loyalität für den Satelliten, keine philosophische Gebundenheit an das Experiment, das in dem Augenblick überholt war, als die Große Intervention begann. Alle ihre Arbeitsstunden hatte Sukey mit dem Versuch zugebracht, mit den Kindern fertigzuwerden. Und diese Kinder sträubten sich hartnäckig gegen die Konditionierung, die für ein Leben in einem die Erde umkreisenden Bienenkorb nun einmal notwendig war.

Als es mit der Satelliten-Kolonie Schluß war, kam Sukey zur Erde hinunter – zu dieser Welt, die sie so viele schmerzliche Jahre lang gesehen hatte. Frieden und das Paradies existierten da unten. Davon war sie überzeugt. Die Erde war der Garten Eden. Aber das wirkliche Gelobte Land war auf den manikürten, geschäftigen Kontinenten der Erde nicht zu finden.

Es lag im Inneren des Planeten.

Elizabeth erschrak. Sukey besaß eine durchschnittliche Intelligenz und einen starken Willen, sie war freundlich und hatte latente Fähigkeiten als sehr gute Redakteurin und mittelmäßige Fernsprecherin. Aber Sukey Davies war auch fest davon überzeugt, der Planet Erde sei hohl! Altmodische Mikrofilmbücher, die von gelangweilten Exzentrikern und Kultisten in den Satelliten eingeschmuggelt worden waren, hatten sie mit den Ideen von Bender und Giannini und Palmer und Bernard und Souza bekanntgemacht. Sukey war fasziniert worden von der Vorstellung einer hohlen Erde, erhellt von einer kleinen zentralen Sonne, einem Land der Ruhe und des unbesiegbaren Guten, bewohnt von edlen Zwergen, die voller Weisheit und Heiterkeit waren. Hatten die Alten nicht Geschichten über unterirdische Länder erzählt, von Asar, Avalon, den Elysäischen Feldern, Ratmansu und Ultima Thule?

Sogar das buddhistische Agharta sollte durch Tunnel mit den Lamaklöstern von Tibet verbunden sein. Sukey als Bewohnerin der inneren Oberfläche eines zwanzig Kilometer langen, sich im Raum drehenden Zylinders kamen diese Träume ganz und gar nicht abwegig vor. Es war logisch, daß auch die Erde hohl war.

So kam Sukey auf die Alte Welt hinunter, wo die Leute lächelten, als sie erklärte, wonach sie suchte. Bei ihrer Suche halfen ihr nicht wenige, sich von ihrer Abfindungszahlung zu erleichtern. Wie sie durch kostspielige persönliche Inspektion feststellte, gab es keine von Luftspiegelungen abgeschirmten Öffnungen am Pol, die in das planetare Innere führten, wie einige der alten Autoren behauptet hatten. Ebenso wenig gelang es ihr, Eingang in die Unterwelt via die besagten Höhlen in Xizang zu finden. Schließlich war sie nach Brasilien gegangen, wo sich laut einem der Autoren ein Tunnel nach Agharta in der abgelegenen Serra do Roncador befinde. Ein alter Murcego-Indianer, der ein zusätzliches Trinkgeld witterte, erzählte ihr, der Tunnel habe tatsächlich einmal existiert, aber unglücklicherweise sei er »viel tausend« Jahre in der Vergangenheit von einem Erdbeben verschüttet worden.

Drei tränenreiche Wochen lang hatte Sukey über diese Aussage nachgegrübelt, bis sie zu dem Schluß kam, sie werde den Weg in die hohle Erde bestimmt finden, wenn sie in der Zeit zurückreiste. Sie hatte sich in Gewänder gehüllt, die ihre walisische Abstammung widerspiegelten, und war voller Begeisterung ins Pliozän gekommen, wo ...

Creyn sagte, *seine* Leute hätten das Paradies gegründet.

O Sukey.

Jaja! Und ich kraftvolle Heilerin kann dazugehören. Creyns Versprechen!

Ruhig. Du kannst eine richtige Metapraktikerin werden. Aber nicht auf der Stelle. Viel, viel zu lernen, Liebes. Vertrauehörefolge *dann* handle!

Will/muß. Armer Stein! Weitere arme Wesen, denen ich helfen kann. Fühle sie rings um uns – du auch?

Elizabeth zog sich aus Sukeys unreifen, zappeligen Gedanken zurück und tastete die Umgebung ab. Ja, da war etwas. Etwas ihrer Erfahrung völlig Fremdes, das heute abend schon einmal an den Grenzen ihrer Wahrnehmungsfähigkeit aufgedämmert war. Was war das? Das Rätsel wollte sich nicht in ein mentales Bild auflösen, das sie hätte identifizieren können. Noch nicht. Und so schob Elizabeth das Problem beiseite und widmete sich wieder der Aufgabe, Sukey zu instruieren. Das war eine schwierige Arbeit, die sie ziemlich lange Zeit beschäftigt halten würde, wofür sie Gott dankte.

8

Die Gesellschaft ritt noch drei weitere Stunden in dunkler werdende Nacht und zunehmende Kühle hinein in Richtung Rhône. Von dem Plateau ging es einen steilen Pfad mit gefährlich rutschigen Stellen hinunter und dann in einen so dichten Wald, daß das helle Licht der Sterne verdeckt wurde. Die beiden Soldaten zündeten lange Fackeln an; ein Mann ritt an der Spitze und der andere am Schluß des Zuges. Sie setzten den Marsch Richtung Osten fort. Unheimliche Schatten schienen ihnen zwischen den gewaltigen knorrigen Bäumen zu folgen.

»Gespenstisch, nicht wahr?« wandte sich Aiken an Raimo, der jetzt neben ihm ritt. »Kann man sich nicht leicht vorstellen, diese großen alten Korkeichen und Kastanien streckten die Äste aus, um einen zu packen?«

»Du redest wie ein Idiot«, knurrte der andere Mann. »Ich habe zwanzig Jahre lang im B.C.-Megapod-Reservat im tiefen Wald gearbeitet. An Bäumen ist nichts Gespenstisches.«

Aiken ließ sich nicht einschüchtern. »Deshalb also das Holzfällerkostüm. Aber wenn du über Bäume Bescheid weißt, mußt du wissen, daß die Botaniker ihnen ein primitives Bewußtsein zubilligen. Glaubst du nicht auch, daß die Pflanze, je älter sie ist, desto mehr an das Milieu angepaßt sein muß? Sieh dir nur diese Bäume hier an. Erzähl mir nicht, auf der Erde, die wir gekannt haben, gäbe es Hartholz mit acht, zehn Metern Durchmesser! Diese Babies müssen Tausende von Jahren älter sein als jeder Baum auf der Alten Erde. Richte deine Gedanken auf sie! Benutze deinen Silberreif nicht nur dazu, dir den Adamsapfel zu wärmen. Alte Bäume ... böse Bäume! Fühlst du die bösen Schwingungen in diesem Wald nicht? Vielleicht nehmen sie uns unser Eindringen übel. Vielleicht spüren sie, daß in nur sechs Millionen Jahren Menschen wie wir sie vernichten werden! Vielleicht hassen die Bäume uns!«

»Ich glaube«, erklärte Raimo langsam und boshaft, »daß du versuchst, mich ebenso zum Narren zu halten wie Sukey. Laß das!«

Aiken fühlte sich im Sattel hochgehoben. Seine angeketteten Knöchel hielten ihn fest wie ein Opfer auf einem Streckbett. Höher und höher stieg er, bis er dem Blätterdach über dem Pfad gefährlich nahe war.

»He! Es war doch nur ein Scherz, und das tut weh!«

Raimo lachte und verstärkte den Zug noch mehr.

Leiste Widerstand. Brich den eiszeitlichen Gedankengriff des Finnokanadiers, damit er losläßt, losläßt!

Mit einem Plumps, der das erschreckte Chaliko aufquietschen ließ, fiel Aiken in den Sattel zurück. Creyn drehte sich um und sagte: »Du hast eine Neigung zur Grausamkeit, die gebändigt werden muß, Raimo Hakkinen.«

»Ich frage mich, ob alle von deiner Art so denken«, erwiderte der frühere Waldarbeiter in unverschämtem Ton. »Jedenfalls kannst du dafür sorgen, daß dieser kleine Scheißer mich nicht länger aufzieht. Gespensterbäume!«

Aiken protestierte: »In vielen alten Kulturen hat man an besondere Kräfte der Bäume geglaubt. Stimmt das nicht, Bryan?«

Der Anthropologe war belustigt. »O ja. Baumkulte werden in der Antike der Zukunft fast universal. Die Druiden hatten ein ganzes Alphabet für ihre auf Bäumen und Büschen basierende Wahrsagekunst. Es war offenbar ein Relikt aus einer weiter verbreiteten Religion aus grauester Vorzeit, in deren Mittelpunkt der Baum stand. Die Skandinavier verehrten eine mächtige Esche namens Yggdrasil. Die Griechen weihten die Esche dem Meeresgott Poseidon. Birken waren den Römern heilig. Die Eberesche war bei Kelten und Griechen Symbol der Macht über den Tod. Der Weißdorn stand in Verbindung mit sexuellen Orgien und dem Monat Mai –

ebenso der Apfelbaum. Eichen waren kultische Objekte überall im vorgeschichtlichen Europa. Aus irgendeinem Grund sind Eichen besonders verwundbar gegen Blitze, deshalb brachten die Alten diesen Baum mit dem Donnergott in Verbindung. Griechen, Römer, gallische Kelten, Briten, Germanen, Litauer, Slawen – sie alle hielten die Eiche für heilig. In fast allen europäischen Ländern gibt es Sagen von übernatürlichen Wesen, die in bestimmten Bäumen wohnten oder die tiefen Wälder unsicher machten. Die Mazedonier hatten Dryaden, und die Steiermärker hatten Vilyas, und die Deutschen hatten Selige Fräulein, und die Franzosen hatten ihre dames vertes. Alles Waldgeister. Auch die skandinavischen Völker glaubten an sie, aber ich habe die Namen vergessen, die sie ihnen gaben ...«

»Skogsnufvar«, verkündete Raimo überraschenderweise. »Weiß ich von meinem Großvater. Er war von den Åland-Inseln, wo die Leute schwedisch sprechen. Voll von dummen Märchen.«

»Keine Spur von ethnischem Stolz!« kicherte Aiken. Und das erzeugte von neuem Streit. Der Waldarbeiter schlug mit seiner verstärkten PK-Funktion zu, und Aiken wehrte sich mit seiner koerziblen Kraft. Er versuchte, Raimo zu zwingen, sich den eigenen Zeigefinger die Kehle hinunter zu rammen.

Schließlich rief Creyn: »Allmächtige Tana, genug!« Beide Männer stöhnten, umklammerten ihre Silberreifen und verstummten wie zwei geprügelte Schuljungen, die nichts bereuen.

Raimo zog eine große Silberflasche aus seinem Packen und nuckelte daran. Aiken schürzte die Lippen. Der Waldarbeiter sagte: »Das ist echter Hudson's Bay Company Demerara. Nur für Erwachsene. Von mir aus kannst du vor Neid platzen.«

Elizabeths kühle Stimme bat: »Erzähl uns von den Skogsnufvar, Bryan. So ein schrecklicher Name! Waren sie schön?«

»O ja. Langes, wallendes Haar, verführerische Körper – und Schwänze! Sie verkörperten die unterbewußte Furcht des Mannes vor dem Weiblichen, lockten Männer in den tiefen Wald, um mit ihnen zu schlafen. Und danach waren die armen Burschen für immer in der Gewalt der Elfenfrauen. Ein Mann, der sie verließ, wurde krank und starb oder fiel in

Wahnsinn. Über Opfer der Skogsnufvar wurde in Schweden noch weit ins zwanzigste Jahrhundert hinein geschrieben.«

Sukey sagte: »In der walisischen Folklore gibt es solche Wesen auch. Aber sie lebten in Seen, nicht in Wäldern. Sie wurden die Gwragedd Annwn genannt, und sie tanzten im nebligen Mondlicht auf dem Wasser und lockten Reisende in ihre Unterwasser-Paläste.«

»Es ist ein allgemeines folkloristisches Thema«, sagte Bryan. »Die Symbolik ist leicht zu erkennen. Allerdings – man kann nicht umhin, ein bißchen Mitleid mit den armen männlichen Elfen zu haben. Ihnen scheint eine Menge guter, drekkiger Spaß entgangen zu sein.«

Die meisten Menschen lachten, die Wächter eingeschlossen.

»Gibt es parallele Legenden bei Ihrem Volk, Creyn?« fragte der Anthropologe. »Oder hat Ihre Kultur keine Geschichten über Verzauberungen hervorgebracht?«

»Es bestand kein Bedarf daran«, erwiderte der Tanu in bedrücktem Ton.

Elizabeth kam ein merkwürdiger Gedanke. Sie versuchte, eine Mikrosonde durch Creyns Schirm zu schleusen, ohne seine Aufmerksamkeit zu erregen.

Ah, Elizabeth laß das! Diese kleinen Angriffe sind vergebliches Strampeln nach Überlegenheit.

(Unschuld, Ungläubigkeit, verächtliche Stichelei.)

Unsinn. Ich bin altmüde zivilisiert, guten Willens dir gegenüber, und lasse mir von dir sehr viel gefallen. Aber andere meiner Art nicht. Gib acht Elizabeth! Weise Tanu nicht leichtfertig zurück. Denk an Papageitaucher.

Papageitaucher?

Kindergedicht eures Volkes von menschlichem Erzieher, unter uns lange verstorben. Einsamer Vogel, einziger seiner Art, aß Fische, beklagte Einsamkeit. Fische boten Freundschaft an, wenn Vogel aufhörte sie zu fressen. Angebot akzeptiert, Essensgewohnheiten geändert. Fische einziges vorhandenes Wild für Papageitaucher.

Wie ihr Tanu es für mich seid?

Bestätigung, Elizapapageitaucherbeth.

Sie lachte laut heraus, und Bryan und die anderen Menschen sahen sie völlig verblüfft an.

»Irgend jemand«, bemerkte Aiken, »hat hinter unseren Gedanken geflüstert. Willst du uns nicht an dem Witz teilnehmen lassen, Schätzchen?«

»Der Witz war über mich gemacht, Aiken.« Elizabeth wandte sich an Creyn. »Wir wollen Waffenstillstand schließen. Für den Augenblick.«

Der Fremde neigte das Haupt. »Dann erlaube mir, das Thema zu wechseln. Wir nähern uns den Flußniederungen, wo wir uns in der Stadt Roniah ausruhen werden. Morgen setzen wir unsere Reise auf angenehmere Art fort – mit einem Boot. Wir müßten in weniger als fünf Tagen in der Hauptstadt Muriah eintreffen, wenn die Winde gut sind.«

»Segelboote auf einem turbulenten Fluß wie der Rhône?« fragte Bryan erstaunt. »Oder – ist sie hier im Pliozän ruhiger?«

»Das müssen Sie natürlich selbst beurteilen. Aber unsere Boote unterscheiden sich sehr von denen, an die Sie gewöhnt sein mögen. Wir Tanu lieben das Reisen zu Wasser nicht. Als jedoch die Menschen kamen, wurden sichere und leistungsfähige Boote entworfen, und der Flußhandel blühte auf. Jetzt benutzen wir Boote nicht nur für den Personenverkehr, sondern auch, um lebenswichtige Waren vom Norden – besonders von Finiah und von Goriah in der Gegend, die Sie die Bretagne nennen – zu den südlichen Regionen zu befördern, wo das Klima mehr nach unserm Geschmack ist.«

»Ich habe ein Segelboot mitgebracht«, sagte der Anthropologe. »Werde ich die Erlaubnis bekommen, es zu benutzen? Ich würde Finiah und Goriah gern besuchen.«

»Wie Sie sehen werden, lassen sich Reisen stromaufwärts nicht durchführen. Dafur haben wir Karawanen, entweder mit Chalikos oder mit größeren Tieren, Helladen genannt – eine Art kurzhalsiger Giraffen. Im Verlauf Ihrer Untersuchungen werden Sie zweifellos verschiedene unserer Bevölkerungszentren kennenlernen.«

»Ohne Ring um den Hals?« unterbrach Raimo. »Du würdest ihm vertrauen?«

Creyn lachte. »Wir haben etwas, das er möchte.«

Bryan zuckte zusammen, aber er war klug genug, auf den Köder nicht anzubeißen. Er meinte nur: »Diese lebenswichtigen Güter, die Sie verschiffen – das sind vermutlich zum größten Teil Lebensmittel?«

»In gewissem Umfang ja. Aber das Vielfarbene Land fließt buchstäblich über von Fleisch und Getränken. Man braucht es sich bloß zu nehmen.«

»Also Mineralien. Gold und Silber. Kupfer und Zinn. Eisen.«

»Kein Eisen. Es ist in unserer ziemlich einfachen Technoökonomie unnötig. Die Tanu-Welten haben sich auf Gebieten, wo die Menschheit Eisen verwendete, traditionsgemäß auf verschiedene Arten unzerbrechlichen Glases verlassen. Es ist interessant, daß auch Sie in den letzten Jahren dies vielseitige Material schätzen gelernt haben.«

»Vitredur, ja. Trotzdem scheinen Ihre Kämpfer für ihre Rüstungen und Waffen die traditionelle Bronze vorzuziehen.«

Creyn lachte leise. »In den frühesten Tagen des Zeitportals wurde es für klug gehalten, menschlichen Kriegern auf diese Weise Grenzen zu setzen. Heute, wo das nicht mehr erforderlich ist, halten sich die Menschen weiter an das Metall. Wir gestatten einer Bronze-Technik, sich unter ihren Leuten zu entwickeln, sofern sie nicht in Konflikt mit unseren eigenen Bedürfnissen gerät. Wir Tanu sind eine tolerante Rasse. Wir genügten uns selbst, bevor die Menschen einzutreffen begannen, und wir hängen in gar keiner Weise davon ab, Menschen als Sklaven einzusetzen ...«

Elizabeths Gedanke gellte: ABGESEHEN VON DER VERSKLAVUNG DER GEBÄRERINNEN.

»... denn die mühsame und schwere Arbeit wie der Bergbau, die Landwirtschaft und die Sauberhaltung der Städte wird außer in den ganz abgelegenen Siedlungen von Ramas ausgeführt.«

»Diese Ramas«, fiel Aiken ein. »Warum waren keine in der Burg, um die schmutzige Arbeit zu tun?«

»Sie sind von einer gewissen psychischen Empfindlichkeit und brauchen eine ruhige Umgebung, wenn sie mit minimaler Aufsicht funktionieren sollen. In der Torburg ist Streß unvermeidlich ...«

Raimo grunzte höhnisch.

Bryan erkundigte sich: »Wie werden die Geschöpfe kontrolliert?«

»Sie tragen eine sehr vereinfachte Variation des grauen Rings. Aber Sie dürfen mich nicht drängen, Ihnen diese Dinge jetzt zu erklären. Bitte warten Sie bis später, in Muriah.«

Sie kamen in ein Gebiet, wo die Bäume nicht so dicht beisammenstanden. Riesige Klippen erhoben sich am Fuß eines spärlich bewaldeten Grats. Oben, wo der Kamm den bestirnten Himmel traf, schimmerte farbiges Licht.

»Ist das die Stadt da oben?« wollte Sukey wissen.

»Kann es gar nicht sein«, bemerkte Raimo verächtlich. »Seht doch, das Ding bewegt sich!«

Sie zügelten ihre Chalikos und beobachteten, wie das Glühen sich zu einer dünnen Strähne auflöste, die sich mit beträchtlicher Geschwindigkeit um die als Silhouetten erkennbaren fernen Bäume wand. Das Licht war eine Mischung vieler Farbtöne, hauptsächlich Gold, aber mit Knoten, die in funkelnder Pracht, wild und hastig, blau, grün, rot und sogar purpurn aufflammten.

»Ah!« sagte Creyn. »Die Jagd. Wenn sie diesen Weg nehmen, werdet ihr etwas Schönes zu sehen bekommen.«

»Es sieht aus wie ein riesiges, regenbogenfarbenes Glühwürmchen, das da oben vorbeirast«, hauchte Sukey. »Wie wunderschön!«

»Ein Tanu-Spiel?« fragte Bryan.

Sukey stieß einen Ruf der Enttäuschung aus. »Oh – sie sind hinter dem Grat verschwunden. Wie schade! Erzähl uns, was die Jagd ist, Lord Creyn!«

Das Gesicht des Fremden sah ernst aus im Sternenlicht. »Eine der großen Traditionen unseres Volkes. Ihr werdet sie noch viele Male sehen. Und ihr sollt selbst entdecken, was die Jagd ist.«

»Und wenn wir brav sind«, warf Aiken frech ein, »dürfen wir dann mitmachen?«

»Möglich«, antwortete Creyn. »Die Jagd ist nicht nach jedes Menschen Geschmack – nicht einmal nach dem jedes Tanu. Aber du ... ja, ich glaube, die Jagd könnte deine ganz speziellen Vorstellungen von Sport ansprechen, Aiken Drum.«

Und einen Augenblick lang waren die Emotionen des Heilers für Elizabeth einfach zu erkennen: Abscheu, vermischt mit einem jahrhundertealten Gefühl der Verzweiflung.

9

Richard sah Flammen.

Sie bewegten sich auf ihn zu, oder er bewegte sich auf sie zu, und sie waren von lebhaftem Orange und harzrauchig, und sie erhoben sich in der beinahe windstillen Dunkelheit zu einem hohen, wedelnden Schweif.

Er sah, daß es ein Haufen brennenden Reisigholzes in der Größe einer kleinen Hütte war. Es knatterte und zischte, warf aber keine Funken. Scheinbar legte es sich längsseits mit ihm, zog an ihm vorbei und weiter fort, bis es schließlich hinter einer Gruppe schwarzer Bäume verschwand. Die Bäume waren bisher in der Nacht unsichtbar gewesen, doch jetzt leuchtete das Feuer sie von hinten an.

Es tat seinem Hals weh, zurückzublicken. Er ließ seinen Kopf nach vorn sinken. Genau vor ihm war etwas Großes, das langes Haar hatte und sich rhythmisch bewegte. Sehr seltsam! Er selbst schaukelte, sicher gestützt von einer Art Sitz, der ihn aufrechthielt. Seine Beine wurden schräg vorwärts gestoßen; die Waden ruhten auf unsichtbaren Stützen, die Füße stemmten sich gegen breite Tritte. Seine Arme, in die vertrauten Ärmel des Overalls eines Raumschiffkapitäns gekleidet, ruhten in seinem Schoß.

Ein komisches Sternenschiff, überlegte er, mit einer haarigen Kontrollkonsole. Und die Klimaanlage muß kaputt sein, denn es ist Staub in der Luft und ein merkwürdiger Geruch.

Bäume? Und ein Feuer? Er blickte ringsum und sah Sterne – nicht in den richtigen Farben, wie man sie im tiefen Raum erblickt, sondern funkelnde Pünktchen. Weit entfernt, in der Schwärze unterhalb der sternenbesetzten Schüssel, stand ein weiteres kleines Ausrufungszeichen aus Feuer.

»Richard? Bist du wach? Möchtest du einen Schluck Wasser?«

Na so was! Wer hatte da den Kopilotensitz dieser Kiste inne? Niemand anders als der alte Knochenjäger! Hätte gedacht, er sei schon zu klapperig, um sich zu qualifizieren. Aber schließlich braucht man nicht viel Finesse, um auf dem Boden zu fliegen ...

»Richard, wenn ich dir die Feldflasche reiche, kannst du sie dann halten?«

Gerüche nach Tieren, stechender Vegetation, Leder. Geräusche von quietschendem Sattelzeug, schnell trampelnden Füßen, polternde Ausrufe, etwas kläffte in der Ferne – und die Stimme des hartnäckigen alten Mannes neben ihm.

»Will kein Wasser«, sagte Richard.

»Amerie sagt, du brauchst es, wenn du aufwachst. Du bist ausgetrocknet. Komm schon, Sohn!«

Richard sah sich Claude dort in der Dunkelheit genauer an. Die Gestalt des alten Mannes war im Sternenlicht gut sichtbar. Er ritt auf einem großen, pferdeähnlichen Geschöpf, das leichtfüßig dahintrottete. Und – verdammt! – er selbst ritt auch auf einem! Die Zügel lagen vor ihm auf dem Sattelknopf unter der haarigen Kontrollkonsole – dem Hals – des Tiers. Und es lief unbeirrbar geradeaus, ohne irgendwie gelenkt zu werden.

Richard versuchte, seine Füße hochzuziehen, und entdeckte, daß seine Knöchel irgendwie an den Steigbügeln befestigt waren. Und er trug seine Schifferstiefel nicht, und jemand hatte sein Opernkostüm gegen seinen Raumfahrer-Overall mit den vier Streifen am Ärmel umgetauscht, den er ganz unten in seinen Rucksack gestopft hatte, und er hatte einen ganz fürchterlichen Kater.

»Claude«, ächzte er. »Hast du keinen Schnaps?«

»Du darfst keinen trinken, Junge. Erst wenn die Wirkung des Medikaments, das Amerie dir gespritzt hat, nachläßt. Hier. Nimm das Wasser!«

Richard mußte sich vorbeugen, um die Feldflasche zu ergreifen, und der sternenbesetzte Himmel drehte sich. Ohne die Fesseln an den Knöcheln wäre er aus dem Sattel gerutscht.

»Jesus, ich komme mir vor wie durchgekaut und ausgespuckt, Claude. Wo, zum Teufel, sind wir? Und was ist das für ein Vieh, auf dem ich reite?«

»Wir sind etwa fünf Stunden von der Burg entfernt und bewegen uns nach Norden und parallel zur Saône. Soweit ich es beurteilen kann, reitest du ein hübsch großes Exemplar von Chalicotherium goldfussi, was die Einheimischen ein Chaliko nennen – nicht Kaliko. Die Tiere entwickeln hier auf der Hochebene ein beträchtliches Tempo, vielleicht fünfzehn oder sechzehn Kilometer die Stunde. Aber wir haben Zeit verloren, weil wir Bäche rings um einen kleinen Sumpf durchqueren mußten, deshalb schätze ich, daß wir vielleicht dreißig Kilometer oberhalb von Lyon sind – wenn es Lyon gäbe.«

Richard fluchte. »Und wohin geht es, um Himmels willen?«

»Nach einer Metropole des Pliozän, Finiah genannt. Nach dem, was sie uns erzählt haben, liegt sie am Urrhein etwa auf der Höhe von Freiburg. Wir erreichen sie in sechs Tagen.«

Richard trank etwas Wasser und entdeckte, daß er sehr durstig war. Er erinnerte sich noch an Epones Lächeln, als sie ihn willkommen hieß, und daß er ihr in den verwirrenden Innenraum der Burg gefolgt war, doch danach an nichts mehr. Er versuchte sein Gedächtnis zu zwingen, aber er fand darin nichts als zerfetzte Träume über seinen Bruder und seine Schwester, die ihn anscheinend drängten aufzustehen, sonst werde er zu spät zur Schule kommen. Und die Strafe dafür würde sein, daß er für immer und ewig in dem grauen Zwischenreich kreuzen und nach einem verlorenen Planeten suchen mußte, wo Epone auf ihn wartete.

Eine Weile später fragte er: »Was ist mit mir passiert?«

»Wir sind uns nicht sicher«, wich Claude aus. »Du weißt doch, nicht wahr, daß Fremde in der Burg waren?«

»Ich erinnere mich an eine hochgewachsene Frau«, murmelte Richard. »Ich glaube, sie hat mir etwas angetan.«

»Was es auch war, du warst stundenlang ohnmächtig. Amerie brachte dich halb zu Bewußtsein, so daß du imstande warst, mit uns in der Karawane fortzuziehen. Wir dachten, das sei dir lieber, als allein zurückgelassen zu werden.«

»Himmel, ja.« Richard nahm langsame Schlucke von dem Wasser, lehnte sich zurück und betrachtete lange Zeit den Himmel. Es waren verdammt viele Sterne zu sehen und perlenschimmernde Streifen leuchtender Wolken zum Zenit hin. Als die Karawane einen weiteren Abhang hinunterzog, sah Richard, daß er und der alte Mann sich nahe dem Ende einer langen Doppelreihe von Reitern befanden. Jetzt, wo seine Augen wieder richtig funktionierten, machte er weitere dunkle Gestalten aus, die mit merkwürdig krummrückigen Sprüngen die Kolonne auf beiden Seiten begleiteten.

»Zum Teufel, was sind das für Viecher?«

»Amphicyonen, die die Schäferhunde für uns abgeben. Wir haben auch eine Wache von fünf Soldaten, aber sie machen sich kaum jemals die Mühe, uns zu kontrollieren. Zwei reiten hinterdrein, und drei sind vorn mit der Hohen Dame.«

»Mit *wem?*«

»Epone selbst. Sie kommt von Finiah. Diese Aliens – sie werden übrigens Tanu genannt – scheinen weit verstreute Siedlungen zu besitzen, jede mit einer Stadt in der Mitte und sie versorgenden Pflanzungen ringsherum. Ich vermute, daß die Menschen die Stellung von Sklaven oder Dienern haben, ausgenommen ein paar besondere Typen mit speziellen Privilegien. Offenbar bekommen die Tanu-Städte abwechselnd je eine Wochenladung Zeitreisender von der Torburg zugeschickt, abzüglich der Speziellen, die man in die Hauptstadt bringt, und der Unglücklichen, die bei einem Fluchtversuch getötet werden.«

»Dann sind wir also keine Speziellen.«

»Nur Teil der großen Masse. Amerie und Felice sind auch in der Karawane. Aber die vier anderen Grünen wurden aussortiert und nach Süden ins Glück geschickt. Gruppe Grün scheint ungewöhnlich viele Spezielle gehabt zu haben. Von der übrigen Wochenladung wurden nur noch zwei weitere Leute für die Hauptstadt bestimmt.«

Im Weiterreiten erzählte der alte Mann Richard, was er von den Ereignissen des Tages und des mutmaßlichen Schicksals von Aiken, Elizabeth, Bryan und Stein wußte. Er faßte auch Waldemars kleine Ansprache zusammen und berichtete widerstrebend, was den Frauen bevorstand.

Der Ex-Raumfahrer stellte ein paar Fragen, dann versank er in Schweigen. Schlimm, daß die Nonne in einen Harem der Aliens gesteckt werden würde. Sie war anständig zu ihm gewesen. Andererseits brauchte es diese aufgeblasene Eiskönigin von einer Elizabeth, einmal ordentlich gevögelt zu werden. Und Felice, dies schlaue kleine Aas! Richard hatte ihr in der Auberge einen netten, harmlosen Vorschlag gemacht, und sie hatte ihn hochgehen lassen wie ein Festtagsfeuerwerk. Verdammte aufreizende kleine Viper! Er hoffte, die Aliens hätten Schwänze wie Baseball-Schläger. Es würde ihr recht geschehen. Mochte sogar eine richtige Frau aus ihr machen.

Die Karawane zog stetig weiter den Abhang hinunter. Jetzt wich sie ein bißchen von der nördlichen Richtung nach Osten ab und kam näher an den Fluß heran. Das Signalfeuer war ihre Landmarke. Claude hatte ihm erzählt, daß auf dem ganzen Weg von der Burg bis hier alle zwei Kilometer solche Feuer gebrannt hatten. Ein Trupp von Pfadfindern mußte der Karawane voranreiten und, wenn alles in Ordnung war, die vorbereiteten Reisighaufen anzünden.

»Ich glaube, ich erkenne da unten ein Gebäude«, sagte Claude. »Vielleicht ist es der Ort, wo wir für eine Rast haltmachen.«

Richard hoffte es, zum Teufel. Er hatte zuviel Wasser getrunken.

Von der Spitze der Kolonne kamen die silbrigen Klänge eines Horns, auf dem ein Signal mit drei Tönen geblasen wurde. Von fern war ein Echo zu hören. Nachdem ein paar Minuten vergangen waren, trennten sich vielleicht ein Dutzend Feuerpünktchen wie Stecknadelspitzen von dem großen Feuer unten und näherten sich der Karawane in Schlangenlinien: Reiter mit Fackeln, die sie eskortieren sollten.

Als sich die Gruppen trafen, sahen Claude und Richard, daß das letzte Signalfeuer außerhalb einer Umzäunung brannte, die einem amerikanischen Präriefort ähnelte. Dieses Fort erhob sich auf einem Felsen über einem baumbestandenen Wasserlauf, der in die Saône münden mußte. Die Karawane machte kurz halt, und Lady Epone und Waldemar ritten vor, um die Eskorte zu begrüßen. Im Fackellicht bewunderte Richard unbekümmert die stattliche Tanu-Frau, die ein weißes Chalicotherium von außergewöhnlicher Größe ritt und einen dunkelblauen Kapuzenmantel trug, der sich hinter ihr bauschte.

Nach einer kurzen Besprechung ritten zwei der Soldaten aus dem Fort zur Seite und riefen irgendwie die Amphicyonen-Meute zusammen. Die Bärenhunde wurden auf einem Seitenpfad weggeführt. Die übrige Begleitmannschaft schloß sich für den letzten Teil der Reise der Karawane an. Ein Tor im Palisadenzaun öffnete sich, und sie zogen in Zweierreihen ein. Die Tiere der Gefangenen wurden – was ein vertrauter Vorgang werden sollte – an Pfosten vor Doppeltrögen mit Futter und Wasser gebunden. Links von jedem Chaliko stand ein Podest zum Absteigen. Die Soldaten schlossen die Ketten auf. Mit steifen Gliedern kletterten die Gefangenen hinab und versammelten sich zu einer unordentlichen Gruppe, während Waldemar ihnen eine neue Ansprache hielt.

»Ihr Reisenden! Wir werden hier eine Stunde lang ausruhen und dann bis zum frühen Morgen weitere acht Stunden reiten.« Alles stöhnte. »Latrinen in dem kleinen Gebäude hinter euch. Holt euch Essen und Trinken in dem größeren Gebäude nebenan. Wer krank ist oder eine Beschwerde vorzubringen hat, bei mir melden! Haltet euch zum Aufbruch bereit, wenn ihr das Horn hört! Niemand geht in das Gebiet hinter den Pfosten! Das ist *alles*.«

Epone, die noch auf ihrem Chaliko saß, lenkte das Tier anmutig durch die Menge, bis sie über Richard aufragte.

»Ich freue mich, daß du dich erholst.«

Er maß sie mit einem spöttischen Blick. »Mir geht es ausgezeichnet. Und es ist schön, zu wissen, daß Sie eine Dame sind, die sich um die Gesundheit ihres Viehs kümmert.«

Sie warf den Kopf zurück und lachte, Geräuschkaskaden wie die tiefen Töne einer Harfe. Ihr teilweise bedecktes Haar schimmerte im Fackellicht. »Es ist wirklich zu schade um dich«, sagte sie. »Du hast bestimmt mehr Geist als dieser dumme Geschichtsforscher.«

Sie lenkte ihr Tier fort und ritt zur gegenüberliegenden Seite des Hofs. Männer in weißen Jacken halfen ihr unterwürfig aus dem Sattel.

»Um was ging es da?« erkundigte sich Amarie, die mit Felice herangekommen war.

Richards Gesicht war finster. »Woher, zum Teufel, soll ich das wissen?« Er schlurfte zur Latrine.

Felice sah ihm nach. »Sind alle deine Patienten so dankbar?«

Die Nonne lachte. »Das ist ein gutes Zeichen. Weißt du, sie sind auf dem Weg der Besserung, wenn sie einem den Kopf abbeißen.«

»Er ist nichts weiter als ein dummer Schwächling.«

»Ich glaube, darin irrst du dich«, meinte Amerie. Aber Felice schnaubte nur und ging zum Kantinengebäude. Später, als die beiden Frauen und Claude Käse und kaltes Fleisch und Maisbrot aßen, kam Richard und entschuldigte sich.

»Denk dir nichts dabei!« sagte die Nonne. »Setz dich zu uns! Wir müssen etwas mit dir besprechen.«

Richard kniff die Augen zusammen. »Ja?«

Claude sagte leise: »Felice hat einen Fluchtplan. Aber es gibt Probleme.«

»Ihr wollt mich verscheißern!« lachte der Pirat auf.

Die kleine Ringhockey-Spielerin nahm Richards Hand und drückte zu. Seine Augen quollen hervor, und er preßte die Lippen zusammen. »Weniger Lärm!« befahl Felice. »Das Problem ist nicht die Flucht an sich, sondern das, was danach kommt. Man hat uns unsere Landkarten und Kompasse weggenommen. Claude hat sich vor mehr als hundert Jahren bei seinem Studium der Paläontologie allgemeine Kenntnisse über diesen Teil Europas erworben, aber sie nützen uns nichts, wenn wir uns nicht orientieren können. Kannst du uns helfen? Hast du in der Auberge die große Karte von Frankreich im Pliozän studiert?«

Sie ließ seine Hand fallen. Richard starrte auf das weiß gewordene Fleisch, dann warf er ihr einen Blick reinen Gifts zu. »Teufel, nein. Ich dachte, dafür sei nach unserer Ankunft noch viel Zeit. Ich hatte einen selbstausgleichenden Kompaß, einen Computer-Sextanten und alle Karten, die ich brauchte, dabei. Doch vermutlich ist das alles konfisziert worden. Die einzige Route, die ich mir angesehen habe, ist die westlich zum Atlantik – nach Bordeaux.«

Felice grunzte verächtlich. Claude drängte in friedlichem Ton: »Wir wissen, daß du Erfahrung in der Navigation hast, Sohn. Es muß eine Möglichkeit geben, wie wir uns orientieren können. Willst du den Polarstern des Pliozän für uns lokalisieren? Das wäre eine große Hilfe.«

»Ebenso eine Fregatte der Kriegsflotte«, knurrte Richard. »Oder Robin Hood und seine munteren Gesellen.«

Felice griff von neuem nach ihm, und er wich hastig zurück. »Kannst du es tun, Richard?« fragte sie. »Oder hast du diese Streifen an deinen Ärmel für gute Führung bekommen?«

»Dies ist nicht mein Heimatplanet, Miß Andersrum! Und die nachts leuchtenden Wolken machen die Aufgabe nicht leichter.«

»Viel Vulkanismus«, bemerkte Claude. »Staub in der oberen Atmosphäre. Der Mond ist jedoch untergegangen, und normale Wolken sind keine da. Glaubst du, du schaffst eine Fixierung, wenn diese glühenden Flecken kommen und gehen?«

»Vielleicht«, brummte Richard. »Aber warum, zum Teufel, ich es tun sollte, ist mir schleierhaft ... Ich möchte wissen, was mit meinem Piratenkostüm geschehen ist. Wer hat mir diesen Overall angezogen?«

»Er war da«, antwortete Felice honigsüß, »und du brauchtest ihn. Dringend. Also taten wir dir den Gefallen. Wir tun alles, um einem Freund auszuhelfen.«

Claude beeilte sich, hinzuzufügen: »Du warst bei irgendeinem Kampf in der Burg ganz schmutzig geworden. Ich habe dich nur ein bißchen gesäubert und deine anderen Sachen gewaschen. Sie hängen hinten an deinem Sattel. Müßten inzwischen trocken sein.«

Richard betrachtete die grinsende Felice argwöhnisch, dann dankte er dem alten Mann. Wie, ein Kampf? War er an einem Kampf beteiligt gewesen? Und wer hatte voll hochmütiger Verachtung über ihn gelacht? Eine Frau mit Augen wie Brunnen, in denen man ertrinken konnte. Aber nicht Felice ...

Amerie sagte: »Bitte, versuch es mit dem Polarstern, falls du dich gut genug dazu fühlst. Wir haben nur noch eine

Nacht, in der wir auf dieser hochgelegenen Nordstraße reiten. Dann werden wir links und rechts davon abweichen und bei Tageslicht unterwegs sein. Richard, es ist wichtig.«

»Okay, okay«, antwortete er mürrisch. »Ich nehme nicht an, daß jemand von euch Erdenwürmern die Breite von Lyon weiß.«

»Rund fünfundvierzig Grad nördlich, glaube ich«, sagte Claude. »Jedenfalls in etwa auf dem gleichen Breitengrad wie meine Heimat in Oregon, wenn ich an den Himmel über der Auberge denke. Zu schade, daß wir Stein nicht dabei haben. Er würde es wissen.«

»Eine grobe Schätzung ist gut genug«, meinte Richard.

Die Nonne hob den Kopf. Der Klang eines Horns scholl von außerhalb des Zauns in den Hof herein. »Nun geht's weiter, Gruppe. Viel Glück, Richard.«

»Tausend Dank, Schwester. Wenn wir einem Fluchtplan folgen, den das Kind da sich zusammengeträumt hat, werden wir sehr viel Glück brauchen.«

Sie ritten über die Plateau-Straße von Signalfeuer zu Signalfeuer durch die Nacht. Das Flußtal lag zu ihrer Rechten, und die verstreuten kleinen Vulkane der Limagne flackerten gelegentlich rubinrot im Südwesten. Sternkonstellationen, die den Erdgeborenen des zweiundzwanzigsten Jahrhunderts völlig unbekannt waren, drängten sich am Himmel des Exils. Viele jener Sterne waren die gleichen, die auch in der Zukunft des Planeten sichtbar sein würden, aber ihre voneinander abweichenden galaktischen Umlaufbahnen hatten die vertrauten Sternbilder bis zur Unkenntlichkeit verzerrt. Am Himmel standen Sterne, denen der Tod vor der Zeit des Galaktischen Milieus bestimmt war, und andere, die den Milieu-Leuten bekannt sein würden, ruhten zu dieser Zeit noch still im Mutterleib ihrer Staubwolken.

Richard betrachtete den Himmel des Pliozän voller Gleichmut. Er hatte schon eine schreckliche Menge verschiedener Himmel gesehen. Hätte er reichlich Zeit und eine feste Basis für die Beobachtung gehabt, wäre das Auffinden des lokalen Polarsterns sogar mit bloßem Auge ein Klacks für ihn gewesen. Nur die Tatsache, daß sie auf Chaliko-Rücken dahintrabten, und die Notwendigkeit einer schnellen Fixierung machten die Sache ein bißchen knifflig.

Also. Falls der alte Fossilienflicker mit der ungefähren Breite recht hatte und falls sie sich hier, wie Claude meinte, auf einem fast genau nördlichen Kurs befanden, dann mußte der Polarstern unter Berücksichtigung des Plateau-Verlaufs irgendwo halbwegs zwischen dem Horizont und dem Zenit ... – da.

Er hatte im Fort zwei gerade Zweige vom Boden aufgelesen und band sie jetzt mit einem Haar aus der Mähne seines Reittiers zu einem Kreuzvisier zusammen. Jeder Zweig war doppelt so lang wie seine Hand. Hoffentlich war das Feld nicht zu begrenzt.

Er rückte sich im Sattel zurecht, um die Auswirkungen des schaukelnden Trabs so gering wie möglich zu halten, und rief sich die Konstellationen ins Gedächtnis zurück, die ungefähr zirkumpolar sein mußten. Dann hielt er sein Visier auf Armeslänge von sich ab, richtete die senkrechte Achse nach dem geraden Pfad vor ihm aus (analog zwei aufrechtstehenden Chaliko-Ohren) und zentrierte das Instrument auf einen wahrscheinlichen Stern, den er als ersten Versuch auswählte. Sorgfältig stellte er die Positionen von fünf anderen hellen Sternen innerhalb der Quadranten seines Visiers fest und entspannte sich dann. Drei Stunden später, wenn diese sechs Sterne aufgrund der Erdrotation ihre Position scheinbar ein wenig verändert hatten, wollte er die nächste Bestimmung durchführen. Sein fast photographisches Gedächtnis würde die Winkel innerhalb des Visierfeldes vergleichen, und mit etwas Glück konnte er dann die imaginäre Radnabe am Himmel festlegen, um die sich alle diese Sterne drehten. Die Radnabe war der Pol. Vielleicht saß darauf oder in seiner Nähe ein Stern, den man den Polarstern nennen konnte, vielleicht auch nicht.

Er nahm sich vor, sein Kreuzvisier alle zwei Stunden von neuem auf diesen Punkt am Himmel zu zentrieren und die Position des Pols noch vor der Morgendämmerung zu verifizieren. Wenn das nicht klappte, mußte er die Überprüfung morgen nacht vornehmen und eine lange Zwischenpause für ein Maximum an Rotation lassen.

Richard stellte den Wecker seines Armbandchronometers auf 0030 und war froh, daß er dem Impuls nicht gefolgt war, das Ding in Madame Guderians Rosengarten fortzuwerfen. Das war an jenem regnerischen Morgen gewesen, als er sein Universum für immer verließ ...

... vor noch nicht einmal zwanzig Stunden.

10

Obwohl Creyn ihn teilweise auf den Anblick vorbereitet hatte, wurde Bryan von der Wirklichkeit der am Fluß gelegenen Stadt Roniah beinahe überwältigt. Die Gruppe von Reitern wand sich durch einen dunklen Hohlweg, wo die Fackeln der Wächter einen schmalen, in den braungelben Sandstein eingeschnittenen Pfad kaum erhellten, und da lag die Stadt plötzlich vor ihnen. Sie kamen auf einer Erhebung hinaus, die den Zusammenfluß von Saône und Rhône überblickte, und sahen die Stadt unten am westlichen Ufer, genau südlich des Dreiecks bewaldeter Klippen, wo die beiden großen Flüsse sich vereinigten.

Roniah war auf einem am Wasser gelegenen Abhang erbaut. Um den Fuß des Hügels wand sich ein Erdwall, der von einer dicken, bewehrten Mauer gekrönt war. Auf der ganzen Krone glitzerten auf kleinem Raum gehaltene Feuerchen wie verschwenderische Schnüre orangefarbener Perlen. Hohe, viereckige Wachtürme erhoben sich etwa alle hundert Meter aus der Mauer, und auch ihre Umrisse wurden von feurigen Punkten nachgezeichnet. Sie liefen entlang der mit Schießscharten versehenen Wehrgänge, rings um die Fenster und sogar die Ecken und Kanten der Mauern hinauf und hinunter. Bei einem massigen Stadttor war fast jede Einzelheit der Konstruktion durch Lämpchen hervorgehoben. Zu dem Tor führte ein Säulengang von einem halben Kilometer Länge. Oben auf jeder Säule flammte eine hohe Fackel. Der Weg in der Mitte wurde von flimmernden geometrischen Mustern flankiert, die von Lampen umgrenzte Rasenstreifen oder Teppichbeete sein mochten.

Vom Aussichtspunkt der Karawane oberhalb der Stadt sah Bryan, daß es in Roniah nicht an Platz mangelte. Die meist kleinen Häuser lagen an breiten, sich windenden Straßen. Mitternacht war längst vorbei, und so zeigten die Wohnungen fast keine Lichter mehr. Aber die Kanten der Dächer waren mit Lichtpünktchen besetzt, und die Balustraden vor den Häusern waren ebenfalls von Tausenden akkurat aufgereihter Lampen illuminiert. Näher am Flußufer lag eine Anzahl größerer Gebäude mit schlanken Türmen unterschiedlicher Höhe. Ihre Mauern und Hauptlinien waren ebenso kunstvoll mit Licht silhouettiert wie das Stadttor – aber statt im Orange von Öllampen glühten die Fassaden in Blau, Hellgrün, Aquamarin und Bernstein. In vielen Türmen waren die Fenster erhellt.

»Es ist wie ein Märchenland«, hauchte Sukey. »All diese funkelnden Lichtlein!«

»Jeder Einwohner ist verpflichtet, zur Illumination der Stadt durch die Lampen seines eigenen Hauses beizutragen«, erklärte Creyn. »Der übliche Brennstoff ist Olivenöl, das in großen Mengen verfügbar ist. Die höheren Tanu-Gebäude werden von komplizierteren Lampen beleuchtet. Sie erhalten Energie durch die Akkumulierung überschüssiger metapsychischer Emanationen.«

Der Pfad, den sie hinunterritten, vereinigte sich mit einer granitgepflasterten Straße, die sich bis an die Allee mit den fackelgekrönten Säulen auf fast achtzig Meter verbreiterte. Zwischen den großen Pfeilern waren saubere Rahmenwerke aus Bambus an Durchgängen angeordnet. Getrennt wurden sie durch dunkle Büsche und Palmengruppen. Creyn erläuterte, daß jeden Monat in diesem Außengarten Marktstände mit den Produkten der hiesigen Kunsthandwerker wie auch mit Luxuswaren aller Art, die die Karawanen brächten, aufgebaut würden. Der große Jahrmarkt ziehe sogar Leute aus ganz Westeuropa an.

»Dann haben Sie keinen täglichen Markt für Lebensmittel?« erkundigte sich Bryan.

»Das Hauptnahrungsmittel ist Fleisch«, erwiderte Creyn. »Berufsjäger, alle Menschen, bringen große Mengen von Wild zu den Pflanzungen in den nördlicheren Gegenden sowohl der Saône als auch der Rhône. Es wird täglich zusammen mit Getreide, Obst und anderen Erzeugnissen der Farmen wie Olivenöl und Wein auf Barken flußabwärts zu den Versorgungsstellen der Stadt gebracht. Verarbeitet werden die Lebensmittel meist gleich auf den Pflanzungen, und zwar von Rama-Arbeitern. In früheren Jahren haben unsere eigenen Leute dort die Aufsicht geführt. Jetzt stehen fast alle Farmen unter menschlicher Leitung.«

»Und Sie sehen in einem solchen Arrangement kein Risiko?« fragte Bryan.

Creyn lächelte. Die flackernden Lichter schlugen Funken aus seinen tiefliegenden Augen. »Überhaupt nicht. Die auf kritischen Posten stehenden Menschen tragen alle den Ring. Aber versuchen Sie zu verstehen, daß Zwang selten notwendig ist. Denn für alle, bis auf die sehr schwer gestörten Angehörigen Ihres Volkes, ist das Exil eine glückliche Welt.«

»Auch für die Frauen?« fiel Elizabeth ein.

Der Tanu antwortete ungerührt: »Selbst die niedrigsten Nichtmeta-Frauen des gemeinen Volkes sind völlig frei von Arbeit. Sie können sich nach Wunsch beschäftigen oder in Untätigkeit leben. Sie können sich sogar ganz nach Lust und Laune mit menschlichen Liebhabern amüsieren. Die einzige Vorschrift ist, daß ihre Kinder von uns sein müssen. Wer von den Menschen das Glück hat, daß sein genetischer Kode Metafunktionen enthält, erfreut sich einer privilegierten Position. Diese Menschen nehmen wir gern probeweise als Gleichberechtigte in unsere Gesellschaft auf. Zu gegebener Zeit dürfen die, die den Tanu ihre Loyalität bewiesen haben, ihre Silberreifen gegen goldene eintauschen.«

»Sowohl Männer als auch Frauen?« fragte Aiken mit zuckenden Lippen.

»Sowohl Männer als auch Frauen. Ich bin sicher, ihr seht die Notwendigkeit unserer Strategie bezüglich der Fortpflanzung ein. Wir stärken unsere Linie nicht nur gegen die Wirkungen der hiesigen Strahlung, wir beziehen auch eure Gene für latente und operante Metaeigenschaften mit ein. Wir hoffen, daß wir schließlich voll operante Metapsychiker hervorbringen werden ...« – er nickte Elizabeth zu –, »wie ihr es sechs Millionen Jahre in der Zukunft geschafft habt. Dann werden wir von den Beschränkungen der goldenen Reifen frei sein.«

Elizabeth meinte: »Ein großangelegter Plan. Wie bringt ihr ihn in Übereinstimmung mit der realen Zukunft dieses Planeten ... in der es keine Tanu gibt?«

Creyn lächelte. »Die Göttin wirkt, wie sie will. Sechs Millionen Jahre sind eine lange Zeit. Wir Tanu werden dankbar sein, wenn wir einen kleinen Teil davon unser eigen nennen dürfen.«

Sie näherten sich dem großen Tor, das zwölf oder dreizehn Meter breit und fast doppelt so hoch war. Es bestand aus titanischen Holzbalken, verstärkt mit schweren Bronzeplatten.

»Nachts ist draußen nicht viel los, wie?« bemerkte Aiken.

»Es gibt wilde Tiere und andere Gefahren«, sagte Creyn. »Die Nacht ist für Menschen nicht die rechte Zeit, unterwegs zu sein, falls sie es nicht im Auftrag der Tanu sind.«

»Interessant«, bemerkte Bryan. »Diese Stadtmauern und der Festungswall müssen einen guten Schutz gegen so gut wie jede Art von nächtlichen Störenfrieden bieten. Als Sicherung gegen gefährliche Tiere ist des Guten bestimmt zuviel getan worden. Und auch hinsichtlich Angriffen von Menschen, die außerhalb des Gesetzes stehen – und von denen gibt es hie und da welche, wenn ich Sie recht verstanden habe.«

»O ja«, räumte Creyn mit herablassender Geste ein. »Sie sind kaum mehr als ein kleines Ärgernis.«

»Welchem Zweck dienen die Befestigungen dann wirklich?«

»Da sind immer noch«, erklärte Creyn, »die Firvulag.«

Unmittelbar vor dem Tor hielten sie an. Über seinem Bogen war das gleiche Emblem der goldenen Maske zu sehen, das den Eingang der Torburg geschmückt hatte. Captal Zdenek, begleitet von einem fackeltragenden Soldaten, ritt an eine dunkle Nische heran und ergriff eine starke Kette, die vom Gewölbe des überhängenden Bogengangs herabbaumelte. Am Ende der Kette hing in einem Metallkorb eine Steinkugel, die gut einen halben Meter Durchmesser hatte. Zdenek ritt, die Kugel in der Hand, ein kurzes Stück hinaus, drehte um, zielte und ließ sie in einem Pendelbogen auf das Tor zuschwingen. Sie traf eine geschwärzte Bronzelinse, die in die Holzklappe eingelassen war. Ein tiefes *Bumm* erscholl wie von einer Kirchenglocke der Alten Welt. Noch während der Soldat die zurückschwingende Kugel auffing und wieder in ihrer Nische unterbrachte, begann sich das schwere Tor zu öffnen.

Creyn ritt allein vor. Er hob sich im Sattel zu voller Größe, so daß die Zugluft, die durch die sich verbreiternde Öffnung strömte, seine scharlachroten und weißen Gewänder hinter ihm flattern ließ. Er rief drei Wörter in einer fremden Sprache und sandte gleichzeitig ein kompliziertes mentales Bild aus, das weder die ringtragenden Menschen noch Elizabeth entziffern konnten.

Zwei Trupps menschlicher Soldaten mit Federbüschen auf den Helmen waren zu beiden Seiten des offenen Eingangs angetreten. Die gravierten Platten und Schuppen ihrer bronzenen Zeremonialrüstungen schimmerten im Licht der zahllosen brennenden Lampen wie Gold. Hinter dem Tor säumten die ansonsten verlassenen Straßen beinahe einen ganzen Block weit auf beiden Seiten die Ramas. Jeder kleine Affe trug ein metallenes Halsband und ein blau-goldenes Wappenmäntelchen. In der Hand hielt jeder einen Stab aus einem glasartigen Material, an dessen Spitze ein blaues oder bernsteinfarbenes Licht schimmerte.

Creyn und sein Gefolge ritten zwischen den Reihen der Ramapithecinen hindurch, und die kleinen Tiere schwenkten ein und trippelten neben den Chalikos her. So begleiteten sie die Reiter durch die Straßen der schlafenden Stadt. An einem Platz angekommen, wo das Wasser eines großen Springbrunnens über schwimmende Laternen spritzte, salutierte Captal Zdenek vor Creyn und ritt mit den Soldaten Billy und Seung Kyu auf dunkle Unterkünfte zu. Für diese Nacht war ihre Arbeit beendet. Die Zeitreisenden begafften die Häuser, dunkel bis auf die Myriaden funkelnder Öllampen entlang jeder Dachrinne, Gartenmauer und Balustrade. Die Exil-Architektur im menschlichen Stadtviertel war eine Mischung aus vermörtelten Steinen, Fachwerk und quasi-biblischen Lehmziegeln mit dicken Wänden, die Kühle spendeten, ziegelgedeckten Dächern, schattigen Loggias, von Schlingpflanzen überwuchert, und kleinen Patios, die mit Palmen, Lorbeerbüschen und duftenden Zimtbäumen bepflanzt waren.

»Munchkin-Tudor«, stellte Bryan fest. Die Menschheit hatte trotz ihrer Verbannung sechs Millionen Jahre in die Vergangenheit ihren Sinn für Humor behalten.

Sie sahen überhaupt keine Leute, aber hie und da andere kindergroße Ramas in Wappenmäntelchen unterschiedlicher Farbe. Sie gingen geheimnisvollen Geschäften nach und schoben kleine bedeckte Karren. Einmal – es war ein seltsam tröstliches Ereignis – strich eine unzweifelhafte Siamkatze quer über die Hauptstraße und verschwand im offenen Fenster eines Hauses.

Die Chaliko-Reiter näherten sich einem Komplex größerer Gebäude nahe am Fluß. Diese waren aus einem Material gebaut, das weißem Marmor ähnelte, und von der übrigen Stadt durch eine ornamentale Mauer getrennt, die in Abständen von breiten Treppen unterbrochen war. Die Brüstung oben war mit Pflanzschalen geschmückt, die von Blumen überflossen. Anstelle der Lampen aus Keramik oder durchbrochenem Metall, die sie im Menschenviertel gesehen hatten, wurden die Gebiete der Tanu von Leuchtern erhellt, die wie große silberne Kerzen waren. Die Häuser waren mit Ketten aus facettierten Glaslaternen behängt, deren Blau und Grün und Bernstein einen unheimlichen Gegensatz zu der freundlichen Wärme der Öllampen in den Straßen der äußeren Stadt bildeten. Einige Einzelheiten berührten als vertraut: Wasserlilien in gefliesten Becken, gelbe Kletterrosen an zarten Gittern aus Filigran-Marmor, eine Nachtigall, die, von den Geräuschen der Reitergruppe geweckt, ein paar schläfrige Töne sang.

Sie kamen in einen Hof, umstanden von dekorativen, frostigen Gebäuden. Hier flog plötzlich eine große Tür auf, ein goldenes Leuchten strömte heraus und fing die Überraschten ein. Die Ramas stellten sich feierlich auf, und menschliche Diener eilten heraus, um die Zügel der Chalikos zu ergreifen, die Knöchelketten der Gefangenen aufzuschließen und ihnen beim Absteigen zu helfen.

Dann kamen die Tanu – zwanzig oder dreißig. Sie lachten und begrüßten Creyn in der fremden Sprache und plauderten voll Überschwang, animiert durch die Ankunft der Zeitreisenden, in klingendem Standard-Englisch. Die Tanu trugen dünne, fließende Gewänder in lebhaften tropischen Farben, dazu phantastischen Schmuck – breite Jochkragen, emailliert und mit Edelsteinen besetzt, vorn und hinten flatterten Brokatbänder herab. Die Frauen hatten Drahtaufbauten auf dem Kopf, von denen dicht an dicht Edelsteine hingen. Hie und da waren unter den hochgewachsenen Fremden ein paar kleinere menschliche Gestalten zu erkennen, ebenso auffallend gekleidet, aber mit silbernen statt mit goldenen Tanu-Ringen um den Hals. Bryan studierte diese privilegierten Menschen voll Interesse. Sie schienen in der größeren, herrschenden Rasse gesellschaftlich integriert zu sein und ebenso begierig darauf, die Bekanntschaft der sprachlosen Gefangenen zu machen.

Unter den Neuankömmlingen empfand nur Aiken keine Spur von Unbehagen. In seinem taschenbesetzten Anzug, der wie flüssiges Metall blitzte, hüpfte er buchstäblich im Hof herum und verbeugte sich in spaßhafter Übertreibung vor den Tanu-Damen, von denen die meisten fast um ein Drittel größer waren als er. Bryan stand abseits von den anderen und beobachtete. Die Tanu-Edlen waren sehr besorgt um das Wohlergehen der Gefangenen, scherzten über die Absurdität der Situation und brachten es irgendwie fertig, daß sich die Neuankömmlinge im Exil erwünscht und willkommen fühlten. Bryan zweifelte nicht, daß mentale Unterhaltungen ebenso eifrig hin- und herflogen wie die laut gesprochenen. Er hätte gern gewußt, welche Art von psychischem Stimulans auf den niedrigsten Bewußtseinsebenen wirksam sein mochte, daß sogar der verdrießliche Raimo und die distanzierte Elizabeth sich langsam lockerten und an der allgemeinen Fröhlichkeit teilnahmen.

»Wir möchten nicht, daß Sie sich ausgeschlossen fühlen, Bryan.«

Der Anthropologe drehte sich um und sah einen schlanken Fremden in einer einfachen blauen Robe, der ihn anlächelte. Sein Gesicht war schön, aber die Augen waren tief eingesunken, und die Linien um den Mund waren wie bei Creyn. Ob dies ein Anzeichen extremen Alters unter diesen unmenschlich jugendlich wirkenden Leuten war? Das Haar des Mannes zeigte die hellste Elfenbeinfarbe, und er trug eine niedrige Krone aus einem Material, das blauem Glas ähnelte.

»Erlauben Sie mir, Sie willkommen zu heißen. Ich bin Bormol, Ihr Gastgeber, Kulturforscher wie Sie. Wie sehnsüchtig haben wir auf die Ankunft eines weiteren ausgebildeten Analytikers gewartet! Der letzte Anthropologe, der zu uns kam, traf vor beinahe dreißig Jahren ein, und er war unglücklicherweise von zarter Gesundheit. Und wir brauchen Ihre Einsichten so notwendig! Wir haben so viel über die Wechselwirkungen zwischen unseren beiden Rassen zu lernen, wenn diese Exil-Gesellschaft zu unserm beiderseitigen Vorteil gedeihen soll. Die Wissenschaft Ihres Galaktischen Milieus kann uns lehren, was wir erfahren müssen, um zu überleben. Kommen Sie – drinnen warten vorzügliche Speisen und Getränke auf Sie und Ihre Freunde. Teilen Sie uns einige Ihrer ersten Eindrücke von unserm Vielfarbenen Land mit! Berichten Sie uns über Ihre spontanen Reaktionen!«

Bryan gelang ein verlegenes Lachen. »Sie schmeicheln mir, Lord Bormol. Und die Eindrücke überwältigen mich. Ich will verdammt sein, wenn ich jetzt schon aus Ihrer Welt klug werde. Schließlich bin ich gerade erst angekommen. Und entschuldigen Sie, aber ich bin so müde nach diesem anstrengenden Tag, daß ich im Stehen einschlafen könnte.«

»Verzeihen Sie mir. Ich hatte vollständig vergessen, daß Sie ohne einen Halsring sind. Die mentale Erfrischung, die unsere Leute über ihre Gefährten ausgegossen haben, ist ohne Wirkung auf Sie geblieben. Wenn Sie wünschen, können wir ...«

»Nein, danke!«

Creyn kam herbei und lächelte ironisch über das Erschrekken des Anthropologen. »Bryan zieht es vor, seine Arbeit ohne die Tröstungen des Rings zu tun ... tatsächlich hat er dies zu einer Bedingung für seine Kooperation gemacht.«

»Sie brauchen mich nicht zu zwingen«, erklärte Bryan empfindlich.

»Mißverstehen Sie mich nicht!« Der Gedanke schien Bormol schmerzlich zu sein. Er wies auf die bunte Menge, die jetzt die anderen Gefangenen mit allen Anzeichen guter Kameradschaft ins Innere führte. »Werden Ihre Freunde gezwungen? Der Ring ist kein Symbol der Knechtschaft, sondern der Vereinigung.«

Zorn und eine schreckliche Müdigkeit drohten Bryan zu übermannen. Seine Stimme blieb ruhig. »Ich weiß, daß Sie es gut meinen. Aber viele von uns Menschen – man könnte sagen, die meisten von uns in meiner Welt der Zukunft, die meisten *normalen* Mitglieder der Menschheit – würden lieber sterben, als sich Ihrem Reif zu unterwerfen. Ungeachtet aller seiner Tröstungen. Jetzt müssen Sie mich entschuldigen. Es tut mir leid, wenn ich Sie enttäusche, doch im Augenblick bin ich einer gelehrten Diskussion nicht gewachsen. Ich möchte gern zu Bett gehen.«

Bormol neigte den Kopf. Einer der menschlichen Diener kam mit Bryans Rucksack herbeigerannt. »Wir treffen uns in der Hauptstadt wieder. Ich hoffe, bis dahin hat sich Ihr harsches Urteil über uns geändert, Bryan ... Dies ist Joe-Don, der Sie sofort zu einem Ruheraum führen wird. Schlafen Sie gut!«

Bormol und Creyn glitten davon. Fast alle hatten den Hof bereits verlassen. »Hier entlang, Sir«, sagte Joe-Don. Mit seiner angelernten Sicherheit glich er einem Pagen in einem der piekfeinen Hotels auf der Alten Welt. »Wir haben ein schönes Zimmer für Sie bereit. Es ist nur zu schade, daß Ihnen die Gesellschaft entgehen wird.«

Sie gingen einen in Blau, Gold und Weiß gehaltenen Korridor hinunter. Bryan erhaschte einen Blick auf den bewußtlosen Stein, der von vier weiteren menschlichen Dienern auf einer Bahre weggetragen wurde.

»Falls sich ein Arzt im Haus befindet, Joe-Don, sollte er sich um diesen Mann kümmern. Der arme Kerl ist sowohl physisch als auch psychisch zusammengebrochen.«

»Machen Sie sich keine Sorgen, Sir. Lady Damone – Bormols Gemahlin – ist als Ärztin noch besser als Creyn. Wir bekommen hier eine Menge Individuen zu sehen, die es einfach umgehauen hat, weil das Zeitportal nun einmal so ein Schock ist. Die meisten Kranken werden jedoch wieder auf die Beine gebracht. Diese Tanu-Leute haben nichts in der Art der Regenerierungstanks, mit denen wir aufgewachsen sind, aber trotzdem kommen sie ganz gut zurecht. Sie sind selbst schrecklich zäh, und sie können die meisten Verletzungen und Krankheiten mit Hilfe der Halsringe heilen. Lady Damone wird Ihrem Freund eine Nährlösung intravenös einflößen und nach seinen zerstreuten Murmeln sehen. Noch ein Tag, und er wird so gut wie neu sein. Ein richtiger Muskelberg ist er, nicht wahr? Man hat ihn sicher für den Großen Kampf bestimmt.«

»Und was«, fragte Bryan ruhig »ist der Große Kampf?«

Joe-Don blinzelte, dann grinste er. »Ein Sportereignis, das in zwei Monaten stattfindet, Ende Oktober. Tradition bei diesen Leuten. Sie sind ganz versessen auf Traditionen ... Und hier ist Ihr Zimmer, Sir.«

Er riß die Tür zu einem luftigen Raum auf, dessen weiße Gardinen sich vor einem großen Fenster bauschten. Eine senkrechte Kette von Saphir-Laternen hing neben einem kühl aussehenden Bett. Konventionellere Öllampen warfen einen Tümpel gelben Lichts auf einen Tisch, auf dem ein einfaches Abendessen stand.

Joe-Don sagte: »Falls Sie etwas brauchen, ziehen Sie nur an diesem Ring neben dem Bett, und wir kommen gerannt. Vermutlich benötigen Sie keine tröstende Gesellschaft? Nein? Nun, jedenfalls süße Träume.«

Er fegte hinaus und schloß die Tür fest hinter sich. Bryan machte sich nicht die Mühe, das Schloß zu prüfen. Er seufzte tief und begann, sein Hemd aufzuknöpfen. Irgendwie, obwohl er nicht gemerkt hatte, daß er sich aufwärts bewegte, war er im obersten Stockwerk des Tanu-Gebäudes angelangt. Aus seinem Fenster konnte er viel von der Stadt und in der Ferne auch das Stadttor sehen. Roniah lag still und glitzernd da wie ein Stück herabgefallener Sternenhimmel und erinnerte ihn an die weihnachtlich geschmückten Schaufenster, die er vor langer Zeit auf einer der extravaganteren Welten mit spanischem Erbteil gesehen hatte.

Müßig dachte er darüber nach, welchen fremdartigen Begrüßungsrummel seine Gefährten im Augenblick unten bei der Tanu-Gesellschaft wohl genossen. Zweifellos würde er morgen alles darüber hören. Gähnend faltete er das Hemd zusammen ... und spürte das Päckchen Durofilm-Blätter, das er in die Brusttasche gesteckt hatte. Er nahm sie heraus, und da war ihr Bild, schwach schimmernd in seinem eigenen Licht.

Oh, Mercy.

Haben sie dich genommen und zu einer der Ihren gemacht, wie sie es mit meinen Freunden zu tun versuchen? Dünne traurige Frau mit sehnsüchtigen meerestiefen Augen und einem Lächeln, das mich entgegen aller Vernunft gefangenhält! Ich habe dich nie singen gehört und deine Harfe spielen, aber in den Ohren meines Geistes erklingt das Lied:

> Die Dame, die vorüberkam,
> Ist süß und hold und wundersam.
> Nie ward mir solche Augenweid –
> Jetzt lieb ich sie in Ewigkeit.
>
> Ihr Blick, ihr Lächeln und ihr Gang,
> Ihr Geist, ihr Charme mein Herz bezwang.
> Weiß nicht, was ihr die Macht verleiht,
> Doch lieb ich sie in Ewigkeit.

Ein tiefer, metallischer Ton erklang und riß ihn aus seiner schlaftrunkenen Träumerei. Es war der große Gong am Stadttor. Das Portal öffnete sich daraufhin und schien die aufgehende Sonne einzulassen.

»O Gott!« flüsterte Bryan. Wie festgenagelt stand er da und beobachtete die heimkehrende Jagd.

Ein Regenbogen ergoß sich die Hauptstraße der Stadt hinunter und nahm den gleichen Weg wie vor kurzem ihre Gruppe. Flammend und sich windend löste sich die Lichtkreatur in eine Prozession von prachtvoll berittenen Tanu auf, die mit der antiken Freude eines Karnevalszugs auf Novo Janeiro einhersprangen. Die Chalikos wie die Reiter strahlten von einem inneren Glanz, der ständig das ganze Spektrum hinauf- und hinunterlief. Die Jagd kam näher und näher und zog schließlich fast unter Bryans Fenster vorbei. Er sah, daß die Teilnehmer – Männer wie Frauen – bizarre Rüstungen trugen, offenbar aus edelsteinbesetztem Glas, geschmückt mit Stacheln und Knöpfen und anderen dekorativen Aus-

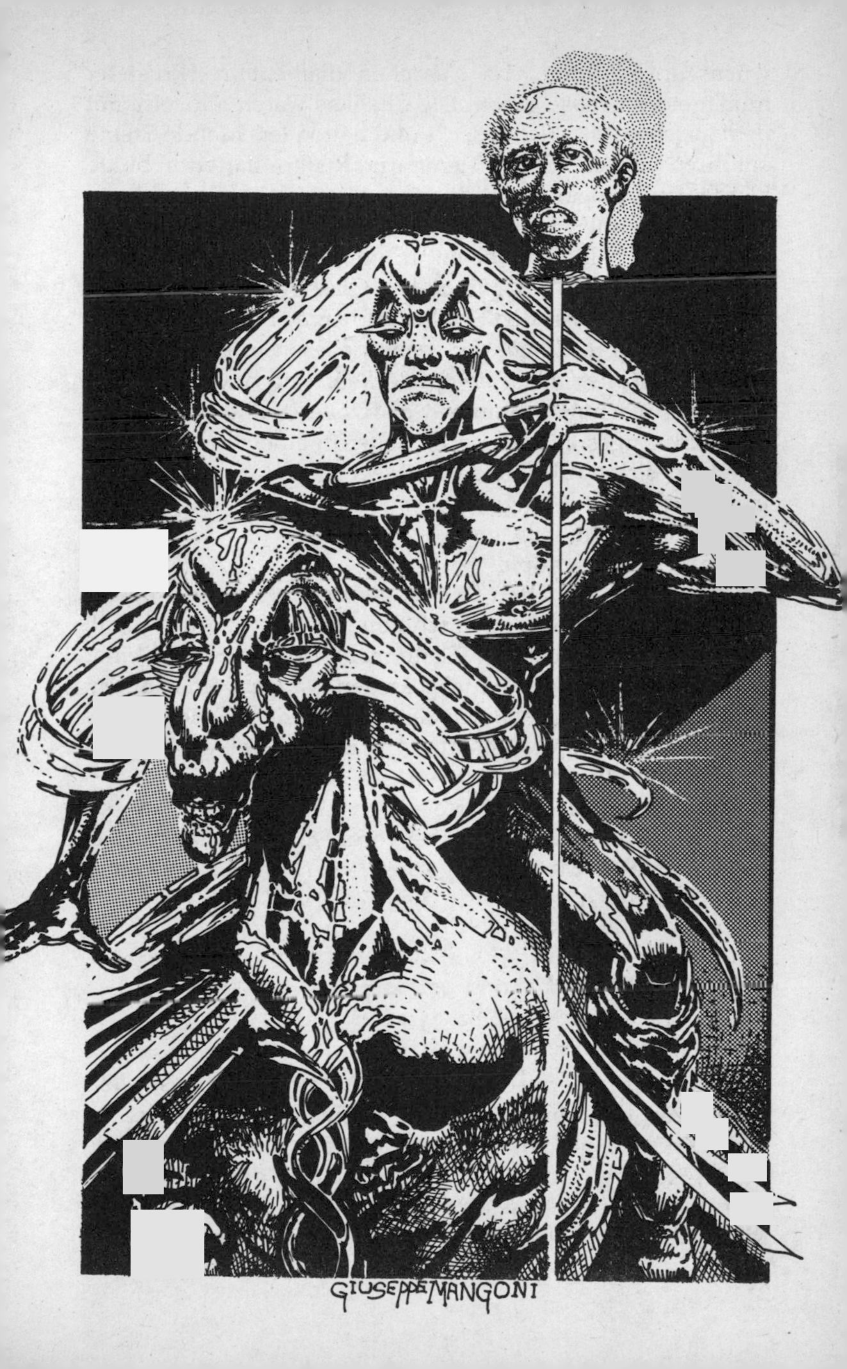
GIUSEPPE MANGONI

wüchsen, die ihnen das Aussehen diamantenverkrusteter humanoider Krebse gaben. Die Chalikos waren teilweise mit dem gleichen Material bedeckt und hatten leuchtende Steine auf ihren Stirnen. Hinter Tieren und Reitern flatterten bunte Bänder aus einem hauchdünnen Material her, von deren spitz zulaufenden Enden Funken aufstoben.

Die Jagd vollführte einen triumphierenden Lärm. Die Männer schlugen mit glühenden Glasschwertern auf ihre von Juwelen glitzernden Schilde und erzeugten so ein melodisches Klingen. Einige der Frauen bliesen in eigentümlich gedrehte Hörner mit Tierkopfglocken, und andere sangen mit ihren mächtigen Stimmen aus voller Kehle. Nahe dem Ende des Zuges glühten sechs Reiter in einem einheitlichen Neonrot, sicher die Helden dieses besonderen Unternehmens. Sie hielten lange Lanzen hoch, auf denen die Trophäen der Nacht steckten.

Abgeschlagene Köpfe!

Vier der Köpfe hatten Ungeheuern gehört – ein Scheusal mit Fängen und Kehllappen schimmerte schwarz und feucht, ein Reptil mit Ohren wie Fledermausschwingen und einer Reihe noch zuckender Tentakel an den Wangen, ein Ding mit einem verzweigten goldenen Geweih und dem Gesicht eines Raubvogels, ein alptraumhafter Affe mit reinweißem Fell und apfelgroßen blinzelnden Augen.

Die anderen beiden Köpfe waren kleiner. Bryan sah sie ganz deutlich, als die Prozession vorüberzog. Sie hatten zwei ganz normalen Menschen gehört, einem Mann und einer Frau mittleren Alters.

11

Es war das unerwartete Wiederauftauchen eines alten Schmerzes, der Amerie endlich die Einsicht verschaffte.

Die Knöchel, geschwollen von der langen Fesselung an die hohen Steigbügel, die gezerrten Muskeln an den Innenseiten ihrer Oberschenkel, die Horde von bösen Geistern, die ihr Rückgrat in der Kreuzgegend zwickten, die Krämpfe in Waden und Knien – sie erinnerte sich an all das. Es war genau dasselbe gewesen, damals vor sechsundzwanzig Jahren.

Ihr Vater hatte der Familie erzählt, auf einem Maultier in den Grand Canyon abzusteigen, werde ein wundervolles Abenteuer sein, eine Reise durch eine angeschnittene Schichttorte planetarer Geschichte. Nach ihrer Abreise zum fernen Multnomah würden sie alle gern daran zurückdenken und sich darüber freuen. Und der Anfang war auch schön. Auf dem Weg nach unten ließ das Kind Amerie ihre Finger entzückt über die Schichten farbigen Felsens gleiten, die älter und älter wurden, bis sie, unten angelangt, ein Stück schwarz glitzernden Wischnu-Schiefers aufhob und es mit angemessener Ehrfurcht betrachtete.

Aber dann kam der Ritt zurück nach oben. Und die Qualen. Dieser endlose Aufstieg mit schmerzenden Beinen, die schließlich in Krämpfen zuckten, weil sie unbewußt versuchte, dem Maultier beim Klettern zu helfen. Ihre Eltern waren erfahrene Gebirgsreiter und wußten, wie sie bei einem Steilhang im Sattel zu sitzen hatten. Ihre kleinen Brüder, zäh wie Draht und Plastik, waren glücklich dabei, ihre Reittiere die Arbeit tun zu lassen. Aber sie, die Pflichtbewußte, war sich klar, welche Anstrengung es für das Maultier bedeutete, und in ihrem Unverstand hatte sie diese teilen wollen. Gegen das Ende zu weinte sie vor Schmerz, und die anderen hatten Mitleid mit der armen kleinen Annamaria. Doch natürlich war es besser, weiterzureiten und den Rand zu erreichen, damit es vorbei war, statt auf dem Weg auszuruhen und den ganzen Zug aufzuhalten. Und ihr Vater redete ihr zu, sie solle sein tapferes Mädchen sein, und ihre Mutter lächelte mitfühlend, und die beiden kleinen Brüder blickten überlegen drein. Auf dem südlichen Rand angelangt, nahm Vater sie in die Arme und trug sie in ihr Zimmer und brachte sie zu Bett. Sie schlief achtzehn Stunden lang, und ihre Brüder zogen sie damit auf, daß sie den Flug mit dem Ei in die Bunte Wüste verpaßt hatte, und sie fühlte sich schuldig. Damit hatte alles angefangen.

Vater, Mutter und die Jungen, alle waren sie jetzt dahin. Aber das große Mädchen versuchte immer noch, ihre Bürde zu tragen, ganz gleich, wie weh es tat. Also. Jetzt beginnst du zu verstehen, warum du hergekommen bist, und auch alles übrige. Der Schmerz und die Erinnerung an den damaligen Schmerz lösen die Realisierung aus. Und nun, genau wie das Entfernen des Schorfs und das Ziehen eines Zahns und das Einrenken eines Knochens den Beginn der Heilung einleiten können, kannst du gesund werden! Aber Gott, wie dumm bist du gewesen. Und jetzt bist du *hier,* und die Einsicht ist zu spät gekommen.

Auf ihrem Chaliko ritt Amerie durch den Sonnenschein des Pliozän. Felice schlief auf dem Tier zu ihrer Linken. Sie hatte gemeint, ein Ritt auf diesen Tieren sei ein Vergnügen nach den halbgezähmten Verruls von Acadie. Rings um den Zug zusammengesunkener Reiter stimmten die Vögel des Plateaus lärmend ihren Morgenchor an. Sollte sie trotz allem ihr eigenes Loblied singen? Die im Schlaf gelernten lateinischen Zeichen meldeten sich. Mittwoch im Sommer. Sie hatte die Matutin um Mitternacht vergessen, deshalb wollte sie sie vor den Laudes beten, die eigentlich in die Morgendämmerung gehören.

Sie sang leise, während der östliche Himmel von einem purpurn angehauchten Grau in Gelb mit Zirrus-Wölkchen wie zerfetzter zinnoberroter Chiffon überging.

Cor meum conturbatum est in me:
 et formido mortis cecidit super me.
Timor et tremor venerunt super me:
 et contexerunt me tenebrae.
Et dixit: Quis dabit mihi pennas sicut columbae,
 et volabo, et requiescam!

Der Kopf sank ihr auf die Brust, und Tränen fielen auf das weiße handgewebte Tuch ihres Habits. Von dem Reiter vor ihr kam ein leises Lachen.

»Interessant, daß Sie in einer toten Sprache beten. Immerhin, ich möchte behaupten, daß wir alle ein bißchen 55. Psalm brauchen könnten.«

Sie blickte auf. Es war ein Mann mit einem Tirolerhut, der sich halb im Sattel umgedreht hatte und sie anlächelte.

Er deklamierte: »›Mein Herz ängstet sich in meinem Leibe, und des Todes Furcht ist auf mich gefallen. Furcht und Zittern ist mich angekommen, und Grauen hat mich überfallen. Ich sprach: O hätte ich Flügel wie die Tauben, daß ich flöge und wo bliebe!‹ ... Was kommt als Nächstes?«

Amerie antwortete kläglich: »›Ecce elongavi fugiens: et mansi in solitudine.‹«

»Ach ja. Siehe, so wollte ich ferne wegfliehen und in der Wildnis bleiben.‹« Er schwenkte die Hand gegen die sichtbar werdende Landschaft. »Und da ist sie! Großartig. Sehen Sie sich nur diese Berge im Osten an. Das ist der Jura. Erstaunlich, welchen Unterschied sechs Millionen Jahre ausmachen, wissen Sie. Einige dieser Gipfel müssen dreitausend Meter hoch sein – doppelt so hoch wie der Jura unserer Zeit.«

Amerie wischte sich die Augen mit dem Skapulier. »Sie haben ihn gesehen?«

»O ja. Ich war sehr unternehmungslustig. Habe überall auf der Erde Berge bestiegen, doch die Alpen gefielen mir am besten. Ich hatte geplant, sie noch einmal in ihrer Jugendzeit zu besteigen. Das ist der Grund für meine Reise ins Exil, wissen Sie. Bei meiner letzten Verjüngung ließ ich meine Lungenkapazität um zwanzig Prozent erweitern und das Herz und die großen Muskeln verstärken. Ich hatte alles mögliche an spezieller Kletterausrüstung mitgebracht. Wußten Sie schon, daß Teile der Pliozän-Alpen höher sein mögen als der Himalaya, wie wir ihn kennen? Unsere Alpen sind von den Eiszeiten, die in ein paar Millionen Jahren stattfinden werden, stark erodiert worden. Die wirklich hohen Stellen müssen weiter südlich liegen, um den Monte Rosa an der alten Grenze zwischen der Schweiz und Italien oder südwestlich in der Provence, wo das Dent-Blanche-Massiv in das des Monte Rosa übergeht. Es könnte dort Auffaltungen über neuntausend Meter Höhe geben. Es könnte dort einen Berg geben, der höher ist als der Everest! Ich hatte gehofft, den Rest meines Lebens mit dem Ersteigen dieser Pliozän-Berge zu verbringen. Sogar an den alpinen Everest hätte ich mich gewagt, wenn es mir gelungen wäre, ein paar verwandte Seelen zu finden, die mitgemacht hätten.«

»Vielleicht kommen Sie doch noch dazu.« Die Nonne versuchte, sich zum Lächeln zu zwingen.

»Höchst unwahrscheinlich«, antwortete er munter. »Diese

Aliens und ihre Lakaien werden mich Holz hacken und Wasser schleppen lassen, sobald sie herausfinden, daß meine einzigen Talente darin bestehen, ein Bergsteigerkostüm zu tragen und von Alpen zu fallen. Wenn ich Glück habe und mir nach der Sklavenarbeit etwas freie Zeit bleibt, werde ich in dem hiesigen Gegenstück einer Dorfkneipe für einen Drink auf der Flöte spielen.«

Er entschuldigte sich, daß er ihr Gebet unterbrochen habe, und wandte sich wieder nach vorn. Kurz darauf hörte Amerie, wie sich die weichen Töne seiner Flöte mit dem Gesang der Vögel mischten.

Sie hob von neuem mit ihrem eigenen leisen Gesang an.

Die Karawane schlängelte sich wieder einmal einen Abhang hinunter. Es ging immer noch nordwärts, parallel zur Saône. Der große Fluß war unsichtbar, aber sein Lauf wurde von dem breiten Gürtel eines nebelverhangenen Waldes im Tal markiert. Das Land hinter dem Wald auf dem anderen Ufer war viel flacher, eine mit Bäumen getupfte Prärie. Sie ging allmählich in eine sumpfige Ebene mit vielen kleinen Tümpeln und Sümpfen über, die im Licht der höherkletternden Sonne glitzerten. Nebenflüsse wanden sich durch den östlichen Sumpf, aber das Westufer der Saône, auf dem sie ritten, lag mehrere hundert Meter höher und wurde nur von weit auseinanderliegenden Bächen und Wasserrinnen durchschnitten. Die geduldigen Chalikos kamen kaum aus dem Schritt, wenn sie hindurchplatschten.

Jetzt, bei vollem Tageslicht konnte Amerie die anderen Leute im Zug sehen – die Soldaten und Epone drei oder vier Glieder vor ihr, hinter ihr die paarweise reitenden Gefangenen, zwischen denen ordentliche Abstände eingehalten wurden. Richard und Claude ritten dicht vor den Packtieren und der Nachhut. Die sie begleitenden Amphicyonen galoppierten stoisch auf beiden Seiten. Manchmal kamen sie näher, so daß Amerie ihre bösen gelben Augen sah und den Aasgestank ihrer Körper roch. Die Chalikos hatten auch einen bestimmten Geruch, dumpf und schwefelig wie von Rüben erzeugte Blähungen. Es muß von den Wurzeln kommen, die sie fressen, dachte sie müde. Von alle dem Futter, das sie so groß und stark und *breit* macht.

Sie stöhnte und versuchte, ihre gequälten Muskeln zu lokkern. Nichts half, nicht einmal das Gebet. Fac me tecum pie flere, Crucifixo, condolere, donec ego vexero. O verzeih mir, Herr. Das funktioniert nicht.

»Sieh mal, Amerie! Antilopen!«

Felice war wach. Sie zeigte auf die Savanne zu ihrer Linken, wo ein goldener Hügel seltsam überwachsen mit dunklen Stengeln zu sein schien, die nach allen Richtungen schwankten. Dann erkannte Amerie, daß die Stengel Hörner waren und daß rötlich-bräunliche Körper den ganzen Hügel bedeckten. Tausende und Abertausende von Gazellen weideten das trockene Gras ab. Von der vorüberziehenden Karawane ließen sie sich nicht stören, sie hoben nur ihre sanften, schwarz und weißen Gesichter. Mit ihren leierförmigen Hörnern schienen sie den Amphicyonen zuzunicken, doch die Bärenhunde ignorierten sie.

»Sind sie nicht schön?« rief Felice. »Und da drüben! Die Pferdchen!«

Die Hipparions waren noch zahlreicher als die Gazellen. Sie durchstreiften das Oberland in riesigen lockeren Herden, die manchmal einen ganzen Quadratkilometer bedeckten. Als die Gesellschaft in tiefergelegene Gebiete kam, wo die Vegetation üppiger wuchs, sahen sie weitere Grasfresser – ziegenähnliche Tragocerinen mit mahagonifarbenem Fell, größere gepanzerte Antilopen, die dünne weiße Streifen auf ihren gelblichen Flanken trugen, und einmal in einem kleinen Akaziengebüsch massige graubraune Elen-Antilopen mit kräftigen Spiralhörnern. Die Bullen mit ihren herabhängenden Wammen hatten mehr als zwei Meter Schulterhöhe.

»Soviel Fleisch auf dem Huf«, staunte Felice. »Und nur ein paar große Katzen und Hyänen und Bärenhunde als natürliche Feinde. Ein Jäger kann in dieser Welt nicht verhungern.«

»Das Verhungern«, bemerkte die Nonne trocken, »scheint kaum das Problem zu sein.« Sie hob ihren Rock und begann, ihre Oberschenkel zu massieren, indem sie sie mit den Handkanten schlug.

»Arme Amerie. Natürlich weiß ich, was das Problem ist. Ich habe daran gearbeitet. Paß auf!«

Vor den Augen der verwirrten Nonne trieb Felices Chalicotherium wie zufällig auf ihr eigenes zu, bis die Flanken der beiden Tiere sich leicht berührten. Dann entfernte Felices Tier sich wieder und trottete ruhig eine gute Armeslänge links von seiner richtigen Position in der Reihe dahin. Eine halbe Minute später glitt es zurück an die ihm bestimmte Stelle in der Karawane. Dort blieb es ein paar Augenblicke in gemächlichem Trott und legte nun einen Schritt zu, bis es die Entfernung zwischen sich und dem Tier vor ihm um anderthalb Meter verkürzt hatte. Das Chaliko hielt diesen Abstand, während Amerie langsam begriff, was sich abspielte. Als ein mißtrauischer Bärenhund aufheulte, fiel das Chaliko auf seinen üblichen Platz zurück.

»Mamma mia«, murmelte die Nonne. »Merken die Soldaten nicht, was du tust?«

»Niemand unternimmt etwas dagegen, daß ich in ihre Kontrolle eingreife. Wahrscheinlich gibt es überhaupt kein Feedback, nur das einmalige Kommando für den ganzen Zug, das Tempo und Abstände festlegt. Weißt du noch, wie diese blauen Rebhühner die Chalikos gestern am frühen Abend erschreckten? Die Wachen kamen nach hinten, um uns wieder ordentlich in Reih und Glied zu bringen. Das hätten sie nicht nötig gehabt, wenn es ein Feedback von unsern Reittieren gäbe.«

»Das ist richtig. Aber ...«

»Halt deinen Schleier fest. Jetzt bist du dran.«

Ameries Schmerzen und spirituelle Qualen wurden von plötzlich aufquellender Hoffnung hinweggefegt – denn jetzt wiederholte ihr Chalicotherium die Bewegungen von Felices Tier. Als der unheimliche Solotanz beendet war, vollführten beide Geschöpfe zusammen identische Manöver.

»Te deum laudamus«, flüsterte Amerie. »Du könntest es fertigbringen, Kind. Aber kannst du die da erreichen?« Sie wies mit dem Kinn in die Richtung des nächsten Bärenhundes.

»Das ist schwer. Schwerer als alles, was ich in der Arena auf Acadie jemals gemacht habe. Aber ich bin jetzt älter.«

Zumindest vier Monate älter. Und es ist kein blödes Spiel mehr, bei dem ich hoffe, daß sie lernen, mich zu schätzen, statt sich bloß vor mir zu fürchten. Und nun vertraut mir

Amerie, und auch die anderen würden mir vertrauen, wenn sie es nur wüßten. Sie würden mir vertrauen und mich bewundern. Doch wie soll ich die Sache testen? Ich darf mich nicht verraten. So schwer. Wie es wohl am besten geht?

Der Bärenhund, der zwanzig Meter von Felices linker Flanke lief, kam langsam näher. Von seiner heraushängenden Zunge tropfte Speichel. Das Untier war nach dem langen Marsch ziemlich erschöpft. Sein Verstand arbeitete langsamer, sein Wille wurde schwächer. Der Befehl in seinem Gehirn, der ihn laufen und aufpassen hieß, wurde eingekapselt von Hunger und Müdigkeit. Der Ruf zur Pflicht war jetzt schwach im Vergleich mit dem Versprechen eines Troges voll von Fleisch und eines Bettes aus trockenem Gras an einem schattigen Ort.

Das Amphicyon näherte sich Felices Chaliko immer mehr. Es wimmerte und schnaubte, wenn es sich bewußt wurde, daß es die Kontrolle über sich verloren hatte. Es schüttelte den häßlichen Kopf, als versuche es, lästige Insekten wegzuschleudern. Die schweren Kiefer klappten zusammen und versprühten Geifer. Und doch kam es immer näher und lief zusammen mit dem Chaliko in der Staubwolke, die die Klauenfüße des Reittiers aufwirbelten. Der Bärenhund funkelte in hilfloser Wut das kleine Menschenwesen an, das hoch über ihm saß – das Menschenwesen, das ihn zwang, ihm den Willen raubte, ihn beherrschte. Er heulte auf vor Zorn und entblößte bernsteinfarbene Zähne, die beinahe so groß wie Felices Finger waren.

Sie ließ ihn gehen.

Die Anstrengung hatte ihre Vision getrübt, und ihr Kopf schmerzte furchtbar von dem Widerstand, den das sture Fleischfresser-Gehirn geleistet hatte. Aber ...

»Das hast du gemacht, nicht wahr?« fragte Amerie.

Felice nickte. »Es ging verdammt schwer. Die Biester sind nicht auf leichtem Autopilot wie die Chalikos. Es hat jede Minute gegen mich angekämpft. Bärenhunde müssen eine Trainingskonditionierung haben. Die ist schwieriger zu durchbrechen, weil sie tief im Unterbewußtsein eingebettet ist. Doch ich glaube, ich habe es jetzt heraus. Am besten schnappt man sie sich, wenn sie erschöpft sind, am Ende der

Tagesreise. Wenn ich zwei kontrollieren kann oder sogar mehr ...«

Aus Ameries Geste sprach Hilflosigkeit. Es war der Nonne unbegreiflich, dieser direkte Zusammenstoß von Verstand gegen Verstand, dies Wirken einer Kraft, die außerhalb ihrer eigenen mentalen Fähigkeiten lag. Wie war es wohl, wenn man Metapsychikerin war – sogar eine unvollkommene wie Felice? Wenn man andere lebende Wesen manipulieren, unbelebte Materie zu bewegen und umzubilden vermochte? Wie war es, wenn man *wirklich* erschuf – nicht bloß die Silhouette eines Wanderstiefels, wie sie es mit Hilfe von Epones Apparat geschafft hatte, sondern eine substanzielle Illusion oder sogar Materie und Energie selbst? Wie mochte es sein, sich mit anderen Gehirnen in Einheit zu verbinden? Gedanken zu sondieren? Sich der Macht von Engeln zu erfreuen?

Ein heller Planet glänzte im Osten nahe der aufgehenden Sonne. Venus ... nein, nenne ihn bei seinem anderen, älteren Namen: Luzifer, leuchtender Engel des Morgens. Amerie empfand einen leichten Angstschauer.

Führe sie nicht in Versuchung, sondern vergib uns, wenn wir uns an Felices Feuer wärmen, auch wenn sie brennt ...

Die Karawane stieg ins Unterland hinab. Von der Hochebene ging es in ein weiteres Flußtal, das sich westwärts durch die Monts du Charolais öffnete. Die verstreuten Zwergpalmen, Pinien und Robinien der Höhe machten Ahornen und Pappeln, Walnußbäumen und Eichen Platz, und schließlich kam man in einen tiefen, feuchten Wald mit Tupelos, kahlen Zypressen, Bambusdickichten und großen alten Tulpenbäumen von mehr als vier Metern Durchmesser. Üppiges Buschwerk war im Überfluß vorhanden und machte die Landschaft zum Muster eines urzeitlichen Dschungels. Amerie rechnete ständig damit, Dinosaurier oder geflügelte Reptilien auftauchen zu sehen, obwohl sie wußte, daß der Gedanke idiotisch war. Die Fauna des Pliozän war, genau betrachtet, den Tieren sehr ähnlich, die sechs Millionen Jahre später für die Erde neu rückgezüchtet worden waren.

Die Reiter erhaschten flüchtige Blicke auf kleines Rotwild mit gegabeltem Geweih, ein Stachelschwein und eine riesige Sau, gefolgt von listigen gestreiften Frischlingen. Ein Trupp mittelgroßer Halbaffen schwang sich durch das obere Stockwerk des Waldes und folgte der Karawane kreischend, kam jedoch nie nahe genug heran, um deutlich gesehen zu werden. An einigen Stellen waren Büsche und kleine Bäume ausgerissen und ihres Laubs beraubt worden. Kothaufen, die nach Elefant rochen, verrieten, daß dies das Werk von Mastodons war. Ein Löwengebrüll von unheimlicher Stärke veranlaßte die Bärenhunde, herausfordernd zurückzuheulen. War es ein Machairodus, eine der löwenähnlichen Säbelzahnkatzen, die die häufigste Raubtierart des Pliozän darstellten?

Nach der gefängnishaften Umgebung der Burg und dem alle Sinne lähmenden nächtlichen Ritt wurden sich die Zeitreisenden nun eines neuen Gefühls bewußt, das sogar ihre Erschöpfung und ihre Schmerzen und die Erinnerung an vernichtete Hoffnungen überwand. Dieser Wald, durchdrungen von den schrägen Strahlen der Morgensonne, war unzweifelhaft eine andere Welt, eine andere Erde. Hier war in lebendiger Wirklichkeit die unverdorbene Wildnis, von der sie alle geträumt hatten. Wenn man die Soldaten und die Ketten und die fremde Sklavenherrin wegradierte, konnte man diesen Pliozän-Wald sehr wohl als Paradies akzeptieren.

Taubeperlte Riesenspinnennetze, unglaubliche Massen von Blüten, Früchte und Beeren, die wie barocke Edelsteine in grünen Fassungen aller Schattierungen leuchteten ... Klippen mit dünnen Wasserfällen, die in Teiche vor moosigen Grotten tropften ... Mengen furchtloser Tiere ... die Schönheit war real! Die Gefangenen entdeckten, daß sie ungeachtet ihrer Situation im Dschungel so eifrig nach neuen Wundern Ausschau hielten wie irgendeine Gruppe abenteuerlustiger Touristen. Ameries Schmerzen verblaßten vor Visionen von rot und schwarzen Schmetterlingen und bunten Baumfröschen, deren Stimmen wie Elfenglocken klangen. Noch jetzt im August sangen die Vögel ihre Paarungslieder, denn in einer Welt ohne echten Winter hatten sie noch nicht begonnen, im Herbst abzuwandern, und konnten mehr als eine Brut im Jahr aufziehen. Ein unwahrscheinliches Eichhörnchen mit Büschelohren und grünlich und orange getupftem Fell schimpfte von einem niedrigen Ast herab. Um einen anderen Baum hatte sich eine bewegungslose Pythonschlange gewunden, der Körper so dick wie ein Bierfaß, die Farben so herrlich wie von einem Kermanschah-Teppich. Da ging eine winzige, hornlose Antilope mit Beinen wie Stöckchen und einem Körper, der nicht größer als der eines Kaninchens war! Da flog ein Vogel mit rauher Krähenstimme und prachtvollem Gefieder in Violett und Pink und dunkelstem Blau! An einem Bach stand ein großer Otter auf den Hinterbeinen und schien den vorbeireitenden Gefangenen liebenswürdig zuzulächeln. Weiter unten rissen wilde Chalicotherien, etwas kleiner und dunkler als ihre domestizierten Vettern, Binsen zum Frühstück aus und brachten es fertig, mit einem Maul voll tropfenden Grünzeugs würdevoll dreinzublicken. In dem kurzen Gras neben dem Pfad wuchsen massenhaft Pilze – korallenfarben, rot mit weißen Tupfen, himmelblau mit magentaroten Lamellen und Stielen. Unter ihnen kroch ein Tausendfüßler von der Größe einer Salami dahin und sah aus, als sei er in Ochsenblutrot mit cremefarbenen Rennstreifen frisch emailliert worden ...

Das Horn ließ seine drei Töne erschallen.

Amerie seufzte. Die widerhallende Antwort schreckte die wilden Tiere vor ihnen auf, so daß die Begegnung der Karawane mit ihrer Eskorte unter einem Durcheinander von Vogel- und Vierfüßerstimmen stattfand. Der Wald wurde lichter, und sie kamen in ein parkähnliches Gebiet neben einem langsam dahinströmenden Fluß, irgendeinem westlichen Nebenfluß der Saône. Der Pfad führte über eine Wiese unter ehrwürdigen Zypressen hinweg und durch das Tor eines großen Forts mit Palisadenzaun, das fast identisch mit dem war, wo sie während der Nacht haltgemacht hatten.

»Ihr Reisenden!« bellte Captal Waldemar, als der letzte der Karawane das Tor passiert hatte und die hölzernen Flügel geschlossen waren. »Hier bleiben wir bis Sonnenuntergang zum Schlafen. Ich weiß, ihr fühlt euch ziemlich erschöpft. Aber folgt meinem Rat und weicht euch in eurem Badehaus in der großen Wanne mit heißem Wasser ein, bevor ihr euch in die Falle haut. Und eßt, auch wenn ihr meint, vor Müdigkeit keinen Hunger zu spüren! Nehmt eure Packen mit, wenn ihr absteigt. Wer krank ist oder eine Beschwerde hat, bei mir melden! Haltet euch bereit, heute abend nach dem Essen, wenn ihr das Horn hört, wieder aufzusteigen! Wenn euch nach einem Fluchtversuch zumute ist, denkt daran, daß die Amphicyonen draußen sind und ebenso die Säbelzahnkatzen und ein ganz gemeiner orangefarbener Salamander von der Größe eines Collie und mit dem Gift einer Königskobra. Schlaft gut. Das ist *alles.*«

Ein weißgekleideter Stallknecht half Amerie aus dem Sattel, als sie es aus eigener Kraft nicht schaffte.

»Ein schönes heißes Bad wird Ihnen guttun, Schwester«, meinte der Mann fürsorglich. »Es ist das beste Mittel der Welt gegen Reitschmerzen. Wir heizen das Wasser mit einem Sonnenkollektor auf dem Dach, deshalb ist reichlich da.«

»Danke«, murmelte sie. »Das werde ich tun.«

»Sie könnten auch etwas für uns hier im Fort tun, Schwester. Das heißt, falls Sie nicht zu müde und steif sind.« Er war ein kleiner, kaffeefarbener Mann mit stark ergrauendem Kraushaar und der geistesabwesenden Art eines kleinen Beamten.

Amerie hatte das Gefühl, im Stehen einschlafen zu können, wenn nur etwas zum Anlehnen da wäre. Doch sie hörte sich selbst sagen: »Natürlich werde ich alles tun, was ich kann.« Ihre gezerrten Beinmuskeln verkrampften sich protestierend.

»Wir bekommen nicht oft einen Priester her. Nur alle drei oder vier Monate macht einer die Runde – der alte Bruder Anatoly aus Finiah oder Schwester Ruth aus Goriah, ein Stück weiter westlich. Unter den Männern hier sind vielleicht fünfzehn Katholiken. Wir wären wirklich sehr dankbar, wenn ...«

»Ja. Gewiß. Ich vermute, Sie bevorzugen die Votivmesse von St. Johannes dem geliebten Jünger.«

»Zuerst Ihr heißes Bad und das Abendessen.« Er nahm Ameries Rucksack, legte sich ihren Arm über die Schultern und half ihr fort.

Sobald Felice abgesteigen war, rannte sie zu Richard hinüber und fragte: »Nun? Hast du es geschafft?«

»War kinderleicht. Und es sitzt ein Stern zweiter Größe genau drauf.« Er blickte von dem hohen Rücken des Chalikos auf sie herab. »Da du in so guter Verfassung bist, hilf mir mal von diesem Vieh!«

»Nichts leichter als das«, sagte sie. Sie trat auf die Absteigeplattform, legte ihre kleinen Hände in seine Achselhöhlen und schwang ihn in einer Bewegung aus dem Sattel.

»Jesus!« rief der Pirat aus.

»Ich könnte auch ein bißchen davon gebrauchen, Felice.« Die trockene Bemerkung kam von Claude. Die Ringhockey-Spielerin ging zum nächsten Chaliko weiter und pflückte den alten Mann aus dem Sattel, als sei er ein Kind.

»Welche Schwerkraft habt ihr übrigens auf Acadie?« knurrte Richard.

Sie bedachte ihn mit einem herablassenden Lächeln. »Null Komma acht-acht Erde normal. Gut gezielt, Captain Blood, aber schlecht getroffen.«

»Du darfst hier nicht übereilt vorgehen, Felice«, warnte Claude besorgt. »Ich könnte mir vorstellen, daß sie an einem Ort wie diesem sehr wachsam sind.«

»Keine Bange. Ich habe ...«

Richard zischte: »Sie kommt – paßt auf! Ihre Durchlaucht persönlich!«

Das weiße Chaliko, das Epone auf seinem Rücken trug, schritt majestätisch durch den Haufen müder Gefangener und ihrer Gepäckstücke.

»An der ist kein Staub und kein Schweiß«, bemerkte Felice bitter und klopfte auf den schmutzigen grünen Rock ihrer Hockey-Uniform. »Sieht aus, als wolle sie gleich auf einen Ball. Der Mantel muß aus ionisiertem Stoff sein.«

Ein paar Reisende saßen noch auf ihre Tieren – unter ihnen der kräftige Mann mit dem ingwerfarbenen Bart, der das Löwenwappen auf seiner Ritterkleidung trug. Er hatte beide Ellbogen auf den Sattelknopf gestützt. Seine Hände bedeckten seine Gesicht.

»Dougal!« Epones Stimme war gleichzeitig schmeichelnd und befehlend.

Der Ritter fuhr im Sattel hoch und starrte sie wild an. »Nein! Nicht schon wieder. Bitte.«

Aber sie winkte nur ein paar Stallknechten, die Zügel seines Chalikos zu nehmen.

»O du belle dame sans merci«, stöhnte er. »Aslan, Aslan.«

Epone ritt über den Hof des Forts auf ein kleines Gebäude zu, von dessen Verandadach an Ketten Blumentöpfe hingen. Die Stallknechte führten den großen Dougal ihr nach.

Claude beobachtete sie. »Ja, nun weißt du es, Richard. Gut, daß du aus der Sache 'raus bist. Sie sieht aus, als sei mit ihr nicht gut Kirschen essen.«

Der Ex-Raumfahrer schluckte. Der Inhalt seines Magens stieg ihm in die Kehle, als die Erinnerung langsam zurückkehrte. »Wer ... wer, zum Teufel, ist Aslan?« brachte er mühsam hervor.

»Eine Art Christusgestalt in einem alten Märchen«, erwiderte der alte Mann. »Ein Zauberlöwe, der in einem Niemalsland namens Narnia Kinder vor übernatürlichen Feinden rettet.«

Felice lachte. »Ich glaube nicht, daß sich seine Gerechtsame bis ins Pliozän erstreckt. Hat einer von den Herren Lust, mir in einem heißen Bad Gesellschaft zu leisten?«

Sie marschierte mit wehenden staubigen Federn zum Badehaus und überließ es den anderen, ihr langsam hinterdreinzuhinken.

12

Oh, war das eine Nacht gewesen!

Aiken Drum lag auf schneeigen Laken hingestreckt und ließ sich durch seinen Silberreif das Erlebnis wiederholen. Starker exotischer Schnaps. Köstliches exotisches Essen. Spiel und Spaß und Musik und Tanz und Springen und Stampfen und Fliegen und nichts wie 'ran an diese fremden Weiber, denen die Titten bis auf die Schenkel herunterhingen. Und Erfolg auf der ganzen Linie! Hatte er ihnen nicht gezeigt, daß er groß genug war? Und hatte er nicht endlich eine Heimat nach seinem Herzen gefunden ...? Hier im Exil, unter diesen Leuten, die es wie er liebten, zu lachen und abenteuerlich zu leben, würde er wachsen und gedeihen und *leuchten*.

»Ich werde der richtige Sir Boß sein!« kicherte er. »Ich

werde diese ganze verdammte Welt an mich drücken, bis sie ›aufhören‹ schreit! Ich werde fliegen!«

O ja. Das auch.

Langsam erhob sich sein nackter Körper von dem Bett. Er breitete die Arme weit aus und schwebte zur Decke, wo die Morgensonne, die durch die Vorhänge schien, wellige Streifen aus grünlichem Gold malte. Das Schlafzimmer war ein Aquarium, und er ein Schwimmer in der Luft. Losschießen! Anhalten! Rollen! Niedertauchen! Laß los und fall zurück aufs Bett und brülle vor Vergnügen, denn es war ein seltenes Talent sogar unter den begabten Tanu, und die Damen hatten mit größter Aufregung reagiert, als er es an sich entdeckte.

Wundervoller Silberreif!

Er kletterte vom Bett und ging ans Fenster. Roniah da unten war wach und ging seinen Geschäften nach – menschliche Gestalten mit gemächlichem oder eiligem Schritt, stattliche Tanu auf Chalikos mit fröhlich-bunten Decken, und überall die kleinen Ramas am Werk – sie fegten, gärtnerten, trugen Gegenstände hierhin und dahin. Kaleidoskopisch!

... He, Aik. Wo bist du, Freund?

Der mentale Anruf erreichte ihn anfangs zögernd und verworren, dann mit zunehmendem Selbstvertrauen. Raimo natürlich. Die Haltung des mürrischen Holzfachmanns hatte sich auf bemerkenswerte Weise verändert, als Aikens Metafunktionen bei der Party immer stärker offenbar wurden. Raimo verzichtete auf seine Sticheleien und wurde freundlich. Und warum auch nicht? Er konnte einen Sieger riechen, dieser Raimo!

Bist du es, Ray? Redest du mit mir, Holzhacker?

Wer sonst, zum Teufel? He, Aik – wenn das ein Traum ist, weck mich nicht auf!

Kein Traum. Es ist wirklich und wahrhaftig, und uns stehen herrliche Zeiten bevor, He! Was meinst du, sollen wir abhauen und uns die Stadt ein wenig ansehen?

Man hat mich eingeschlossen, Aik.

Hast du vergessen, was wir auf der Party gelernt haben? Warte eine Nanosekunde, bis ich mich angezogen habe. Ich bin gleich bei dir.

Aiken fuhr in sein goldenes Kostüm, überzeugte sich, daß

kein Tanu hersah, und stürzte sich aus seinem Schlafzimmerfenster. Wie ein großes, schimmerndes Insekt schwebte er über dem Gebäude und richtete seinen Suchersinn auf Raimos verdrießliches Gedankenmuster. Dann tauchte er zu dem offenen Fenster seines Freundes nieder, schoß ins Zimmer hinein und krähte: »Huhu!«

»Verdammt, du weißt tatsächlich, wie das geht, wie?« fragte Raimo etwas neidisch. »Ich bin anscheinend nur gut darin, Möbel hochzuheben.« Um es zu demonstrieren, ließ er das Bett tanzen und Tische und Stühle durch das Zimmer fliegen.

»Jeder ist anders, Holzhacker. Du hast deine Talente, ich habe meine. Du hättest den Mechanismus des Schlosses überlisten und verschwinden können, weißt du.«

»Scheiße. Daran habe ich überhaupt nicht gedacht.«

Aiken grinste. »Von nun an wirst du an eine Menge denken, Ray – und ich auch. Der gestrige Abend war so eine Art Augenöffner, stimmt's?«

Der frühere Holzfachmann lachte laut heraus, und beide badeten sich in einem gegenseitigen Replay. Besonders lustig fanden sie das Unbehagen von Sukey und Elizabeth. Sie hatten sich entsetzt zurückgezogen, als die Mitglieder der Jagd sich dem Fest beigesellten. Die armen Damen mit ihren Begriffen von Moral! Kein Sinn für Humor und wahrscheinlich durch und durch frigide. Man war froh gewesen, sie los zu sein. Die Party hatte bis zum Morgengrauen mit immer köstlicheren Lustbarkeiten fortgedauert, und die beiden Männer konnten sie mit Hilfe ihrer Silberreifen voll auskosten. Welch herrliche metapsychische Phänomene!

Aiken wies zum Fenster hinaus. »Komm, sehen wir einmal, wie die menschliche Hälfte lebt. Ich bin neugierig darauf, was die Normalen in der Exilwelt so machen. Hab keine Angst vor dem Fliegen, Ray. Ich kann uns beide in der Luft halten.«

»Man wird uns entdecken.«

»Ich habe noch eine andere Metafunktion. Das Ding mit der Illusion. Paß auf!«

Ein lautloses Klicken, und der kleine goldene Mann verschwand. Ein getigerter Schwalbenschwanz schlug mit den

Flügeln und landete genau auf Raimos Nase. »Laß deine Pfoten unten, oder ich werde zu einer Hornisse«, verkündete Aikens Stimme. Der Schmetterling war weg, und dafür stand der kleine Hanswurst wieder vor Raimo und hielt einen Finger auf dessen Nase.

»Teufel nochmal, Aik! Du hast wirklich schwer was auf dem Kasten.«

»Das kannst du ruhig zweimal sagen, Holzhacker. Gib mir deine Hand! Komm – sei kein Feigling! Ab geht's!«

Zwei gelbe Schmetterlinge flogen von dem Tanu-Gebäude weg und über die Stadt Roniah. Sie kreisten über den Werkstätten von Töpfern und Dachziegelherstellern und Webern und Zimmerleuten und Grobschmieden und Bootsbauern und Waffenschmieden und Glasbläsern und Bildhauern. Sie machten sich an Steinschneider und Maler und Korbmacher und übende Musiker heran, sie nippten Nektar von dem Jasmin, der neben Schwimmbecken blühte, wo schwangere Frauen ruhten und lachten, störten eine Unterrichtsstunde im Freien, wo ein Dutzend blonder, geschmeidiger Kinder voller Erstaunen mit dem Finger auf sie wies und ein verblüffter Tanu-Lehrer eine gefährliche Frage zurück zu Bormols Haus schickte.

»Zu den Docks!« befahl Aiken, und sie flogen zum Flußufer. Breite Treppenstufen führten zu einem belebten Landekai hinab. Rama-Stauer löschten Barken, während menschliche Dockarbeiter und Bootsleute, viele von ihnen in der morgendlichen Hitze nackt bis zum Gürtel, ihrer Arbeit nachgingen oder an schattigen Plätzen herumsaßen und darauf warteten, daß ein anderer Mann die seine beendete.

Die beiden Schmetterlinge landeten auf einem dicken Poller und verwandelten sich wieder in Aiken und Raimo. Ein Dockarbeiter stieß einen Schrei aus. Seemöwen erhoben sich von Pflaster und Pfählen und kreischten Alarm. Aiken schlenderte von dem Poller weg, ließ Raimo blinzelnd dort sitzen und warf sich mitten in der Luft in Positur. Ein stämmiger Bootsmann lachte lauf und rief: »Wenn das nicht Peter Pan persönlich ist! Aber Tinkerbell da hinten solltest du einmal überholen lassen!«

Die Müßiggänger am Kai brüllten vor Lachen. Raimo breitete, auf dem Poller sitzend, beide Arme aus. Sein schlitzäugiges finnisches Gesicht zeigte ein schiefes Grinsen und einen merkwürdigen Ausdruck von Konzentration. Sofort flatterte ein Dutzend Möwen hernieder und reihte sich von seinen Handgelenken bis zu seinen Schultern auf.

»He, Aik! Schießbude! Schieß, bevor sie verschwinden, oder du hast verloren!«

Der schwebende kleine Mann in Gold zielte mit seinem Zeigefinger. »Peng!« sagte er. »Peng-peng-pengedi-*peng!*«

Kleine Blitze liefen Raimos in kariertem Flanell steckende Arme entlang. Er wurde eingehüllt in eine Wolke aus Rauch und ein Gestöber weißer Federn. Die Zuschauer pfiffen und klatschten, während Raimo nieste. »Laß das sein, du kleiner Hanswurst!«

»Und jetzt komme ich noch einmal!« rief Aiken und griff den Poller selbst mit einer Bewegung beider Hände an. »Ich geb's dir – *Bumm!*«

Eine scharfe Explosion erfolgte. Das schwere Bauholz von Raimos Sitz löste sich auf, und er hing ohne Halt über dem Wasser. Sein Gesicht trug den Ausdruck schmerzlicher Überraschung.

»Das war nicht nett von dir!« beschwerte sich der frühere Holzfachmann. Er schwebte zu dem kichernden Aiken hinüber, faßte ihn bei den Epauletten seines goldenen Anzugs und schlug vor: »Vielleicht sollten wir uns mit einem Bad abkühlen.«

Sie rangen miteinander in der Luft, wobei sie wie vom Wind umhergetriebene Luftballons tief über dem schlammigen gelben Wasser der Rhône zwischen den vertäuten Leichtern und Jollen und Barken auf- und abhüpften. Die Männer auf dem Kai lachten und stampften mit den Füßen, und verängstigte Ramas warfen ihre Lasten fort und bedeckten die Augen.

Genug!

Creyns mentaler Befehl war wie ein Peitschenhieb. Er holte die beiden zurück auf den Kai und setzte sie mit schmerzhaftem Ruck auf dem Pflaster ab. Vier Diener aus Bormols Haus traten vor und packten die immer noch von Lachen geschüttelten Missetäter. Da der Spaß offensichtlich vorbei war, kehrten die Dockarbeiter und Bootsleute zögernd an ihre Arbeit zurück.

»Ich programmiere mentale Blockierungen in eure wichtigsten Metafunktionen ein, bis ihr in der Hauptstadt eine richtige Ausbildung erhalten habt«, sagte Creyn. »Mit diesem kindischen Benehmen ist jetzt Schluß!«

Aiken winkte Elizabeth, Bryan und Sukey zu, die zusammen mit Stein auf seiner Tragbahre die Stufen zum Kai hinuntergeführt wurden.

Raimo meinte: »Ach, Chef, wie sollen wir sonst lernen, was wir fertigbringen?«

Aiken setzte hinzu: »Lord Bormol sagte uns gestern abend, wir sollten uns ordentlich hineinknien. Und genau das haben wir getan!« Er blinzelte Sukey zu, die ihn finster ansah.

Creyn erklärte: »Von jetzt an werdet ihr in einer kontrollierten Umgebung lernen. Lord Bormol hat es nicht verdient, daß ihr ihm seine Gastfreundschaft vergeltet, indem ihr seine Anlegestelle demoliert.«

Der kleine Mann in Gold zuckte die Achseln. »Ich kenne meine eigene Kraft noch nicht, das ist alles. Willst du, daß ich versuche, das Ding wieder zusammenzusetzen?«

Creyns Augen, im Sonnenlicht von undurchdringlichem Blau, verengten sich. »Du glaubst also, du könntest es? Wie außerordentlich interessant! Aber ich meine, wir warten besser, Aiken Drum. Es wird für uns alle viel sicherer sein, wenn du für den Augenblick an der Leine bleibst.«

Elizabeths Gedanken wehten leise herüber ...

Du hast so viele wilde Talente, Aiken. Was ist sonst noch in dir verborgen? Laß mich nachsehen!

Sie wollte in ihn eindringen, doch die Sonde prallte von einer hastig errichteten, aber wirkungsvollen Barriere ab.

»Nimm das weg, Elizabeth!« rief Aiken laut. »Hör auf damit, oder ich bring dich um!«

Sie betrachtete ihn traurig. »Würdest du das wirklich tun?«

»Nun ...« Er zögerte, dann schenkte er ihr ein schiefes Lächeln. »Vielleicht doch nicht, Hübsche. Aber ich kann es nicht zulassen, daß du mit mir herumexperimentierst, verstehst du. Nicht einmal zum Spaß. Ich bin nicht Stein ... oder Sukey.«

Creyn sagte: »Unser Boot erwartet uns am Ende des Landungsstegs. Wir müssen weiter.« Als sie dann alle den Kai entlanggingen, wandte sich der Tanu im dichtgebündelten Modus, der nur ihren Verstand erreichte, an Elizabeth.

Hast du gesehen, wie er das gemacht hat?

Primitiv/wirksam. Sogar unvorbereitet versus mich. Besorgt?

Eigentlich eher erschrocken.

Wie wirksam Ringblockierung?

Ausreichend jetzt, solange er volles Potential noch nicht benutzen kann. Später wird ihm Silber nicht genügen, wird Gold verlangen. Erzieher haben mit dem da ein Problem vor sich. Notwendigkeit der Liquidierung möglich. Nicht meine Entscheidung, Tana sei Dank.

Fähiger Unheilstifter schon als noch latent. Seltener alter Menschentyp ungewöhnlich im Milieu: Clown-Störenfried.

Typ bei den Tanu nicht unbekannt. Ach, sehe voraus, Junge legt Muriah in Trümmer. Frage mich, ob Muriah den Zusammenstoß überleben wird.

(Ironisch) Geschieht euch Sklavenherren recht. Menschheit gefährliche Beute.

Ah Elizabeth.

Du leugnest? Lachen. Ihr geschickten Manipulatoren! Versucht es bei Zeitreisenden mit sozialen Wechselbädern. Beispiel: Torburg-Umgebung erweckt Ängste. Dann folgt Gesellschaft Wärmefreundschaftmachtsexluxus. Abgeschlagene Köpfe bleuen erste Lektion von neuem ein. Konditionierung ohne Subtilität gut/böse Strafe/Belohnung Schrecken/Erleichterung. Aiken + Raimo (Sukey?) gehören euch. Beide Jagden erfolgreich.

Wie sonst mit minimalem Zeitaufwand integrieren? Einige Typen, zum Beispiel Aiken, großes Risiko.

Tanuhafter als du?

Kluge Elizabeth. Hat nur Verachtung für arme kleine Exilanten, schwebt unberührt wie die Engel über ihnen.

!

»Ah, Elizabeth. Wir lernen uns besser und besser kennen.«

Auf dem ungewöhnlichen Boot, das sie den Fluß hinuntertragen sollte, hieß sie ein Skipper willkommen, der Khaki-Hosen und ein schweißfleckiges T-Shirt trug. Der Bauch hing ihm über den Gürtel. Ein krauser Pfeffer-und-Salz-Schnurrbart und eine Kinnfranse rahmten das joviale Lächeln auf seinem mahagonifarbenen Gesicht ein. Er grüßte Creyn lässig, indem er einen Finger an den Schirm einer sich fast schon auflösenden Mütze der US-Navy aus dem 20. Jahrhundert legte.

»Willkommen an Bord, Milord und Damen und Herren! Skipper Highjohn steht euch zu Diensten. Setzt euch, wohin ihr wollt, aber die beste Aussicht hat man vorn. Bringt die Tragbahre hierher und zurrt sie fest!«

Die menschlichen Reisenden bestiegen das seltsame Fahrzeug und nahmen argwöhnisch auf den Sesseln Platz, die luftgepolstert und körpergerecht waren. Der Skipper half ihnen, die komplizierten Sicherheitsgurte zu befestigen.

»Ist der Fluß sehr wild, Kapitän?« forschte Sukey. Sie hatte sich in der Nähe Steins niedergelassen und warf dauernd beunruhigte Blicke auf den schlafenden Riesen, den Diener mit einem starken Gewebe sicherten.

»Keine Bange. Ich mache die Tour Rhône–Mittelmeer seit sechzehn Jahren und habe noch nie ein Boot verloren.« Highjohn öffnete eine Klappe an der Sessellehne und enthüllte einen darin verborgenen Behälter. »Kleiner Spuckeimer, falls du einen brauchst.«

»Du magst nie ein Boot verloren haben – aber auch keinen Passagier?« fragte Aiken.

»Du siehst mir nicht wie ein Angsthase aus, Junge. Wenn es zu schlimm für dich wird, kann Lord Creyn Beruhigung in deinen Reif eingeben. Alle gut untergebracht? Wir halten zum Mittagessen für jeden, der Appetit hat, an der Feligompo-Pflanzung. Heute abend kommen wir in Darask an, das unterhalb des zukünftigen Avignon liegt. Ihr wißt schon – der Ort mit der Brücke. Bis später!«

Mit freundlichem Winken ging er nach vorn. Die Diener aus Lord Bormols Haus, die Stein und das Gepäck getragen hatten, gingen von Bord. Dockarbeiter schwirrten um das Boot herum und bereiteten es zum Ablegen vor. Die Passagiere sahen in einer Mischung aus Interesse und Unbehagen zu.

Das Flußboot sah ähnlich aus wie die meisten anderen an der Anlegestelle. Es maß etwa vierzehn Meter von seinem hohen, messerscharfen Bug bis zu dem poporunden Heck. Man konnte es als entfernten Verwandten der aufblasbaren Flöße und Faltboote betrachten, die Sportler und Forscher auf den Wildwassern des Galaktischen Milieus benutzten. Die Hülle – auf beiden Seiten mit dem Namen *Mojo* gezeichnet – war eine zähe, luftgefüllte Membrane, außen in dicke Falten gelegt und mit Fendern versehen, die in gleichmäßigen Abständen entlang der Wasserlinie hervorragten. Das Fahrzeug machte den Eindruck, als könne man die Luft herauslassen und es für den Karawanentransport flußaufwärts auseinandernehmen. Mit Luken dicht verschlossene Öffnungen vorn und hinten gestatteten Zugang zum Frachtraum, während der Platz für die Passagiere sich mittschiffs unter einer Reihe von Halbringen befand. Die Dockarbeiter bedeckten diesen Rahmen schnell mit einer dunkel gefärbten transparenten Folie, die Dekamol ähnelte. Als der letzte Abschnitt des blasenartigen Aufbaus geschlossen war, begann ein Gebläse im Inneren des Bootes zu arbeiten. Es versorgte die Insassen mit frischer Luft und hielt die wasserdichte Folie steif.

Sukey drehte sich zu Elizabeth um, die in dem Sessel neben ihr saß. »Mir hat die Art, wie der Kapitän redete, nicht gefallen. Was mag uns bevorstehen?«

»Auf jeden Fall eine interessante Fahrt, wenn ich die Vorzeichen richtig deute. Bryan – weißt du irgend etwas über den Fluß Rhône?«

»Er war in unserer Zeit mit Dämmen und Schleusen und Seitenkanälen ganz zerschnitten«, antwortete der Anthropologe. »Das Gefälle ist hier im Pliozän wahrscheinlich viel steiler, so daß bestimmt Stromschnellen vorhanden sind. Wenn wir uns ungefähr hundertfünfzig Kilometer südlich von hier der Gegend von Avignon nähern, werden wir wahrscheinlich in einem tiefen Cañon sein. Im zweiundzwanzigsten Jahrhundert war er von der Donzère-Mondragon-Barrage gestopft, einem der größten Damm-Projekte Europas. Was uns jetzt an seiner Stelle erwartet ... nun, zu schlimm kann es nicht sein, sonst würden sie nicht versuchen, die Strecke mit einem Boot zu befahren, nicht wahr?«

Aiken stieß ein zittriges Lachen aus. »Eine gute Frage. Aber ob wir bereit sind oder nicht, Leute, die Post geht trotzdem ab.«

Ein ziemlich starker Teleskopmast begann hinter dem Passagier-Abteil aufzusteigen. Als er seine volle Höhe von vier Metern erreicht hatte, öffnete sich der obere Abschnitt und spie einen Baum mit Rollbanksegel aus, das wirklich und wahrhaftig wie eine altmodische tragbare Projektionsleinwand aussah. Das Segel entfaltete sich und drehte sich versuchsweise ein paarmal hin und her. Dockarbeiter warfen die Leinen los, und das Vibrieren des Decks verriet, daß ein kleiner Hilfsmotor angesprungen war. Die *Mojo* schlängelte sich durch den Verkehr am Ufer hinaus in die Fahrrinne, was Bryan zu dem Schluß veranlaßte, sie müsse mehr als ein Ruder für höchste Manövrierfähigkeit benutzen.

Sie bogen in einem scharfen Winkel vom Ufer ab. Als die Strömung sie erfaßte, fiel die ummauerte Stadt Roniah verblüffend schnell achtern zurück. Es war nicht ganz leicht, die Geschwindigkeit zu schätzen, da sie von beiden Ufern gut zweihundert Meter entfernt waren, aber Bryan vermutete, daß das mit Sedimenten angereicherte Wasser mit mindestens zwanzig Knoten vorbeischoß. Was geschah, wenn diese großen Wassermassen weiter flußaufwärts zwischen hohen Felswänden zusammengedrückt wurden, war eine Herausforderung für die Vorstellungskraft des Anthropologen. Seine Spekulationen waren von ausgesprochen bedrückender Art.

Raimo, in dem Sessel neben ihm, hatte auf seine Art Trost gefunden. Er nahm einen Zug aus seinem neugefüllten Silberflakon und bot ihn Bryan ziemlich halbherzig an. »Tanu-Rachenputzer. Nichts im Vergleich zu Hudson's Bay, aber auch nicht ganz schlecht.«

»Vielleicht später«, lächelte Bryan. Raimo grunzte und nahm noch einen Schluck. Die Euphorie seines morgendlichen Abenteuers war verflogen. Jetzt fühlte er sich unbehaglich und war in dumpfes Brüten versunken. Bryan versuchte, Raimo mit Fragen über die Festivitäten der vergangenen

Nacht auszuholen, erhielt jedoch nur die kürzesten Antworten.

»Sie hätten dabei sein sollen«, sagte Raimo und fiel in Schweigen.

Fast eine Stunde lang glitten sie mühelos durch einen breiten, von Felswänden gesäumten Kanal – die bewaldeten Vorberge der Alpen zur Linken und trockenes Tafelland, das sich über den Urwäldern der feuchten Niederungen erhob, zur Rechten. Gelegentlich wies Creyn auf eine Stelle hin, wo sich eine Pflanzung befand. Aber die Bäume standen so dicht, daß es unmöglich war, Einzelheiten der Siedlungen am Ufer zu erkennen. Sie erspähten kleinere Boote, die die seichten Wasser pflügten, und einmal überholten sie eine lange, gedeckte Barke, die tief im Wasser lag. Der Mast war leer, und sie hatte nur eine kleine Blase über dem Steuerhaus mittschiffs. Der Bootsführer grüßte sie mit einem Tuten seines Lufthorns, worauf Skipper Highjohn mit einem synkopierten Stoß seines eigenen antwortete.

Der Fluß beschrieb einen weiten Bogen, und die Fahrrinne führte zwischen einer hohen Landspitze und einer Gruppe zerklüfteter Inselchen hindurch. Leise mechanische Geräusche verkündeten, daß sich ihr Segel aufrollte, der Baum zusammenfaltete und der Teleskopmast in sein Gehäuse zurückzog. Weit davon entfernt, an Geschwindigkeit zu verlieren, wurde das Boot bei der Umrundung des Vorgebirges schneller. Bryan kam es vor, als machten sie dreißig Knoten oder mehr. Gleichzeitig bemerkte er ein tiefes Vibrieren, das vom Wasser her durch die versiegelte Hülle des Bootes, die luftgepolsterte Kopfstütze seines Sessels und sogar die Knochen seines Schädels drang. Es verstärkte sich zu einem hörbaren Röhren, als das Boot um eine scharfe Biegung raste. Die Mauern eines Cañon erhoben sich zu beiden Seiten.

Sukey schrie, und Raimo brüllte eine Obszönität.

Vor ihnen kippte die sich verengende Rhône auf einem Gefälle von eins zu fünf nach unten. Der Fluß wurde von den Felsen seines schrägen Bettes zu gischtendem Schaum aufgepeitscht. Das Boot schien in die Stromschnellen einzutauchen, und eine große ockerfarbene Woge krachte auf die Passagierblase und verschlang sie. Dann kam die *Mojo* wieder an die Oberfläche und rutschte durch ungeheuerliche stehende Wellen und Granitbrocken. Sie rollte so stark, daß die gelben Wellen erst auf der einen, dann auf der anderen Seite bis zur halben Höhe der wasserdichten Blase hochschwappten. Der Lärm war fast unerträglich. Raimos Mund stand weit offen, aber sein Gebrüll ging im Aufruhr der niederstürzenden Rhône unter.

Eine dunkle Masse ragte vor ihnen in die Höhe. Sie sausten um eine hohe Felsnadel in einen krummen Schlitz zwischen Reihen riesiger Blöcke, und das Boot neigte sich um fast sechzig Grad nach Steuerbord. Die Luft war von fliegender Gischt so erfüllt, daß ihr Skipper eigentlich nicht sehen konnte, wohin er steuerte. Trotzdem setzte das Boot seinen Zickzackkurs zwischen den Felsen fort, und nur gelegentlich bumste es mit seinen pneumatischen Fendern an.

Eine Erholungspause kam in Form eines tiefen Einschnitts, wo der Fluß frei strömte. Aber die Stimme Highjohns rief: »Ein letztes Mal, Leute!«, und Bryan erkannte, daß sie durch den Engpaß auf einen richtigen Zaun von scharfen Klippen zuschossen, Stücke gebrochenen Granits wie Fänge, gegen die das gelbe Flußwasser in sich überlappenden Vorhängen aus Schaum donnerte. Es schien keine Passage zu geben. Die entsetzten Zeitreisenden umklammerten die Armlehnen ihrer Sessel und machten sich auf den unvermeidlichen Aufprall gefaßt.

Die *Mojo* raste heftig schleudernd auf den höchsten Felsen zu. Sie stürzte sich in den Schaum – aber statt auf festen Fels zu stoßen oder zu sinken, stieg sie auf einer unsichtbaren Woge höher und höher. Es gab einen dröhnenden Schlag gegen die Backbordseite, als sie von einer Felsoberfläche abprallte, völlig eingehüllt in undurchsichtiges Getümmel. Das Boot schien um volle 360 Grad zu rollen und tauchte dann auf, um durch die Luft zu segeln. Es landete mit markerschütternder Wucht. Wieder schloß sich das Wasser um die Passagierblase. Unmittelbar darauf brach das Boot an die Oberfläche durch und trieb in völliger Ruhe über einen breiten See, der sich zwischen niedrigen Wänden ausbreitete. Hinter ihnen lag der Einschnitt, den sie soeben durchschifft hatten. Er spie einen Katarakt, der wie ein Pferdeschwanz, wie der Abfluß eines titanischen Entwässerungsrohrs war, in das dreißig Meter tiefer liegende Becken.

»Ihr könnt die Sicherheitsgurte jetzt lösen, Leute«, sagte der Skipper. »Für heute vormittag ist das alles an billigen Aufregungen. Nach dem Mittagessen wird es *wirklich* rauh.«

Er kehrte zurück in das Passagierabteil, um die Folie auf ein mögliches Leck zu untersuchen. »Hat nicht einen Tropfen aufgenommen!«

»Meinen Glückwunsch«, flüsterte Bryan. Mit einer zitternden Hand fummelte er an den Schnallen des Sicherheitsgurts herum.

»Soll ich helfen?« bot Highjohn an und beugte sich über ihn.

Wieder frei, stand Bryan mit schwachen Knien auf. Er sah, daß alle anderen, auch Creyn und Elizabeth, bewegungslos und mit geschlossenen Augen, offensichtlich schlafend, in ihren Sesseln saßen.

Die Fäuste in die Hüften gestemmt, betrachtete der Skipper die Passagiere mit langsamem Kopfschütteln. »Jedes gottverdammte Mal! Diese empfindlichen Tanu-Typen vertragen Camerons Schleuse nun einmal nicht. Die meisten von ihnen fürchten sich vor Wasser. Deshalb schalten sie ab. Und wenn die ringtragenden Menschen Angst zeigen, schalten die Tanu auch sie einfach ab. Irgendwie enttäuschend, wissen Sie. Jeder Künstler hat gern ein Publikum.«

»Ich kann Sie verstehen«, sagte Bryan.

»Eine Rarität wie Sie bekomme ich nicht oft, kein Ring und gar nichts und Manns genug, ohne Schreikrampf durchzukommen. Diese Dame ohne Ring ...« – er zeigte auf Elizabeth – »muß von selbst das Bewußtsein verloren haben.«

»Unwahrscheinlich«, meinte Bryan. »Sie ist eine operante Metapsychikerin. Ich bin überzeugt, sie hat zur Beruhigung ihre eigene mentale Übung ausgeführt und hat die Aufregung ebenso verschlafen wie Creyn.«

»Aber Sie nicht, wie, Sportsfreund? Ich vermute, Sie sind früher schon auf rauhem Wasser gewesen.«

Bryan zuckte die Achseln. »Hobby-Segler. Nordsee, Ärmelkanal, Mittelmeer. So das Übliche.«

Highjohn klopfte ihm auf die Schulter. Seine Augen zwinkerten, er lächelte Bryan kameradschaftlich zu. »Ich will Ihnen was sagen. Sie kommen zu mir nach vorn, und ich zeige Ihnen ein paar Sachen, wie man diese Badewanne steuert, bevor wir Feligompo erreichen. Wenn es Ihnen Spaß macht – wer weiß? Es gibt schlimmere Berufe, auf die Sie hier im Exil verfallen könnten.«

»Ich möchte gern zu Ihnen ins Ruderhaus kommen«, sagte Bryan. »Aber es wird mir nicht möglich sein, Ihr Angebot, mich in die Lehre zu nehmen, zu akzeptieren.« Er grinste verlegen. »Ich glaube, die Tanu haben etwas anderes mit mir vor.«

13

Claude erwachte. Eine kühle Brise blies durch hängende Ketten hölzerner Perlen, die alle vier Seiten des Gefangenen-Schlafsaals abschirmten und das Eindringen von Insekten verhinderten. Zwei Wachtposten schritten ständig rund um die Unterkunft. Ihre Bronzehelme drehten sich, wenn sie die Insassen musterten. Die Armbrüste ruhten fertig gespannt locker auf ihren Schultern und konnten in Augenblicksgeschwindigkeit zum Schuß benutzt werden.

Der alte Mann überprüfte seine Glieder – und bei Gott, sie gehorchten ihm. Sein inneres Anpassungssystem funktionierte nach all den Jahren immer noch. Er setzte sich auf seinem Strohsack auf und blickte rundum. Fast alle anderen Gefangenen lagen noch da, als seien sie betäubt worden. Aber Felice war wach, ebenso Basil, der Bergsteiger, und zwei japanische Ronin. Leise japsende Laute kamen aus einem geschlossenen Korb neben einer schlafenden Frau. Sonst war nur Schnarchen und ab und zu ein Stöhnen zu hören.

Ohne einen Laut von sich zu geben, beobachtete Claude die Athletin. Felice sprach leise mit den drei anderen Männern. Einmal versuchte einer der Ronin gegen etwas, das sie sagte, Protest einzulegen. Sie schnitt ihm mit einer heftigen Geste das Wort ab, und der östliche Krieger unterwarf sich.

Es war später Nachmittag und sehr heiß. Der Raum innerhalb des ummauerten Forts lag tief in grünem Schatten. Küchengerüche wehten von einem der Gebäude herüber und ließen Claude das Wasser im Mund zusammenlaufen. Wieder ein Fleischeintopf und dazu etwas wie Obstkuchen im Backofen. Was auch sonst ihre Mängel sein mochten, die Exil-Gesellschaft aß gewiß gut.

Als Felice die Diskussion beendet hatte, kroch sie über den vollbelegten Fußboden zu Claudes Ruheplatz hin. Sie wirkte aufgedreht, und ihre braunen Augen waren groß. Sie trug das ärmellose Kiltgewand, das die Unterkleidung ihrer Hoplitenrüstung war, doch hatte sie den Rest der Uniform mit Ausnahme der schwarzen Beinschienen abgelegt. Die bloßen Hautstellen schimmerten von leichtem Schweiß.

»Weck Richard auf!« flüsterte sie.

Claude schüttelte den schlafenden Ex-Raumfahrer an der Schulter. Richard richtete sich, Unflätiges murmelnd, auf den Ellbogen hoch.

»Wir werden es wahrscheinlich heute nacht tun müssen«, erklärte Felice. »Einer der Fort-Leute hat Amerie erzählt, morgen kämen wir in ein sehr unwegsames Gebiet, und da hätte mein Plan nicht viel Chancen. Ich brauche offenen Raum, damit ich sehe, was ich tue. Und ich werde mir einen Zeitpunkt vor der Morgendämmerung aussuchen, wenn es noch ziemlich dunkel ist und die Bärenhunde auch ihre Reserveluft schon fast aufgebraucht haben.«

»Jetzt warte mal!« protestierte Richard. »Meinst du nicht, wir sollten diesen deinen Plan erst einmal diskutieren?«

Sie ignorierte ihn. »Die anderen – Yosh, Tat, Basil – werden versuchen, uns zu helfen. Ich habe die Zigeuner gefragt, aber sie sind halb verrückt und würden von einer Frau sowieso keine Befehle entgegennehmen. Also wir machen folgendes: Nach der Pause um Mitternacht wechselt Richard mit Amerie den Platz und reitet neben mir.«

»Komm, komm, Felice! Die Wächter werden den Austausch bemerken.«

»Du wechselst die Kleider mit ihr auf der Latrine.«

»Nicht ums ...!« flammte Richard auf. Aber Felice packte ihn bei den Rockaufschlägen und zog ihn auf seinem Bauch über den Boden, bis sie sich Nase an Nase befanden.

»Du hältst den Mund und hörst zu, Kapitän Arschloch!

Keiner von euch übrigen hat die geringste Chance, uns hier herauszuholen. Amerie hat einen der Wächter ausgehorcht, nachdem sie heute morgen für sie die Messe gelesen hat. Diese Fremden haben Metafunktionen, die dir das Gehirn auszubrennen und dich in einen Wahnsinnigen oder einen verdammten Zombie zu verwandeln vermögen. Sie können mit normalen Waffen nicht einmal *getötet* werden! Sie haben da ein System zur Kontrolle ihrer Sklavenstädte, das nahezu perfekt ist. Sobald wir in Finiah ankommen und sie mich testen und feststellen, daß ich latent bin, beringen oder töten sie mich, und ihr anderen könnt von Glück sagen, wenn ihr euer Leben damit verbringen dürft, die Chaliko-Ställe auszumisten. Dies ist unsere letzte Gelegenheit, Richard! Und du wirst tun, was ich dir sage!«

»Laß ihn los, Felice!« drängte Claude. »Die Wachen.«

Sie ließ ihn fallen, und Richard flüsterte: »Verdammt sollst du sein, Felice! Ich habe nicht gesagt, ich wolle nicht mitmachen. Aber du kannst mich nicht wie ein hirnloses Baby behandeln!«

»Wie sonst soll man einen erwachsenen Mann nennen, der sein Bett vollmacht?« fragte sie. »Wer hat dir die Windeln gewechselt, als du Sternenschiffe geflogen hast, Kapitän?«

Richard wurde blaß. Claude war wütend. »Hört auf! Alle beide! ... Richard, du warst krank. Ein Mann, der krank ist, kann sich nicht helfen. Um Gottes willen, vergeßt die Sache! Wir haben dir gern geholfen. Aber du mußt dich jetzt zusammenreißen und mit uns übrigen bei diesem Fluchtplan an einem Strang ziehen! Deine persönlichen Gefühle gegenüber Felice dürfen das nicht kaputtmachen, was unsere einzige Hoffnung sein mag, aus diesem Alptraum zu entrinnen.«

Richard betrachtete die kleine Ringhockey-Spielerin düster, dann grinste er sie schief an. »Du kannst durchaus die einzige von uns sein, die ihnen gewachsen ist, Süße. Natürlich. Ich werde bei allem mitmachen, was du sagst.«

»Das ist gut«, antwortete sie. Sie faßte hinter das schwarze Leder ihrer linken Beinschiene und zog etwas hervor, das wie ein schlankes goldenes Kreuz aussah. »Die erste gute Nachricht ist, daß wir nicht vollkommen waffenlos sind ...«

Am Abend ritten sie weiter. Der zunehmende Mond leuchtete durch die Zypressen. Nach Durchquerung des seichten Nebenflusses kletterte die Karawane auf die Burgundische Hochebene und schlug von neuem einen nördlichen Kurs ein. Signalfeuer erleuchteten den Weg durch die sich verstärkende Dunkelheit. Nach einiger Zeit konnten sie auf ein weites Gebiet voll wogenden Nebels blicken, das die ausgedehnten Sumpfländer kennzeichnete, wo die Saône des Pliozän dem prähistorischen Lac de Bresse entsprang. Das Wasser des Sees erstreckte sich weit nord- und ostwärts wie schwarzes Glas und ertränkte die gesamte Ebene unterhalb der Côte d'or. Richard unterhielt den alten Paläontologen mit Beschreibungen der legendären Weine, die sechs Millionen Jahre in der Zukunft in diesem Distrikt produziert werden würden.

Später, als die Sterne hell waren, fixierte Richard ein letztes Mal den Polarstern des Pliozän. Er war der hellste Stern in einer Konstellation, die von den beiden Männern der Große Truthahn getauft wurde.

»Da hast du gute Arbeit geleistet«, bemerkte Claude.

»Die ganze Sache kann sich als akademisch erweisen, wenn wir tot oder mit ausgebrannten Gehirnen enden ... Glaubst du, Felices Plan wird tatsächlich funktionieren?«

»Überleg dir einmal folgendes, Sohn! Felice wäre leicht fähig, allein zu fliehen. Aber sie hat diesen Plan ausgearbeitet, um auch uns anderen eine Chance zu geben. Du magst die kleine Dame aus Herzensgrund hassen, doch sie könnte es gerade eben fertigbringen. Ich werde mein Bestes für sie tun, obwohl ich nur noch ein alter Krauter einen Schritt diesseits der Fossilierung bin. Du jedoch bist noch jung, Richard. Du siehst aus, als würdest du in einem Kampf deinen Mann stehen. Wir zählen auf dich.«

»Ich bin halb verrückt vor Angst«, vertraute der Pirat ihm an. »Dies winzige goldene Messerchen von ihr! Es ist nichts als ein Spielzeug. Wie, zum Teufel, soll ich es tun?«

Der alte Mann empfahl: »Versuch es mit Ameries Rezept! Bete!«

Im vorderen Teil der Karawane grüßte Basil der Alpinist die sinkende Mondsichel, indem er »Au claire de la lune« auf seinem Rekorder spielte. Die kleine Schmetterlingstänzerin aus Paris, die neben ihm ritt, sang mit. Und erstaunlicherweise stimmte Epone mit einer Sopranstimme von schmelzender Fülle ein. Die Fremde fuhr fort zu singen, als Basil verschiedene andere Lieder spielte, doch als er mit »Londonderry Air« begann, galoppierte einer der Soldaten auf seinem Chaliko zurück und sagte: »Die Hohe Dame verbietet dem Volk, dies Lied zu singen.«

Der Bergsteiger zuckte die Achseln und steckte seine Flöte weg.

Die Schmetterlingstänzerin sagte: »Das Ungeheuer singt dies Lied mit ihren eigenen Worten. Ich habe sie in der Torburg gehört, in der ersten Nacht unserer Gefangenschaft. Ist es nicht seltsam, daß ein Ungeheuer musikalisch ist? Es ist wie ein Märchen – und Epone ist die schöne, böse Hexe.«

»Die Hexe mag vor Morgengrauen ein anderes Lied singen«, murmelte Felice, aber nur die Nonne hörte sie.

Die Karawane kam näher und näher an das westliche Ufer des großen Sees heran. Sie mußte ihn umrunden, bevor es in östlicher Richtung durch das Tal von Belfort zwischen dem Hochland der Vogesen und dem Jura ins Tal des Urrheins weiterging. Das Wasser des Sees war ganz ruhig und reflektierte die helleren Sterne wie ein tintenfarbener Spiegel. Als der Weg um ein Vorgebirge bog, sahen sie auch den Widerschein eines fernen Signalfeuers als orangefarbene Streifen, der über eine breite Bucht hinweg auf sie zielte.

»Sieh mal – nicht nur ein Feuer, sondern *zwei!*« Felices Stimme klang ein wenig aufgeregt. »Zum Teufel, was kann das zu bedeuten haben?«

Einer der Soldaten aus der Nachhut der Karawane galoppierte an ihnen vorbei, besprach sich mit Captal Waldemar und kehrte an seinen Platz zurück. Die Chalikos fielen in Schritt und blieben schließlich ganz stehen. Epone und Waldemar verließen den Weg und ritten einen kleinen Hügel hinauf, von wo aus sie den See überblicken konnten.

Felice schlug sacht mit der Faust in die Handfläche und flüsterte: »Scheiße, Scheiße, Scheiße!«

»Da draußen auf dem Wasser ist etwas«, stellte Amerie fest.

Ein leichter Nebel verschleierte das Gebiet der Bucht. Ein Teil davon schien sich vor ihren Augen zu verdichten und Leuchtkraft zu gewinnen. Dann brach das Gebilde in vier getrennte, trüb glänzende Massen, undeutlich und gestaltlos, auseinander. Während sich diese Irrlichter näherten, wurden sie größer und erstrahlten in Farben – das eine in schwachem Blau, ein anderes in blassem Gold und zwei in tiefem Rot. Sie tanzten auf und nieder und folgten einem trügerischen Pfad über das Wasser zu einer Stelle am Ufer, die nicht weit von der haltenden Karawane entfernt war.

»Les lutins«, sagte die Schmetterlingstänzerin, die Stimme rauh vor Angst.

Der zentrale Teil der Masse enthüllte eine innerhalb des Glühens schwebende Gestalt. Es waren runde Körper mit herabbaumelnden, sich biegenden Fortsätzen. Sie waren mindestens doppelt so groß wie ein menschliches Wesen.

»Sie sehen wie riesige Spinnen aus!« flüsterte Amerie.

»Les lutins araignées«, wiederholte die Tänzerin. »Meine Grandmère hat mir die alten Geschichten erzählt. Das sind die Gestaltwandler.«

»Es ist eine Illusion«, entschied Felice. »Seht euch Epone an!«

Die Tanu-Frau hatte sich in den Steigbügeln erhoben, so daß sie hoch über dem Rücken ihres regungslosen weißen Chalikos aufragte. Die Kapuze ihres Mantels fiel zurück, und ihr Haar leuchtete in dem mannigfach schattierten Licht, das von den Wesen draußen auf dem See ausstrahlte. Sie legte beide Hände an den Hals und rief ein einziges Wort in der Sprache der Fremden.

Die Flammenspinnen hoben ihre Hinterleibe gegen sie. Fäden purpurnen Lichts schossen auf Epone zu und über die Köpfe der Gefangenen weg. Die Leute schrien auf vor Verblüffung, sich ihrer Furcht kaum bewußt. Der Vorgang war so bizarr, daß er wie eine verrückte Licht-Show wirkte.

Das leuchtende Gewebe erreichte nie den Boden. Während es über ihnen schimmerte, zerbrach es wie ersterbendes Feuerwerk in Myriaden glitzernder Fragmente. Die äußeren

Ränder jedes individuellen Spinnen-Halos begannen sich auf gleiche Weise aufzulösen und hüllten die Phantome in eine Wolke schwirrender Funken ein. Die glühenden Spinnen wurden zu Kraken mit sich schlängelnden Tentakeln, dann zu monströsen körperlosen Menschenköpfen mit Medusenhaar und feurigen Augen, und schließlich gesichtslose Kugeln, die dahinschwanden, dunkler wurden und erloschen.

Nur noch die Sterne und die Signalfeuer spiegelten sich im See.

Epone und der Captal ritten zur Karawane zurück und begaben sich an ihre Plätze vorn. Die Chalikos schnaubten und wieherten und nahmen ihren üblichen Trab wieder auf. Einer der Soldaten sagte etwas zu einem Gefangenen an der Spitze des Zuges, und das Wort wurde langsam nach hinten weitergegeben.

»Firvulag. Das waren Firvulag.«

»Es war eine Illusion.« Felice beharrte bei dieser Meinung. »Aber, zum Teufel, irgend etwas hat sie erzeugt! Etwas, das die Tanu nicht lieber hat als wir. Das ist sehr interessant.«

»Bedeutet das, daß du deinen Plan ändern mußt?« fragte Amerie.

»Durchaus nicht. Es könnte sogar helfen. Wenn die Wachen nach Ghouls und Gespenstern und langbeinigen Viechern Ausschau halten, werden sie uns weniger Aufmerksamkeit widmen.«

Die Kavalkade erreichte nach Umrundung der Bucht die Stelle des doppelten Signalfeuers, wo die Gefangenen zur mitternächtlichen Ruhepause in ein weiteres Fort einritten. Felice stieg schnell ab und half dann allen dreien ihrer Freunde sowie mehreren anderen Reitern. Und später, als es Zeit war, in den Sattel zu klettern, war sie wieder da, um den müden Leuten zu helfen, ihre Füße in die Steigbügel zu stellen, bevor die Soldaten kamen und die bronzenen Knöchelketten mit den Ledermanschetten befestigten.

»Schwester Amerie fühlt sich nicht wohl«, teilte die kleine Athletin dem Wächter mit, der sie an ihr eigenes Tier fesselte. »Von diesen seltsamen Geschöpfen draußen auf dem See ist ihr ganz schwach geworden.«

»Machen Sie sich keine Sorgen um die Firvulag, Schwester!« beruhigte der Mann die verschleierte, im Sattel zusammengesunkene Reiterin. »Sie können auf keinen Fall an Sie heran, solange die Hohe Dame bei uns ist. Sie ist große Klasse im Koerzieren. Reiten Sie getrost weiter!«

»Gott segne Sie.« Es war wie ein Hauch.

Der Soldat ging weiter zu Basil und der Tänzerin, und Felice riet: »Versuch zu schlafen, Schwester! Das ist für die Nerven das beste.« Leiser setzte sie hinzu: »Und halt deine fotzenleckende Zunge im Zaum, wie ich dir gesagt habe!«

Die arme kranke Nonne lud Felice zu einer unwahrscheinlichen anatomischen Exkursion ein.

Sie folgten weiter dem Ufer, hielten sich jedoch immer noch nordwärts. Nachdem eine Stunde vergangen war, meldete Claude: »Ich bin frei. Wie ist es mit dir, Amerie?«

Der Reiter neben ihm trug den Overall eines Sternenschiff-Kapitäns und einen wenig dazu passenden breitrandigen Hut mit dunklen Federn. »Meine Ketten sind gebrochen. Was ist Felice für ein unglaubliches Kind! Aber ich kann verstehen, warum sie von den anderen Ringhockey-Spielern in Acht und Bann getan wurde. Es ist einfach unmenschlich, all diese Kraft in einem solchen Puppenkörper.«

»Mit ihrer *körperlichen* Kraft hätten die anderen leben können«, sagte Claude und ließ es dabei bewenden.

Dann fragte Amerie: »Wie viele Leute hat sie losgemacht?«

»Die beiden Japaner hinter ihr. Basil, den Mann mit dem Tirolerhut. Und Dougal, diesen armen Ritter aus dem Mittelalter, der vor Basil reitet. Dougal weiß nicht, daß seine Ketten genügend geschwächt sind, um gebrochen werden zu können. Felice wollte ihn nicht einweihen, weil er nicht stabil genug sei. Aber wenn es losgeht, kriegen wir ihn schon so weit, daß er mit ausbricht und uns hilft. Gott weiß, er ist groß und sieht stark aus, und vielleicht haßt er Epone so sehr, daß er aus seinem Wahn erwacht, wenn er andere in Aktion sieht.«

»Ich hoffe, Richard wird sein Teil tun.«

»Keine Bange. Ich glaube, er ist bereit – und wenn er Felice damit nur zeigen will, daß sie nicht die einzige mit Mumm ist.«

Die Nonne lachte. »Was sind wir für eine Kollektion! Alle

Exilierte und Verlierer. Wir haben nur bekommen, was wir verdienten – schließlich sind wir vor unserer Verantwortung davongelaufen. Sieh mich an! Eine Menge Leute brauchten meine Hilfe. Aber ich mußte über hochwichtigen spirituelle Fragen brüten und grübeln, statt mit meiner Arbeit weiterzumachen ... Weißt du, Claude, der größte Teil der letzten Nacht war die Hölle für mich. Das Reiten hat etwas an sich, das mir auf schlimmste Weise wehtut. Und während ich litt, stellte ich fest, daß ich schrumpfte. Ich glaube, jetzt verstehe ich endlich den Grund, warum ich mich in diese Patsche gebracht habe. Nicht nur die Auswanderung ins Exil – die ganze Angelegenheit.«

Der alte Mann sagte nichts.

»Du hast es dir bestimmt auch zusammengereimt, Claude. Schon längst.«

»Nun ja«, gestand er. »Als wir über deine Kindheit und diesen Tag im Grand Cañon sprachen. Aber du mußtest es selbst herausfinden.«

Sie sagte leise: »Die erstgeborene Tochter, die in der warmen, italienstämmigen Familiengemeinschaft eine kleine Mama war. Die schwer arbeitenden berufstätigen Eltern, die sich auf ihre Hilfe beim Versorgen der süßen kleinen Brüder verließen. Und wie gern tat sie es, und wie stolz machte die Verantwortung sie! Dann bereitet sich die Familie darauf vor, auf eine neue Welt auszuwandern. Aufregend! Aber die Tochter verdirbt sich alles, indem sie irgendwelche Muskeln überanstrengt und sich dann bei einem Sturz das Bein bricht.«

... Es ist doch nur eine kurze Woche im Tank, Liebes, und dann kommst du uns mit dem nächsten Schiff nach. Werde schnell gesund, Annamaria. Wir werden deine Hilfe auf Multnomah mehr denn je brauchen, großes Mädchen!

Und du wurdest schnell gesund. Doch als du wieder gesund warst, waren sie alle tot – umgekommen durch ein technisches Versagen bei der Translation ihres Sternenschiffs. Was konntest du also unternehmen, um gutzumachen? Du versuchtest in all den Jahren, ihnen zu zeigen, daß es dir leid tat, nicht mit ihnen gestorben zu sein. Du widmetest dich der Aufgabe, anderen Menschen das Sterben zu erleichtern, da du nicht imstande gewesen warst, es bei ihnen zu tun ...

»Und gleichzeitig habe ich mich immerzu dagegen gewehrt, Claude. Das ist mir jetzt klar. Ich war im Grunde nicht morbid veranlagt, und ich war froh, am Leben und nicht tot zu sein. Aber dies alte Schuldgefühl verließ mich nie, obwohl ich es durch meinen Beruf so gut sublimiert hatte, daß ich nicht merkte, wie es mich aushöhlte. Jahrelang tat ich diese sehr schwere Arbeit und weigerte mich, wie alle anderen einen freien Tag oder Sabbath zu nehmen. Immer gab es einen Fall, der gerade meine Hilfe benötigte, und ich war immer stark genug, sie zu leisten. Und am Ende ging alles in die Brüche. Die Dämonen waren nicht länger exorziert. Die emotionale Erschöpfung durch meine Arbeit und das verdrängte Schuldgefühl vermischten sich und wurden unerträglich.«

Die Stimme des alten Mannes war voller Mitgefühl. »Und als nun die kontemplativen Orden dich mit Recht ablehnten, suchtest du und fandest etwas, das nach einer noch besseren Wiedergutmachung aussah ... Siehst du nicht ein, daß du dich selbst nicht genug geliebt hast, Amerie? Diese Vorstellung von einer Einsiedelei im Exil war endlich der richtige Stuhl mit dem Gesicht zur Wand.«

Sie hielt den Kopf von ihm abgewandt, so daß der breitrandige Hut ihr Gesicht verbarg. Sie sagte: »Und so erweist sich die Exil-Eremitin also ebenso unecht wie die Nonne im Hospiz, die den Sterbenden Hilfe leistete.«

»Das letzte ist nicht wahr!« fuhr Claude auf. »Gen hat nicht so gedacht, und ich auch nicht. Und ebenso wenig die Hunderten von anderen Leidenden, denen du geholfen hast. Um Gottes willen, Amerie, versuch es in der richtigen Perspektive zu sehen! Jedes menschliche Wesen hat tiefe und oberflächliche Motive. Aber die Motivation macht das objektiv Gute, das wir tun, nicht ungültig.«

»Du willst, daß ich mein Leben weiterlebe und aufhöre, in meinen Wunden zu bohren. Aber, Claude – ich kann jetzt nicht mehr zurück, auch wenn ich weiß, daß ich die falsche Wahl getroffen habe. Mir ist nichts mehr geblieben.«

»Wenn du noch eine Spur von Glauben hast, warum

glaubst du dann nicht, daß du aus einem bestimmten Grund hier bist?«

Sie verzog einen Mundwinkel zum Lächeln. »Eine interessante Idee. Darüber will ich den Rest der Nacht meditieren.«

»Braves Mädchen. Ich habe so ein Gefühl, du wirst später nicht mehr viel Zeit zum Meditieren haben, wenn es mit Felices Plan klappt ... Ich will dir was sagen. Du meditierst, und ich schlafe, und das wird uns beiden gut bekommen. Weck mich auf, sobald Basil anfängt, das Signal zu spielen! Es wird kurz vor dem Morgengrauen sein.«

»Wenn es am dunkelsten ist«, seufzte die Nonne. »Schlaf nur, Claude! Angenehme Träume!«

Es kamen keine doppelten Signalfeuer mehr, die eine Warnung des Pfadfindertrupps vor Firvulag in der Nachbarschaft gewesen sein mußten. Die Karawane war jetzt von der Hochebene hinabgestiegen und überquerte offene, spärlich bewaldete Abhänge. Sie waren von kleinen Bächen durchschnitten, die weiß über Felsblöcke schäumten und von den Chalikos, die sich ihren Weg im Sternenlicht suchten, mühselige Fußarbeit verlangten. Das Land wurde rauher, und in der Luft lag ein Hauch von Koniferenharz. Später in der Nacht kam Wind auf, unter dem sich der See kräuselte und die Signalfeuer am Ufer streckten und wanden. Es war sehr still. Abgesehen von dem Geräusch der dahinziehenden Karawane waren nur Eulenrufe zu hören. Kein Dorf, keine Farm zeigte ein Licht, man erkannte überhaupt keine Anzeichen einer Besiedlung. Das war nur gut, wenn ihnen die Flucht gelang.

Sie kamen an eine tiefe Schlucht, auf beiden Seiten von Feuern erhellt, wo ein einsamer Wachtposten eine Hängebrücke über die Fälle eines Flusses sicherte. Drei fackeltragende Männer in Bronzerüstung nahmen Haltung an, als Epone und Captal Waldemar über das schwankende Gebilde ritten. Dann führten die Soldaten kleine Gruppen von Gefangenen, links und rechts von Amphicyonen begleitet, hinüber.

Der Marsch wurde fortgesetzt. Richard benachrichtigte Felice: »Es ist nach vier. Wir haben mit dem Überqueren der Bäche ziemlich viel Zeit verloren.«

»Wir müssen warten, bis wir weit genug von diesem verdammten Wachtposten entfernt sind. Damit hatte ich nicht gerechnet. Es sind mehr als drei Soldaten da, darauf kannst du dich verlassen. Epone ist bestimmt fähig, ihnen einen telepathischen Hilferuf zu senden, und wir müssen ganz sicher sein, daß sie zu spät eintreffen. Ich möchte noch mindestens eine weitere halbe Stunde warten.«

»Tüftele nicht zu viel, Süße! Was ist, wenn es noch einen Posten gibt? Und was ist mit den Pfadfindern vor uns, die die Feuer anzünden?«

»Ach, halt den Mund! Ich jongliere Faktoren in dem Versuch, die optimale Lösung zu finden, bis mir ganz schwindelig ist. Sorg du nur dafür, daß *du* bereit bist ... Hast du es fest an deinen Unterarm gebunden?«

»Ganz wie du gesagt hast.«

Felice rief: »Basil!«

»Hier.«

»Möchtest du eine Weile Wiegenlieder spielen?«

Leise Flötenklänge stiegen auf und beruhigten die Reiter nach der kurzen Aufregung der Brückenüberquerung. Die Doppelreihe der Chalikos und die sie flankierenden Bärenhunde bewegten sich jetzt zwischen gewaltigen schwarzen Koniferenstämmen. Der Weg war weich von seit Jahrtausenden abgefallenen Nadeln. Sie dämpften die Schritte und versenkten auch die am meisten leidenden Reiter in einen Halbschlaf. Der Pfad stieg allmählich an, bis er mehr als hundert Meter über dem Lac de Bresse lag. Dann und wann fiel der Hang zur Rechten der Karawane steil zum Wasser ab. Zu bald, so schien es Felice, wurde der Himmel im Osten hell.

Sie seufzte und zog ihren Hopliten-Helm herab. Dann beugte sie sich im Sattel vor. »Basil. Jetzt!«

Der Bergsteiger spielte: »All Through the Night.«

Als er damit zu Ende war und von neuem begann, wechselten vier Amphicyonen geräuschlos an die Spitze der Prozession über und schlugen gleichzeitig ihre Zähne in Epones Chaliko. Das Reittier der Fremden stieß einen herzzerreißenden Schrei aus und brach unter einem Gewirr dunkler Körper zusammen. Die Bärenhunde stürzten sich mit bellendem Gebrüll auf Epone selbst. Laute des Entsetzens kamen von den Soldaten und den Gefangenen in den vorderen Reihen, aber die Tanu-Sklavenherrin gab keinen Ton von sich.

Richard stemmte seine freien Füße gegen den Hals seines Reittiers und hielt die Zügel fest, als es losschoß. Er galoppierte in die Mitte eines Soldatenquartetts, das Epone zu helfen versuchte. Waldemar rief laut: »Benutzt eure Lanzen, nicht die Bogen! Hebt die Bärenhunde von ihr weg, ihr blöden Bastarde!«

Richards Chaliko bäumte sich auf, krachte auf den Captal nieder und warf ihn aus dem Sattel. Eine Gestalt in einer weißen Robe und einem schwarzen Schleier sprang zu Boden, als wolle sie dem gestürzten Offizier helfen. Waldemar japste auf vor Erstaunen, einen Schnurrbart im Gesicht einer Nonne zu sehen, doch schon ließ Richard Felices kleinen Dolch aus seiner goldenen Scheide gleiten. Er stieß Waldemar die stählerne Klinge zweimal zwischen Unterkiefer und grauen Halsreif und zerschnitt ihm die Halsschlagader. Mit einem gurgelnden Schrei faßte der Captal nach der falschen Nonne, lächelte ungläubig und starb.

Zwei reiterlose Chalikos kämpften im Halbdunkel miteinander und fügten sich mit ihren riesigen Klauen schreckliche Wunden zu. Richard steckte den Dolch wieder in die Scheide an seinem Unterarm, ergriff das Bronzeschwert des toten Offiziers und trat fluchend zurück. Aus dem Durcheinander von Amphicyonen und bewaffneten Männern kamen undeutliche Rufe und ein langer Schmerzensschrei. Die beiden Soldaten der Nachhut galoppierten herbei, um ihre Kameraden zu unterstützen. Einer der Männer griff mit eingelegter Lanze an, spießte einen kleinen Bärenhund auf, der von der Flanke her angriff, und hob ihn hoch in die Luft. Dann krachte ein neuer schwerer Körper in die berittenen Wächter hinein und schnappte nach den Fersen der scheu gewordenen, kreischenden Chalikos.

Felice saß bewegungslos im Sattel, als sei sie nichts als eine Zuschauerin bei dem Gemetzel. Einer der Ronin stürmte, mit den Absätzen auf die Schulter seines Reittiers trommelnd, in das Getümmel. Er riß die Zügel zurück, das Chaliko bäumte sich auf und stieß mit seinen Krummsäbelklauen auf den Rumpf des Chalikos eines Soldaten nieder. Ein alter japanischer Schlachtruf gellte. Immer wieder zwang der japanische Krieger sein Tier zum Angriff. Schläge von furchtbarer Wucht stampften den Soldaten und sein Chaliko in die bereits auf der Erde liegende wirre Masse. Der zweite Ronin näherte sich zu Fuß und riß die Lanze des gefallenen Mannes aus der Sattelhalterung.

»Ein Bärenhund! Hinter dir, Tat!« brüllte Richard so laut er konnte.

Der Krieger fuhr herum. Das Amphicyon sprang, und er stemmte den Speer auf den Boden. Mit durchbohrtem Hals wurde der Tierkörper von seinem eigenen Sprung weitergetragen und begrub den Ronin namens Tat unter sich. Richard sprang vor und stach dem zappelnden Ungeheuer in das ihm zugekehrte Auge, dann mühte er sich, es von dem Krieger wegzuzerren. Aber irgend jemand rief: »Da kommt noch einer!« und Richard erblickte keine vier Meter weit entfernt eine schwarze Masse mit glühenden Augen.

Felice betrachtete ungerührt den Kampf, das Gesicht innerhalb der T-förmigen Helmöffnung fast verborgen.

Das heranstürmende Amphicyon schwenkte von Richard weg, lief über den Rand eines Steilhangs hinaus, schrie mitten in der Luft auf und stürzte mit lautem Platschen ins Wasser. Basil und der Ritter Dougal lenkten ihre Reittiere hilflos um den tobenden Knäuel, zögernd vor den um sich schlagenden blutigen Klauen und den kämpfenden Gestalten. Richard riß sich die hinderliche Kopfbedeckung ab, griff sich eine neue Lanze und warf sie Basil zu. Anstatt zuzustechen, zielte der Bergsteiger damit wie mit einem Wurfspieß, warf und traf die Rüstung eines Soldaten hoch oben am Rücken. Die Spitze der Waffe rutschte unter den Kesselhelm des Mannes und durchdrang seine Schädelbasis. Er fiel wie ein Sandsack.

Felice sah zu.

Aus der Dunkelheit ringsum kamen keine Bärenhunde mehr. Alle, die noch lebten, waren eifrig mit etwas beschäftigt, das neben dem Kadaver eines weißen Chalikos lag. Ein einziger Soldat stand aufrecht zwischen ihnen und wich um sich schlagend langsam vor den knurrenden Amphicyonen zurück wie ein frisch mit roter Farbe bemalter Automat.

»Du mußt ihn töten«, sagte Felice.

Sie konnten keine Lanzen mehr finden. Richard rannte zu dem im Sattel sitzenden Ritter, reichte ihm sein Bronzeschwert hinauf und zeigte auf den Soldaten. »Fälle ihn, Dougal!«

Wie in Trance ergriff der elegante Ritter die Waffe und wartete auf einen passenden Augenblick, bis er in die Masse von toten und sterbenden Tieren und Männern hineinritt. Er köpfte die vergeblich um sich hauende Gestalt mit einem einzigen Streich.

Es waren noch zwei Bärenhunde am Leben, als der letzte Soldat fiel. Richard fand ein weiteres Schwert und bereitete sich darauf vor, sich zu verteidigen, wenn sie ihn angriffen. Aber die Biester schienen eine Art Anfall zu haben. Sie zogen sich widerstrebend von ihrer Beute zurück, heulten gepeinigt und machten dann kehrt und sprangen über den Rand der Uferklippe in den Tod.

Der Himmel wurde rosafarben. Ersticktes Keuchen und hysterisches Schluchzen wurde laut, als die entgeisterten Gefangenen, während des Kampfes von Claude und Amerie in einer dichten Gruppe zusammengehalten, jetzt langsam herankamen, um nachzusehen. Die Schreie sterbender Chalikos verstummten abrupt, als der überlebende Ronin mit einem Schwert die Runde machte. Die ersten Morgenlieder der Singsperlinge, einfach und feierlich wie ein Gregorianischer Choral, hallten zwischen den hohen Sequoia-Stämmen wider.

Felice hob sich im Sattel, die Arme ausgebreitet, die Finger gespreizt, den Kopf mit dem federgeschmückten Helm zurückgeworfen. Sie wand sich, schrie auf und sank schlaff gegen die hohe Sattellehne.

Der Japaner beugte sich über den blutigen Kadaver des weißen Chalikos. Er grunzte und winkte Richard. Der frühere Sternenschiff-Kapitän war jetzt so abgestumpft, daß er nichts mehr als Neugier empfand. Er stolperte in das fleischliche Wrack, behindert von seiner unpassenden Nonnentracht. Auf dem Boden zwischen den Leichen lag ein in blutige Lumpen gehüllter grausiger Rumpf, dem Arme und Beine abgefressen worden waren. Das Gesicht war auf einer Seite bis auf den Knochen aufgerissen, aber die andere Seite war immer noch schön und unberührt.

Ein Augenlid öffnete sich. Ein jadegrünes Auge blickte Richard an. Epones Geist packte ihn und zerrte ihn hinunter.

Er kreischte. Sein Bronzeschwert hieb und stach nach dem Ding da unten, aber der Griff war nicht zu brechen. Das Morgenlicht begann zu verblassen, und er wurde an einen Ort gebracht, von dem er nicht wiederkehren würde.

»Eisen!« erscholl die aufgeregte Stimme des Ritters. »Eisen! Nur so kann die Fee sterben!«

Das nutzlose Schwert fiel nieder, und Richard suchte an seinem Handgelenk herum. Während er weiter sank, packte er das rettende Instrument und sandte seine stählerne Kraft tief zwischen die wogenden, weiß und scharlachroten Rippen ohne Brüste in das hämmernde Herz und machte es still. Der in dem Körper wohnende Geist entfloh, erlösend, wie er erlöst wurde.

Basil und der Ronin zogen Richard an den Armen heraus. Er hatte die Augen aufgerissen und schrie immer noch, aber das Messer mit dem goldenen Griff hielt er fest. Die drei Männer achteten nicht auf den geistesgestörten Dougal, der aus dem Sattel sprang und irgend etwas unter seinen bewehrten Füßen zerstampfte.

Felice rief eine Warnung.

Der Ritter ignorierte sie. Er fischte einen blutbeschmierten goldenen Ring aus der Schweinerei und warf ihn weit hinaus in den See, in dem er versank.

14

Der am Fluß gelegene Palast zu Darask geriet in Aufruhr, als die nach Süden ziehende Karawane ihre Reise am zweiten Abend dort unterbrach. Die Herrin war mit Zwillingen ins Kindbett gebracht worden, und die Wehen dauerten gefährlich lange. Creyn ging, um seine ärztlichen Dienste anzubieten, und ließ die Gefangenen in der Obhut eines silberberingten Majordomo. Dieser war ein schwarzer Ire, der sich sogleich als Hughie B. Kennedy VII. vorstellte und sie unter Bewachung in einen großen Raum hoch oben in einen Turm des Palastes führte.

»Heute nacht müßt ihr vorliebnehmen, Freunde«, erklärte Kennedy. »Knaben und Mädchen werden hier gemeinsam untergebracht, wo wir euch leicht bewachen können. Für Einzelunterkünfte haben wir keine Wachen übrig, nicht heute, wo unsere arme Lady Estella-Sirone in Lebensgefahr schwebt und die Firvulag sich ringsum versammeln. Die wissen, was in der Luft liegt. Jedenfalls habt ihr es hier kühl und seid oberhalb der Moskitos. Draußen auf dem Balkontisch steht ein gutes Abendessen.«

Die Männer der Palastwache, die sie eskortiert hatten, trugen Steins Bahre herein und rollten den Wikinger auf eine der mit Netzen versehenen Bettstellen. Sukey protestierte: »Aber er braucht Pflege! Er hat den ganzen Tag noch nicht gegessen oder getrunken – oder sonstwas.«

»Reg dich seinetwegen nicht auf!« meinte Kennedy. »Wenn sie unter dem Ring sind ... « – er berührte seinen eigenen – »sind alle Lebensvorgänge gehemmt. Dein Freund ist wie ein Tier im Winterschlaf, der ganze Metabolismus ist verlangsamt. Bis morgen wird er schon noch durchhalten. Und dann, bitte, Herr Jesus, wird mit unserer Dame alles gut sein, so daß wir Zeit für ihn haben.« Der Majordomo sah Sukey listig an. »Sicher wirst du ein wachsames Auge auf deinen Freund halten.«

Es wurde den Gefangenen erlaubt, Kleider zum Wechseln, aber sonst nichts, aus ihrem Gepäck zu nehmen, das gleich darauf von den Wächtern entfernt wurde. Kennedy entschuldigte sich noch einmal für den dürftigen Empfang und machte sich daran, sie einzuschließen. Elizabeth trat zu ihm und sagte mit leiser Stimme: »Ich muß mit Creyn allein sprechen. Es ist wichtig.«

Der Majordomo runzelte die Stirn. »Madam, mir ist klar, daß du eine privilegierte Persönlichkeit bist, aber mein Befehl lautet, euch alle miteinander hier unterzubringen.«

»Kennedy, ich bin operante Metapsychikerin und ausgebildete Redakteurin. Ich kann nicht zu Creyn durchkommen, aber ich nehme eure Lady und ihre ungeborenen Kinder wahr, und ich weiß, daß sie jetzt, in diesem Augenblick in ernsten Schwierigkeiten sind. Von hier aus kann ich nicht helfen, wenn du mich jedoch nach unten in das Geburtszimmer bringst ... – da! Creyn ruft nach mir!«

Auch Kennedy hatte die telepathische Aufforderung gehört. »Dann komm mit!« Er nahm sie bei einem Arm, zog sie in den Flur und knallte die Tür zu.

Raimo stellte säuerlich fest: »Das war saubere Arbeit. Wir sind hier eingesperrt, aber Klein-Rotreithöschen darf sich das Feuerwerk ansehen.«

»Ich hätte nie gedacht, daß du Geburtshelfer bist«, höhnte Aiken.

»Hast du nicht gehört, was der Mann gesagt hat?« Raimos helle Augen glitzerten, und er leckte sich die Lippen. »Er sagt, die Firvulag wollten den Palast belagern! Das will ich sehen. Vielleicht beim Kampf mitmischen.«

Sukeys Gesicht verzog sich vor Verachtung. »Du kannst es nicht erwarten, dich der Jagd anzuschließen, wie? Du kannst es nicht erwarten, den Kopf eines Ungeheuers auf eine Lanze zu spießen. Aber so tapfer warst du nicht, als wir heute über die Stromschnellen schossen!«

Bryan und ein merkwürdig gedämpfter Aiken Drum überließen sie ihrem Zank und traten hinaus auf den Balkon. Das versprochene Abendessen hätte für ein Dutzend Leute gereicht, aber alles war kalt und zeugte von hastiger Zubereitung. Aiken griff sich ein gebratenes Hühnerbein und biß lustlos hinein. Währenddessen inspizierte er die Sicherheitseinrichtungen des Balkons. Er war vollständig in einen Käfig aus einem ornamentalen Metallgitter eingeschlossen.

»Hier kann ich nicht ohne weiteres davonfliegen. Vermutlich würde es mir gelingen, die Stangen mit einem der kleinen Vitredur-Werkzeuge durchzusägen, die ich in meinen Taschen habe. Aber ein Fluchtversuch scheint kaum der Mühe wert zu sein. Man hat mich auf das schöne Leben bei den Tanu so neugierig gemacht, daß es mir dumm vorkommt, davonzulaufen.«

»Ich glaube, genau diese Einstellung sollst du entwickeln«, meinte Bryan. »Dir wurde erlaubt, deine neuen Kräfte soweit zu erproben, daß du eine Menge mehr davon möchtest. Jetzt haben sie dir deine Metafunktionen weggenommen, bis du dich ihrem Trainingsprogramm in der Hauptstadt unterziehst und sie aus dir eine brave kleine Kopie von sich selbst machen.«

»Du denkst also, das wird geschehen?« Aikens Kaspergrinsen war so breit wie immer, aber in seinen schwarzen Knopfaugen stand ein häßliches Glitzern. »Du weißt verdammt gar nichts über mich und die Art und Weise, wie mein Gehirn arbeitet. Was die Metafunktionen betrifft, so bist du nur ein *Normaler*. Du hast diese Kräfte nie erprobt und wirst es niemals tun. Deshalb verschone mich mit deinen hochgestochenen Professoren-Voraussagen, wie ich mich verhalten werde!«

»Sie haben dich beringt und dazu gebracht, daß es dir gefällt«, stellte Bryan ruhig fest.

Aiken schnippte verächtlich mit dem Finger gegen seinen silbernen Halsreif. »Das Ding da! Es hat nur eine Klemme auf meine Metafunktionen gesetzt. Die Klemme ist jetzt wirksam, weil ich noch nicht herausgebracht habe, wie ich sie abstellen kann. Aber ich arbeite daran. Du meinst, sie hätten mich unter ihre Kontrolle gebracht? Was Creyn gleich zu Anfang getan hat, war, daß er diese Hemmungen in uns einprogrammierte. Das ist dieser kleine Mann im Ohr, der Fürchterliches andeutet, falls wir zu fliehen versuchen oder irgend etwas unternehmen, das Frieden und Ordnung unserer wundervollen Tanu-Freunde bedroht. Weißt du, was diese Hemmung wert ist, wenn sie *mich* beeinflussen soll? Einen Scheißdreck! Klein-Sukey und Dumbo-Ray da drinnen haben sie in ihrer Gewalt – aber nicht Aiken Drum.«

»Die Ringe ... hast du entdeckt, wie die verschiedenen Arten funktionieren?«

»Keine Einzelheiten, aber genug. Eine der Tanu-Frauen auf der Party in Roniah hat eine Menge ausgeplaudert, als ich sie nett danach fragte. Die goldenen Ringe sind die ursprüngliche Erfindung, die Latente in Operante verwandelt. Sie sind vollgestopft mit Barium-Chips, vergittert mit mikroskopischen Mengen von seltenen Erden und anderen Stoffen, die diese Blödmänner aus ihrer Heimatgalaxis mitgebracht haben. Sie stellen die Ringe in Handarbeit her und haben eine Maschine, die die Chips macht. Wie die Maschine funktioniert, verstehen sie selbst kaum, und die meisten wissen noch weniger über die den Ringen zugrundeliegende Theorie, all dies metapsychische Zeug. Die technischen Kenntnisse werden in der Hauptstadt von einem Verein weitergegeben, der sich die Koerzierer-Gilde nennt.«

»Haben die goldenen Ringe andere ... ah ... verstärkende Kräfte?«

»Darin sind die Ringe alle genau gleich. Und sie verstärken nur, was das Individuum besitzt. Hat einer eine ganz schwache latente Fähigkeit, wird daraus eine ganz schwache operante Fähigkeit. Ist er mit allen fünf Metafunktionen en gros geladen, wird er als Zauberer von Oz operant. Die meisten Tanu sind ziemlich stark in einer einzigen Metafunktion, und sie neigen dazu, Klubs mit anderen vom gleichen Typ zu gründen. Diejenigen, die über mehrere starke Kräfte verfügen, sind die eigentlichen Aristokraten. Genau das, was man erwarten würde. Es ist die gleiche Gliederung wie im Milieu – nur auf kleinlichere Art, und jeder achtet scharf auf seinen eigenen Vorteil. Soweit ich es bis jetzt übersehe, ist hier kein einziger Meta der Meisterklasse und nichts, was der Psycho-Union des Milieus gleicht.«

Bryan nickte bedächtig. »Ich hatte bereits den Eindruck, daß diese Leute keine Hierarchie kennen. Es würde mich nicht überraschen, wenn sie gesellschaftlich noch auf Clan-Niveau stünden. Faszinierend – und fast beispiellos, wenn man die Hinweise auf eine Hochkultur bedenkt.«

»Es sind Barbaren«, stellte Aiken schlicht fest. »Das ist eine der Eigenschaften, die mir an ihnen gefällt! Und sie sind nicht zu stolz, uns menschliche Latente bei sich aufzunehmen ...«

»Mit *silbernen* Ringen um den Hals.«

Aiken lachte kurz auf. »Ja. Diese silbernen Halsreifen haben all die funktionsverstärkenden Eigenschaften der goldenen – plus Kontrollschaltungen. Die grauen Reifen und die kleinen Ringe der Affen haben nur Kontrollen und dazu eine Anzahl Lust-Schmerz-Schaltungen und eine telepathische Kommunikationsanlage, die in ihrer Reichweite stark variiert.«

Bryan spähte über den Rand des Balkons. »Nimmst du irgendwelche mentalen Spuren davon wahr, was hier herum vor sich geht? Da unten gibt es eine Menge Geschrei und Gerenne. Mittlerweile bin ich auf die Firvulag schon sehr neugierig geworden.«

»Komische Sache mit diesen abgeschlagenen Köpfen, die sie von der Jagd mitbrachten.« Aiken runzelte die Stirn. »Einige von ihnen waren nicht ganz tot. Und nach einer Weile fingen sie an zu ... – wie soll ich das ausdrücken? – zu flakkern. Die Jäger brachten sie weg, so daß wir sie uns nicht genau ansehen konnten. Aber es war etwas an der ganzen Szene, das unter der Bewußtseinsschwelle blieb.«

Sukey und Raimo wählten diesen Augenblick, um auf der Suche nach ihrem Abendessen herauszukommen. Aiken fragte sie: »Habt ihr irgend etwas *gehört?* Mit euren Gedanken? Ich habe es versucht, aber dieser verdammte Dämpfer, den Creyn mir verpaßt hat, blendet alles bis auf Geflüster aus.«

Sukey schloß die Augen und stopfte sich die Zeigefinger in die Ohren. Raimo stand nur mit offenem Mund da und sagte schließlich: »Teufel, ich höre nichts als das Knurren meines Magens. Laß mich zu dem Tisch da durch!«

Nach ein paar Minuten, in denen Aiken und Bryan sie geduldig beobachteten, öffnete Sukey die Augen. »Ich empfange ... Begierde. Von vielen mentalen Quellen, die *anders* zu sein scheinen. Sie senden auf einer anderen Wellenlänge als Menschen. Auch von den Tanu unterscheiden sie sich. Ich kann sie abstimmen, aber es ist schwer. Versteht ihr, was ich meine?«

»Wir verstehen, Kindchen«, sagte Aiken.

Sukey blickte ängstlich von ihm zu Bryan. »Was glaubt ihr, was kann das sein?«

»Nichts, was uns Sorgen machen kann, da bin ich sicher«, antwortete Bryan.

Sukey murmelte etwas des Sinnes, sie wolle sich zu Stein setzen, und trug einen Teller mit Obst und kaltem Fleisch nach drinnen. Bryan gab sich mit einem lieblos zusammengehauenen Sandwich und einem Krug mit einem Getränk, das an Apfelwein erinnerte, zufrieden. Er blickte über das dämmerige Darask hin. Im Osten warf der ungeheure Wall der Seealpen auf den höchsten Schneefeldern noch das leuchtende Rosa des Sonnenuntergangs zurück. Außergewöhnlich, dachte Bryan. Die Berge sahen so hoch wie das Rückgrat des Himalaya oder sogar das Hlithskjalf-Massiv auf Asgard aus. Ein kühler Wind wehte von den Höhen herab und verteilte sich über das Sumpfgebiet, wo die Rhône endlich zur Ruhe kam und sich nach ihrem jähen Sturz aus der Region um das ungeborene Lyon breit hinlagerte.

Die Reise dieses Tages war ein Abstieg über eine Reihe von hohen Stufen gewesen. Sie waren dreißig oder vierzig Kilometer friedlich dahingesegelt und gerieten dann in wilde Stromschnellen, die sie mit Düsenboot-Geschwindigkeit auf die nächstniedrige Ebene schleuderten. Ungeachtet Skipper Highjohns Reden war Bryan zumute, als habe er eine lebenslängliche Tortur überstanden. Die letzte Stromschnellen-Strecke – sie lag, wie er vermutet hatte, in dem Einschnitt etwa fünfzig Kilometer oberhalb der zukünftigen Brücke von Avignon – war so ungeheuerlich gewesen, daß man es kaum glauben konnte. Das kein Ende findende Entsetzen hatte seine Sinne bis zur Betäubung abgestumpft. Aiken Drum hatte Creyn gebeten, ihn für dies letzte schwierige Stück der Fahrt nicht einzuschläfern, denn er brannte darauf, einen Geschmack von den Aufregungen zu bekommen, die Bryan beschrieben hatte. Als das Boot Bug über Heck den großen Katarakt hinunterstürzte und in dem ruhigen Lac Provençal landete, hatte Aikens Gesicht eine grau-grüne Farbe angenommen, und seine glänzenden Augen waren vor Schock eingesunken.

»Eine verdammte Kahnpartie«, hatte er gestöhnt, »in einem verdammten Mixbecher!«

Als sie Darask an der unteren Rhône erreichten, hatten sie fast 270 Kilometer in weniger als zehn Stunden zurückgelegt. Der seichter werdende Fluß wand und spaltete und verflocht sich in Dutzende von Kanälen zwischen wogendem Grasland und Sumpfgebieten, die von Scharen langbeiniger Vögel und cremefarben und schwarz gescheckter Krokodile bevölkert waren. Hie und da erhoben sich Inseln aus der sumpfigen Ebene. Darask krönte eine von ihnen und sah wirklich und wahrhaftig wie ein tropisches Mont Saint Michel über einer See von Gras aus. Ihr Boot hatte seinen Hilfsmotor benutzt, um aus dem Hauptstrom der Rhône in einen Nebenkanal zu gelangen, der zu der befestigten Stadt führte. Darask besaß einen kleinen Kai und lag sicher hinter einer mehr als zwölf Meter hohen Kalksteinmauer, die an unbezwingliche Klippen anschloß.

Und jetzt entzündeten Ramas in der Stadt unterhalb des hochaufragenden Palastes die kleinen Nachtlampen. Sie kletterten über schwankende Leitern entlang der Hausdächer hinauf und bedienten Flaschenzüge, um lange Reihen von Laternen an den Fassaden der inneren Befestigungen hochzuziehen. Menschliche Soldaten brannten größere Fackeln auf den Bastionen der Stadtmauer an. Während Bryan und die anderen dem Treiben zusahen, leuchtete die eigentümliche Tanu-Illumination auf und zeichnete die Umrisse des mit Türmchen versehenen Palastes in roten und bernsteinfarbenen Tupfen nach. Es waren die heraldischen Farben des psychokinetischen Burgherrn Cranovel.

Aiken inspizierte die Tanu-Lampen an ihrem eigenen Balkon. Sie bestanden aus starkem, facettiertem Glas und standen in kleinen Mauernischen, ohne daß Drähte oder andere metallische Teile zu erkennen waren. Sie fühlten sich kalt an.

»Biolumineszenz«, stellte der kleine Mann in Gold fest und schüttelte eine. »Möchtest du wetten, daß Mikroorganismen da drin sind? Was hat Creyn gesagt – die Lampen würden durch überschüssige Meta-Emanationen mit Energie versorgt? Das paßt mit allem anderen zusammen. Man läßt ein paar Ringträger der unteren Dienstgrade eine entsprechende Wellenform erzeugen, während sie Schach spielen oder Bier trinken oder in der Badewanne lesen oder irgendeine andere halbautomatische ...«

Bryan achtete kaum auf Aikens Spekulationen. Draußen in dem sie umgebenden Sumpfland entzündeten die Irrlichter ihre eigene Illumination – verwischte Tupfen in Methanblau, ein Feuerfliegen-Glimmen, das in unterbrochenem Synchronismus an und aus ging, wandernde blasse Flammen, die wie verlorene Elfenboote um die nebligen Stauwasser der Insel glitten.

»Ich vermute, das sind Leuchtkäfer oder Sumpfgasflammen da draußen«, meinte Sukey und stellte sich neben Bryan, um die dunkel werdende Landschaft zu betrachten.

Raimo sagte: »*Jetzt* höre ich etwas. Aber nicht mit einer Meta-Fähigkeit. Fällt euch nichts auf?«

Sie lauschten. Sukey schürzte vor Überraschung die Lippen. »Frösche!«

Ein fast unhörbares Tremolieren wurde von der Brise herangetragen. Es schwoll an und zerbrach dann in einen komplizierten Dreiklang aus Glocken- und Pieptönen. Ein unsichtbarer Frosch-Maestro senkte seinen Stab, und weitere Stimmen fielen ein – Schlucken und Grunzen, Rasseln, Knallen und Klicken, Töne wie von einer Rohrflöte. Weitere Froschstimmen fügten ihre Nachahmungen von langsam tropfendem Wasser, gezupften Saiten, menschlichem Gurgeln, summenden Bohrern und verstärkten Gitarrenklängen hinzu. Dem Ganzen unterlegt war das heimatlich anmutende Quaken des gewöhnlichen Ochsenfrosches, jener dauerhaften Erdkreatur, die in nur sechs Millionen Jahren die Menschheit bei der Kolonisierung ferner Sterne begleiten würde.

Die vier Leute auf dem Balkon sahen sich an und brachen in Gelächter aus.

»Wir haben einen Platz in der vordersten Reihe«, stellte Aiken fest, »wenn es eine Firvulag-Invasion geben sollte. Und dieser blaue Krug ist gefüllt mit einer Flüssigkeit, die kühl und entschieden alkoholisch ist. Sollen wir uns Stühle herausholen und uns für den Fall stärken, daß die Ungeheuer pünktlich eintreffen?«

»Sind alle dafür?« fragte Bryan.

»Aye!«

Sie hoben ihre Becher, und der kleine Mann in Gold füllte sie, einen nach dem anderen.

Elizabeth preßte den Handrücken an ihre feuchtkalte Stirn. Ihre Augen öffneten sich, und sie atmete lange und tief aus.

Creyn und ein hagerer Tanu in einer zerknitterten gelben Robe beugten sich besorgt über ihren Sessel. Creyns Gedanken berührten die ihren – stützend, fragend.

Ja. Ich habe sie getrennt. Endgültig. Entschuldige, so schwach meine Fähigkeit, eingerostet Nichtgebrauch. Sie werden jetzt geboren werden.

Die Gedanken Lord Cranovels von Darask weinten Dankbarkeit. Und sie? Gerettet, o gerettet, mein Liebling?

Menschenfrauen zäher als Tanu. Sie erholt sich nun schnell.

Er rief laut: »Estella-Sirone!« und lief in den Innenraum.

Ein paar Augenblicke darauf hörten die beiden, die draußen warteten, das klägliche Geschrei eines Neugeborenen. Elizabeth lächelte Creyn zu. Der erste graue Schein des Morgens erhellte den Nebel vor den Palastfenstern.

Elizabeth sagte: »Etwas wie das ist mir noch nie vorgekommen. Der Geist des einen Ungeborenen so verflochten mit dem anderen, soviel Gegnerschaft. Zwillinge natürlich. Aber man kann es kaum glauben, daß echte Feindschaft imstande sein soll ...«

Eine ganz in Rot gekleidete Tanu-Frau steckte den Kopf durch den Türvorhang und rief: »Ein schönes Mädchen! Das nächste wird ein Junge, aber keine Angst, wir holen ihn heil und gesund.« Sie verschwand wieder.

Elizabeth erhob sich aus dem Sessel und schritt müde zum Fenster. Zum ersten Mal, seit sie vor vielen Stunden die Geburtsräume betreten hatte, ließ sie ihre Gedanken über ihren Umkreis hinauswandern. Die Anomalien waren draußen – sie rückten immer näher und fielen in scheußlichem Eifer übereinander – diese zwitschernden kleinen unmenschlichen Geister, anscheinend operant, die ihre Seelenform änderten, wenn sie nach ihnen greifen und sie studieren wollte. Sie entschlüpften ihr, woben Verkleidungen, verblaßten und entflammten, schrumpften zu Atomen oder blähten sich zu riesigen Monstern auf, die in dem mental-physischen Nebel um die Türme des Inselpalastes wohnten.

Ein zweites Kind schrie.

Eine schreckliche Entdeckung vereinigte Elizabeths Gedanken mit denen Creyns. Bedauern tropfte langsam von einem Emotionen-Komplex des Mannes. Dann ließ er einen undurchdringlichen Schirm zwischen ihnen niederfallen.

Elizabeth rannte zu der Tür des Innenraums und schob die

GIUSEPPE MANGONI

›raperien beiseite. Mehrere Frauen, sowohl Menschen als auch Tanu, kümmerten sich um die junge Mutter, eine Menschenfrau mit einem goldenen Ring. Estella-Sirone lächelte. Das schöne kleine Mädchen hielt sie an ihrer rechten Brust. Cranovel kniete neben ihr nieder und wischte ihr die Stirn ab.

Die Tanu-Pflegerin in Rot brachte das andere Baby, um es Elizabeth zu zeigen. Es war ein sehr kleiner Junge von etwa zwei Kilo Gewicht, verschrumpelt wie ein alter Mann. Sein übergroßer Kopf war mit feuchtem dunklem Haar bedeckt. Seine Augen standen weit offen, und er kreischte dünn mit einem Mund, der einen vollständigen Satz winziger scharfer Zähne besaß. Vor Elizabeths Augen begann der kleine Junge zu flimmern und bekam ein Fell am ganzen Körper, dann flimmerte es wieder und er verwandelte sich in ein exaktes Duplikat seiner rundlichen blonden Schwester.

»Es ist ein Firvulag, ein Gestaltwandler«, erklärte die Pflegerin. »Sie sind die Schattenbrüder der Tanu von Urbeginn. Immer bei uns, immer gegen uns. Die Zwillingssituation ist glücklicherweise selten. Die meisten dieser Art sterben ungeboren, und die Mutter mit ihnen.«

»Was werdet ihr mit ihm machen?« fragte Elizabeth. Fasziniert, entsetzt sondierte sie die kleine fremde Persönlichkeit und erkannte jetzt, wo der Firvulag völlig von der komplizierteren psychischen Struktur seiner Tanu-Schwester getrennt war, den anomalen Modus.

Die hochgewachsene Pflegerin zuckte die Achseln. »Seine Leute warten auf ihn. Und so geben wir ihn ihnen, wie immer. Möchtest du es sehen?«

Elizabeth nickte benommen.

Die Pflegerin wickelte das Baby schnell in ein weiches Tuch und eilte aus dem Geburtszimmer. Elizabeth hatte Mühe, der Frau eine Steintreppe nach der anderen hinunter zu folgen, alle leer und widerhallend und nur von kleinen rubin- und bernsteinfarbenen Lämpchen erhellt. Endlich kamen sie in einen Keller. Ein feuchter Korridor führte zur Stadtmauer und zu einem großen, verriegelten Wassertor, neben dem sich ein innen gelegener Ankerplatz voll von verlassenen kleinen Booten befand. In das große Tor eingelassen war ein

Pförtchen mit einem Bronzeriegel, den die Fremde zurück riß.

»Schirm deinen Geist ab!« warnte sie und trat hinaus auf den nebeldunklen Landungssteg.

Es waren Lichter da draußen, und sie näherten sich mit beunruhigender Schnelligkeit, ohne irgendein Geräusch zu machen. Dann kam ein einzelnes dunkelgrünes Glühen und wurde zu einer Kugel von vier Metern Durchmesser. Sie rollte über die Wasseroberfläche auf den Landungssteg zu und verbrannte dabei den Nebel zu Fetzen.

Mit großer Vorsicht zerteilte Elizabeth das Gewebe der Illusion und blickte hinein. Da war ein Boot – ein Flachboot, gestakt von einem zwergenhaften Burschen. Eine rundwangige kleine Frau saß im Bug und hielt einen zugedeckten Korb im Schoß.

Du siehst uns also, wie?

Elizabeth taumelte, als ein Sperrfeuer von Blitzen hinter ihren Augen zu explodieren schien. Ihre Zunge schwoll so an, daß sie zu ersticken drohte. Das Fleisch ihrer Hände warf Blasen, wurde schwarz, zerplatzte und loderte in Flammen auf.

Das wird dir eine Lehre sein, Eindringling!

»Ich hatte dich gewarnt«, sagte die Tanu-Frau. Elizabeth fühlte sich von den Armen der großen Pflegerin gehalten und gestützt. Sie sah nichts weiter, als daß die glühende Kugel in den Nebel zurückwich. Ihr Mund war normal, ihre Hände hatten keine Verletzung.

»Die Firvulag sind operante Metapsychiker aller Sorten. Die meisten können allerdings nur fernspüren und Illusionen erzeugen – aber die sind manchmal stark genug, um einen unvorbereiteten Geist in den Wahnsinn zu treiben. Wir behandeln sie bestimmt gut – zur Zeit des Großen Wettstreits und zu den meisten anderen Zeiten auch. Du mußt jedoch aufpassen, daß sie dich nicht überraschend angreifen.«

Das Baby war fort. Nach ein paar Sekunden verschwand auch das grüne Glühen, und Tageslicht brach krampfhaft durch Dampfwolken. Weit oben auf den Zinnen sang die Stimme einer Frau fremde Worte in einer vertrauten Melodie.

»Wir gehen jetzt zurück«, sagte die Pflegerin. »Mein Lord und meine Lady werden dir sehr verbunden sein. Du mußt ınen angemessenen Dank annehmen – und dann essen und ruhen. Es findet eine kleine Familienzeremonie statt – das kleine Mädchen bekommt einen Namen und seinen ersten kleinen goldenen Ring. Man wird wünschen, daß du das Baby hältst. Es ist eine große Ehre.«

»Ich spiele also die gute Fee, die als Patin kommt«, murmelte Elizabeth. »Was für eine Welt! Werdet ihr sie auch nach mir nennen?«

»Sie hat bereits einen Namen. Es ist bei uns Tradition, den Namen eines, der kürzlich in Tanas Frieden eingegangen ist, neu zu vergeben. Das Baby wird Epone heißen – und die Göttin gebe, daß es mehr Glück haben wird als die letzte, die diesen Namen trug.«

15

Amerie ging zum Seeufer hinab, wo die befreiten Gefangenen ihre eilig aufgeblasenen Boote mit Ballast versahen.

»Ich mußte Felice ein Sedativum geben. Sie war drauf und dran, den armen verwirrten Dougal in Stücke zu reißen.«

»Das wundert mich gar nicht«, brummte Claude. »Sobald ich über die Sache nachgedacht hatte, war ich selbst in Versuchung, es zu tun.«

Richard trat mit beiden Füßen Bälge und flutete die Zwischenräume von seinem und Claudes Dinghy, die auf dem Strand lagen, während der alte Mann Ausrüstungsgegenstände in die beiden kleinen Dekamol-Fahrzeuge lud. Richard trug wieder sein Piratenkostüm und hatte der Nonne kurz mitgeteilt, sie könne seinen Raumfahrer-Overall behalten. Jetzt maß er sie mit finsteren Blicken. »Vielleicht hat Dougal, ohne es zu ahnen, uns allen einen Gefallen getan. Wie sollen wir wissen, in was sich Felice verwandelt, sobald sie einen goldenen Ring ergattert?«

»Das stimmt schon«, mußte Claude zugeben. »Aber wenn sie ihn bekommen hätte, brauchten wir uns keine Sorgen wegen der unmittelbaren Gefahr zu machen, die uns von den Soldaten droht. So, wie es ist, können wir jede Minute irgendeine Art von bewaffneter Truppe im Nacken haben. Wir sind bestimmt nicht weit vom nächsten Fort entfernt gewesen, als der Kampf begann.«

»Ihr beiden kommt nach oben und helft mir mit Felice, wenn ihr hier fertig seid«, sagte Amerie. »Yosh hat das Gepäck durchsucht und einiges von unserm Eigentum wiedergefunden.«

»Auch Waffen?« wollte Richard wissen.

»Unsere scheinen sie in der Torburg zurückgelassen zu haben. Aber die meisten Werkzeuge sind da. Leider keine Karten oder Kompasse.«

Claude und Richard wechselten einen Blick. Der Paläontologe sagte: »Dann heißt es, nach dem Sitz der Hosen zu navigieren, und der Teufel hole den letzten. Geh nur nach oben, Amerie! Wir kommen in ein paar Minuten nach.«

Gleich nach dem Kampf hatten sie, als alle Gefangenen befreit waren, hastig eine Konferenz abgehalten und entschieden, am ehesten würden sie auf dem Wasserweg entkommen – eine oder zwei Personen in einem Dekamol-Dinghy aus den Überlebenspacks. Nur die fünf Zigeuner ignorierten Claudes Warnung vor den Gefahren eines Ritts auf den Chalikos, die mit Hilfe der Halsringe beeinflußbar waren. Sie legten die blutbefleckten Rüstungen der erschlagenen Eskorte an, nahmen die meisten Waffen der Soldaten in Besitz und kehrten mit dem Vorsatz um, den Posten an der Hängebrücke anzugreifen.

Die übrigen Flüchtlinge hatten die in der Auberge geschmiedeten Bande neuentdeckt. Jede ursprüngliche Gruppe fand sich zusammen und plante ihr gemeinsames Vorgehen. Claude, der einzige mit verwertbaren Kenntnissen über die Pliozän-Landschaft, hatte zwei mögliche Fluchtrouten vorgeschlagen. Die eine, die sie am schnellsten in wildes Land führen würde, erforderte eine kurze Reise nach Nordosten und die Überquerung des Lac de Bresse in seinem schmalen oberen Teil. Von da führten Felsschluchten in das dicht bewaldete Oberland der Vogesen. Der Nachteil dabei war, daß sie den Hauptweg nach Finiah auf der anderen Seite des Sees kreuzen mußten. Aber wenn es ihnen gelang, berittene Patrouillen zu meiden, konnten sie das Hochland vor dem Abend erreichen und sich zwischen den Felsen verstecken.

Die zweite Route sah eine Fahrt mit den Booten nach Südosten über den breitesten Teil des Sees an das Vorgebirge des Jura in etwa sechzig Kilometern Entfernung und das Eindringen in die Bergkette in südlicher Richtung vor. Die Wahrscheinlichkeit war groß, daß das Land auf dieser Strecke völlig unbewohnt war, denn hinter dem Jura lagen die Alpen. Andererseits mußte man damit rechnen, daß die am See gelegenen Forts zur Verfolgung geeignete Boote besaßen. Die Flüchtlinge mochten imstande sein, schneller zu segeln als die Tanu-Diener, aber der Wind wehte stoßweise, und der nahezu wolkenlose Himmel war ein Anzeichen, daß es wie am Tag zuvor ganz windstill werden könnte. Saßen die Boote bei Dunkelwerden fest, zogen sie vielleicht die Aufmerksamkeit der Firvulag auf sich.

Basil hatte sich zuversichtlich für die Jura-Route entschieden, während der konservative Claude mehr für die Vogesen war. Aber der Bergsteiger brachte die Mehrheit auf seine Seite, so daß man schließlich übereinkam, alle Zeitreisenden mit Ausnahme der übriggebliebenen Mitglieder von Gruppe Grün und Yosh, dem überlebenden Ronin, würden nach Süden ziehen. Die befreiten Gefangenen hatten schnell ihr Gepäck von den Chalikos abgeladen und waren einen Hohlweg zu einem schmalen Strand unterhalb der Klippe hinabgestiegen. Die Boote wurden aufgeblasen. Schon entfalteten mehrere der kleinen Fahrzeuge ihre Segel, als Richard, der die beiden Boote der Grünen mit Ballast versehen hatte, auf der Suche nach den anderen das Ufer wieder hochkletterte.

Er entdeckte Claude, Amerie und Yosh, wie sie um Felices bewußtlosen Körper herumstanden. Der japanische Krieger sagte: »Ich habe Claudes Holzbearbeitungswerkzeuge und die Messer und Beile und Sägen aus unseren Überlebens- und Kleinbauern-Packs gefunden.« Er hielt Richard ein grausig beflecktes Paket hin. »Und hier sind außerdem ein Soldatenbogen und Pfeile, die die Zigeuner übersehen haben.«

»Wir sind dir dankbar, Yosh«, antwortete der alte Mann. »Der Bogen könnte sehr wichtig werden. Wir haben, abgesehen von den Überlebensrationen, nur wenig zu essen, und bei der Ausrüstung sind nur Schlingen und Angelzeug. Die Leute, die mit Basil nach Süden gehen, werden Zeit haben, neue Waffen herzustellen, wenn sie das Jura-Ufer erreichen. Aber für unsere Gruppe ist die Gefahr, zu Lande verfolgt zu werden, viel größer. Wir müssen in Bewegung bleiben und auf dem Marsch jagen.«

»Aber du solltest mit uns gehen, Yosh«, sagte Amerie. »Willst du deine Meinung nicht ändern?«

»Ich habe meinen eigenen Überlebenspack und Tats Lanze. Ich werde den Rest der Werkzeuge nehmen, die ich für die Leute am Ufer besorgt habe. Aber ich will nicht mit ihnen gehen, und ich will nicht mit euch gehen.« Er wies zum Himmel, wo bereits dunkle Flecken im morgendlichen Gold kreisten. »Ich habe hier eine Pflicht zu erfüllen. Die Ehrwürdige Schwester hat meinem armen Freund die Letzte Ölung gegeben. Aber Tat darf nicht den Aasgeiern überlassen werden. Wenn ich fertig bin, plane ich, zu Fuß nach Norden bis zur Marne zu wandern. Sie vereinigt sich mit der Seine des Pliozän, und die Seine mündet in den Atlantik. Ich glaube nicht, daß die Tanu sich die Mühe machen werden, einen einzelnen Mann zu verfolgen.«

»Nun gut – aber halt dich hier nicht zu lange auf!« meinte Richard zweifelnd.

Der Ronin kniete schnell neben Felices schlaffem Körper nieder und küßte sie auf die Stirn. Mit seinen ernsten Augen sah er von einem zum anderen. »Ihr müßt für dies wahnsinnige Kind gut sorgen. Wir verdanken ihr unsere Freiheit, und wenn Gott will, wird sie ihr Ziel doch noch erreichen. Das Potential hat sie.«

»Das wissen wir«, erklärte die Nonne. »Geh mit Gottes Segen, Yoshimitsu-san!«

Der Krieger stand auf, verbeugte sich und verließ sie.

»Auch für uns wird es Zeit, zu gehen«, sagte Claude. Er und Amerie nahmen den rührend leichten Körper des Mädchens auf, während Richard zusammen mit den Werkzeugen und Waffen ihren Helm und Rucksack einsammelte.

»Ich kann einhändig segeln«, erklärte der Pirat, als sie die wartenden Boote erreichten. »Legt Felice zu mir rein, und ihr beiden folgt.«

Als letzte, die Segel setzten, stießen sie ab, und sie atmeten erst auf, als sie weit vom Land entfernt waren. Das Wasser des Sees war kalt und von einem undurchsichtigen Blau. Es stammte von den Flüssen des Jura und der Vogesen im Nordosten. Amerie starrte auf das zurückweichende Ufer, wo sich zögernd Aasvögel niedersenkten.

»Claude ... ich habe nachgedacht. Warum ist Epone an diesen fürchterlichen Wunden nicht eher gestorben? Sie war buchstäblich in Stücke gerissen worden, ehe Richard und Yosh und Dougal in ihre Nähe kamen. Sie hätte verbluten oder am hypovolemischen Schock sterben müssen. Aber das tat sie nicht.«

»Die Leute im Fort haben dir erzählt, daß die Tanu nahezu unverwundbar sind. Was hast du dir dabei gedacht?«

»Ich weiß es nicht – vielleicht habe ich angenommen, diese Aliens seien fähig, ihre koerziblen Kräfte zur Abwehr von Angreifern einzusetzen. Aber ich hätte mir nie träumen lassen, daß ein Tanu derartige körperliche Verletzungen überleben könnte. Es ist schwer, sie sich nicht als annähernd menschlich vorzustellen, zumal angesichts des Zuchtprogramms, über das Epone zu uns sprach.«

»Sogar menschliche Wesen ohne Metafunktionen haben sich sehr zäh ans Leben geklammert. Ich habe in den Kolonien Dinge erlebt, die verdammt nahe an ein Wunder heranreichten. Und wenn du die Verstärkung der mentalen Kräfte bedenkst, die die Tanu mit dem Ring erzielen ...«

»Ob sie hier im Exil wohl Einrichtungen zur Regenerierung haben?«

»Das glaube ich schon, in den Städten. Und Gott weiß, welche sonstigen Techniken. Bisher haben wir nur die Ringe gesehen, den Apparat zur Messung der Gehirnströme und das Spürgerät, mit dem sie uns bei unserer Ankunft durchsuchten.«

»Ach ja. Und das bringt uns zu dem tödlichen Dolch.«

Der alte Mann streifte seine Buschjacke ab und stopfte sie als Kissen zwischen seinen Rücken und einen der Bootssitze. »Ich zweifele nicht daran, daß unser Anthropologenfreund Bryan uns alles über die legendäre Antipathie der Elfen gegen Eisen berichten könnte. Wahrscheinlich würde er das mit den Spannungen zwischen der Bronze- und der Eisenzeit erklären ... Sei dem, wie ihm wolle, die europäische Folklore ist sich beinahe einig in dem Glauben, daß Eisen dem Alten Volk widerwärtig oder sogar tödlich ist.«

Die Nonne platzte heraus: »Oh, um Himmels willen, Claude! Epone war ein Alien und keine Elfe!«

»Dann erklär du mir, warum die Bisse der Bärenhunde und der Verlust ihrer Gliedmaßen und die Stichwunden von einem Bronzeschwert sie nicht töteten, während ein einziger Stoß mit einem Stahlmesser es tat.«

Amerie überlegte. »Vielleicht stört Eisen in irgendeiner Weise das Funktionieren des Rings. Das Blut der Tanu ist rot, genau wie unseres, und wahrscheinlich ebenso eisenhaltig. Ihre Körper und Gehirne und der Ring mögen in einer subtilen Harmonie zusammenarbeiten, die vom Eindringen einer größeren Masse Eisen zerstört wird. Es lähmt sie möglicherweise schon, wenn es in die Nähe der intimen körperlichen Aura kommt. Denk an Stein und seine Kampfaxt! Keiner der Burgleute konnte verhindern, daß er furchtbaren Schaden anrichtete – was mir zu der Zeit nicht als merkwürdig aufgefallen war. Aber zusammen mit dem, was wir jetzt wissen, sagt es uns eine Menge.«

»Sie haben uns sehr gründlich durchsucht«, sagte Claude. »Mir leuchtet ein, warum die Wächter nicht imstande waren, Stein seine Axt wegzunehmen. Doch wie ist Felices Messer durchgeschlüpft?«

»Ich kann es mir nicht vorstellen – falls sie nicht leichtsinnig waren und ihr Bein nicht abtasteten. Oder vielleicht hat das Gold der Scheide den Detektor verwirrt. Das eröffnet Möglichkeiten zu Gegenmaßnahmen.«

Claude betrachtete Amerie durch halbgeschlossene Lider. Sie hatte eine Heftigkeit an sich, die neu und verblüffend war. »Jetzt fängst du an, wie Felice zu reden! Das Kind hat keine Bedenken, sich mit der ganzen Tanu Rasse anzulegen. Auch wenn sie den ganzen Planeten kontrolliert.«

Amerie ließ ihr altes Lächeln aufblitzen. »Aber es ist *unser* Planet. Und in sechs Millionen Jahren werden nur wir hier sein. Und nicht sie.«

Sie klemmte sich die Pinne unter den Arm und ließ das Boot weiter nach Osten rasen, das Segel straff vor dem auffrischenden Wind.

Sie gingen hinter einer sumpfigen Insel an Land, holten die Segel ein, nahmen Mast und Schwert ab und ließen die Luft heraus. Arme voll Binsen und junger Weiden wurden geschnitten, um die Boote zu tarnen. Sie ersetzten die urspünglichen Ruder durch am Stern angebrachte Dekamol-Riemen. Nun konnte eine Person, die sich im Heck duckte, das Boot kaum wahrnehmbar vorwärts treiben, indem sie den Riemen hin und her bewegte.

Richard protestierte: »Wir werden bei dieser Geschwindigkeit zwei Stunden für den halben Kilometer bis zum Ufer brauchen!«

»Sprich leise!« warnte Claude ihn. »Der Schall pflanzt sich über dem Wasser gut fort.« Er brachte sein Boot nahe an das Richards heran. »Irgendwo auf diesem Ufer ist die Straße – vielleicht sogar das Fort, wo wir heute morgen zum Schlafen hätten anhalten sollen. Wir müssen vorsichtig sein und dürfen uns nicht blicken lassen, bis wir Gewißheit haben, daß die Küste klar ist.«

Richard lachte nervös auf. »Die Küste ist klar! So muß die Redensart entstanden sein! Wahrscheinlich haben Piraten ...«

»Still, Sohn!« Müdigkeit machte die Stimme des alten Mannes barsch. »Folge mir einfach von hier an und tu so, als seist du eine Ansammlung von Treibgut!«

Claude ruderte so langsam, daß keine Kielspur entstand. Sie trieben wie zufällig von Inselchen zu Inselchen und näherten sich allmählich einem niedrigen Ufer, wo Binsen und Schilf höher als fünf Meter wuchsen und langbeinige Wasservögel mit Gefieder in Rosa und Blau und strahlendem Weiß im seichten Wasser herumstakten und mit den Schnäbeln Frösche und Fische aufspießten.

Die Sonne stieg höher. Es wurde unerträglich heiß und feucht. Eine Art Stechmücke drang auf die Menschen ein, die unter dem sie verbergenden Grünzeug gefangen waren, und erzeugte juckende Schwellungen, bevor sie in ihrem unzugänglich verstauten Gepäck ein Schutzmittel finden konnten. Nach einer mühsamen Zeit des Paddelns scharrten die Kiele über bewachsenen, schlammigen Boden, wo die Bambusrohre oft so dick wie der Oberschenkel eines Mannes waren. Immergrüne Laubbäume erfüllten die Luft mit widerlich süßem Blumenduft. Im Schlamm war ein Wildpfad sichtbar, von großen flachen Füßen heftig zertrampelt. Er sah aus, als würde er sie auf höhergelegenen Grund führen.

»Das ist die richtige Stelle«, entschied Caude. »Wir lassen die Luft aus den Dhingies und marschieren von hier an.«

Richard tauchte aus der Masse von Stengeln und Zweigen über seinem Boot auf und musterte den Ort voll Abscheu. »Jesus, Claude. Mußtest du uns in diesem Scheißsumpf landen lassen? Hast du uns nicht von Grünen Höllen erzählt? Wahrscheinlich wimmelt es hier von Schlangen. Und willst du dir einmal diese Fußabdrücke ansehen? Hier sind ein paar sehr häßliche Monster durchgewechselt!«

»Oh, hör auf, Richard!« sagte Amerie. »Hilf mir, Felice an Land zu bringen! Ich werde dann versuchen, sie aufzuwekken, während ihr Männer ...«

»In Deckung, alle!« flüsterte der alte Mann drängend.

Sie duckten sich tief in den Booten nieder und starrten in die Richtung, aus der sie gekommen waren. Draußen, jenseits der sumpfigen kleinen Inseln, wo das Wasser tief war und der Wind ungehindert blies, schwammen zwei sieben Meter lange Kattboote, die mit keinem der Flüchtlingsboote Ähnlichkeit hatten. Sie segelten langsam nordwärts.

»Ja, nun wissen wir, wo das Fort ist«, bemerkte Claude. »Südlich von hier und höchstwahrscheinlich nicht sehr weit entfernt. Sie werden Ferngläser an Bord haben, so daß wir unten bleiben müssen, bis sie um die Spitze herum sind.«

Sie warteten. Schweiß rieselte über ihre Körper, die Haut juckte. Die frustrierten Mücken summten und machten Ausfälle gegen die ungeschützten Augen und Nasenlöcher. Claudes Magen knurrte und erinnerte ihn, daß er seit beinahe zwölf Stunden nichts mehr gegessen hatte. Richard entdeckte eine verklebte Schnittwunde unter dem Haar über seinem linken Ohr, und die hiesige Abart der Schmeißfliege entdeckte sie ebenfalls. Amerie machte einen unmethodischen Versuch zu beten, aber ihr Gedächtnis weigerte sich, andere Texte als den Dank vor dem Essen und »Müde bin ich, geh zur Ruh« herauszugeben.

Felice stöhnte.

»Bedecke ihren Mund, Richard!« sagte Claude. »Halte sie nur noch ein paar Minuten lang ruhig!«

Irgendwo quakten Enten. Irgendwo schnüffelte und schmatzte ein Tier und brach auf der Suche nach seinem Mahl die riesigen Bambusstöcke wie Zweige. Und irgendwo erklangen an der Grenze der Hörbarkeit die silbernen Töne eines Horns, denen Sekunden später eine laute Antwort weiter nördlich folgte.

Der alte Paläontologe seufzte. »Sie sind außer Sicht. Wir wollen die Luft aus diesen Booten lassen und machen, daß wir wegkommen.«

Die von Energie-Aggregaten gespeisten Inflatoren, jetzt zum Absaugen benutzt, entfernten schnell Luft und Wasser aus den Dekamol-Membranen und reduzierten die Boote zu Kugeln von Tischtennisballgröße. Amerie holte Felice mit einem Stimulans ins Bewußtsein zurück, und Claude durchwühlte währenddessen seinen Rucksack nach den Keksen und angereicherten Bonbons der Überlebensration, die er mit den anderen teilte.

Felice war matt und desorientiert, schien jedoch kräftig genug, um zu laufen. Claude versuchte sie zu überreden, den Lederküraß, die Beinschienen und die Handschuhe abzulegen, die in der feuchtwarmen Sumpfluft von quallvoller Unbequemlichkeit sein mußten. Doch sie weigerte sich und erlaubte nur, daß ihr Helm im Rucksack verpackt wurde, als Claude darauf hinwies, der Federbusch könne sie Verfolgern verraten. Als letztes Ritual beschmierten sie sich gegenseitig mit tarnendem Schlamm. Dann wanderten sie davon, Claude an der Spitze, Richard dahinter und Amerie und Felice als Nachhut. Die Ringhockey-Spielerin hatte sich den Bogen und die Pfeile angeeignet.

Geräuschlos gingen sie den Wildpfad entlang, der breit und bequem genug für sie war, ein Umstand, der Richard und die Frauen erfreute, den in der Wildnis erfahreneren Claude jedoch beunruhigte. Beinahe zwei Kilometer weit quälten sie sich durch Dickichte von Bambus, Erlen, Weiden und subtropischen immergrünen Bäumen, von denen einige mit rost- und purpurfarbenen Früchten beladen waren. Claude warnte sie davor, sie abzupflücken. Zu ihrer Überraschung bestand das einzige Wildleben, auf das sie stießen, aus Vögeln und Riesenegeln. Der Boden wurde höher und trockener, und sie gelangten in dichten Wald, erfüllt von lauten Vogel- und anderen Tierstimmen. Die Bäume waren überwuchert von Schlingpflanzen, und zu beiden Seiten des Pfades bildeten Dornbüsche ein undurchdringliches Unterholz.

Endlich lichtete sich der Wald, und die grüne Dämmerung wich dem Sonnenlicht. Claude gab mit erhobener Hand das Signal zum Anhalten. »Keinen Pieps von euch!« hauchte er. »Ich habe längst erwartet, daß uns etwas in der Art begegnet.«

Sie spähten durch einen dünnen Schirm von jungen Bäumen auf eine offene Wiese mit verstreuten Klumpen von Büschen. Eine Herde von sechs alten und drei jugendlichen Nashörnern weidete die Zweige ab. Die voll ausgewachsenen Exemplare waren etwa vier Meter lang und mochten zwei oder drei Tonnen wiegen. Sie hatten zwei Hörner, Schweinsäuglein und seltsame Haarbüschel an den Ohren, mit denen sie wackelten, um die Fliegen zu vertreiben.

»Dicerorhinus schliermacheri, würde ich sagen«, flüsterte Claude. »Das ist ihr Pfad, den wir benutzt haben.«

Felice trat vor und legte einen rasiermesserscharfen Pfeil auf. »Gut, daß der Wind in unsere Richtung weht. Laß mich eine Weile ihre Gehirne befühlen. Ich will sehen, ob ich sie in Bewegung setzen kann.«

Richard bemerkte: »Und in der Zwischenzeit können wir nur hoffen, daß sie keinen Durst bekommen.«

Während Felice mit ihrer koerziblen Kraft experimentierte, zogen sich die anderen auf dem Pfad bis zu einer sonnigen Lichtung zurück, wo sie sich hinsetzten und ausruhten. Richard pflanzte einen geraden Stock ungefähr von der Länge seines Arms senkrecht in den Boden und markierte die Spitze des Schattens mit einem kleinen Stein.

»Machst du eine Sonnenuhr?« erkundigte sich Amerie.

Der Pirat schnitt eine Grimasse. »Wenn wir lange genug hierbleiben, können wir die Himmelsrichtungen fixieren. Die Spitze des Schattens wandert, während die Sonne scheinbar über den Himmel zieht. Du wartest, kennzeichnest die neue

Position der Schattenspitze mit einem neuen Stein. Verbinde die beiden Steine durch eine Gerade, und du hast die Richtung von Osten nach Westen. Wenn wir dieses Hochland auf dem kürzesten Weg erreichen wollen, müssen wir uns meiner Meinung nach mehr links halten, als wir es auf diesem Pfad getan haben.«

Es verging fast eine Stunde, bis Felice zurückkam und ihnen sagte, es sei jetzt ungefährlich, die Wiese zu überqueren. Sie wählten eine neue Route, die Richards steinzeitlicher Navigation entsprach. Aber ohne einen ihnen zupaß kommenden Wildpfad waren sie gezwungen, sich einen Weg quer durch das verfilzte, von Dornen erstickte Untergeschoß des Waldes zu bahnen. Es war unmöglich, das leise zu tun, und die Tiere vollführten einen Aufstand wie zur Fütterungszeit im Zoo. Deshalb achteten sie genau auf die Windrichtung, holten die Vitredur-Beile und Claudes große Zimmermannsaxt hervor und hackten sich einen Weg. Nach zwei Stunden erschöpfender Arbeit stießen sie auf einen nicht ganz kleinen Bach, dem sie stromaufwärts in einen etwas offeneren Teil des Waldes folgen konnten.

»Wir sind jetzt auf der Anhöhe über dem See«, stellte Claude fest. »Die Straße zum Fort muß in der Nähe sein. Seid ganz leise und haltet die Ohren offen!«

Sie krochen weiter, versteckt im Schatten gigantischer Koniferen, palmenähnlicher Nacktsamer und Farne. Und prompt liefen sie genau in die Straße hinein, als sie den Kurs ändern mußten, um einem Spinnennetz von der Größe eines Bankett-Tischtuchs auszuweichen. Der vom Busch gesäumte Pfad lag verlassen da.

Felice beugte sich über einen Haufen Chaliko-Dung. »Kalt. Sie müssen vor zwei Stunden hier durchgekommen sein. Seht ihr die Spuren nach Norden?«

»Sie werden zurückkommen«, sagte Claude. »Und wenn sie Amphicyonen dabei haben, werden sie imstande sein, uns zu folgen. Verwischen wir unsere eigenen Spuren und verschwinden wir! Je höher das Gelände ansteigt, desto weniger Bäume wird es geben, so daß wir leichter vorankommen. Wir müssen irgendwo einem anderen Wasserlauf folgen, um unseren Geruch auszulöschen.«

Den Berg hinauf standen die Bäume weiter auseinander, aber es ging sich trotzdem nicht leicht. Die Wanderer folgten beinahe eine Stunde einem trockenen Wasserlauf, bevor aus dem sanften Hang oberhalb des hohen Seeufers eine mit hausgroßen Felstrümmern besäte steile Klippe wurde. Der Wind erstarb, und die nachmittägliche Hitze warf sie beim Klettern fast um.

Manchmal, wenn sie ausruhten, hatten sie Aussicht auf den großen See. Weit im Süden waren Segel zu sehen, die scheinbar bewegungslos über dem Wasser hingen. Es war unmöglich, zu sagen, ob sie den grauberingten Schiffern oder den Flüchtlingen gehörten. Sie stellten Mutmaßungen über das Schicksal Basils und seiner Gruppe an, sie sprachen über Yosh und die Zigeuner und ihren donquichottischen Angriff auf den Brückenposten. Aber während sie weitergingen, versiegte das Gespräch, denn sie mußten ihren Atem für immer schwierigeres Klettern sparen. Die Hoffnung, sie würden den ersten hohen Grat bald überqueren können, begann zu zerrinnen, als Richard sich einen seiner aus Plastik und Stoff bestehenden Schuhe an einem Stein aufschlitzte und gezwungen war, die unbequemen Schifferstiefel seines ursprünglichen Kostüms anzuziehen. Dann ließen Amerie ihre reitwunden Beine auf einem trügerischen Hang im Stich. Als sie stolperte, lösten sich mehrere große Steine. Sie trafen Claude und verletzten ihm Arm und Schulter.

»Wir schaffen es heute nie mehr bis zum Gipfel«, murrte Richard. »Meine linke Ferse ist eine einzige große Blase, und Amerie wird gleich zusammenbrechen.«

»Es sind nur noch zweihundert Meter«, sagte Felice. »Wenn du nicht mehr kannst, trage ich dich. Ich möchte gern einen Blick auf das Terrain werfen, in das wir morgen kommen. Mit etwas Glück sehen wir, sobald es dunkel ist, die Feuer des Forts oder sogar die Signale am Weg unter uns.«

Claude erklärte, er schaffe es allein. Felice gab Richard eine Hand und die andere der Nonne und zog sie mit aller Kraft hinter sich her. Es ging langsam, aber sie erreichten den Gipfel, kurz nachdem die Sonne hinter den Bergen auf der anderen Seite des Sees versunken war.

Als sie wieder zu Atem gekommen waren, sagte Claude:

»Warum verstecken wir uns nicht auf der östlichen Seite dieser großen Steinblöcke? Das ist ein hübscher, trockener Unterschlupf, und ich glaube nicht, daß jemand von unten ein Feuer sehen kann, wenn wir nach Eintritt der Dunkelheit eins anzünden. Ich könnte Holz sammeln.«

»Gute Idee«, antwortete Felice. »Ich gehe ein bißchen auf Kundschaft.« Sie verschwand zwischen den Klippen und knorrigen Wacholderbüschen. Die anderen pflegten ihre Wunden, bliesen Dekamol-Betten auf und beschwerten die Beine mit Erde, denn Wasser konnten sie dafür nicht verschwenden. Zu essen hatten sie leider nichts anderes als Kekse, Nährwaffeln und nach Käse schmeckendes Algenprotein. Als Claude einen Stoß trockener Zweige gesammelt hatte, kehrte Felice zurück, den Bogen keck über die Schulter gelegt. Sie schwenkte ihre Beute, die drei fetten Murmeltieren ähnelte, an den Hinterbeinen.

»Heil, Diana!« lachte der alte Mann. »Ich werde sie abhäuten und säubern!«

Sie zündeten das Feuer an, sobald es vollständig dunkel geworden war, brieten das Fleisch und genossen jeden nach Wild schmeckenden Bissen. Dann sanken Richard und Claude auf ihre Betten und waren in Minuten eingeschlafen. Amerie, der der Kopf vor Müdigkeit brummte, fühlte sich dessenungeachtet verpflichtet, Fett und Reste von dem Geschirr zu kratzen und es mit dem Energieaggregat zu sterilisieren. Sie schrumpfte es ein und packte es weg.

»Ich kann das Fort sehen«, sagte Felices Stimme von nahebei aus der Dunkelheit.

Amerie tastete sich über den Fels bis zu der Stelle vor, wo die Athletin stand. Der zunehmende Mond hing über dem See. Ein unglaublicher Überfluß von Pliozän-Sternen spiegelte sich im Wasser und unterschied es von dem schwarzen Land. Weit im Süden auf ihrer Seite des Sees war eine Ansammlung orangefarbener Punkte zu erkennen.

»Wie weit entfernt ist das?« fragte die Nonne.

»Mindestens fünfzehn Kilometer. Vielleicht mehr. Luftlinie.« Felice lachte, und Amerie war plötzlich hellwach. Es überkam sie das gleiche Gefühl der Furcht und Faszination, das sie schon einmal gehabt hatte. Die Frau neben ihr war eine undeutliche Silhouette im Sternenlicht, aber Amerie wußte, daß Felice sie ansah.

»Sie haben mir nicht gedankt«, sagte die Athletin mit leiser Stimme. »Ich habe sie befreit, aber sie haben mir nicht gedankt. Sie hatten immer noch Angst vor mir. Und dieser Idiot Dougal! ... Keiner von ihnen – nicht einmal du – hatte Mitgefühl oder Verständnis dafür, warum ich den Ring haben ...«

»Aber du konntest Dougal nicht *töten!* Um der Liebe Gottes willen, Felice! Ich mußte dich bewußtlos machen.«

»Ihn zu töten, wäre ein Trost gewesen.« Das junge Mädchen rückte näher. »Ich hatte schon Pläne gemacht. Pläne, von denen ich euch anderen kein Wort erzählte. Der goldene Ring war der Schlüssel. Nicht nur, um uns zu befreien, sondern auch, um die anderen zu retten – Bryan, Elizabeth, Aiken, Stein. Um alle menschlichen Sklaven zu befreien! Siehst du das nicht ein? Ich hätte es geschafft. Mit dem goldenen Ring hätte ich dieses Ding in meinem Innern zähmen und *benutzen* können.«

Amerie hörte sich selbst plappern: »Wir alle sind dir dankbar, Felice. Glaub mir! Wir waren einfach zu überwältigt von allem, als daß wir nach dem Kampf etwas hätten sagen können. Und Dougal – er war einfach zu schnell für Basil und Yosh, die ihn aufhalten wollten, und zu verrückt, um sich bewußt zu sein, was er tat, als er den Ring fortwarf. Wahrscheinlich glaubte er, vor Epones Macht erst sicher zu sein, wenn der Ring von ihrem Körper getrennt wäre.«

Felice antwortete nicht. Nach einer Weile meinte die Nonne: »Vielleicht kannst du einen anderen bekommen.«

Ein Seufzer. »Sie wissen jetzt über mich Bescheid, deshalb wird es sehr gefährlich sein. Aber ich muß es versuchen. Vielleicht eine andere Karawane überfallen oder vielleicht sogar nach Finiah gehen. Es wird schwer sein, und ich werde Hilfe brauchen.«

»Wir werden dir helfen.«

Felice lachte leise.

»*Ich* werde dir helfen. Ich werde mich noch für eine ganze Weile nicht in eine Einsiedelei zurückziehen.«

»Ah. Das ist ... gut. Ich brauche deine Hilfe, Amerie. Ich brauche dich!«

»Felice. Mißversteh mich nicht.«

»Oh, ich weiß alles über deinen Eid, zu entsagen. Aber den hast du vor sechs Millionen Jahren in einer anderen Welt abgelegt. Jetzt glaube ich, daß du mich ebenso sehr brauchst, wie ich dich.«

»Ich brauche deinen Schutz. Den brauchen wir alle.«

»Du brauchst mehr als das.«

Amerie wich zurück, stolperte über einen Stein, fiel und riß sich die verschorften Schnittwunden an ihren Händen auf.

»Komm, ich helfe dir!« sagte Felice.

Aber die Nonne mühte sich ohne Unterstützung auf die Füße und kehrte an die glühenden Reste des Lagerfeuers zurück, wo die anderen schliefen. Sie taumelte und krallte die Finger in die zerschlitzten Handflächen, so daß die Nägel die Wunden noch weiter öffneten. Hinter ihr lachte Felice in der Dunkelheit.

16

»Es ist soweit, Sukey. Du mußt die endgültige Entladung aufnehmen.«

»Aber – kann ich das? Ich könnte es wieder vermasseln, Elizabeth.«

»Das wirst du nicht. Du bist imstande, diese Maßnahme zu seiner Heilung zu treffen. Mich würde er es nicht tun lassen – aber du kannst es. Hab keine Angst!«

»Gut. Laß ihn langsam aus dem neuralen Bad des Rings kommen. Ich bin bereit.«

... Maisfelder in Illinois, flach wie ein Tisch. Sie erstrecken sich von Horizont zu Horizont, und die Spielzeughäuser und Nebengebäude der Farmen stehen einsam inmitten der Unendlichkeit. In einer der Furchen sitzen ein drei Jahre alter Junge und eine Schäferhündin. Der Junge, geschickt mit den Händen und voll toller Einfälle, überlistet einen angeblich kindersicheren Verschluß und entfernt einen Peilsender von seinen Jeans. Er hält ihn der Hündin hin. Sie ist trächtig und hat Appetit auf die seltsamsten Dinge, und so verschluckt sie ihn. Der Junge steht vom Boden auf und tippelt in der Furche auf ein weit entferntes, interessantes Geräusch zu. Die Hündin, von ihrem elektronischen Imbiß nicht befriedigt, läuft zum Farmhaus, wo der Lunch zubereitet wird …

»Nein! Dorthin kann ich nicht zurückgehen!«

»Still. Du kannst es! Du bist nahe daran, ganz nahe.«

… Eine Robot-Erntemaschine, beinahe so groß wie das Farmhaus und von leuchtender Orangefarbe, bewegt sich vorwärts, verschluckt dreißig Reihen von Maispflanzen auf einmal, zermahlt die Stengel zu nützlicher Pulpe, schält die Kolben – lang wie der Unterarm eines Mannes – und verpackt die dicken goldenen Körner zum Versand an andere Farmen im ganzen Galaktischen Milieu in Container. Diese neue Mais-Hybride wird zwanzig Kubikmeter Körner pro Hektar liefern …

»Ich will nicht hinsehen. Zwing mich nicht, hinzusehen!«

»Sei ruhig! Nimm es nicht so schwer! Komm mit mir! Nur ein einziges Mal noch!«

… Der kleine Junge wandert die gerade Furche entlang, wo die schwarze Erde zu krümeligem grauem Staub gebacken ist. Riesige Pflanzen ragen über ihm auf, braune Quasten vor dem blauen Himmel, geschwollene Kolben, reif und zur Ernte bereit, drängen sich aus den Halmen. Der Junge geht auf das Geräusch zu, aber es ist weit von ihm entfernt, und so muß er sich hinsetzen und ein bißchen ausruhen. Er lehnt sich gegen einen Maishalm, der so dick ist wie ein junger Baum, und die breiten grünen Blätter spenden ihm Schatten vor der Sonnenglut. Er schließt die Augen. Als er sie wieder öffnet, ist das Geräusch sehr viel lauter, und die Luft ist voll von Staub …

»Bitte. Bitte.«

»Du mußt ein letztes Mal dort hingehen. Aber ich bin bei dir. Es ist der einzige Ausweg für dich.«

… Verwunderung wird zu Unbehagen, wird zu Furcht, als der kleine Junge ein orangefarbenes Ungeheuer erblickt, das sich zu ihm durchkaut. Das Robotgehirn sucht die Furchen gewissenhaft nach den Signalen ab, die eine sofortige Notbremsung auslösen würden. Aber da ist kein Signal. Die Maschine fährt weiter. Der Junge läuft vor ihr her. Bei dem stetigen Tempo von einem Kilometer pro Stunde, das die Erntemaschine einhält, kann er ihr leicht entkommen ...

»Sie dachte es sich! Sie sah zur Lunchzeit auf dem Monitor nach mir und fand nur den Hund im Hof, der zwei Signale statt einem aussandte. Sie wußte, ich mußte draußen auf dem Feld sein. Sie rief Daddy an. Er sollte die Erntemaschine anhalten und nach mir suchen, aber er antwortete nicht. Er war außer Reichweite des Farmturms, weil er einen verklemmten Rotor an einer der Antennen reparierte.«

»Ja. Weiter. Du siehst sie, wie sie mit ihrem Ei nach dir sucht.«

... Der kleine Junge rennt weiter, zu unerfahren, um sich klarzumachen, daß er zur Seite, der Maschine aus dem Weg springen müßte, statt direkt vor ihr in der Furche geradeauszulaufen. Er rennt schneller, und er bekommt Seitenstechen. Er beginnt zu wimmern und läuft langsamer. Er stolpert, fällt, steht auf und taumelt weiter. Tränen blenden seine leuchtend blauen Augen. Oben in der Luft schwebt ein Ei über ihm. Er bleibt stehen und schwenkt die Arme, ruft nach seiner Mutter. Die Erntemaschine fährt weiter, schneidet die Stengel dicht über dem Boden ab, zieht sie auf einem mit Dornen versehenen Förderband in ihr Maul, hackt, zerfetzt, pflückt die Körner aus den Kolben, reduziert die Reihen riesiger Pflanzen zu ordentlichen Paketen mit Maiskörnern und feingemahlener Zellulose-Pulpe ...

»Nein. Bitte, nicht weiter!«

»Du mußt. Wir müssen. Noch einmal, und dann ist es für immer vorbei. Vertraue mir!«

... Das Ei landet, und das Kind steht stockstill. Es wartet darauf, daß die Mutter es rettet, es weint und streckt seine Arme nach ihr aus, die auf ihn zurennt, ihn hochreißt. Und das Geräusch wird lauter und lauter, und der Staub umwirbelt sie in der heißen Sonne. Sie zwängt sich schräg durch die zähen, hinderlichen Stengel und drückt das Kind fest an sich, während das große orangefarbene Ding weiterwalzt, Schneidstrahlen und Förderdornen und wirbelnde Messer in vollem Betrieb. Aber die fünfzehn Meter, die sie überqueren muß, sind zuviel. Sie keucht, stemmt den Jungen hoch und wirft ihn, so daß die grünen Maispflanzen und die orangefarbene Maschine und der blaue Himmel sich alle ganz langsam um ihn drehen. Er fällt zur Erde, und die Erntemaschine rumpelt vorüber. Ihr emsiges Klicken übertönt ein anderes Geräusch, das nicht sehr lange anhält ...

»O Jesus, ich kann sie noch hören bitte nein die Maschine hält und er kommt und schreit mich an mörderisches kleines Tier Cary Cary o mein Gott nein Daddy Daddy Mommy ist gefallen hilf ihr o mein Gott Cary du hast es getan um ihn zu retten und er hat dich getötet und es ist seine Schuld das mörderische kleine Tier nein nein was sage ich denn Gott mein eigener kleiner Junge Steinie es tut mir leid ich habe es nicht so gemeint o Gott Cary Steinie ... Daddy bitte halt mich fest.«

»Das hat er getan, Stein.«

»Jetzt weiß ich es.«

»Du hattest alles gehört? Alles, was er sagte?«

»Ja. Armer Daddy. Er konnte nicht anders, als es zu sagen. Jetzt weiß ich es. Zornig und verängstigt und hilflos. Ich verstehe. Er hat jedoch den Hund erschossen ... Aber ich brauche keine Angst zu haben. Er konnte nicht anders. Armer Daddy. Ich verstehe. Ich danke dir. Ich danke dir.«

Stein öffnete die Augen.

Das Gesicht einer unbekannten Frau war ihm sehr nahe – sonnengerötete runde Wangen, eine Stupsnase, forschende indigoblaue Augen, die ein bißchen zu nahe beieinanderstanden. Sie lächelte.

Er sagte: »Und ich brauche auf keinen von uns mehr böse zu sein.«

»Nein«, antwortete Sukey. »Du wirst dich erinnern und traurig sein können. Aber du wirst imstande sein, es zu akzeptieren. Du wirst nie wieder Schuldgefühle, Furcht oder Zorn über diesen Teil deines Lebens empfinden.«

Stein lag, ohne zu sprechen, und sie vereinigte ihre Gedanken mit den seinen auf eine Weise, die ihm gestand, daß sie seine Qual geteilt, die verriet, daß sie Sorge um ihn getragen hatte.

»Du hast mir geholfen«, sagte er. »Mich geheilt. Und ich weiß nicht einmal deinen Namen.«

»Ich bin Sue-Gwen Davies. Meine Freunde nennen mich Sukey. Es ist ein dummer Name ...«

»O nein.« Er richtete sich auf einem Ellbogen hoch und musterte sie mit unschuldiger Neugier. »Du warst beim Training in der Auberge dabei. Ich habe dich gesehen, am ersten und zweiten Tag, den ich dort war. Und dann warst du fort. Du mußt vor unserer Gruppe Grün durch das Zeitportal gegangen sein.«

»Ich war in Gruppe Gelb. Auch ich erinnere mich an dich. Dieses Wikingerkostüm kann man gar nicht übersehen.«

Er grinste und schüttelte sich das schweißverklebte Haar aus den Augen. »Damals schien mir das eine gute Idee zu sein. Eine Art Spiegelung meiner Persönlichkeit ... Was stellst du vor?«

Sie lachte verlegen und spielte mit dem gestickten Gürtel ihres langen Gewandes. »Eine antike walisische Prinzessin. Meine Familie ist vor langer Zeit aus Wales gekommen, und ich dachte, es würde mir Freude machen. Ein vollständiger Bruch mit meinem alten Leben.«

»Was warst du – Redakteurin?«

»O nein! Ich war Polizistin. Jugendbetreuerin auf ON-15, dem letzten Kolonie-Satelliten der Erde.« Sie berührte ihren Silberreif. »Ich bin erst hier eine operante Redakteurin geworden. Das werde ich dir erklären müssen ...«

Aber er unterbrach sie: »Ich habe es früher einmal mit einer metapsychischen Behandlung versucht. Sie hat nicht geholfen. Man sagte mir, ich sei zu stark, es sei ein ganz besonderer Heiler erforderlich – einer, der sich ganz seiner Aufgabe geweiht habe –, um in mein Inneres einzudringen und das Unkraut mit den Wurzeln auszureißen. Und du hast es geschafft.«

Sie protestierte: »Elizabeth hat alle vorbereitende Arbeit getan. Ich hatte es versucht ...« – ihr Blick glitt weg von ihm –, »und nichts als Unheil angerichtet. Es war wie ein Wunder, als Elizabeth die Entwicklung anhielt. Sie entfernte all das wirklich gefährliche Zeug, das ich nicht berühren konnte. Du verdankst ihr viel, Stein. Und ich ebenso.«

Er sah zweifelnd drein. »Damals in der Auberge nannten ich und mein Freund Richard sie die Eiskönigin. Sie war eine äußerst tiefgekühlte und geisterhafte Lady. Aber warte! Sie erzählte uns, sie habe ihre Metafunktionen verloren.«

»Sie sind zurückgekehrt. Der Schock der Translation durch das Zeitportal hat es bewirkt. Sie ist eine wunderbare Redakteurin, Stein. Sie hat zu den obersten Lehrern und Ratgebern ihres Sektors gehört. Sie war Meisterklasse. Ich werde nie so gut sein – außer vielleicht bei dir.«

Sehr behutsam nahm er sie in seine starken Arme. Ihr Haar war lang und schwarz und ganz glatt und hatte einen einfachen Kräuterduft nach der Tanu-Seife. Sie lag an seiner bloßen Brust, hörte sein Herz langsam schlagen und fürchtete sich, in seine Gedanken zu blicken, falls das, was sie erhoffte, nicht zu finden sein sollte. Sie waren jetzt allein in dem Turmzimmer. Auch Elizabeth war gegangen, als feststand, die Heilung werde ein Erfolg sein.

Sukey sagte: »Es gibt einiges, was du wissen mußt.« Sie berührte den Silberring um ihren etwas dicken Hals. »Diese silbernen Halsreifen – dein Freund Aiken bekam auch einen und ebenso einige andere Leute, die durch das Portal kamen – machen latente Metafunktionen operant. So bin ich Redakteurin geworden ... Und es lebt hier im Pliozän eine fremde Rasse mit uns. Ihre Angehörigen heißen Tanu, und sie sind vor langer Zeit aus einer Milliarden Lichtjahre entfernten Galaxis hergekommen. Auch sie sind Latente, und sie tragen goldene Halsringe, die sie fast so mächtig wie die Metapsychiker unseres Milieus machen. Sie sehen ganz menschlich aus, nur daß sie sehr groß sind und meistens blondes Haar und komische Augen haben. Die Tanu regieren diese Gegend beinahe so wie die Barone des Mittelalters die alte Erde.«

»Allmählich erinnere ich mich«, sagte Stein langsam. »Ein Kampf in einer Art Burg ... Sind wir immer noch an diesem Ort eingeschlossen?«

Sukey schüttelte den Kopf. »Sie haben uns – dich und mich und ein paar andere – die Rhône hinuntergebracht. Wir sind unterwegs zu der Tanu-Hauptstadt. Diese Stadt, in der wir seit zwei Tagen sind, heißt Darask und liegt dicht an der Mittelmeerküste. Elizabeth half der Burgherrin, die ein schweres Kindbett hatte, deshalb durften wir als eine Art Belohnung bleiben und uns um dich kümmern und uns ausruhen. Die Flußfahrt war ziemlich nervenaufreibend.«

»Also, Elizabeth ist da, und Aiken auch. Wer sonst noch?«

»Bryan von deiner Gruppe. Und ein weiterer Mann namens Raimo Hakkinen, der in den Waldgebieten von Britisch-Columbien gearbeitet hat. Ich glaube, er gehört zu Gruppe Orange. Ein Tanu-Mann hat die Aufgabe, uns in ihre Hauptstadt zu bringen. Sein Name ist Creyn, und er scheint unter den Aliens so etwas wie ein Arzt zu sein, wenn er nicht als Gefangenen-Eskorte fungiert. Er hat übrigens alle Wunden geheilt, die du bei dem Kampf erhalten hast – und das ohne einen Regenerierungstank zu benutzen, nur mit Plastikverbänden und Willenskraft. Deine übrigen Freunde und die übrigen Leute, die in der Burg gefangengehalten wurden, sind unterwegs zu einem anderen Ort, Hunderte von Kilometern nördlich von hier.«

»Was haben sie mit uns vor?«

»Nun, Elizabeth ist offensichtlich etwas Besonderes. Sie scheint das einzige menschliche Wesen im ganzen Exil zu sein, das ohne Halsring operant ist. Ich vermute, sie wollen sie zur Königin der Welt machen, wenn sie sich das gefallen läßt.«

»O Gott!«

»Und Bryan – er ist ein weiterer Spezialfall. Auch er hat keinen Ring bekommen. Ich habe noch nicht herausgebracht, warum, aber die Tanu meinen wohl, einen Anthropologen zu brauchen, damit er ihnen erklärt, was wir Menschen alle ihrer Pliozän-Gesellschaft angetan haben. Indem wir durch das Zeitportal kamen, verstehst du? Es ist sehr kompliziert, aber ... nun, Silberring-Träger wie Aiken und ich und Raimo, deren latente Metafunktionen operant wurden, wir haben eine Chance, in die Tanu-Aristokratie aufgenommen zu werden, wenn wir uns gut benehmen. Normale Menschen, die nicht latent sind, scheinen jedoch nicht versklavt oder so etwas zu werden – die Fremden haben kleine Affen, die die grobe Arbeit tun. Die Normalen, die wir gesehen haben, beschäftigen sich mit Kunst und Kunsthandwerk.«

Stein hob die Hände und berührte seinen eigenen Ring. Dann versuchte er, ihn durch Drehen und Ziehen loszumachen. »Kann das verdammte Ding nicht abkriegen. Du sagst, es wird meine latenten Metafunktionen verstärken?«

Sukey geriet in Verlegenheit. »Sein ... dein Ring ... ist nicht aus Silber. Er ist aus irgendeinem grauen Metall. Du bist kein Latenter.«

Ein gefährliches Schimmern trat in seine leuchtend blauen Augen. »Wozu ist mein Ring dann gut?«

Sukey biß sich auf die Unterlippe. Sie streckte eine Hand nach dem Metall um seinen Hals aus. Mit einer Stimme, die kaum mehr als ein Hauch war, erklärte sie: »Er kontrolliert dich. Er vermittelt Lust oder Schmerz. Die Tanu können ihn benutzen, um sich telepathisch mit dir in Verbindung zu setzen, und sie können dich damit lokalisieren, wenn du wegläufst. Sie können dich in Schlaf versetzen und deine Ängste beschwichtigen und dir hypnotische Befehle geben und wahrscheinlich noch allerlei, wovon ich bisher nichts erfahren habe.«

Sie erklärte ihm mehr über das Funktionieren der Ringe, soviel sie davon wußte. Stein saß unheimlich still auf der Bettkante. Als sie endete, sagte er: »Also verrichten die Leute, die Grau tragen, meistens Arbeiten, die für die Aliens wichtig oder unter Umständen lebensnotwendig sind. Soldaten. Torwächter. Dieser Bootsmann, der uns einen gefährlichen Fluß hinunterbrachte. Und sie tun ihre Pflicht, ohne zu rebellieren, obwohl sie von diesem verdammten Ring nicht in Zombies verwandelt werden.«

»Die meisten Grau-Träger, denen wir begegnet sind, benahmen sich normal und schienen recht glücklich zu sein. Unser Schiffer sagte, er liebe seine Arbeit. Einer der Palastleute, mit dem ich hier sprach, sagte, die Tanu seien freundlich und großzügig, solange man sich ihren Befehlen nicht widersetze. Ich ... ich nehme an, nach einiger Zeit tut man einfach, was sie wollen, ohne daß sie einen zwingen müssen. Man ist konditioniert und loyal. Im Grunde ist es die gleiche Sozialisierung, wie sie in jeder enggeschlossenen Gruppe stattfindet. Nur ist die Loyalität hier garantiert.«

Sehr ruhig erklärte Stein: »Ich werde keinen Lakaien für irgendeinen fremden Sklavenherrn machen. Ich bin durch das Zeitportal gegangen und habe alles aufgegeben, was ich besaß, um von all dem loszukommen. Um ein natürlicher Mensch zu sein; frei zu tun, was mir gefällt! Auf eine andere Weise kann ich nicht leben. Will ich nicht leben! Zuerst müssen sie mir das Gehirn ausbrennen.«

Mit schwimmenden Augen ließ Sukey ihre Finger über seine Wange gleiten. Ihr Geist schlüpfte unter die Oberfläche seines Bewußtseins und sah, daß er die reine Wahrheit sprach. Die Hartnäckigkeit, die jeden Heiler bis auf die Frau, die ihn liebte, ausgeschlossen hatte, wies jetzt unerschütterlich jeden Gedanken an Anpassung zurück, stand in totalem Gegensatz zu der Einstellung, aus einer schwierigen Situation das Beste zu machen. Stein würde sich den Tanu niemals beugen. Er würde zerbrechen. Wenn sie ihn überhaupt je beherrschten, dann nur seine seelenlose Hülle.

Die Tränen liefen über und fielen auf das Bettzeug und den Wolfsfell-Kilt, den Stein immer noch trug. Er ergriff ihre beiden Hände. Sie sagte: »Das Exil hat sich nicht als die Welt erwiesen, von der wir alle geträumt haben, nicht wahr? Ich wollte den Tunnel finden, der ins Paradies im Innern der hohlen Erde führt, nach Agharta. Creyn behauptet, die Sagen müßten auf das Paradies anspielen, das seine Leute hier gegründet haben. Aber das kann nicht wahr sein, oder? Agharta war ein Land des vollkommenen Friedens und des Glücks und der Gerechtigkeit. Das kann hier nicht derselbe Ort sein. Nicht wenn er dich – unglücklich macht.«

Er lachte. »Ich bin ein schwieriger Fall, Sukey. Für dich wird es anders sein. Du wirst beim Highlife mitmachen. Eine Pliozän-Prinzessin sein statt nur eine walisische.«

Sie entzog sich ihm. »Ich habe eine wichtige Sache über diese Exil-Welt vergessen. Menschliche Frauen ... die Tanu machen unsere Eileitertrennung rückgängig und stellen unsere Fruchtbarkeit wieder her. Ihre eigenen Frauen sind hier auf der Erde nicht sehr gebärfreudig, und deshalb ... benutzen sie auch uns. Einige menschliche Frauen werden Ehefrauen der Tanu, wie die Herrin dieses Palastes, in dem wir uns befinden. Aber eine Menge anderer werden nur als ...«

Von neuem zog Stein sie dicht an sich. Er wischte ihr die Tränen mit einem Zipfel des Bettlakens ab. »O nein. Nicht du, Sukey. Das wird dir nicht geschehen.«

Ungläubig hob sie das Gesicht. Er sagte: »Mach schon! Sieh tief in mich hinein! Solange du es bist, macht es mir nichts aus.«

Sukey holte erschauernd Atem und stürzte sich in seinen Geist. Sie mußte weinen, als sie feststellte, daß das, was sie erhofft hatte, existierte, ganz neu und stark.

Als er sie beruhigt hatte und das Gelübde in beider Gedanken versiegelt war, vervollständigten sie ihre gegenseitige Heilung auf ihre eigene Weise.

17

Claude und Richard und Amerie hätten tagelang schlafen können, aber bei Sonnenaufgang stieg das ferne Heulen von Amphicyonen aus Süden zum Gipfel hoch, und damit wußten sie, daß die Tanu ihr Äußerstes tun würden, um Felice nicht entkommen zu lassen. Ihre Rolle bei dem Massaker war zweifellos von irgendeinem wieder eingefangenen Flüchtling verraten worden. Die Überreste von Gruppe Grün verschwendeten keine Zeit mit dem Versuch, die Spuren ihres Lagers zu verwischen, sondern marschierten noch im Morgengrauen weiter. Im Gehen ließen sie die Luft aus ihren Ausrüstungsgegenständen und aßen ein mageres Frühstück. Claude hatte versucht, die Führerschaft an Felice weiterzugeben, aber sie wollte nichts davon hören.

»Du hast Erfahrung in dieser Art des Reisens. Ich nicht. Bring uns nur so schnell du kannst von diesem Gipfel weg und in dicht bewaldetes Land mit einem ausreichend großen Fluß hinunter. Dann glaube ich, daß es mir gelingt, die Verfolger von unserer Fährte abzubringen.«

Sie rutschten und schlitterten und seilten sich einmal sogar auf ihrer Flucht nach unten über eine kleine Klippe ab. Schneller ging es, als sie ein Trockenbett fanden, das sich in den unteren Regionen in ein dünnes Bächlein verwandelte. Die Bäume rückten zusammen und wurden höher, bildeten ein Dach über dem sich verbreiternden Wasserlauf und schützten sie vor der Sonnenglut. Während sie durch das mit Steinen besäte Bachbett wateten, störten sie große braune Forellen und fischende Wiesel auf, die hellen Nerzen ähnelten. Sie liefen in dem Versuch, Verfolger zu verwirren, erst an dem einen, dann an dem anderen Ufer weiter. Claude wies sie an, eine gut sichtbare Fährte einen Nebenfluß hinauf zu trampeln, sich zu erleichtern, um die Spur zu verstärken, im Wasser zurückzukommen und im ursprünglichen Fluß weiterzuwaten. Er wurde an manchen Stellen gefährlich tief und war von Strudeln durchsetzt.

Zur Mitte des Vormittags gebot Claude halt. Er und Felice waren in guter Verfassung, aber Richard und die Nonne ließen sich müde und dankbar niedersinken. Sie ruhten auf herausragenden Steinen in einem Stauwasser-Teich aus und strengten die Ohren an, ob irgendein Geräusch auf Verfolger schließen lasse. Sie hörten nichts als ein explosives *Klatsch!* ein kurzes Stück flußabwärts.

»Wenn ich es nicht besser wüßte«, bemerkte Amerie, »würde ich sagen, das war ein Biber.«

»Wahrscheinlich war es wirklich einer«, erwiderte Claude. »Es mag unser alter Freund Castor sein, doch eher noch Steneofiber, ein primitiverer Typ, der nicht viel mit Dämmebauen im Sinn hatte, sondern einfach Löcher in das ...«

»Pst!« zischte Felice. »Horcht!«

Rauschendes Wasser, Vogelgesang, ab und zu ein Kreischen, das, wie Claude ihnen gesagt hatte, von einem Baumaffen kam, ein Eichhörnchen, das seinen Ärger hinausschnatterte.

Und etwas Großes, das sich räusperte.

Sie erstarrten auf ihren Steinen und zogen instinktiv die Füße hoch, die sie im Wasser hatten baumeln lassen. Der Laut war ein kehliges Husten, ganz anders als alles, was sie bisher im Pliozän gehört hatten. Die Büsche auf dem linken Ufer schwankten leicht, als ein Tier hindurchschritt und an den Fluß herunterkam, um zu trinken. Es war eine Katze, massig wie ein afrikanischer Löwe, aber mit großen Hundezähnen, die wie Dolche über die geschlossenen Lippen hinausragten. Das Tier rülpste wie ein magenschwacher Gourmet nach einem überreichen Festmahl und schlappte lustlos ein paarmal Wasser. Seinen Rücken und seine Flanken schmückten braunrot marmorierte Vielecke, deren Kanten lohfarben und schwarz abgesetzt waren. Sie flossen zu dunklen Streifen um das Gesicht und zu schwarzen Tupfen am Bauch und an den Hinterläufen zusammen. Es hatte einen Schnurrbart von heroischen Proportionen.

Der Wind drehte sich und trug den Geruch der Menschen zu dem trinkenden Säbelzahntiger. Er hob den Kopf, starrte sie mit seinen gelben Augen direkt an und knurrte. Das wirkte ganz wie die bemühte Zurückhaltung eines Wesens, das eine prekäre Situation völlig beherrscht.

Felice hielt dem Blick stand.

Die anderen waren bewegungsunfähig vor Entsetzen und machten sich darauf gefaßt, daß die Katze ins Wasser sprang. Aber das tat sie nicht. Ihr Bauch war voll, und ihre Jungen warteten, und Felices Gedanken streichelten ihre katzenhafte Eitelkeit und sagten ihr, daß die magere Beute, die da auf den Steinen kauerte, kaum ein Hinüberschwimmen wert sei. So trank der Machairodus, funkelte sie an, zog den Nasenrücken in einem verächtlichen halbseitigen Schnauben kraus und verzog sich schließlich ins Unterholz.

»Ich brauche nur fünf Minuten«, flüsterte Amerie, »um eine Dankesmesse zu halten. Sie ist schon lange überfällig.«

Felice schüttelte mit rätselhaftem Lächeln den Kopf, und Richard blickte überlegen drein und wandte sich ab. Doch Claude kam auf Ameries Stein herüber und teilte mit ihr den goldenen Fingerhut voll Wein und das Stückchen getrockneten Brotes aus der Messe-Ausrüstung, die sie in der Tasche von Richards Uniform bei sich trug. Und als das vorbei war, machten sie sich wieder auf und hackten sich einen Weg an dem Ufer, auf das der Säbelzahn keinen Anspruch erhoben hatte.

»Er war so unglaublich schön«, sagte die Nonne zu Claude. »Aber wozu braucht er solche Zähne? Die großen Katzen unserer Zeit kamen sehr gut mit kürzeren zurecht.«

»Unsere Löwen und Tiger versuchen auch nie, Elefanten zu töten.«

»Du meinst diese ungeheuerlichen Stoßzahnträger, mit denen sie uns in der Auberge durch Drei-D-Filme Angst einjagen wollten?« rief Richard. »Hier?«

»Es werden hier im Oberland eher die kleineren Mastodons sein. Gomphotherium angustidens ist wahrscheinlich die übliche Art. Kaum halb so groß wie die Nashörner, die wir gestern sahen. Mit Deinotherien werden wir höchstens dann zusammenstoßen, wenn wir durch einen Sumpf oder über einen großen Fluß im Unterland müssen.«

»Kaleidoskopisch«, brummte der Pirat. »Entschuldigt die Frage, aber hat einer von euch Assen ein bestimmtes Ziel im Auge? Oder laufen wir bloß davon?«

Claude antwortete leise: »Wir laufen bloß davon. Wenn wir die Soldaten und die Bärenhunde abgeschüttelt haben, ist Zeit genug für strategische Entscheidungen. Oder bist du anderer Meinung, Sohn?«

»Ach, Scheiße«, grunzte Richard und hackte von neuem auf das Dickicht am Ufer los.

Schließlich vereinigte sich der Bach mit einem großen, rasch dahinströmenden Fluß, der in südliche Richtung verlief. Claude meinte, es könne die obere Saône sein. »Wir werden diesem Fluß nicht folgen«, sagte er zu der übrigen Gruppe. »Wahrscheinlich biegt er nach Südwesten ab und mündet vierzig oder fünfzig Kilometer stromabwärts in den See. Wir müssen hinüber, und das bedeutet die Dekamol-Brücken.«

Jeder Überlebenspack war mit drei Brückenabschnitten ausgestattet, die zu einem schmalen, sich selbst tragenden Gebilde von zwanzig Metern Länge vereinigt werden konnten. Es ähnelte einer Leiter mit dicht beieinanderstehenden Sprossen. Sie zogen den Fluß bis zu einer Stelle hinauf, wo er sich zwischen zwei zerklüfteten Felsen verengte, bliesen die Abschnitte auf, beschwerten und vereinigten sie und schwangen die Brücke hinüber zum anderen Ufer.

»Sieht ziemlich zerbrechlich aus«, bemerkte Richard voller Unbehagen. »Komisch – als wir in der Auberge damit geübt haben, schien das Ding viel breiter zu sein.«

Die Brücke war gut ein Drittel Meter breit und fest wie ein Fels. Allein, sie hatten sie dazu benutzt, einen stillen Teich in der Höhle der Auberge zu überqueren, während hier strudelnde Stromschnellen und scharfe Felsen unten auf sie warteten.

»Wir könnten eine zweite Brücke aufblasen und die beiden

Seite an Seite festzurren, wenn du dich dann sicherer fühlst«, schlug Amerie vor. Aber der Pirat warf sich indigniert in die Brust, schulterte seinen Packen und schlingerte hinüber wie ein Seiltänzer-Lehrling.

»Jetzt du, Amerie«, sagte Claude.

Die Nonne trat zuversichtlich auf die Brücke. Auf wie vielen Hunderten von Baumstämmen war sie schon über Bergbäche der Oregon Cascades balanciert! Die Holme standen weniger als eine Handspanne auseinander; es war unmöglich, hindurchzufallen. Es war nichts weiter erforderlich als ein fester Schritt und eine ausgewogene Haltung. Und natürlich mußte sie die Augen auf das jenseitige Ufer und nicht auf den schäumenden Schlund sechs Meter weiter unten richten ...

Sie bekam einen Krampf im rechten Oberschenkel, schwankte, fing sich wieder, neigte sich zu weit zur anderen Seite und fiel mit den Füßen voran in den Fluß.

»Wirf deinen Rucksack ab!« schrie Felice. Mit blitzschnellen Bewegungen ließ sie Bogen und Pfeile fallen, öffnete ihren Rucksack, schlug auf die Schnellverschlüsse ihres Küraß und ihrer Beinschienen und sprang Amerie nach.

Richard sah von der anderen Seite her mit offenem Mund zu, aber der alte Mann rannte auf dem Weg, den sie gekommen waren, zurück, bis zu der relativ ruhigen Stelle, wo der kleinere Fluß mündete. Zwei Köpfe tanzten in den Stromschnellen. Der vordere stieß gerade gegen einen buckligen Stein und verschwand. Der zweite flog an den Stein heran und ging ebenfalls unter, aber nach einem langen Moment kamen beide Frauen wieder hoch und trieben auf Claude zu. Er packte ein kräftiges Stück Treibholz und hielt es ihnen hin. Felice faßte es mit einer Hand, und es gelang ihm, sie heranzuziehen. Ihre andere Hand hatte sie in Ameries Haar verkrallt.

Claude watete hinaus und zerrte die Nonne ans Ufer. Felice lag auf Händen und Knien im seichten Wasser, spuckte und hustete. Er bog Ameries triefenden Körper im Taschenmessergriff, um die Lungen von Wasser zu leeren, dann füllte er sie mit seinem eigenen warmen Atem.

Atme, Kind! flehte er sie an. Lebe, Tochter!

Er hörte einen erstickten Laut, sah ein erstes zögerndes Heben der Brust unter der durchweichten und zerrissenen Uniform eines Sternenschiff-Kapitäns. Ein letzter Kuß geteilten Atems, und sie kehrte ins Leben zurück.

Ameries Augen öffneten sich. Sie starrte erst Claude, dann die lächelnde Felice wild an. Ein würgendes Schluchzen entrang sich ihrer Kehle. Sie vergrub ihren Kopf an des alten Mannes Brust. Er bat Felice, den warmen orcadianischen Pullover aus seinem Rucksack zu nehmen, und wickelte die Nonne darin ein. Aber als er versuchte, Amerie hochzuheben und über die Brücke zu tragen, erwies sie sich als viel zu schwer für ihn. So war es die kleine Athletin, die der Nonne helfen mußte, während der Paläontologe sich mit seinem und Felices Gepäck belud.

Ameries Rucksack mit den medizinischen Vorräten war verloren, weit stromabwärts davongetragen. Sie mußten ihren gebrochenen Arm mit der dürftigen Erste-Hilfe-Ausstattung der einzelnen Überlebenspacks nach den Anweisungen einer lakonischen Buchplatte mit dem Titel *Häufige medizinische Notfälle* schienen. Die Verletzung war eine einfache Fraktur des Oberarmknochens, die auch Amateure leicht behandeln konnten. Doch bis Amerie versorgt war und ein Beruhigungsmittel erhalten hatte, war der Nachmittag schon weit fortgeschritten. Richard überzeugte Claude und Felice davon, daß es trotz drohender Verfolgung sinnlos war, jetzt noch weiterzumarschieren. Sie entfernten sich ein kurzes Stück vom Ufer und verbargen sich in einem Hain dicker Eichen. Dort stellte Richard zwei Dekamol-Hütten auf, Felice ging und erlegte einen großen fetten Rehbock, und Claude grub an einer sumpfigen Stelle nahrhafte Knollen aus.

Als ihre Mägen voll, die Betten auf höchste Weichheit eingestellt und die insektensicheren Schirmtüren geschlossen waren, fielen sie in Schlaf, noch bevor die Dunkelheit hereinbrach. Sie hörten weder die Stimmen der Eulen und Nachtigallen und Baumfrösche noch das verklingende Heulen der Bärenhunde, die weit im Süden einer kalten und irreführenden Spur folgten. Sie sahen nicht, wie Nebel von den Stromschnellen aufstieg, als die Sterne heller wurden. Und sie sahen nichts von den glühenden, grotesken Gestalten der Firvulag, die herbeikamen und auf dem anderen Ufer des Flusses tanzten, bis die Sterne in der Morgendämmerung verblaßten.

Am folgenden Morgen war Amerie fieberig und schwach. Alle waren dafür, ihr Medikamente aus ihrem begrenzten Vorrat zu geben, es ihr in der einen Hütte bequem zu machen und sich in die andere zurückzuziehen, damit sie schlafen und wieder gesund werden konnte. Alle brauchten sie Erholung, und sie hielten es kaum für möglich, daß Verfolger den von Klippen gesäumten Strom zu überqueren vermochten, ohne daß sie etwas davon merkten.

Felice war überzeugt, sie hätten die Fährtensucher vollständig abgeschüttelt. »Vielleicht finden sie sogar weiter unten Gegenstände aus Ameries Rucksack und glauben, wir seien im Fluß ertrunken.«

Also schliefen sie, aßen kaltes Wildbret und Algenprotein und setzten sich dann in den Schatten einer alten Eiche. Sie tranken kostbaren Instant-Kaffee aus kleinen Tassen und versuchten sich darüber klar zu werden, was sie jetzt tun sollten.

»Ich habe einen neuen Plan ausgearbeitet«, sagte Felice. »Ich habe verschiedene Möglichkeiten gegeneinander abgewogen und bin zu dem Schluß gekommen, der geeignetste Ort, um mir einen anderen Ring zu besorgen, wird in der Nähe von Finiah sein, wo es eine Menge Tanu gibt. Vielleicht haben sie da sogar ein Lagerhaus oder eine Fabrik für die Dinger. Wir müssen verborgen bleiben, bis Amerie wieder gesund ist, dann die Vogesen überqueren und uns außerhalb der Stadt ein Versteck suchen. Vorräte können wir von Karawanen oder einsam liegenden Siedlungen organisieren.«

Richard erstickte fast an seinem Kaffee.

Felice fuhr seelenruhig fort: »Und dann, wenn wir ihre Verteidigungsanlagen analysiert und mehr über diese Ring-Technik erfahren haben, können wir Pläne für einen Angriff machen.«

Richard setzte sein Täßchen mit großer Sorgfalt auf einer Baumwurzel ab. »Kind, du hast uns durch Tricks und Einschüchterung soweit gebracht, daß wir bis jetzt getan haben, was du wolltest, und ich will auch keineswegs behaupten, du hättest nicht verdammt gute Arbeit geleistet, als du uns von Epone und ihren Marionetten befreit hast. Aber es ist ganz ausgeschlossen, daß du mich zu einer Vier-Mann-Invasion gegen eine ganze Stadt voller fremder Gehirnquirler zwingst!«

»Du würdest es vorziehen, dich im Wald zu verstecken, bis sie dich erwischen?« höhnte Felice. »Sie werden mit dem Suchen nie aufhören, verstehst du. Und die Tanu werden selbst kommen, statt ihre menschlichen Sklaven zu schicken. Wenn wir meinem Plan folgen – wenn *ich* einen goldenen Ring erhalte – bin ich jedem von ihnen gewachsen!«

»Das sagst du. Woher sollen wir wissen, ob es dir gelingt? Und was springt für uns dabei heraus? Sollen wir deine loyalen Speerträger werden, während du die Kommandeuse spielst? Einer dieser verdammten goldenen Ringe wird keinem von uns Normalen etwas nützen. Und ob du deinen privaten Guerilla-Krieg gewinnst oder verlierst, diese Mißgeburten haben, bis er vorbei ist, einige von uns niedergemetzelt. Willst du wissen, was für einen Plan ich habe, Miß Großmaul?«

Sie trank mit gesenkten Lidern ihren Kaffee.

»Ich will es dir sagen!« polterte Richard los. »Ich werde mich hier noch einen oder zwei Tage ausruhen und mein Schuhwerk reparieren, und dann wandere ich nordwärts zu den großen Flüssen und dem Meer, wie es Yosh getan hat. Mit ein bißchen Glück finde ich ihn sogar wieder. Wenn ich den Atlantik erreiche, segele ich an der Küste entlang nach Süden. Während du die Räuberprinzessin spielst, wälze ich mich in meiner Piratenhütte in Bordeaux in gutem Wein und munteren Mädchen.«

»Und wir anderen?« fragte Claude sachlich.

»Kommt mit mir! Warum nicht? Ich habe nicht vor, mir bei einem Gewaltmarsch über die Vogesen Hals und Beine zu brechen. Hör zu, Claude – wenn ihr, du und Amerie, bei mir bleibt, helfe ich euch, einen hübschen friedlichen Ort zu finden, von dem die Tanu nie gehört haben. Du bist ein bißchen zu alt, um bei den Schlachten dieses verrückten Kindes mitzumachen. Und was für ein Leben würde es, um Gottes willen, für eine Nonne sein? Die da bringt Leute zum Spaß um.«

Felice sagte: »Du irrst dich, Richard« und trank ihren Kaffee.

Der alte Paläontologe blickte von einem zum anderen und schüttelte den Kopf. »Ich muß erst darüber nachdenken. Und da ist noch etwas, das ich habe tun wollen. Wenn es euch nichts ausmacht, gehe ich ein Stückchen weiter in diesen Eichenhain und bin eine Weile allein.« Er stand auf, faßte kurz in die große Tasche seiner Buschjacke und ging davon.

»Nimm dir soviel Zeit, wie du willst, Claude«, rief Felice ihm nach. »Ich kümmere mich um Amerie. Und Wache halte ich auch.«

»Verlauf dich nicht«, setzte Richard hinzu. Felice murmelte etwas Unverständliches.

Claude merkte sich beim Wandern automatisch Wegmarken, wie er es so viele Jahre lang auf frisch besiedelten Planeten getan hatte. Eine Eiche mit zwei wie Riesenarme niederhängenden dicken Ästen. Eine rötliche Felsnadel, die sich inmitten grauen Granits erhob. Eine trockene Wiese mit einem Ahorn, bei dem sich das Laub eines Astes zu früh im Jahr golden verfärbt hatte. Ein mit rosa Wasserlilien getupfter Tümpel, auf dem ein Paar gewöhnlicher Wildenten gelangweilt umherschwamm. Eine aus den Felsen entspringende Quelle, geschmückt mit duftigen Farnen und beschattet von einer herrlichen Buche.

»Wie ist das hier, Gen?« fragte der alte Mann.

Er kniete nieder, hielt seine Hände in den Quell und trank. Dann wusch er sich die Stirn und den sonnverbrannten Nakken. Asperges me, Domine, hyssopo, et mundabor. Lavabis me, et super nivem dealbabor.

»Ja, ich glaube, das ist ein sehr schöner Ort.«

Er nahm einen dünnen, flachen Stein aus dem Becken der Quelle und ging an den Fuß der Buche. Nachdem er sorgfältig ein Moospolster entfernt hatte, grub er ein Loch, legte den geschnitzten Holzkasten hinein, brachte Erdreich und Pflanzen wieder an Ort und Stelle und klopfte sie fest. Er kennzeichnete Gens Ruheplatz weder mit einem Stein noch mit einem Kreuz; wer sie liebte, wußte, wo ihr Staub begraben war. Als er fertig war, kehrte er zu der Quelle zurück, schöpfte eine Handvoll Wasser und bespritzte das aus seiner Ruhe gebrachte Moos. Dann setzte er sich mit dem Rücken an dem Baumstamm hin und schloß die Augen.

Als er erwachte, war es später Nachmittag. Etwas hockte an der Quelle und betrachtete ihn mit wachsamen hellgrünen Augen.

Claude hielt den Atem an. Es war eins der schönsten kleinen Tiere, das er je gesehen hatte, der anmutige und geschmeidige Körper nicht länger als seine Hand. Ein schlanker Schwanz fügte seiner Länge weitere zwanzig Zentimeter hinzu. Der Bauch war hellorangefarben, das Rückenfell braungelb mit einer feinen schwarzen Zeichnung ähnlich wie bei dem kleinen Fuchs des nordamerikanischen Westens. Das Katzengesicht war voller Intelligenz, sanft und ohne jede Drohung, obwohl es ganz wie das eines Miniatur-Pumas aussah.

Es mußte Felis zitteli sein, eine der frühesten echten Katzen. Claude spitzte die Lippen und pfiff einen leisen, an- und abschwellenden Ruf. Das Tierchen drehte die langen Ohren nach dem Geräusch. Mit unendlicher Langsamkeit ließ Claude die Hand in die Tasche gleiten und zog ein kleines Stück des käseähnlichen Algenproteins hervor.

»Pss-pss-pss«, lud er das kleine Tier ein und legte das Futter auf das Moos neben sich.

Ruhig kam das Kätzchen zu ihm. Seine Nüstern bebten, die weißen Schnurrhaare zeigten nach vorn. Es schnüffelte diskret an dem Futter, probierte es mit einer zierlichen rosa Zunge und fraß es. Augen, die im Verhältnis größer als die einer domestizierten Katze und schwarz umrandet waren, sahen Claude auf unmißverständlich freundliche Weise an. Ein schwach summender Ton war zu hören. Felis zitteli schnurrte.

Der alte Mann gab der Katze mehr Futter, dann wagte er es, sie zu berühren. Sie ließ sich sein Streicheln gefallen, krümmte den Rücken und kringelte den Schwanz mit der schwarzen Spitze zu einem Fragezeichen. Sie rückte näher an Claude heran und stupste ihre Stirn gegen sein Bein.

»Oh, du bist aber eine Süße! Winzige Zähnchen. Frißt du

Larven unter Steinen und Insekten oder fischst du Elritzen?« Die Katze neigte den Kopf, schenkte ihm einen schmelzenden Blick und sprang ihm in den Schoß, wo sie sich mit allen Anzeichen der Vertrautheit niederließ. Claude liebkoste das hübsche Ding und sprach leise mit ihm, während die Schatten purpurn wurden und sich eine kühle Brise durch den Hain stahl.

»Ich muß gehen«, sagte er widerstrebend, schob eine Hand unter den warmen kleinen Bauch und setzte die Katze auf den Boden. Er stand auf und erwartete, das Tier werde bei der Bewegung Angst bekommen und fliehen. Aber es setzte sich nur nieder und beobachtete ihn, und als er wegging, folgte es ihm.

Er lachte und machte »Schsch«, aber es kehrte nicht um. »War das eine Blitz-Domestizierung bei dir?« fragte er es. Und dann dachte er an Amerie, die in schlechtem Gesundheitszustand mit ihm und Richard nach Norden ziehen mußte. Wenn sie Felice zurückließen (und es schien keine Alternative zu geben), würde sich die Nonne sowohl um sie Sorgen machen als auch über ihre eigene Schuld nachgrübeln. Vielleicht lenkte das bezaubernde Kätzchen sie ab.

»Soll ich dich in meiner Tasche transportieren? Oder ziehst du Schultern vor?« Er hob das Kätzchen hoch und setzte es in die blasebalgähnliche Tasche seiner Jacke. Es drehte sich mehrmals um sich selbst und machte es sich dann bequem. Der Kopf schaute heraus. Das Kätzchen schnurrte immer noch.

»Das wär's dann.« Der alte Mann legte einen Schritt zu und wanderte von Wegmarke zu Wegmarke, bis er den offenen Teil des Eichenhains, wo sie ihr Lager aufgeschlagen hatten, wieder erreichte.

Die beiden Dekamol-Hütten waren nicht mehr da.

Claudes Kehle war wie zugeschnürt, sein Herz raste. Taumelnd zog er sich hinter einen dicken Baumstamm zurück und lehnte sich mit dem Rücken dagegen, bis sein Puls langsamer wurde. Vorsichtig lugte er hinaus und musterte die Lichtung, wo das Lager gewesen war. Sie enthielt nichts mehr von ihrer Ausrüstung. Sogar der Feuergraben und die Überreste des gebratenen Rehbocks waren verschwunden.

Es waren keine Fußabdrücke, keine geknickten Farne oder Zweige zu sehen, die auf einen Kampf hingedeutet hätten (wie hatte sich Felice ohne Widerstand überwältigen lassen?), nichts ließ vermuten, daß sich jemals menschliche Wesen unter den großen alten Bäumen aufgehalten hatten.

Claude verließ sein Versteck und suchte gründlicher nach. Der Ort war von Leuten aufgeräumt worden, die ihr Handwerk verstanden, aber ein paar Spuren waren geblieben. Eine staubige Stelle trug parallele Striche. Offenbar waren dort Fußabdrücke mit einem Zweig weggefegt worden. Und unten am Fluß auf einem schwach ausgeprägten Wildpfad, der stromaufwärts führte, klebte eine smaragdgrüne Flocke an dem harzigen Stamm einer Kiefer.

Ein Stückchen von einer grünen Feder. Einer grüngefärbten Feder.

Claude nickte. Das Rätsel begann sich zu lösen. Man hatte drei Leute und drei Rucksäcke gefunden und sie diesen Weg entlanggeführt. Wer? Bestimmt nicht die Diener der Tanu, die sich keine Mühe geben würden, ihre Anwesenheit zu verbergen. Dann ...? Firvulag?

Claudes Herz hämmerte von neuem los. Er kniff seine Nasenlöcher zusammen und atmete langsam aus. Die Adrenalin-Zufuhr wurde gestoppt, und das Klopfen in seiner Brust ließ nach. Er konnte nichts anderes tun, als ihnen zu folgen. Und wenn man ihn fing ... – nun, wenigstens hatte er einen Teil dessen vollbracht, weswegen er hergekommen war.

»Bist du sicher, daß du nicht aussteigen willst?« flüsterte er der Katze zu. Er hockte sich hin und hielt die Tasche auf, um es ihr leichtzumachen. Aber das Tierchen blinzelte nur schläfrig mit seinen großen Augen und kuschelte sich tiefer in die Tasche, so daß es nicht mehr zu sehen war.

»Dann heißt es also, wir gegen sie«, seufzte Claude. Er schlug ein tüchtiges Tempo an und wanderte den schäumenden Fluß hinauf, bis es fast dunkel war. Dann roch er Rauch und folgte seiner Nase in ein Sequoia-Wäldchen auf einem felsigen Hang über dem Fluß. Dort brannte ein ziemlich großes Feuer, um das sich viele dunkle Gestalten scharten, die lachten und redeten.

Claude blieb im Schatten stehen, aber er wurde offenbar

erwartet. Er fand sich wieder, wie er, völlig gegen seinen Willen, mit über den Kopf erhobenen Händen auf das Feuer zuging, angezogen von dem gleichen unwiderstehlichen Zwang, den er in der Testkammer Lady Epones kennengelernt hatte.

»Es ist ein alter Mann!« sagte irgend jemand, als er in den Schein des Feuers trat.

»Aber kein Tattergreis«, bemerkte ein großer, breiter Schatten. »Er könnte zu irgend etwas nutze sein.«

»Jedenfalls benimmt er sich vernünftiger als seine Freunde.«

Vielleicht ein Dutzend zäh wirkender menschlicher Männer und Frauen saßen auf dem Boden um die Flammen. Sie waren in dunkles Wildleder und Teile zerlumpter Kostüme gekleidet, aßen die letzten Bissen von Felices Jagdbeute und drehten einen langen Bratspieß voller frischgeschlachteter Vögel.

Eine der Gestalten erhob sich und kam zu Claude herüber. Es war eine Frau mittleren Alters von durchschnittlicher Größe mit dunklem Haar, das an den Schläfen grau wurde, und Augen, aus denen der Feuerschein ein fanatisches Funkeln hervorlockte. Die dünnen Lippen kritisch zusammengepreßt, musterte sie den alten Mann. Sie hob ihre feingeschwungene Adlernase in einer stolzen Geste, und Claude bemerkte einen goldenen Ring unter dem Kragen ihres Wildledermantels.

»Wie nennen Sie sich?« fragte sie streng.

»Ich bin Claude Majewski. Was haben Sie mit meinen Freunden gemacht? Wer sind Sie?«

Der Griff, der seinen Verstand gefangenhielt, lockerte sich, und die Frau blickte ihn mit ätzendem Humor an. »Ihre Freunde sind in Sicherheit, Claude Majewski. Was mich betrifft, so bin ich Angélique Guderian. Sie können mich Madame nennen.«

18

Die Rhône strömte langsam und breit dahin. Das Boot brauchte trotz seines voll ausgebreiteten Segels und der Zuhilfenahme des Motors lange Zeit, um die Insel von Darask hinter sich zu lassen. Die sumpfigen Ebenen der Camargue schimmerten in einem goldenen Nebel, der etwa einen Kilometer entfernte Regionen zu einer undeutlichen Kulisse verwischte. Später, als sie weiter nach Süden gesegelt waren, sahen die Passagiere Berge zu ihrer Linken und die Spitzen da und dort aus dem Sumpf herausragender Felsen, aber vom Meer war keine Spur zu sehen. Hübsche kleine Schilfmeisen in Orange und Blau und rotköpfige Ammern saßen auf den schwankenden Papyrusstauden, die neben dem Hauptstrom wuchsen. Die Passagierblase war den ganzen Vormittag über offen, und die Reisenden sahen fasziniert den das Boot umschwimmenden Krokodilen und Nilpferden zu. Einmal erblickten sie eine Schule wundersamer Wasserschlangen, beinahe transparent und unter der nebelumflorten Sonne wie wogende Regenbogen schimmernd.

Um die Mittagszeit legten sie an einer Insel an, wo sich mehr als zwanzig Boote versammelt hatten – Frachtschiffe, kleine Yachten mit farbenfreudig gekleideten Tanu, größere Fahrzeuge, überfüllt mit schweigenden Ramas. Sie saßen zu fünft wie kleine, nicht angekettete Galeerensklaven, die ihre Ruder verloren hatten, auf Bänken. Auf der Insel standen nur wenige Gebäude. Skipper Highjohn erklärte, sie würden hier nicht aussteigen, nur lange genug halten, um die Blasenfolie wieder anzubringen.

»Nicht schon wieder einen Wasserfall hinunter!« stöhnte Raimo. Er holte seine Flasche hervor.

»Das ist der allerletzte«, beruhigte Highjohn ihn, »und er ist nicht wild, wenn auch ein bißchen steil. Einer der ringlosen Kerle, die Tanu-Barken in den frühesten Tagen des Zeitportals hier durchsteuerten, nannte das Ding ›la Glissade Formidable‹. Klingt besser als ›fürchterliche Rutsch‹, deshalb nennen wir ihn auch heute noch so.«

Stein, der auf einem Sessel neben Sukey saß, blickte verwirrt drein. »Aber wir müßten jetzt im Rhône-Delta sein, kurz vor der Küste des Mittelmeers. Was kann es hier für einen Gradienten geben?«

»Du wirst eine Überraschung erleben«, versicherte Bryan ihm. »Ich wollte es selbst nicht glauben, als der Skipper es mir erläuterte. Wie du dich erinnern wirst, habe auch ich auf dem Mittelmeer gesegelt. Worauf es hinausläuft, Stein, ist ein kleiner Rechenfehler seitens der Schlamper, die unsere Pliozän-Landkarten gezeichnet haben.«

Der Arbeiter, der die transparente Folie anbrachte, gab dem letzten Abschnitt einen Klaps und sagte: »Du kannst ablegen, Käpt'n.«

»Alles anschnallen!« befahl Highjohn. »Sie kommen nach vorn, Bryan. Der Wasserfall wird Sie begeistern.«

Ein leichter Wind kam auf, als sie im Kielwasser einer dreißig Meter langen Barke, beladen mit metallenen Masseln, vom Landeplatz wegtuckerten. Die Dämpfe, die ihre Sicht verschleiert hatten, lösten sich endlich auf, und sie richteten in Erwartung des Meers den Blick nach Süden.

Sie sahen eine Wolke.

»Zum Teufel, was ist das?« fragte Stein. »Sieht aus wie eine brennende Plastik-Fabrik oder eine große Vulkanöffnung. Die verdammte Wolke muß bis in die Stratosphäre hinaufreichen.«

Der Mast des Flußbootes knickte ein und zog sich zurück, der Hilfsmotor verstummte. Die Geschwindigkeit nahm zu. Die Klumpen von Sumpfgras lagen nun weiter auseinander, und das Boot folgte einer markierten Fahrrinne, die nach Südosten verlief. Es ging dicht an einer abgerundeten Landzunge vorbei, die in die Ebene hineinragte, als habe sie sich aus dem Vorgebirge der Alpen hierher verirrt. Das Boot fuhr genau auf die hochragende Wolke zu und wurde mit jeder Minute schneller.

Und dann sagte Elizabeth: »Lieber Gott. Das Mittelmeer ist verschwunden.«

Die Barke, die etwa einen halben Kilometer vor ihnen fuhr, fiel außer Sicht. Am Horizont im Osten und im Westen waren niedrige Punkte von Land zu sehen – aber zwischen ihnen war nichts als Wasser, das sich mit dem milchigen Himmel traf. In der Mitte befand sich eine flache Vertiefung. Und da war ein Geräusch, ein anschwellendes Rumpeln, begleitet von einem Zischen, das betäubende Lautstärke annahm, während sie näher und näher an La Glissade Formidable heranrasten, wo der breite Rhône-Strom am Rand des Kontinents endete.

Creyns mentale Stimme erklang in den Gehirnen aller Ringträger. »Soll ich Bewußtlosigkeit einprogrammieren?« Aber alle antworteten: »Nein!«, denn ihre Neugier war größer als jede Furcht vor dem, was vor ihnen lag.

Das Boot raste über den Rand und schoß hinunter, getragen von schlammigem Wasser, das über einen steilen Fächer aus Sedimentgestein mit achtzig Kilometern in der Stunde in die Tiefen des leeren Meeresbeckens schoß.

Nach vier Stunden kamen sie ans Ende der Glissade und trieben im hellen Wasser eines großen Bittersees. Überall um sie waren die vielfarbenen Felsen der kontinentalen Wurzeln und glitzernde, phantastisch erodierte Gebilde aus Salz und Karstenit und Gips. Die Blasenfolie wurde verstaut. Das Boot breitete sein Segel aus und flog nach Südwesten davon, denn dort, erzählte Creyn ihnen, lag die Hauptstadt Muriah – an der Spitze der Balearischen Halbinsel, die die Tanu ›Aven‹ nannten, oberhalb der vollkommen glatten Weißen Silberebene.

Sie reisten noch einen Tag, überwältigt von der Seltsamkeit und Schönheit. Sie waren kaum fähig, darüber zu sprechen, abgesehen von endlosen Ausrufen in der verbalen wie in der mentalen Sprache. Creyn antwortete darauf: »Ja, es ist wundervoll. Und es kommt noch mehr, herrlicher, als ihr es euch vorstellen könnt.«

Am späten Abend des sechsten Tages nach ihrer Abreise von der Torburg kamen sie an. Die hohe Halbinsel von Aven streckte sich grün und hügelig nach Westen. Ein isolierter Berg erhob sich nahe ihrer Spitze, und weitere Gipfel waren im Nebel halb versteckt. Ein Gespann von Helladotherien in schimmerndem Putz aus regenbogenfarbenem Stoff zog das Boot einen langen gewalzten Weg hinauf, während Chaliko-Reiter in Gazegewändern und gläsernen Rüstungen, Lichter, Tierkopfhörner und Banner in den Händen, dem steilen Treidelpfad folgten. Die zum Empfang erschienenen

Tanu sangen auf dem ganzen Weg zu der strahlenden Stadt hoch über dem Salz. Ihr Lied hatte eine Ohrwurm-Melodie, die Bryan merkwürdig bekannt vorkam. Doch die menschlichen Wesen, die den Ring trugen, waren fähig, die fremden Worte zu verstehen:

Li gan nol po'kône niési,
'Kône o lan li pred néar,
U taynel compri la neyn,
Ni blepan algar dedône.
  Shompri pône, a gabrinel,
  Shal u car metan presi,
Nar metan u bor taynel o pogekône,
Car metan sed gône mori ...

Ein Land glänzt durch Leben und Zeit,
ein schönes Land, solange die Erde besteht,
Und vielfarbene Blüten fallen darauf nieder
Von den alten Bäumen, in denen die Vögel singen.
  Jede Farbe leuchtet dort, Entzücken ist allgemein,
  Musik erfüllt die Silberebene,
Die Ebene der sanften Stimmen im Vielfarbenen Land,
Die Weiße Silberebene im Süden.
Dort gibt es kein Weinen, keinen Verrat, kein Leid.
Dort gibt es keine Krankheit, keine Schwäche, keinen Tod.
Dort gibt es Reichtümer, Schätze in vielen Farben,
Süße Musik zu hören, den besten Wein zu trinken.
  Goldene Wagen fahren ein Rennen auf der Ebene der Spiele.
  Vielfarbene Reittiere laufen an Tagen immerschönen Wetters.
Weder der Tod noch das Verebben der Zeit
Werden zu den Bewohnern des Vielfarbenen Landes kommen.

* * *

ENDE DES ZWEITEN TEILS

Dritter Teil

Die Allianz

1

Die gigantische Sequoia hatte 10000 Jahre überdauert. Sie stand innerhalb eines Waldes von kleineren Exemplaren hoch in den Vogesen, und sie war ausgehöhlt von einem lange zurückliegenden Waldbrand wie von Fäulnis. Vor einem Jahrtausend hatte der Blitz ihre Krone abgeschlagen, so daß der Baum nur noch etwa hundert Meter Höhe hatte. Dicht über dem Boden nahm der Stamm ein volles Viertel dieser Strecke ein und gab der Sequoia das Aussehen einer großen verstümmelten Säule. Daß sie überhaupt noch lebte, bezeugten nur wenige Zweige, die an der abgebrochenen Krone sprossen. Ihren kleinen Nadeln war kaum zuzutrauen, daß sie genug photosynthetischen Zucker erzeugten, um ein solches Monument zu ernähren.

Die Sequoia beherbergte eine Familie rotrückiger Adler und mehrere Millionen Zimmermannsameisen. Am frühen Nachmittag hatte sie außerdem eine Gruppe freilebender Menschen aufgenommen, die den großen hohlen Stamm in Zeiten besonderer Gefahr regelmäßig als sicheren Unterschlupf benutzten.

Dünner Regen fiel. Noch eine Stunde, und es würde dunkel sein. Eine Frau in einem wasserfleckigen Wildledermantel stand neben einer Strebe des großen Stammes, die Augen geschlossen, die Fingerspitzen an die Kehle gelegt. Nach fünf Minuten öffnete sie die Augen wieder und wischte sich Feuchtigkeit von der Stirn. Sie bückte sich, schob die Wedel eines großen Farns beiseite und betrat eine unauffällige Öffnung, einen fast verheilten Riß, der ins Innere des Baums führte.

Jemand half ihr aus ihrem durchweichten Mantel. Sie nickte dankend. Rings um den Innenraum brannten kleine Feuer auf niedrigen Steinplattformen. Ihre Rauchfahnen verflochten sich mit der eines größeren Feuers in der Mitte und stiegen den weit oben liegenden natürlichen Kamin hinauf. Das Hauptfeuer war auf einem großen, X-förmigen Herd angelegt. Seine Flammen schlugen in der Mitte hochauf und mäßigten sich am Ende der Arme zu bequemer Kochhöhe. Eine große Zahl von Menschen war um diesen Herd versammelt; kleinere Gruppen hockten an den Nebenfeuern. Der Raum roch nach der dampfenden Lederkleidung, die vor den Flammen ausgebreitet war, nach in der Asche backendem Brot, heißem Gewürzwein und dem brodelnden Fleischtopf.

Richard hielt sich in der Nähe des Fleischtopfes auf. Er knurrte die Köche an und fügte dann und wann getrocknete Kräuter aus einer Sammlung von irdenen Töpfen zu seinen Füßen hinzu. Claude und Felice saßen nahebei, und Amerie benutzte ihren gesunden Arm, um medizinische Vorräte auf einer sauberen Decke auszulegen. Die kleine Wildkatze der Nonne sah mit regem Interesse zu. Sie hatte schnell gelernt, daß die Medikamentendosen, Verbände und Instrumente kein Spielzeug für sie waren.

Angélique Guderian kam zum Feuer und hielt ihre Hände in die Wärme. Sie sagte zu Amerie: »Ein Glück, ma Soeur, daß es Fitharn und den anderen Firvulag gelungen ist, Ihren Rucksack zu retten. Wir waren immer knapp an medizinischen Vorräten, und wir werden Ihre säkularen wie Ihre spirituellen Fähigkeiten nötig brauchen. Es gibt keine professionellen Heiler unter uns, da alle solchen Personen sofort der Knechtschaft des grauen Rings unterworfen werden, sobald man ihr Talent entdeckt. Wir können nur vermuten, daß Ihr eigener ringloser Zustand das Ergebnis eines Fehlers der Tanu ist.«

»Und es gibt kein Entrinnen mehr, wenn Menschen einmal einen grauen Ring erhalten haben?«

»Entrinnen können sie schon. Aber sollte jemand, der einen grauen oder silbernen Ring trägt, in die Einflußsphäre eines koerziblen Tanu geraten, kann dieser ihn zwingen, ihm zu Willen zu sein – sogar sein Leben hinzugeben. Das ist der Grund, warum wir keine Ringträger unter uns haben können.«

»Ausgenommen Sie selbst«, bemerkte Felice leise. »Aber die, die Gold tragen, sind frei, nicht wahr?«

Claude schnitzte einen neuen Rosenkranz für Amerie. Sein

Vitredur-Messer schimmerte im Feuerschein schön wie ein Saphir. Er fragte: »Kann man die Ringe denn nicht abschneiden?«

»Nicht, solange ihr Träger lebt«, erwiderte Madame. »Wir haben es natürlich versucht. Nicht etwa, daß das Metall unzerstörbar wäre, vielmehr ist der Ring irgendwie mit der Lebenskraft des Trägers verbunden. Diese Verbindung ist geschlossen, nachdem der Ring etwa eine Stunde lang getragen worden ist. Hat sich ein Mensch einmal auf ihn eingestellt, verfällt er in Krämpfe, bis er stirbt, wenn man das Gerät löst oder durchtrennt. Der Todeskampf ist dem ähnlich, den bestimmte perverse Redakteure unter den Tanu ihre Opfer erleiden lassen.«

Felice rückte näher ans Feuer heran. Sie hatte nach den sechsunddreißig Stunden Gewaltmarsch zu dem Baum ihre Rüstung endlich abgelegt, und der nasse Stoff ihres grünen Kleides klebte an ihrem schmächtigen Körper. Ihre Beine und Oberarme waren da, wo Beinschienen und Handschuhe sie nicht geschützt hatten, bedeckt mit Kratzern und tiefen Rissen. Die Nachricht, daß die Tanu-Jagd in die Vogesen eingedrungen sei, hatte Madame und ihren Erkundungstrupp zusammen mit dem Überrest von Gruppe Grün eilends zu dem Baum-Refugium fliehen lassen, wo sie mit den anderen menschlichen Renegaten zusammentrafen.

Felice gab sich große Mühe, beiläufig zu fragen: »Also gibt es keine Möglichkeit, daß Sie Ihren eigenen Ring abnehmen, Madame?«

Die alte Frau musterte die kleine Athletin lange. Schließlich sagte sie: »Sie dürfen sich nicht gestatten, der Versuchung nachzugeben, mein Kind. Dieser goldene Ring bleibt Teil von mir bis zu meinem Tod.«

Felice gab ein kleines Lachen von sich. »Sie brauchen sich nicht vor mir zu fürchten. Blicken Sie in meine Gedanken und überzeugen Sie sich.«

»Ich kann Ihre Gedanken nicht lesen, Felice. Das wissen Sie. Ich bin keine Redakteurin, und Ihre starken latenten Fähigkeiten schirmen Sie ab. Aber viele Jahre in der Auberge haben mir Einsicht in Charaktere wie den Ihren verliehen. Und so begrenzt meine eigenen Metafunktionen sein mögen, ich besitze das Vertrauen der Firvulag – und die können Sie lesen wie eine Kinderfibel.«

»Das ist es also«, bemerkte Felice dunkel. »Ich habe etwas gespürt.«

»Die Firvulag haben Sie von Anfang an beobachtet«, sagte die alte Frau. »Sie folgen den Karawanen immer, die Kleinen Leute, denn sie hoffen auf irgendeinen Unfall, der die Reisenden in ihre Gewalt bringt. Sie hatten Sie im Auge, als Sie am Ufer des Lac de Bresse um Ihre Freiheit kämpften. Sie haben Ihnen sogar geholfen – haben Sie das gewußt? –, indem sie den Gehirnen der Chalikos und der Soldaten zusätzlich verwirrende Bilder eingaben, damit Sie und Ihre Freunde triumphieren konnten. Ah, die Firvulag waren beeindruckt von Ihnen, Felice! Sie sahen Ihr Potential. Aber sie fürchteten Sie auch – und das mit Recht. Und deshalb schuf Fitharn, der weiseste unter denen, die Ihnen folgten, eine lebhafte Illusion, um einen Ihrer Confrères zu lenken ...«

»Dougal!« rief Felice und sprang auf.

»C'est ça.«

Richard gackerte ironisch. »Tüchtige Gespenster! Ich möchte wetten, sie könnten diesen goldenen Ring wieder aus dem See holen, wenn sie wollten.«

Eine chaotische Mischung von Gefühlen spiegelte sich auf dem Gesicht des Mädchens wider. Sie begann zu sprechen, doch Madame hob die Hand.

»Die Firvulag verteilen ihre Geschenke ganz wie sie wollen, und nicht, wie wir es verlangen. Sie werden geduldig sein müssen.«

Claude bemerkte: »Also sind uns die Firvulag auf dem ganzen Weg gefolgt. Sagen Sie bloß nicht, sie hätten auch die Gedanken unserer Verfolger umnebelt!«

»Doch, sicher«, antwortete Madame Guderian. »Hätte sonst die Bootsladung von Schiffern mit grauem Ring nicht eine Spur Ihres Kielwassers sehen müssen? Hätten die Ihrer Spur folgenden Soldaten Sie nicht im Wald gefunden, trotz Ihrer kläglichen Versuche, sie abzuschütteln? Aber natürlich haben die Firvulag geholfen! Und Fitharn benachrichtigte uns auch von Ihrer Anwesenheit in unserm Vogesenwald, und deshalb holten wir Sie. Seine Leute warnten uns vor der

Jagd, die für gewöhnlich nicht sehr tief in die Berge eindringt.«

Richard probierte noch einmal den Fleischeintopf und schnitt ein Gesicht. »Und jetzt, wo wir an einem sicheren Ort sind, was geschieht? Ich will verdammt sein, wenn ich den Rest meines Lebens damit verbringe, mich zu verstecken.«

»Uns macht es auch kein Vergnügen. Sie haben uns eine ganze Menge Schwierigkeiten bereitet, indem Sie in die Vogesen flohen. Für gewöhnlich neigen die Tanu dazu, uns in Ruhe zu lassen, und unser freies Volk lebt in kleinen Heimstätten oder verborgenen Dörfern. Ich selbst wohne bei den Verborgenen Quellen in der Nähe des zukünftigen Plombières-les-Bains. Aber jetzt ist Lord Velteyn von Finiah rasend wegen der Ermordung Epones. Sie müssen verstehen, daß bisher noch nie ein Tanu von einem bloßhalsigen Menschen getötet worden ist. Velteyns Fliegende Jagd wird in der Hoffnung, Felice zu finden, selbst die entlegenste unserer Siedlungen auskundschaften. Überall werden Patrouillen von Grauberingten umherstreifen – zumindest solange, bis die Tanu durch die Vorbereitungen zum Großen Wettstreit abgelenkt werden ... Was mit Ihnen geschehen soll, werden wir diskutieren, wenn Peo und seine Krieger zurückkehren. Ich habe bereits wahrgenommen, daß sie sich nähern.«

Claude rollte eine der großen Rosenkranzperlen der kleinen Katze zu. Das Tierchen schubste es zu Amerie hin und krümmte dann vor Freude über seine eigene Klugheit den Rücken. Die Nonne hob die Katze hoch und streichelte sie, als sie versuchte, sich in ihre Armbinde hineinzukuscheln. »Haben Sie irgendwelche Nachrichten über die anderen Flüchtlinge? Die Leute in den Booten? Unsern Freund Yosh? Die Zigeuner?«

»Zwei der Zigeuner haben den Kampf an der Brücke über die Schlucht überlebt. Man wird sie hierher führen. Über den Japaner ist gar nichts bekannt geworden. Die Firvulag in den nördlichen Regionen sind wild und respektieren die Allianz, die ihr Hochkönig mit uns geschlossen hat, kaum. Die Überlebenschance Ihres Freundes ist nicht groß. Was die Leute in den Booten betrifft – die meisten wurden von den Schiffern, die den grauen Ring tragen, aus den See-Forts wieder eingefangen. Sie sind jetzt in Finiah eingesperrt. Sechs Flüchtlinge, die das Jura-Ufer erreichten, sind augenblicklich in der Obhut uns freundlich gesonnener Firvulag und werden zu einem Zufluchtsort freier Menschen im Hochgebirge gebracht werden. Sieben weitere ...« – Madame schüttelte den Kopf – »wurden von den Criards überwältigt, den bösen Firvulag, die als Heuler bekannt sind.«

»Was wird mit ihnen geschehen?« fragte Amerie.

Madame hob die Schultern, und der goldene Ring reflektierte die Flammen. »Diese Fremden! Ah, ma Soeur, sie sind barbarisch, selbst die besten unter ihnen. Und die schlimmsten! Wer mag von ihren Ungeheuerlichkeiten auch nur sprechen? Firvulag und Tanu sind Mitglieder derselben Spezies. En vérité, sie gehören einer dimorphen Rasse mit einem höchst eigentümlichen genetischen Kode an. Auf ihrem Heimatplaneten führte das schon in grauer Vorzeit zu einer Gegnerschaft zwischen den beiden Formen – die einen hochgewachsen und metapsychisch latent, die anderen meistens klein von Statur und mit begrenzter Operanz. Sie müssen wissen, daß diese Aliens zur Erde kamen, um ungehindert bestimmten barbarischen Bräuchen folgen zu können, Überreste ihrer archaischen Kultur, die von den zivilisierten Angehörigen ihrer galaktischen Konföderation mit Recht verboten wurden. Einige ihrer grausamen Sportarten sind physisch – die Jagd, der Große Wettstreit, worüber Sie später mehr erfahren werden. Aber andere sind jeux d'esprit – Spiele des Geistes. Die Tanu mit ihren weitgespannten latenten Metafunktionen haben kein besonderes Interesse an diesen subtilen Turnieren. Sie sind hauptsächlich Spezialität der ringlosen Firvulag. Die Kleinen Leute besitzen etwas Fernwahrnehmungskraft plus einer hochentwickelten operanten Metafunktion – der Kreativität. Sie sind Meister der Illusion. Aber was für Illusionen sie schaffen! Sie sind fähig, Menschen und sogar die Schwächeren unter den Tanu durch Terror oder Angst in den Wahnsinn zu treiben. Empfindsame Personen sterben unter Umständen an dem psychischen Schock. Firvulag können die Gestalt von Ungeheuern, Teufeln, Windhosen und Feuersbrünsten annehmen. Sie übertragen ihre Täuschungen in hilflose Gehirne und lösen

Selbstmord oder Selbstverstümmelung aus. Letzteres gilt den Schlimmsten unter ihnen, den sogenannten Heulern, als großer Spaß, denn sie selbst sind deformierte Mutanten. Die Waffen der Firvulag sind unsere eigenen Alpträume und Fieberphantasien, die Ängste und Phantome, die unsere Seele an dunklen Orten heimsuchen. Sie haben eine sadistische Freude am Zerstören.«

»Aber *Sie* haben sie, wie man sieht, nicht zerstört«, stellte Felice fest. »Sie haben Ihnen einen goldenen Ring gegeben. Warum?«

»Weil sie hoffen, mich benutzen zu können, natürlich. Ich soll ein Werkzeug abgeben – eine Waffe, c'est-à-dire – gegen ihre erbittertsten Feinde: die Tanu, ihre Brüder.«

»Und nun hoffen Sie, daß Sie uns benutzen können«, sagte Amerie.

Madames schmale Lippen verzogen sich zu einem dünnen Lächeln. »Das ist offensichtlich, nicht wahr, ma Soeur? Sie wissen nicht, wie arm wir sind, welche Schwierigkeiten wir überwinden mußten. Die Tanu nennen uns die Geringen – und wir haben den Namen voll Stolz übernommen. Unsere Leute sind in vielen Jahren der Gefangenschaft entflohen, und man hielt sie einer Verfolgung kaum für wert. Die meisten von uns haben keine speziellen Talente, die sich gegen die Fremden anwenden ließen. Aber Sie in Ihrer Gruppe sind anders. Die Tanu würden Rache an Ihnen nehmen – wir Geringen sehen in Ihnen jedoch unschätzbare Verbündete. Sie müssen sich uns anschließen! Felice kann auch ohne Ring Tiere kontrollieren, sogar bestimmte Menschen beeinflussen. Sie ist körperlich stark und eine im Wettkampf erfahrene Taktikerin. Sie, Amerie, sind Ärztin und Priesterin. Meine Leute mußten jahrelang ohne beides auskommen. Richard ist Navigator, ein früherer Sternenschiff-Kommandant. Ihm mag eine Schlüsselrolle in der Befreiung der Menschheit zufallen ...«

»Nicht eine Minute lang!« knurrte der Pirat, seine Suppenkelle schwenkend.

Claude schnippte Holzspäne ins Feuer. »Vergessen Sie mich nicht! Als alter Fossilienjäger kann ich Ihnen genau sagen, welches Pliozän-Tier Ihre Knochen zerknacken und das

Mark heraussaugen wird, nachdem die Tanu und Firvulag mit Ihnen fertig sind.«

»Sie sind schnell mit einem Scherz bei der Hand, Monsieur le Professeur«, bemerkte Madame empfindlich. »Vielleicht will uns der alte Fossilienjäger sein Alter verraten?«

»Einhundertunddreiundreißig.«

»Dann sind Sie zwei Jahre älter als ich«, gab sie zurück, »und ich erwarte, daß Sie unserer Gesellschaft Ihre reichhaltige Erfahrung zur Verfügung stellen werden. Wenn ich Ihnen meinen großen Plan für die Befreiung der Menschheit darlege, geben Sie uns wertvolle Ratschläge. Berichtigen Sie jede jugendliche Impulsivität, die ich zeigen mag.«

»Da hast du es, Claude«, kicherte Richard. »Übrigens ... falls es irgendwen interessiert, dieser Kessel mit Eintopf ist so gar, wie er überhaupt gar werden kann.«

»Dann wollen wir essen«, entschied Madame, »und Peo und die Krieger werden in Kürze eintreffen.« Sie erhob die Stimme. »Mes enfants! Kommen Sie alle zum Abendessen!«

Langsam näherten sich alle Leute von den kleineren Feuern, Schüsseln und Trinkgefäße in der Hand. Die Gesamtzahl der Geringen belief sich auf vielleicht zweihundert, weit mehr Männer als Frauen und eine Handvoll Kinder, die so still und wachsam waren wie die Erwachsenen. Die meisten trugen Wildleder oder handgewebte Bauerntracht. Keiner beeindruckte durch seine körperliche Erscheinung, und keiner hatte sich in der wild-exzentrischen Art gewisser Zeitreisender in der Finiah-Karawane herausgeputzt. Die Geringen sahen weder niedergeschlagen noch verzweifelt oder fanatisch aus. Trotz der Tatsache, daß sie eben erst auf Madames mentalen Alarm hin um ihr Leben gerannt waren, schienen sie keine Angst zu haben. Sie grüßten die alte Frau ernst oder fröhlich, und viele von ihnen hatten ein Lächeln oder sogar einen Scherz für Richard und die anderen Köche, die das Essen austeilten. Wenn ein einziges Wort das Guerilla-Kontingent beschreiben soll, dann könnte es »normal« sein.

Amerie studierte die Gesichter der freien Menschen und fragte sich, was diese relativ kleine Schar inspiriert haben mochte, sich den Fremden zu widersetzen. Hier waren Exilbewohner, deren Traum von neuem lebendig geworden war.

War es möglich, daß dieser kleine Kern wuchs – vielleicht gar die Oberhand gewann?

»Gute Freunde«, sagte Madame, »wir haben Neuankömmlinge unter uns, die Sie alle bereits gesehen haben, doch nur wenige haben sie kennengelernt. Ihnen ist es zuzuschreiben, daß wir uns hier versammeln mußten. Doch andererseits können wir hoffen, daß wir unser hohes Ziel mit ihrer Hilfe viel eher erreichen.« Sie hielt inne und sah von einem zum anderen. Es war kein Laut zu hören außer dem Knacken und Prasseln des Feuerholzes. »Während wir essen, will ich diese Neuankömmlinge bitten, uns zu erzählen, wie sie aus dem Gefängnis der Torburg zu diesem freien Ort gekommen sind.« Sie wandte sich an den Rest der Gruppe Grün und fragte: »Wer möchte Ihr Sprecher sein?«

»Wer anders als er?« Richard wies mit der Kelle auf Claude.

Der alte Mann stand auf. Er sprach beinahe eine Viertelstunde lang, ohne unterbrochen zu werden, bis seine Erzählung den Punkt erreichte, wo Felice den Angriff auf Epone einleitete. In diesem Augenblick zischte es laut. Ameries Kätzchen sprang von ihrem Arm und stellte sich wie ein Miniatur-Puma, der sich zur Wehr setzen will, in steifer Haltung der Tür gegenüber.

»Das ist Peo«, sagte Madame.

Zehn Männer, alle schwer bewaffnet mit Bogen und Dolchen, stapften durchnäßt in die Baumhöhle. Angeführt wurden sie von einem riesigen Mann mittleren Alters, der fast so massig war wie Stein. Er trug den Muschelschmuck und die gefranste Wildlederkleidung eines nordamerikanischen Indianers. Claude machte in seiner Erzählung eine Pause, bis diese Leute Essen und einen Platz nahe dem großen Feuer bekommen hatten. Dann nahm der Paläontologe den Faden wieder auf und erzählte die Geschichte bis zum Ende. Er setzte sich nieder, und Madame reichte ihm einen Becher mit Wein.

Niemand sprach, bis der grauhaarige Indianer fragte: »Und es war Eisen – *Eisen*, das die Lady Epone tötete?«

»Nichts anderes«, erklärte Richard. »Sie war in Stücke gerissen, und ich hatte ein paarmal mit dem Bronzeschwert auf sie eingeschlagen – und trotzdem hätte sie mich beinahe noch bezwungen. Dann veranlaßte mich irgend etwas, es mit Felices kleinem Dolch zu versuchen.«

Der Indianer drehte sich zu dem Mädchen um und verlangte: »Geben Sie ihn mir!«

»Und wer, zum Teufel, glauben Sie, daß Sie sind?« gab sie kühl zurück.

Er brüllte vor Lachen, und das Geräusch hallte in dem hohlen Stamm des Baums wie in einer Kathedrale wider. »Ich bin Peopeo Moxmox Burke, letzter Häuptling des Wallawalla-Stammes und ehemaliger Richter am Obersten Gerichtshof des Staates Washington. Außerdem bin ich der derzeitige Anführer dieser Bande von Paskudnyaks und ihr Waffenmeister und ihr Kriegshäuptling. Darf ich jetzt bitte Ihren Dolch ansehen?«

Er lächelte Felice an und streckte seine große Hand aus. Sie klatschte ihm die goldene Scheide hinein. Burke zog die blattförmige kleine Klinge hervor und hielt sie ins Licht des Feuers.

»Rostfreie Stahllegierung mit immerscharfer Schneide«, sagte das Mädchen. »Ein verbreitetes Spielzeug auf Acadie, nützlich, um damit in den Zähnen zu stochern, Brot zu schneiden, Peilsender aus rasselnden Kühen herauszupopeln und gegebenenfalls Angreifer auszulöschen.«

»Es sieht bis auf das goldene Heft wie ein ganz gewöhnlicher Dolch aus«, meinte Burke.

»Amerie hat eine Theorie darüber«, warf Claude ein. »Erzähl es ihm, Kind!«

Burke hörte nachdenklich zu, als die Nonne ihre Hypothese über die möglicherweise tödliche Wirkung von Eisen auf ringtragende Fremde entwickelte. Dann murmelte er: »Es könnte sein. Das Eisen könnte die Lebenskraft beinahe wie ein Nervengift zerreißen.«

»Ich frage mich ...«, begann Felice und starrte Madame mit unschuldigem Gesichtsausdruck an.

Die alte Frau trat zu Häuptling Burke und ließ sich das Messer von ihm geben. Die versammelte Menge keuchte auf, als sie es an ihre eigene Kehle unterhalb des goldenen Halsrings setzte und in die Haut stach. Ein perlengroßer Tropfen dunklen Blutes erschien. Sie gab Burke den Dolch zurück.

»Es scheint«, bemerkte Felice sanft, »daß Madame aus stärkerem Stoff besteht als die Tanu.«

»Sans doute«, war die trockene Antwort der alten Frau.

Burke betrachtete die kleine Klinge. »Es ist unglaublich, daß wir nie daran gedacht haben, Eisen gegen sie einzusetzen. Aber Vitredur- und Bronzewaffen waren so leicht zugänglich. Und uns ist nie ein Licht darüber aufgegangen, warum sie in der Torburg alle Gegenstände aus Stahl konfisziert haben ... Khalid Khan!«

Einer aus der Menge, ein hagerer Mann mit brennenden Augen, einem schütteren Bart und einem makellos weißen Turban, stand auf. »Ich kann Eisen ebenso gut riechen wie Kupfer, Peo. Sie brauchen nichts weiter zu tun, als das Erz zu liefern. Das religiöse Tabu, das die Tanu bei ihren menschlichen Untertanen für Eisenwaren aufgestellt haben, ließ uns aus reiner Trägheit weiter mit Kupfer und Bronze arbeiten.«

»Wer weiß, wo Eisenerz gefunden werden könnte?« fragte Madame die Gemeinschaft. Schweigen herrschte, doch dann sagte Claude: »Vielleicht kann ich Ihnen helfen. Wir alten Fossilienjäger verstehen uns auch ein bißchen auf die Geologie. Etwa hundert Kilometer nordwestlich von hier das Moseltal hinab müßte ein zugängliches Lager sein. Schon die primitiven Menschen haben es abgebaut. Es wird sich in der Nähe der zukünftigen Stadt Nancy befinden.«

»Das Läutern des Erzes müßten wir da oben vornehmen«, meinte Khalid Khan. »Pfeilspitzen wären das Beste, um damit zu beginnen. Ein paar Lanzenspitzen. Ein paar kleinere Klingen.«

»Sie könnten ein weiteres Experiment durchführen«, warf Amerie ein, »sobald Sie einen starken Eisenmeißel haben.«

»Und das wäre, Schwester?« fragte der Schmied.

»Versuchen Sie, graue Ringe damit zu entfernen.«

»Ich will verdammt sein!« rief Peopeo Moxmox Burke.

»Eisen mag die Verbindung zwischen dem Gehirn des Ringträgers und dem Sklaven-Schaltkreis kurzschließen«, fuhr die Nonne fort. »Wir müssen irgendwie einen Weg finden, jene Menschen zu befreien!«

Einer von Burkes Kriegern, ein stämmiger Bursche, der eine Meerschaumpfeife paffte, sagte: »Versteht sich. Aber was ist mit denen, die nicht befreit werden wollen? Vielleicht machen Sie sich nicht klar, Schwester, daß eine beträchtliche Anzahl von Menschen in dieser Symbiose mit den Aliens ganz zufrieden ist. Besonders die Soldaten. Wie viele von ihnen sind Sadisten, die in ihrer ursprünglichen Gesellschaft schlecht angepaßt waren und die ihnen von den Tanu zugewiesene Rolle mit Begeisterung übernahmen?«

»Was Uwe Guldenzopf sagt, stimmt«, sagte Madame Guderian. »Und selbst unter denen guten Willens, selbst unter den Bloßhalsigen gibt es viele, die in der Knechtschaft glücklich sind. Ihretwegen ist die Sühne für meine Schuld keine einfache Angelegenheit.«

»Nun fangen Sie nicht wieder damit an, Madame«, sagte Burke fest. »Ihr Plan ist, wie er steht, gut. Kommen noch Eisenwaffen hinzu, können wir ihn viel schneller vorwärtstreiben. Bis wir das Schiffsgrab lokalisiert haben, wird unser Arsenal groß genug sein, um dem Plan eine gute Erfolgschance zu geben.«

»Ich werde nicht Wochen und Monate darauf warten, daß ihr einen Plan ausbrütet«, erklärte Felice. »Wenn mein Dolch einen Tanu getötet hat, kann er auch andere töten.« Sie streckte Burke ihre Hand hin. »Geben Sie ihn mir zurück!«

»Man würde Sie überwältigen, Felice«, gab der Indianer zu bedenken. »Die Tanu erwarten Sie. Glauben Sie, alle Tanu seien so schwach wie Epone? Sie war ein kleiner Fisch – ganz gut als Koerziererin, aber ihre Redigierungsfunktion war nicht viel wert, oder sie hätte Sie schon in der Torburg ausgeschnüffelt und herausgepickt, ohne ihr Gehirnstrom-Meßgerät zu brauchen. Die Anführer der Tanu entdecken Leute wie Sie auf die gleiche Weise, wie sie Firvulag entdecken. Sie müssen ihnen aus dem Weg gehen, bis Sie Ihren goldenen Ring bekommen haben.«

Sie explodierte. »Und wann wird das sein, verdammt nochmal?«

Madame sagte: »Wenn es uns gelingt, einen für Sie zu besorgen. Oder wenn die Firvulag es für richtig halten, Ihnen einen zu geben.«

Das Mädchen antwortete mit einer Salve von Obszönitäten. Claude trat zu ihr, faßte sie bei den Schultern und setzte sie auf den weichen Holzstaub des Bodens nieder. »Das ist jetzt genug!« Er drehte sich zu Burke und Madame Guderian um: »Sie beide haben von einem Plan gesprochen und scheinen zu erwarten, daß wir uns daran beteiligen. Lassen Sie hören!«

Madame seufzte tief. »Sehr gut. Zuerst müssen Sie wissen, gegen was wir zu kämpfen haben. Die Tanu scheinen unverwundbar, unsterblich zu sein, aber das sind sie nicht. Die Schwächeren können von den Gehirnangriffen der Firvulag getötet werden – und sogar ein mächtiger Koerzierer-Redakteur mag von vielen Firvulag gemeinsam überwunden werden, wenn sie alle zusammen projizieren oder wenn sich einer ihrer großen Heroen – wie Pallol oder Sharn-Mes – zum Kampf entschließt.«

»Was ist mit diesen bösen Vibrationen?« erkundigte Richard sich. »Können Sie das tun?«

Madame schüttelte den Kopf. »Meine latenten Fähigkeiten bestehen aus einer bescheidenen Fernwahrnehmung, einer weniger starken koerziblen Funktion und einem Aspekt der Kreativität, der bestimmte Illusionen erzeugen kann. Ich kann gewöhnliche Menschen koerzieren und Graue, die nicht unter direktem Zwang von einem Tanu stehen. Die Fremden oder Menschen, die Gold- oder Silberreifen tragen, kann ich nicht koerzieren – ich kann ihnen nur unterbewußte Gedanken eingeben, denen sie vielleicht folgen, vielleicht auch nicht. Meine Fernwahrnehmung erlaubt mir, eine Unterhaltung zu belauschen, wenn sie in dem sogenannten deklamatorischen oder Befehls-Modus der mentalen Sprache geführt wird. Ich kann die Goldenen, Silbernen und Grauen hören, wenn sie sich über nicht zu große Entfernungen etwas zurufen. Aber ich kann eine subtilere, enger gebündelte Kommunikation nicht entdecken, wenn sie nicht direkt auf mich gerichtet ist. Bei seltenen Gelegenheiten habe ich Botschaften aufgefangen, die von weit entfernt kamen.«

»Und Sie können durch Fernsprechen antworten?« fragte Claude mit aufgeregter Stimme.

»Zu wem sollte ich sprechen?« wunderte sich die alte Frau. »Überall um uns sind Feinde!«

Amerie rief aus: »Elizabeth!«

Claude erläuterte: »Eine Gefährtin von uns. Eine operante Fernsprecherin. Sie wurde nach Süden in die Hauptstadt gebracht.« Er berichtete, was er von Elizabeths früherem Leben und ihren wiedergewonnenen Metafunktionen wußte.

Madame furchte in tiefem Nachdenken die Stirn. »Dann war *sie* es, die ich gehört habe! Aber ich wußte es nicht. Und deshalb argwöhnte ich einen Tanu-Trick und zog mich sofort von der Berührung zurück.«

»Könnten Sie Kontakt mit ihr aufnehmen?« fragte Claude.

»Die Tanu würden mich hören.« Die alte Frau schüttelte den Kopf. »Ich projiziere selten, nur um unsern Leuten Alarm zu geben, und gelegentlich, um unsere Firvulag-Verbündeten zu rufen. Mir fehlt das Talent, die enge Bündelung zu benutzen, die nur der beabsichtigte Empfänger zu entdekken vermag.«

Felice unterbrach unhöflich: »Der Plan! Reden Sie davon weiter!«

Madame schürzte die Lippen und hob das Kinn. »Eh bien. Ich fahre fort mit meinen Erklärungen über die potentielle Verwundbarkeit der Tanu. Sie töten sich gegenseitig während ihrer rituellen Kämpfe durch Enthauptung. Theoretisch brächte dies auch ein Mensch fertig, wenn es ihm möglich wäre, nahe genug heranzukommen. Die Tanu mit koerziblen oder redaktiven Fähigkeiten verteidigen sich jedoch auf mentale Weise, während die Kreatoren und Psychokinetiker eines physischen Angriffs fähig sind. Die schwächeren unter ihnen bleiben innerhalb der Schutzsphäre ihrer mächtigsten Gefährten, andernfalls haben sie Leibwachen aus bewaffneten Silbernen oder Grauen. Es gibt zwei andere Möglichkeiten, auf die ein Tanu den Tod finden kann – beide sehr selten. Die Firvulag erzählten mir von einem sehr jungen Tanu, der durch Feuer starb. Er geriet in Panik, als sich brennendes Lampenöl über ihn ergoß, und fiel bei seiner Flucht von einer Mauer. Seine menschlichen Wächter erreichten ihn erst, als er schon zu Asche verbrannt war. Hätten Sie ihn gerettet, bevor sein Gehirn von den Flammen verzehrt wurde, wäre er auf die übliche Tanu-Art wiederhergestellt worden.«

»Und die ist?« fragte Amerie.

Häuptling Burke antwortete: »Sie besitzen eine psychoaktive Substanz, die sie ›Haut‹ nennen. Sie sieht wie eine dünne Plastik-Membrane aus. Tanu-Heiler mit einer bestimmten Kombination von PK und Redigierung wirken mittels dieses Stoffes auf metapsychische Weise. Sie wickeln den Patienten einfach ein und fangen an zu denken. Die Ergebnisse sind unserer besten Regenerierungstank-Therapie im Milieu vergleichbar, doch brauchen sie keine Apparate dazu. Die Haut wirkt auch bei menschlichen Wesen, ist aber ohne den Tanu-Heiler wertlos.«

»Benutzen die Firvulag Haut?« erkundigte sich die Nonne.

Burke schüttelte seinen massigen Kopf. »Nur altmodisches Urwalddoktern. Aber es sind zähe kleine Teufel.«

Felice lachte. »Wir auch.«

»Die letzte Möglichkeit, auf die ein Fremder sterben kann«, sprach Madame weiter, »ist das Ertrinken. Die Firvulag sind ausgezeichnete Schwimmer. Doch die meisten Tanu reagieren empfindlicher als Menschen auf die schädlichen Wirkungen des Untertauchens. Trotzdem gibt es nur selten einen Todesfall durch Ertrinken bei ihnen, und dann ist es meistens ein leichtsinniger Sportsmann von Goriah in der Bretagne, wo sie auf ihrer Jagd bis ans Meer vordringen. Manchmal werden sie von den wütenden Leviathanen, denen sie nachstellen, verschluckt oder in die Tiefe gezogen.«

Felice grunzte. »Die Chance ist nicht groß, daß es uns gelingt, die Köpfe der Bastarde unter Wasser zu halten. Und wie wollen *Sie* sie erledigen?«

»Der Plan ist kompliziert und besteht aus mehreren Phasen. Er erfordert die Mitarbeit der Firvulag, mit denen wir eine sehr prekäre Allianz geschlossen haben. Kurz gesagt, wir hoffen, mit Hilfe der Kleinen Leute Finiah anzugreifen und zu überrennen. Die Firvulag wären fähig, Schaden anzurichten, sobald sie die Stadtmauern durchdrungen haben. Finiah ist ein strategisches Ziel von allergrößter Bedeutung und ist isoliert von anderen Tanu-Bevölkerungszentren. Innerhalb seiner Mauern und geschützt von seinen Verteidigungsanlagen liegt die einzige Barium-Mine der Exil-Welt. Das Element wird durch Rama-Arbeiter mit großer Mühe aus einem mageren Erz extrahiert. Es ist für die Herstellung der Ringe unbedingt notwendig. *Aller* Ringe. Wenn wir die Versorgung mit Barium unterbinden, indem wir die Mine zerstören, hätten wir die gesamte Sozioökonomie der Tanu torpediert.«

»Es würde aber lange dauern, bis es zur Katastrophe käme«, meinte Richard. »Ich könnte mir vorstellen, daß sie Vorräte von dem Zeug auf Lager haben.«

»Ich habe gesagt, daß es eine komplizierte Angelegenheit ist«, erwiderte Madame mit einer Spur von Schärfe. »Wir müssen außerdem einen Weg finden, den Fluß der Zeitreisenden zu stoppen. Wie Sie verstehen werden, hat erst die Ankunft der Menschheit im Pliozän die Tanu in die Lage versetzt, Herren dieser Epoche zu werden. Bevor ich mit meiner Einmischung begann, war das Kräfteverhältnis zwischen Tanu und Firvulag genau ausgeglichen. Das Gleichgewicht wurde durch die Einwanderung der Menschen zerstört.«

»Schon verstanden«, sagte Richard, der alte Intrigant. »Die Firvulag sind bereit, Ihnen und Ihrem Haufen zu helfen, weil sie hoffen, die gute alte Zeit zurückzubringen. Aber was bringt Sie auf die Idee, die Gespensterchen werden sich nicht gegen *uns* wenden, sobald sie einmal haben, was sie wollen?«

»Das ist eine Angelegenheit, die noch einiges Nachdenken erfordert«, antwortete Madame mit leiser Stimme.

Richard schnaubte höhnisch.

»Es gehört noch mehr zu dem Plan«, sagte Peopeo Moxmox Burke. »Verwerfen Sie ihn nicht, solange sie nicht alles gehört haben! Zum Beispiel unten im Süden, in der Hauptstadt ...«

Die kleine Katze fauchte.

Alle Anwesenden richteten den Blick auf den Eingangsspalt. Dort stand eine kurze, breitschultrige Gestalt in einem tropfenden, schlammbespritzten Mantel. Sein hoher Hut war so durchweicht, daß er kläglich über ein Ohr schlappte. Der Mann grinste die Gesellschaft durch eine Maske aus Schlamm an, in der Augen und Zähne die einzigen hellen Stellen waren.

»Holzbein!« rief Burke. »Um Gottes willen, was haben Sie denn angestellt?«

»Mußte zu Boden. Bärenhunde auf meiner Spur.«

Als er auf das Feuer zuhinkte, flüsterte Madame: »Kein Wort über das Eisen.«

Der Neuankömmling war nicht ganz anderthalb Meter groß. Er hatte eine Brust wie ein Faß und ein Gesicht, das sich als rosenwangig und langnasig erwies, sobald der Schmutz abgewaschen war. Er hatte ein Bein unterhalb des Knies verloren, aber er ging recht behende mit Hilfe einer einzigartigen Holzprothese. Als er sich ans Feuer gesetzt hatte, wischte er das Holzbein mit einem feuchten Lappen ab und enthüllte eingeschnitzte Schlangen und Wiesel und andere Geschöpfe, die sich um das künstliche Glied wanden. Als Augen waren Edelsteine eingelegt.

»Was gibt es Neues?« fragte Burke.

»Oh, sie sind da draußen, das stimmt«, antwortete Holzbein. Irgend jemand reichte Essen und Trinken weiter, das der kleine Mann mit Appetit in Angriff nahm, wobei er gleichzeitig mit vollem Mund sprach. »Ein paar der Jungs haben eine große Patrouille, die den Zwiebelfluß heraufkam, auf sich gezogen, ein gutes halbes Dutzend erledigt und die übrigen mit eingekniffenem Schwanz und nach Daddy Velteyn jammernd nach Hause geschickt. Bisher noch kein Zeichen des Hohen Jägers selbst, Té sei es gedankt. Wahrscheinlich möchte er nicht, daß seine schöne Glasrüstung im Regen naß wird. Ich hatte einen üblen Augenblick, als ein paar Bärenhunde von der Truppe, die wir aufgerieben haben, überraschend meine Spur aufnahmen. Hätten mich erwischen können, die schleichenden Scheißer, aber zufällig geriet ich an einen fein stinkenden Sumpf und versteckte mich darin, bis sie das Warten satt hatten.«

Der kleine Mann hielt der Nonne seinen Krug hin, damit sie ihn wieder mit Wein fülle. Die Katze war nicht zu Amerie zurückgekehrt, obwohl sie mit den Fingern schnippte, worauf das Tierchen sonst immer gerannt kam. Zwei böse glimmende Augen beobachteten Holzbein von einem dunklen Gepäckstapel herab, weit entfernt vom Hauptfeuer. Die Katze hörte nicht auf, hohe, bebende Knurrlaute auszustoßen.

»Wir müssen Ihnen unsere neuen Gefährten vorstellen«, sagte Madame würdevoll. »Sie haben sie natürlich gesehen.

Die Ehrwürdige Schwester Amerie, Professor Claude, Kapitän Richard ... und Felice.«

»Möge die gute Göttin euch lächeln«, sagte der kleine Mann. »Ich bin Fitharn. Aber ihr könnt mich Holzbein nennen.«

Richard traten die Augen aus dem Kopf. »Christus! *Sie* sind ein Firvulag?«

Der einbeinige Mann lachte und erhob sich. Da stand plötzlich neben dem Feuer eine hohe, todesschwarze Erscheinung mit sich windenden Tentakeln statt Armen, roten Schlitzaugen und einem Maul voller Haifischzähne, von denen stinkender Speichel troff.

Von Ameries Kätzchen kam ein fauchendes Kreischen. Das Ungeheuer verschwand, Holzbein setzte sich wieder auf seinen Platz am Feuer und trank lässig seinen Wein.

»Eindrucksvoll«, bemerkte Felice. »Können Sie noch andere Illusionen erzeugen?«

Die Augen des Firvulag zwinkerten. »Wir haben unsere Lieblingsillusionen, Kleines. Die Visionen des Auges sind die einfachsten, verstehen Sie.«

»Ich verstehe«, sagte Felice. »Da Sie vor den Bärenhunden fliehen mußten, schließe ich, daß Ihre Kräfte auf sie nicht wirken.«

Der Fremde seufzte. »Eine perverse Spezies. Wir müssen uns auch vor den Hyänen in acht nehmen – aber die können wenigstens nicht vom Feind gezähmt werden.«

»Ich kann Bärenhunde kontrollieren«, sagte Felice leise. »Wenn ich einen goldenen Ring hätte, könnte ich euch helfen, euren Krieg zu gewinnen. Warum wollt ihr mir nicht geben, was ihr Madame Guderian doch bereits gegeben habt?«

»Verdienen Sie sich den Ring«, antwortete der Firvulag und leckte sich die Lippen.

Felice ballte die Fäuste. Sie zwang sich zu einem Lächeln. »Sie haben Angst. Aber ich würde meine Metafunktionen gegen keinen von euch anwenden. Das schwöre ich!«

»Beweisen Sie es!«

»Verdammt sollen Sie sein!« Sie trat auf den kleinen Mann zu, das Puppengesicht verzerrt vor Zorn. »Wie? *Wie?*«

Madame ging dazwischen. »Felice, beruhigen Sie sich! Setzen Sie sich wieder!«

Fitharn streckte seine Prothese aus und stöhnte. »Mehr Holz ins Feuer! Ich bin durchgefroren bis auf die Knochen, und mein längst nicht mehr vorhandenes Bein quält mich mit Phantomschmerzen.«

Amerie sagte: »Ich habe ein Medikament ... wenn Sie genau wissen, daß Ihr Protoplasma nahezu humanoid ist.«

Er bedachte sie mit einem breiten Grinsen, nickte und hielt ihr den Stumpf hin. Amerie setzte eine Minispritze. »Ah, besser, besser!« rief er. »Té segne Sie, falls Sie so etwas brauchen können, Schwester.«

»Die maskuline und die feminine Form sind nur Aspekte des Einen. Unsere Rassen stehen sich näher als Sie denken, Fitharn von den Firvulag.«

»Vielleicht.« Der kleine Mann sah verdrießlich in seinen Weinbecher.

»Als Sie eintrafen, Fitharn, erklärte ich den Neuen gerade meinen Plan«, sagte Madame. »Vielleicht wollen Sie so freundlich sein, mir zu assistieren. Wenn es Ihnen recht ist, erzählen Sie ihnen doch die Geschichte vom Schiffsgrab.«

Noch einmal wurde der Becher des Fremden mit Wein gefüllt. »Gut. Kommt näher und hört zu! Dies ist Bredes Geschichte. Sie wurde mir von meinem Großvater berichtet, der vor fünfhundert Jahren in Tés dunklen Mutterleib einging, wo er verbleiben wird bis zur großen Wiedergeburt, wenn Té und Tana keine Schwestern mehr, sondern eins sein werden und Firvulag und Tanu ihren Kampf endlich mit einem Waffenstillstand beenden, der ewig dauern soll ...«

Er schwieg lange Zeit, hielt seinen Becher an die Lippen und schloß die Augen vor den starken Dämpfen des Weins. Schließlich stellte er das Gefäß neben sich, faltete die Hände im Schoß und trug in merkwürdig singenden Kadenzen vor:

»Als des großen Bredes Schiff uns dank Tés Erbarmen hierherbrachte, nahm die gewaltige Anstrengung ihm die Kraft aus Herz und Verstand – und so starb es, auf daß wir lebten. Wir verließen das Schiff. Unsere Flieger spreizten ihre geschwungenen Flügel, und alle zusammen sangen das Lied, der Freund mit dem Feind. Weinend zogen wir dahin bis zu der Stelle, wo das Grab sein sollte. Wir sahen das brennende Schiff von Osten herabkommen. Wir sahen es durch die hohen und die niedrigen Luftschichten niederstürzen. Es schrie im Todeskampf. Wie der Aufgang der Sonne eines Planeten Licht entsendet, so verwandelten die Flammen, die unser Schiff verzehrten, den Tag und verdunkelten der Erde Stern.

Der Absturz des Schiffes verschlang die Luft. Die Wälder und die östlichen Berge barsten, und Donner rollte um die Welt. Das Wasser in den brackigen östlichen Meeren dampfte. Kein lebendes Wesen entlang dem westwärts gerichteten Todespfad blieb übrig, doch wir sahen voll Kummer bis zum Ende zu. Das Schiff schrie laut auf, zerbrach, gab seine Seele hin. Sein Fall ließ diesen Planeten aufstöhnen. Die Luft, das Wasser, die Planetenkruste und Schiff verschmolzen im Flammensturm zu einer Wunde. Doch wir blieben und sangen, bis das Feuer vom Regen und von Bredes Tränen gelöscht war. Dann flogen wir fort.

Darauf reisten Pallol, Medor, Sharn und Yeochee, Kuhsarn der Weise und Lady Klahnino, der Thagdal, Boanda, Mayvar und Dionket, Lugonn der Leuchtende und Leyr der Tapfere – die Besten der Tanu und der Firvulag – der sinkenden Sonne entgegen, um einen Ort für uns zu finden, solange der Waffenstillstand noch dauerte und niemand kämpfen durfte. Die Tanu erwählten Finiah am Ufer des Flusses, aber wir, viel klüger, nahmen Hoch-Vrazel auf den nebelumhüllten Klippen. Als dies geschehen war, blieb nur noch eins zu tun – das Grab zu weihen.

Die Flieger stiegen zum letzten Mal auf. In ihnen flogen wir zu der Stelle. Alle stiegen aus und standen am Rand eines flüssigen Himmels, zu breit, um das andere Ufer zu sehen, während ringsumher das Land versengt und still war. Wir sahen einer Großen Prüfung zu, der ersten auf dieser Welt. Sharn kämpfte für die Firvulag und der leuchtende Lugonn für die Tanu. Mit Schwert und Speer kämpften sie, bis ihre Rüstungen flammten und Vögel vom Himmel fielen und unvorsichtige Zuschauer ihr Augenlicht verloren. Sie kämpften einen Monat an Stunden und noch länger, bis das zusehende Volk wie ein Mann aufschrie und seiner Begeisterung über

GIUSEPPE
MANGONI

die Glorie, die dem Schiff zuteil wurde und seinen Tod heiligte.

Schließlich erlahmte die Kraft des tapferen Sharn. Er fiel mit dem Schwert in der Hand, aufrecht bis zum Ende. Der Sieg gehörte dem leuchtenden Lugonn und beschwor funkelnden Tau herauf, der seine Tränen mit den unseren mischte. Und so wurden Mann und Speer als Votivgaben für die Heiligung des Grabes erwählt. Wir wanderten davon, und die Stimmen unseres Geistes erhoben sich ein letztes Mal im Lied, zu Ehren des Schiffes und auch zu Ehren des Mannes, der sich opferte, um es auf seiner Reise ins heilende Dunkel zu steuern. Dort erwarten sie, still in der Göttin Leib, die Ankunft des Lichts ...«

Der Firvulag setzte seinen Becher an und leerte ihn. Er reckte die Arme, daß die Gelenke knackten, und musterte Felice mit eigentümlichem Gesichtsausdruck.

Madame Guderian sagte: »Diese alte Geschichte enthält bestimmte Informationen, die unserer genauen Betrachtung wert sind. Die Anspielung auf Luftfahrzeuge wird Ihnen aufgefallen sein. Es muß sich um hochentwickelte Maschinen gehandelt haben, da sie das sterbende Schiff vor seinem Eintritt in die Erdatmosphäre verlassen konnten. Da die Einkapselung der Passagiere in den intergalaktischen Organismus eine fortgeschrittene Technologie voraussetzt, ist kaum anzunehmen, daß die kleineren Flieger nur einfache Rückstoßtriebwerke besaßen. Viel eher wurden sie gravo-magnetisch angetrieben, ähnlich unseren eigenen Eiern und Unterlichtgeschwindigkeits-Raumschiffen. Und wenn dem wirklich so ist ...«

Richard unterbrach sie, die Augen aufgerissen. »Wahrscheinlich funktionieren sie noch! Und Holzbein sagte, seine Leute seien vom Grab wegge*wandert,* so daß sie die Flugzeuge zurückgelassen haben müssen. Da soll mich doch immer ...«

»Wo sind sie?« rief Felice. »Wo ist dieses Grab?«

»Wenn einer von uns stirbt«, antwortete der kleine Firvulag, »werden seine sterblichen Reste von der Familie oder Freunden an einen geheimen Ort gebracht, den keiner der Leidtragenden je zuvor gesehen hat. Nach der Bestattungszeremonie wird das Grab nie wieder aufgesucht. Sogar seine Lage wird aus dem Gedächtnis gelöscht, damit die Gebeine nicht vom Feind gestört und die Opfergaben nicht von Schurken ohne Ehrerbietung gestohlen werden.«

»Merkwürdige Sitte«, meinte Richard.

Felice jammerte: »Dann wissen Sie nicht, wo das Schiffsgrab ist?«

»Es ist tausend Jahre her«, sagte der kleine Mann.

Richard warf die Kelle in den Fleischtopf, daß es klirrte. »Aber, verdammt nochmal, es muß ein riesengroßer Krater sein! Was hat er gesagt? – ›Ein Stück flüssigen Himmels, zu breit, um die andere Seite zu sehen.‹ Und er liegt östlich von Finiah.«

»Wir haben gesucht«, berichtete Madame. »Seit ich vor drei Jahren das erste Mal die Geschichte hörte und den Plan entwarf, haben wir mit allen unsern Kräften Nachforschungen angestellt. Aber stellen Sie sich das Terrain vor, Richard! Der Schwarzwald liegt im Osten jenseits des Urrheins. Zu unserer Zeit war es ein kleinerer Höhenzug, eine pittoreske Parklandschaft voll von Wanderern und Kuckucksuhr-Schnitzern. Aber um diese Zeit sind die Berge des Schwarzwalds jünger und höher. Teile liegen über 2500 Metern, sie sind zerklüftet und gefährlich zu überqueren und berüchtigt als Jagdgebiet der Criards – der Heulenden.«

»Und wissen Sie, was das für Leute sind?« wandte der einbeinige Firvulag sich mit ironischem Lächeln an Richard. »Es sind Leute wie ich, die Leute wie Sie nicht leiden mögen. Es sind die Dreckskerle, die sich weder von König Yeochee noch sonst jemandem vorschreiben lassen, wer ihre Feinde sind.«

»Wir haben in den vergangenen Jahren eine vorsichtige Erkundung des mittleren Abschnitts der Schwarzwald-Höhen nördlich von Finiah durchgeführt«, sagte Madame. »Trotz der Hilfe einiger freundlicher Firvulag, wie unseres guten Freundes Fitharn hier, war es eine Expedition, die sehr viele Opfer erforderte. Zehn unserer Leute verloren das Leben, drei wurden wahnsinnig. Fünf weitere verschwanden spurlos.«

»Und auch wir haben einige unserer Männer an die Jagd

verloren«, setzte Holzbein hinzu. »Menschen zu führen ist nicht gerade eine gesunde Arbeit.«

»Vierzig oder fünfzig Kilometer östlich des Schwarzwaldes beginnt die Schwäbische Alb, ein Teil des Juras«, fuhr Madame fort. »Sie soll voll von Höhlen sein, in denen ungeheuerliche Hyänen hausen. Nicht einmal die bösen Firvulag halten sich gern in diesem Gebiet auf – obwohl das Gerücht geht, eine Handvoll grotesker Mutanten lebe unter jammervollen Bedingungen in geschützten Tälern. Aber dies unwirtliche Land ist es, in dem das Schiffsgrab höchstwahrscheinlich zu finden ist. Und mit ihm nicht nur funktionierende Flugmaschinen, sondern vielleicht auch noch andere alte Schätze.«

»Ob Waffen in den Flugzeugen sind?« fragte Felice.

»Nur eine«, antwortete der Firvulag Fitharn, den Blick ins Feuer gerichtet. »Der Speer. Aber der wäre genug, wenn Sie nur die Hände darauf legen könnten.«

Stirnrunzelnd warf Richard ein: »Aber ich dachte, der Speer habe dem Kämpfer namens Lugonn gehört – und der war der Sieger!«

»Der Sieger erhielt das Vorrecht, sich selbst zu opfern«, erläuterte Madame. »Lugonn, der leuchtende Heros der Tanu, hob das Visier seines goldenen Glashelms und empfing den Flammenstoß seines eigenen Speers durch die Augen. Seine Leiche wurde zusammen mit der Waffe am Rand des Kraters zurückgelassen.«

»Und was, zum Teufel, würde uns dieser Speer nützen?« wollte Richard wissen.

Fitharn sprach mit leiser Stimme. »Er ist nicht die Art von Waffe, die Sie sich vielleicht vorstellen. Ebenso wenig wie das Schwert unseres gefallenen Helden Sharn des Fürchterlichen – das der obszöne Nodonn in Goriah nun seit vierzig Jahren in seinen Diebesklauen hält – ein gewöhnliches Schwert darstellt.«

»Beides sind Photonenwaffen«, ergänzte Madame. »Die einzigen, die die Fremden aus ihrer Heimatgalaxis mitbrachten. Sie durften nur von den großen Heroen benutzt werden – um das Schiff im Falle einer Verfolgung zu verteidigen und später bei den feierlichsten Ritualkämpfen.«

»Heutzutage«, fiel Häuptling Burke ein, »dient das Schwert nur noch als Trophäe beim Großen Wettstreit. Nodonn hat es so lange, weil die Tanu den Wettstreit vierzig Jahre hintereinander gewonnen haben. Unnötig zu sagen, daß wir das Schwert niemals in unsern Besitz bringen werden. Aber mit dem Speer ist es etwas anderes.«

»O Gott!« rief Richard angewidert. »Um Madames Plan in die Tat umzusetzen, brauchen wir also nur zwei- oder dreitausend Quadratkilometer abzusuchen, auf denen es von menschenfressenden Gespenstern und Riesenhyänen wimmelt, um diesen antiken Flammenwerfer zu finden. Wahrscheinlich umklammert ihn die Hand eines Tanu-Skeletts.«

»Und um seinen Hals«, sagte Felice, »ist ein goldener Ring.«

»Wir werden das Schiffsgrab finden«, behauptete Madame. »Wir werden suchen, bis wir es gefunden haben.«

Der alte Claude erhob sich mit einiger Mühe, humpelte zu dem Stapel trockenen Holzes hinüber und sammelte einen Armvoll ein. »Ich glaube nicht, daß noch länger blindlings gesucht werden muß.« Er warf die Knüppel in die Flammen. Eine große Wolke von Funken stob hinauf in die schwarze Höhlung des Baums.

Alle starrten ihn an.

»Wissen Sie, wo dieser Krater sein könnte?« fragte Häuptling Burke.

»Ich weiß, wo er sein *muß*. Nur eine einzige geologische Formation in Europa entspricht der Beschreibung. Das Ries. Ein alter Einschlagkrater.«

Der stämmige Krieger mit der Pfeife schlug sich gegen die Stirn und rief: »Der Rieskessel bei Nördlingen! Natürlich! Was sind wir für ein Haufen von Idioten gewesen! Hansi! Gert! Davon haben wir schon im Kindergarten gehört!«

»Teufel, ja«, sagte die Stimme eines anderen Mannes aus der Menge. Und ein dritter Geringer setzte hinzu: »Aber du wirst dich erinnern, Uwe, uns Kindern wurde erzählt, ein Meteorit habe ihn gemacht.«

»Das Schiffsgrab!« rief eine der Frauen. »Wenn es nicht nur ein Mythos ist, dann haben wir eine Chance! Es könnte uns tatsächlich gelingen, die Menschheit von diesen Bastarden zu befreien!« Alle Anwesenden brachen in Rufe der Begeisterung aus.

»Seid leise, um der Liebe Gottes willen!« beschwor Madame sie. Sie hielt die Hände wie im Gebet vor der Brust gefaltet. »Sind Sie sicher?« fragte sie Claude. »Sie wissen genau, daß dieses ... dieses Ries das Schiffsgrab sein muß?«

Der alte Paläontologe zog einen Ast aus dem Holzstapel, strich auf einem Stück Boden das Holzmehl glatt und zeichnete eine senkrechte Reihe von Ixen hinein.

»Das sind die Vogesen. Wir sind auf der westlichen Flanke, ungefähr hier.« Er stach den Stock in den Staub und zog parallel zu der Bergkette und östlich von ihr eine Gerade. »Das ist der Rhein, der im großen und ganzen von Süden nach Norden durch einen breiten tektonischen Graben fließt. Finiah liegt hier am Ostufer.« Weitere Ixe wurden hinter der Tanu-Stadt gezeichnet. »Das ist der Schwarzwald, nordsüdlich verlaufend wie die Vogesen. Die gleiche geologische Struktur. Und dahinter biegt in nordöstlicher Richtung der Schwäbische Jura ab. Diese Linie, die ich hier unter dem Jura ziehe, ist die Donau. Sie fließt nach Osten und mündet in die Pannonische Lagune in Ungarn, irgendwo da drüben unter dem Holzstapel. Und genau *hier* ...«

Alle waren sie aufgestanden, bemühten sich, etwas zu sehen, und hielten den Atem an, als der alte Mann seinen Ast nach unten stieß.

»... ist der Rieskrater. Ein Dutzend Kilometer nördlich der Donau, da, wo in der Zukunft die Stadt Nördlingen liegt, vielleicht dreihundert Kilometer östlich von hier. Und so sicher, wie Gott kleine grüne Äpfel geschaffen hat, ist das unser Schiffsgrab. Es ist ein Krater mit mehr als fünfundzwanzig Kilometern Durchmesser. Der größte in Europa.«

Aufruhr brach aus unter dem geringen Volk. Die Menschen drängten sich heran, um Claude zu gratulieren und sich ihre Weinbecher neu füllen zu lassen. Irgend jemand holte eine Rohrflöte hervor und begann eine muntere Weise zu spielen. Andere lachten und tanzten umher. Der Tag, der mit einer überstürzten Flucht vor den feindlichen Aliens begonnen hatte, schien jetzt als Fest enden zu wollen.

Madame ignorierte die Feiernden und flüsterte Häuptling

Burke etwas zu. Sie und der Indianer winkten den Mitgliedern von Gruppe Grün und zogen sich mit ihnen in einen dunklen Teil der hohlen Sequoie zurück.

»Es mag möglich sein«, sagte Madame, »gerade eben möglich, den Plan noch dies Jahr durchzuführen. Aber das erfordert einen sofortigen Aufbruch. Sie übernehmen die Führung, Peo! Und ich werde die Heulenden aufspüren und von feindlichen Handlungen zurückhalten. Wir werden auch Ihre Hilfe benötigen, Claude, um den Krater zu finden, und die Hilfe Felices, um wilde Tiere zu koerzieren. Richard brauchen wir, weil er eine Flugmaschine steuern kann, falls wir wirklich eine finden sollten, die noch funktioniert. Wir werden auch Martha mitnehmen, die eine sehr gute Ingenieurin gewesen ist und sich daran beteiligen wird, die Funktionsweise der fremden Maschinen festzustellen und sie zu reparieren. Dann ist da noch Stefanko, der Eier-Transporter getestet hat. Er kann Richard notfalls assistieren, und vielleicht ist er imstande, ein zweites Flugzeug zu steuern.«

»Sieben Leute«, meinte Häuptling Burke. »Zwei von ihnen alt, und Martha ist nicht kräftig. Das ist ungünstig, Madame. Zu wenige für eine kampfstarke Truppe, zu viele für eine schnelle. Auch mit Felice und mir als Begleitschutz wird es eine mühselige Reise werden.«

»Ich möchte, daß Amerie mitkommt«, sagte Felice. »Wir könnten eine Ärztin brauchen.«

Die Nonne hob in einer unsicheren Geste den unverletzten Arm. »Ich bin bereit dazu – aber ich denke, ich würde eher eine Last als eine Hilfe sein.«

»Es kommt überhaupt nicht in Frage, daß Sie uns begleiten, ma Soeur«, erklärte die alte Frau und sah Felice scharf an. »Den besten Dienst leisten Sie uns, wenn Sie hierbleiben, Ihre Gesundheit zurückgewinnen und sich um die Leute kümmern. Wir haben ein paar gestohlene Medikamente, aber viele von ihnen sind nicht dafür geeignet, von Laien angewendet zu werden. Sie werden jede Menge zu tun finden – schlecht verheilte Knochenbrüche, Pilzinfektionen, innere Parasiten. Wenn die gegenwärtige Notlage vorbei ist, werden Uwe Guldenzopf und Tadanori Kawai Sie in unser Dorf bei den Verborgenen Quellen nordwestlich von hier bringen. Sie sollen in meinem eigenen Häuschen wohnen, und die Leute werden zu Ihnen kommen.«

Häuptling Burke sagte: »Khalid Khan wird die Leute anführen, die das Eisen schmelzen. Sagen wir, zehn starke Männer. Claude kann Khalid sagen, wonach sie Ausschau halten müssen, und wenn die Jungs das Erz finden und sich gleich an die Arbeit machen, können sie eine schöne Zahl von Waffen fertig haben, bis wir wiederkommen.«

»*Wenn* wir wiederkommen!« rief Richard aus. »Um Himmels willen, warum setzt jeder schlicht voraus, daß ich bereit bin, bei diesem Plan mitzumachen? Ich denke nicht daran! Sobald die Tanu sich abgekühlt haben, haue ich hier ab!«

»Du kannst nicht kneifen«, sagte Felice. »Wir brauchen dich.«

»Soll doch der andere Kerl – dieser Eier-Flieger – den Piloten machen! Ich kämpfe anderer Leute Kriege nicht aus.«

Madame berührte mit einer Hand die schwarze Samtweste von Richards Kostüm. »Der Fliegende Holländer, nicht wahr? Ich habe in Lyon viele Aufführungen von ihm gesehen ... Oh, Richard! Das braucht nicht Ihr Schicksal zu sein. Laufen Sie nicht fort! Wir brauchen Sie. Helfen Sie uns anderen, die Freiheit zu gewinnen, und finden Sie dabei Ihren eigenen Frieden! Stefankos Flugerfahrung ist sehr begrenzt. Sie wissen doch, wie das mit unseren vollautomatischen Eiern war. Aber Sie! Sie haben sich gerühmt, die fortschrittlichsten Sternenschiffe, Orbit-Landefähren und sogar primitive Flugzeuge geflogen zu haben. Wenn irgend jemand unter uns mit der fremden Maschine fertig wird und den Speer Lugonns zurückbringen kann, sind Sie es!«

Ihre Gedanken schienen ihn zu umarmen – seine Einwände zu beseitigen, seine Furcht zu überwinden. Richard spürte, daß sein Entschluß gegen seinen Willen ins Wanken geriet. Er wußte, die verdammte Frau koerzierte ihn, spielte ihre eigene Melodie auf seinem Superego, beugte seinen Willen. Aber je mehr er sich gegen sie wehrte, desto zwingender wurde ihr mentaler Griff ...

Richard! Lieber Sohn, sollte ich dich nicht kennen? Ich, die Mutter von einhunderttausend unglücklichen Reisenden, die zu mir als ihre letzte Hoffnung kamen? Du bist immer allein gewesen, immer auf dein eigenes Ich fixiert und voll Angst, dich anderen Menschen zu öffnen, denn wer das tut, riskiert Ablehnung und Schmerz. Aber wir sind dazu geboren, dies Risiko auf uns zu nehmen, wir Menschen. Wir können nicht allein leben, können allein kein Glück und keinen Frieden finden, können allein nicht lieben. Der Mensch, der allein ist, muß immer fliehen, immer suchen. Er flieht vor der Einsamkeit ohne Ende. Er sucht, ob er will oder nicht, nach einem anderen, der seine Leere füllen soll ...

Richard wich vor der schrecklichen alten Frau zurück, bis das morsche Holz des Baumes ihn aufhielt. Er versuchte, sich zu verteidigen gegen den Druck ihrer Not und Hoffnung und – verdammt soll sie sein! – ihr echtes Mitgefühl, das wie ein Gesundbrunnen aus ihr herausfloß und seine gesprungene, schmutzige Seele heilte.

Laut sagte sie: »Kommen Sie mit uns, Richard! Helfen Sie uns – uns allen, die wir Sie brauchen. Ich kann Sie nicht wirklich koerzieren. Nicht über einen flüchtigen Moment hinaus. Sie müssen sich aus freiem Willen entscheiden, uns zu helfen. Und zum Ausgleich dafür werden Sie erhalten, wonach Sie gehungert haben.«

»Verdammt sollen Sie sein!« flüsterte er.

Mein armer befleckter Kleiner. Du bist sterblich selbstsüchtig gewesen und hast für deine Torheit bezahlt. Das Milieu zwang dich zu zahlen. Aber deine Sünde bleibt bestehen wie meine eigene, und die wirkliche Buße dafür muß in der gleichen Währung bezahlt werden wie die unrechtmäßig benutzte. Der Verlust deines Sternenschiffes, deines Lebensunterhalts war nicht genug, das weißt du selbst! Du mußt von dir selbst geben, und dann wirst du dich nicht länger verachten. Hilf uns! Hilf deinen Freunden, die dich brauchen!

»Verdammt!« Er blinzelte die Feuchtigkeit weg, die ihm in die Augen gestiegen war.

Gerettet.

Seine Worte waren kaum hörbar. »Na gut.« Die anderen sahen ihn alle an, aber er konnte ihnen nicht in die Augen blicken. »Ich gehe mit. Ich werde das Flugzeug zurückfliegen, wenn es mir möglich ist. Aber mehr kann ich nicht versprechen.«

»Es ist genug«, sagte Madame.

Am mittleren Feuer war das Singen und Lachen leiser geworden. Die Leute verteilten sich wieder an den kleineren Feuern, um schlafenzugehen. Eine kleine Gestalt, ein Schattenriß vor dem sterbenden Feuer, hinkte auf Madame zu.

»Ich habe über Ihre Expedition zum Schiffsgrab nachgedacht«, sagte Fitharn. »Sie werden die Hilfe unseres Volkes benötigen.«

»Um die Donau schnell zu finden«, stimmte Claude zu. »Haben Sie eine Vorstellung von dem besten Weg, sie zu erreichen? In unserer Zeit lagen ihre Quellen im Schwarzwald. Gott weiß, wo sie jetzt beginnt. In den Alpen – oder in einer Super-Version des Bodensees.«

»Es gibt nur eine Person mit genug Autorität, um Ihnen zu helfen«, erklärte der Firvulag. »Sie werden den König besuchen müssen.«

2

Yeochee IV., Hochkönig der Firvulag, schlich sich auf Zehenspitzen in den Hauptaudienzsaal seiner Bergfestung. Sein Suchersinn erkundete die dunklen Nischen der großen Höhle.

»Lulo, mein Granatäpfelchen! Wo versteckst du dich?«

Es erklang ein Geräusch wie das Bimmeln winziger Glöckchen, vermischt mit Lachen. Ein Schatten flatterte zwischen den rot und cremefarbenen Stalaktiten, den hängenden Tapisserien, den fünfzig Jahre alten zerlumpten Fransenbannern, Trophäen des Großen Wettstreits. Einen moschusartigen Geruch hinterlassend, glitt etwas wie eine große Motte in die Kammer auf einer Seite des Saals.

Yeochee rannte hinterher. »Jetzt habe ich dich in der Falle! Es gibt keinen Weg aus dieser Kristallgrotte außer den an mir vorbei!«

Der Alkoven war von Kerzen in einer einzigen goldenen Laterne erleuchtet. Die Flammen ließen einen unglaublichen Reichtum an Quarzprismen in den Wänden funkeln, rosa und purpurn und weiß wie das Innere einer gigantischen Druse. Haufen dunkler Felle bildeten einladende Hügel auf dem Boden. Einer dieser Haufen zitterte.

»Also da bist du!«

Yeochee eilte in die Grotte und hob den verbergenden Teppich mit quälender Langsamkeit. Eine Kobra, so dick wie sein Arm, bäumte sich auf und zischte ihn an.

»Aber Lulo! Ist das eine Art, deinen König zu empfangen?«

Die Schlange flimmerte und bekam den Kopf einer Frau. Ihr Haar war vielfarbig wie die Schlangenhaut, ihre Augen von aufreizender Bernsteinfarbe. Eine gespaltene Zunge stahl sich zwischen ihren lächelnden Lippen hervor.

Mit einem Entzückensschrei breitete der König die Arme aus. Der Schlangenfrau wuchsen ein Hals, Schultern, weiche Arme mit geschickten knochenlosen Fingern, ein wundervoll geformter Oberkörper. »Bleib für einen Augenblick so«, schlug Yeochee vor, »dann können wir ein paar Möglichkeiten erforschen.« Sie fielen mit einem Schwung, der das Kerzenwachs überlaufen ließ, auf das Fellbett.

Weit entfernt ertönte eine Fanfare.

»Oh, verdammt«, stöhnte der König. Die Konkubine Lulo wimmerte und entrollte sich, aber ihre gespaltene Zunge hörte nicht auf, hoffnungsvoll hin- und herzuflitzen.

Die Fanfare gellte von neuem, diesmal näher, und das Dröhnen von Gongs ließ den Berg in Sympathie vibrieren. Die Stalaktiten vor der Kristallgrotte summten wie Stimmgabeln.

Yeochee setzte sich auf, sein eben noch so fröhliches Gesicht eine Maske der Verzweiflung. »Dies blöde Kontingent von Geringen. Ich meine die, die glauben, einer Geheimwaffe gegen die Tanu auf der Spur zu sein. Ich habe Pallol versprochen, sie zu empfangen.«

Die lockende Lamie schwankte, schmolz und wurde zu einer dicklichen kleinen nackten Frau mit Apfelwangen und einem blonden Haarknoten. Schmollend zog sie eine Decke aus Nerzfellen über sich und verlangte: »Also, wenn das eine Weile dauern sollte, besorge mir um Tés willen wenigstens etwas zu essen. All dies Herumjagen hat mich zum Sterben ausgehungert. Aber denke daran, keine Fledermaus-Schnittchen! Und auch nichts von diesem scheußlichen gekochten Salamander.«

Yeochee band seinen etwas schäbigen Morgenmantel aus Goldtuch zusammen und fuhr mangels eines Kammes mit den Fingern durch sein verwirrtes gelbes Haar und seinen Bart. »Ich bestelle dir etwas Schönes«, versprach er. »Wir haben neulich einen neuen menschlichen Koch gefangen, der wundervoll in Käse- und Fleisch-Pasteten ist.« Der König schmatzte mit den Lippen. »Diese Sache wird nicht länger dauern. Dann veranstalten wir hier ein Picknick, und zum Nachtisch ...«

Die Fanfare erklang ein drittes Mal draußen vor der Höhle.

»Du mußt gehen«, sagte Lulo und kuschelte sich unter den Nerz. »Komm bald wieder!«

König Yeochee trat aus der Grotte, holte tief Atem und verwandelte sich von einhundertsechzig zu zweihundertsechzig Zentimeter Größe. Der alte Morgenmantel wurde zu einer Schlepprobe aus granatfarbenem Samt. Er schuf sich eine herrliche, goldziselierte Parade-Rüstung aus Obsidian, auf derem offenen Helm eine hohe Krone saß. Aus ihr wuchsen zwei gewundene Glieder wie goldene Widderhörner, und über der Stirn sprang ein Schnabel vor, der den oberen Teil seines Gesichts in tiefen Schatten hüllte. Er vergrößerte seine Augen, die in düsteren Farben schillerten. Im Laufschritt erreichte er den Thron. Es war keinen Augenblick zu früh.

Die Fanfare war zum letzten Mal zu hören.

Yeochee erhob eine gerüstete Hand, und mehrere Dutzend illusorischer Höflinge und Bewaffneter entstanden um die Thronstufen. Die Felsen des Bergs erglühten in leuchtenden Farben. Zitternde Musik wie von einer Glas-Marimba erfüllte den Saal, als sechs Firvulag der Palastgarde die Menschen und Fitharn Holzbein vor das Angesicht des Königs führten.

Einer der Quasi-Höflinge trat vor. Der Geringen wegen Standard-Englisch benutzend, deklamierte er: »Jeder erweise Ehre Seiner Schrecklichen Hoheit Yeochee IV., souveräner Herr der Höhen und Tiefen, Monarch der unendlichen Hölle, Vater aller Firvulag und unangefochtener Herrscher der bekannten Welt!«

GIUSEPPE MANGONI

Ein orgelähnlicher Ton von ohrenbetäubender Lautstärke ließ die sich nähernden Besucher erstarren. Der König erhob sich und schien vor ihren Augen größer und größer zu werden, bis er unter den Stalaktiten wie ein riesiges Götzenbild mit Smaragdaugen aufragte.

Fitharn lüftete kurz seinen hohen Hut. »Wie geht's, King?«

»Wir erlauben dir, näherzutreten!« dröhnte die Erscheinung.

Fitharn stapfte mit seinem Holzbein vorwärts, und die sieben Menschen folgten ihm. Yeochee stellte bedauernd fest, daß nur zwei der Geringen – ein scharfgesichtiger Bursche mit großem schwarzem Schnurrbart und eine jüngere Frau, hohlwangig und dünn, das helle Haar zu einem nicht schmeichelnden Knoten zusammengedreht – von seiner monströsen Verkleidung echt beeindruckt waren. Die übrigen Menschen betrachteten Seine Schreckliche Hoheit entweder mit wissenschaftlichem Interesse oder mit Belustigung. Die alte Madame Guderian zeigte sogar eine Spur von gallischem Ennui. Na, wenn schon. Da konnte er sich ebensogut entspannen.

»Wir werden uns herablassen, ein milderes Aussehen anzunehmen!« erklärte Yeochee. Er schrumpfte zu seinem normalen Selbst zusammen – mit goldenem Morgenmantel, bloßen Füßen und allem, die Krone schief sitzend wie gewöhnlich. »Was hat das alles zu bedeuten?« wollte er von Fitharn wissen.

»Madame Guderians Plan gegen die Tanu scheint einen Quantensprung vollführt zu haben, King. Laß es dir besser von ihr selbst erzählen.«

Yeochee seufzte. Madame erinnerte ihn in beunruhigender Weise an seine verstorbene Großmutter, eine Dame, die immer wußte, wann er eine kindliche Missetat begangen hatte. Trotz des Talents der alten Französin für politische Intrigen hatte Yeochee es längst bitterlich bereut, ihr einen goldenen Ring gegeben zu haben. Madames Pläne hatten immer zur Folge, daß bei nur geringem Gewinn für die Firvulag die Geringen den Vorteil davon hatten. Er hätte seinem Instinkt folgen und sie gleich in den ersten Tagen, nachdem sie die Frechheit besessen hatte, durch ihr eigenes Zeitportal zu treten, mit seiner Psychoenergie zu Kleinholz zerlegen sollen. Schließlich war sie indirekt die Urheberin der gegenwärtigen Firvulag-Degradierung!

Die alte Frau, jetzt in der gefleckten Wildlederkleidung, die Waldläufer ihrer Rasse bevorzugten, trat kühn bis zum Thron vor und grüßte den König mit oberflächlichem Kopfnicken.

»Sie sehen gut aus, Monseigneur. Reichlich gesunde körperliche Übungen, wie man vermuten kann.«

Yeochee runzelte die Stirn. Aber wenigstens hatte die alte Forelle ihm den Lulo versprochenen Imbiß ins Gedächtnis zurückgerufen. Er griff nach einem Klingelzug. »Pallol berichtete mir, es sei möglich, daß Sie den Ort des Schiffsgrabes entdeckt haben.«

»Das ist richtig.« Sie wies auf einen silberhaarigen Mann unter den Menschen. »Professor Claude, einer unserer neuen Gefährten, glaubt, ihn identifiziert zu haben. Er weiß davon durch seine wissenschaftlichen Studien in der Welt der Zukunft.«

»Es soll sechs Millionen Jahre in der Zukunft immer noch bekannt sein?« Der König winkte dem Paläontologen, und dieser trat näher. »Du da, Claude. Sag mir – haben eure Leute in der Zukunft noch eine Erinnerung an uns?«

Claude lächelte den kleinen Alien an und ließ seinen Blick über den phantastischen Saal hinwandern, der im Herzen des höchsten Berges der Vogesen lag.

»Euer Majestät, in diesem Augenblick sind die direkten Vorfahren der Menschheit kleine Affen im Wald. Sie haben keine Sprache und deshalb keine Möglichkeit, irgendwelche Erinnerungen an ihre Nachkommen weiterzugeben. Primitive menschliche Wesen im Besitz einer Sprache werden sich erst in zwei oder drei Millionen Jahren entwickeln, und zuverlässige mündliche Überlieferungen treten erst ... – oh, sagen wir acht- oder neuntausend Jahre vor meiner Zeit auf. Würden Sie nicht zustimmen, daß das Wissen um kleine, die Gestalt ändernde fremdrassige Wesen in unterirdischen Behausungen bei der zukünftigen Menschheit höchst unwahrscheinlich ist?«

Der König zuckte die Achseln. »Es war nur so ein Gedanke ... Also du weißt, wo das Schiffsgrab ist, he?«

Claude antwortete: »Ich denke schon. Und Sie haben keine moralischen Einwände, wenn wir es zum beiderseitigen Vorteil plündern?«

Yeochees grüne Knopfaugen blitzten gefährlich. »Sei vorsichtig, alter Claude. Ihr werdet das Schiff keines Gegenstandes berauben, der nicht in angemessener Frist – und zwar mit Zinsen – zurückerstattet werden kann, wenn der ungerechte Vorteil, den der verabscheuungswürdige Feind über uns gewonnen hat, ausgeglichen ist.«

Madame sagte: »Wir werden Ihnen helfen, dies Ziel zu erreichen, Monseigneur. Ich habe es als Teil meiner Buße geschworen! Wenn es den Tanu nicht mehr möglich ist, Menschen zu versklaven, ist der Status quo zwischen Ihren beiden Rassen wiederhergestellt. Und unser erster Schlag wird gegen Finiah geführt werden – unter Benutzung einer Flugmaschine und des Speers vom Schiffsgrab.«

Der König drehte seinen Bart in goldene Stricke. »Der Zeitfaktor! Es sind nur noch drei Wochen bis zur Tag- und Nachtgleiche – dann noch eine und eine halbe Woche, und wir haben den Waffenstillstand für das Treffen zum Großen Wettstreit. Hmm. Unsere Truppen brauchen wenigstens eine Woche, um einen Angriff gegen die Tanu vorzubereiten. Besteht eine Chance, daß Sie mit dem Flieger und dem Speer vor Beginn des Waffenstillstands wieder hier sind? Wir wären bereit, uns Ihnen bei einem Angriff anzuschließen, wenn wir wirklich hoffen könnten, Velteyn und seinen fliegenden Zirkus abzuschießen. Ein Erfolg in Finiah würde die Moral unserer Jungen und Mädchen bei den Spielen dieses Jahres auf den Zenit heben.«

Die alte Frau wandte sich an Claude. »Ist es denkbar, daß wir innerhalb eines Monats bis zum Ries und zurück kommen?«

»Wir könnten es schaffen. Aber nur, wenn wir einen Führer erhalten, der uns auf dem kürzesten Weg zu der Stelle der Donau bringt, wo sie mit kleinen Booten befahrbar wird. Das müßte ein Ort jenseits des Schwarzwaldes in einem sedimentgefüllten Becken sein – der molassischen Schwelle zwischen dem Schwäbischen Jura und den Alpen. Wahrscheinlich wird der Fluß so sanft durch die Molasse fließen wie der

Süße Afton. Wir würden dann mühelos zum Ries segeln und zurück fliegen.«

»Innerhalb eines Monats?« drängte der König.

»Wenn Sie Ihre Machtbefugnisse dafür einsetzen, uns einen Führer zu besorgen, ist es möglich.«

Fitharn trat vor. »Der mächtige Sharn-Mes schlug vor, einen gewissen Sugoll als Begleiter der Expedition einzusetzen. Ein übellauniger Bursche, selbst für einen Heuler, und nicht allzu loyal. Aber er behauptet, das Feldberg-Land und sogar die Wasserhöhlen hinter dem Paradies-Schlund zu beherrschen. Sharn-Mes meint, wenn irgend jemand diesen Fluß kennt, ist es Sugoll. Ich kann die Leute hier zu seiner Höhle bringen, wenn du Madame Vollmacht gibst, seine Dienste zu verlangen.«

»Oh, schon gut«, brummelte der König. Er hockte sich nieder und begann unter dem Thron herumzusuchen. Schließlich zog er einen kleinen Koffer hervor, der aussah, als sei er aus schwarzem Onyx geschnitzt. Nach einigem Fummeln mit dem goldenen Schloß warf Yeochee den Deckel zurück, kramte in dem Koffer und förderte einen Parker-Kugelschreiber des zweiundzwanzigsten Jahrhunderts und ein sehr zerknittertes, beflecktes Stück Pergament zutage. Immer noch auf dem Boden kniend, kritzelte er eine Reihe schwungvoller Schriftzeichen und versah sie mit der königlichen Unterschrift.

»Das sollte genügen.« Er verstaute Schreibmaterial und Koffer und übergab Madame das Sendschreiben. »Damit habe ich mein Bestes getan. Frei übersetzt heißt es: *Hilf diesen Leuten, oder du bist dran*. Sie haben meine königliche Erlaubnis, diesen Sugoll zu Schleim zu koerzieren, wenn er Ihnen das Leben schwer macht.«

Madame nickte würdevoll und steckte das Pergament ein.

Ein krummbeiniger kleiner Bursche in einem gegürteten roten Kittel trottete in den Audienzsaal und salutierte dem König. »Ihr habt geläutet, Schrecklicher?«

»Wir sind hungrig und durstig«, erklärte der Monarch der unendlichen Hölle. Er wandte sich abrupt von dem Diener ab und schoß Madame eine Frage zu. »Sie glauben wirklich, daß diese Expedition eine Erfolgschance hat?«

»Ja«, bestätigte sie feierlich. »Kapitän Richard hier war Sternenschiff-Meister. Er wird fähig sein, eine der Flugmaschinen, von denen Ihre Legenden berichten, zurückzufliegen, wenn sie von den Elementen nicht zerstört worden sind. Martha und Stefanko besitzen technisches Wissen, das uns in die Lage versetzen wird, sowohl die Flugmaschine als auch den Speer betriebsbereit zu machen. Häuptling Burke und Felice werden uns unterwegs gegen Gefahren der Natur schützen. Ich selbst will meine Metafunktionen dazu einsetzen, feindliche Mitglieder Ihrer eigenen Rasse sowie Tanu, die uns vielleicht verfolgen, zu verwirren. Professor Claude wird uns zu dem Krater führen, wenn wir nur erst sicher auf dem Fluß sind. Was den Erfolg betrifft ...« sie zeigte ein frostiges Lächeln –, »das liegt bei le bon dieu, n'est-ce pas?«

Yeochee maß sie mit einem finsteren Blick. »Warum können Sie nicht englisch sprechen wie ein normales menschliches Wesen? Habe ich nicht schon genug Scherereien mit Ihnen? Oh – ich gebe zu, der Plan hört sich gut an. Aber ebenso war es auch mit dem Plan, einen Tunnel unter der Stadtmauer von Finiah zu graben und diesen verdammten Guano-Sprengstoff explodieren zu lassen, den Ihre Leute zusammengebraut hatten. Und in der letzten Minute leitete Velteyn den Rhein in den Graben! Einhundertunddreiundachtzig Firvulag schwammen in einer Suppe aus Vogelscheiße um ihr nacktes Leben!«

»Diesmal wird es anders sein, Monseigneur.«

Yeochee winkte dem Diener. »Bring mir vom besten Ale! Und laß Mariposa, den neuen menschlichen Koch – den mit der Nase – eine dieser großen flachen ungedeckten Torten mit geschmolzenem Chamois-Käse und Tomatensoße und der neuen Wurst backen.«

Der Diener verbeugte sich tief und rannte hinaus.

»Wir haben also Ihre Erlaubnis, sofort zu der Expedition aufzubrechen?« fragte Madame.

»O ja, ja«, knurrte der König gereizt. Er zog den goldenen Bademantel enger um sich. »Tatsächlich befehlen wir sie. Und jetzt seid ihr entlassen ... Fitharn, du bleibst hier. Ich habe etwas mit dir zu besprechen.«

Die Palastwachen, die während der Audienz unbeweglich in ihren schwarzen Glasrüstungen dagestanden hatten, stießen die kurzen Lanzen auf den Boden und trafen Anstalten, die menschlichen Besucher hinauszugeleiten. Aber die kleinste weibliche Person, die mit der Wolke hellen Haars, die kaum so groß war wie eine Firvulag-Frau, hatte die Kühnheit, auszurufen:

»Eure Majestät! Noch ein Wort.«

»Oh, ist recht«, seufzte der König. »Ich weiß, wer du bist. Vermutlich glaubst du immer noch, wir müßten dir einen goldenen Ring geben.«

»Lassen Sie mich nicht warten!« Felice nagelte ihn mit einem Blick fest, der noch durchdringender war als der Madames. »Mit einem goldenen Ring könnte ich dafür garantieren, daß diese Expedition ein Erfolg wird.«

Der König schenkte ihr ein Lächeln, und er hoffte, daß es gewinnend war. »Ich weiß alles über deine außergewöhnlichen Fähigkeiten. Du wirst zu gegebener Zeit mit der Erfüllung deines Herzenswunsches belohnt werden. Aber nicht gleich! Zuerst hilfst du unsern Freunden, den Speer und den Flieger zu holen. Solltest du zufällig Lugonns Ring dort am Krater finden, nimm ihn dir! Wenn nicht, werden wir nach eurer Rückkehr sehen, was wir tun können. Liefert die Ware ab, und dann reden wir über Geschenke.«

Er entließ sie mit einer Handbewegung, und die Wachen führten die Menschen hinaus.

»Sind sie weg?« flüsterte Yeochee, sprang vom Thron und lugte in die Dunkelheit hinein.

»Sie sind weg, King«, bestätigte Fitharn. Er setzte sich auf den Rand der königlichen Plattform, zog einen Stiefel aus und ließ ein Steinchen hinausfallen. »Ah, du kleiner Bastard!«

»Zeige etwas mehr Respekt!« grollte Yeochee.

»Ich habe mit dem Stein in meinem Schuh gesprochen, Schrecklicher ... Nun? Was meinst du?«

»Riskant, riskant.« Der König schritt auf und ab, die Hände hinter dem Rücken verschränkt. »Kämen wir nur ohne diese verdammten Mittelspersonen zu Rande! Könnten wir das Ganze selbst durchziehen!«

»Die verächtlichen Ringträger müssen oft die gleichen Gedanken hegen«, sagte Fitharn. »Auch sie sind in gefährlicher Weise von der Menschheit abhängig. Es gibt jedoch keinen anderen Weg für uns, Schrecklicher. Die Menschen sind klüger als wir und in anderer Beziehung auch stärker. Könnten wir nach all dieser Zeit je hoffen, einen Flieger zu steuern? Oder den Speer wieder funktionsfähig zu machen? Wir haben vierzig Jahre gehabt, um uns Mittel auszudenken, wie der Feind zu bezwingen wäre – und wir haben nichts anderes getan als in unser Bier zu weinen. Ich mag die zweifelhafte Guderian ebenso wenig wie du, King. Aber sie ist eine formidable Person. Ob wir sie mögen oder nicht, sie kann uns helfen.«

»Wir können den Menschen nicht *trauen!*« heulte Yeochee. »Hast du diese Welle der Feindseligkeit nicht empfunden, die von Felice ausging, als sie so niedlich ›Bitte, bitte‹ machte? Und der sollten wir einen goldenen Ring geben? – Eher würde ich versuchen, einen Lavadamm mit meinem königlichen Mixstab zu verspunden!«

»Wir können Felice unter Kontrolle halten. Pallol und Sharn-Mes haben darüber nachgedacht. Selbst wenn sie am Schiffsgrab einen Ring findet, lernt sie nicht über Nacht, ihn zu benutzen. Sie werden sofort nach hier zurückfliegen, und Felice wird wild darauf sein, an dem Angriff gegen Finiah teilzunehmen. Wir geben sie in die Obhut unserer Krieger-Ogerinnen ...«

»Tés Titten!« lästerte der König.

»... und Ayfa oder Skathe können sie beim geringsten Zeichen von Verrat niederstrecken. Überlebt Felice den Kampf um Finiah, können wir sie loswerden, indem wir sie nach Süden zum Wettstreit schicken. Scheinbar wird das gut zu der zweiten Phase von Guderians berühmtem Plan passen. Mach dir keine Sorgen, King. Wir werden Felice und alle anderen zu unserm Vorteil benutzen – und dann arrangieren Sharn und Pallol einen angemessenen heroischen Abgang für unsere menschlichen Alliierten. Spielen wir unsere Karten richtig aus, haben die Firvulag am Ende vielleicht den Speer *und* das Schwert – und sind Herren über die Tanu-Ringträger ebenso wie über die Geringen! Und du kannst dich mit Fug und Recht Unangefochtener Beherrscher der bekannten Welt nennen.«

Yeochee maß ihn mit einem furchtbaren Blick. »Warte nur, bis du an der Reihe bist, den König zu spielen! Wir werden sehen, wie geschickt du ...«

Der Diener kam aus dem Durchgang gesaust. Er trug ein großes, dampfendes Tablett und einen Glasflakon mit einer gelblichen Flüssigkeit. »Das Essen ist fertig, Schrecklicher! Heiß-heiß-heiß! Und nicht mit gewöhnlicher Salamanderwurst, sondern mit einer neuen Sorte! Der Koch Mariposa sagt, sie wird Euch die Eier kräuseln!«

Yeochee beugte sich über das Tablett und sog die Düfte der radförmigen ungedeckten Torte ein. Sie war in Keile geschnitten, und jeder einzelne troff von leckeren Schichten in cremigem Weiß und Rot.

»Ich bitte um Entschuldigung, King«, sagte Fitharn, »aber was, zum Teufel, ist das?«

Der König nahm den Teller und die Flasche Ale und setzte sich glücklich in Richtung der Kristall-Grotte in Marsch. »Das Spezialgericht einer gewissen Señora Mariposa de Sanchez, zuletzt auf der Krelix-Plantage, früher Chefin der Pizza-Stube Chichen-Itza in Merida, Mexiko ... Verlasse uns, Fitharn! Geh mit diesen verdammten Geringen und beobachte sie!«

»Wie du befiehlst, Schrecklicher.«

Endlich herrschte wieder Ruhe in der großen Höhle. Yeochee steckte den Kopf um den Eingang der Drusenkammer. Die Kerzen brannten niedrig, und zwei faszinierende Augen lugten aus dem Haufen dunkler Felle hervor.

»Yoo-hoo!« röhrte er. »Jetzt gibt's was zu schnabulieren!«

Lulo sprang in höchst bezaubernder Art auf ihn zu. »Grrum! Yumyumyum!«

Er kreischte vor Begeisterung. »Laß los! Laß mich das Tablett erst absetzen, du verrückter Sukkubus, du! Oh, das wird dir schmecken! Es ist mein neuestes Lieblingsgericht. Halb Käse, halb Axolotl!«

3

»Das Einhorn! Das Einhorn! Das Einhorn!«

Unaufhörlich stieß Martha dies Wort hervor. Sie weinte über der zerrissenen Leiche Stefankos, die mitten auf dem Pfad lag. Große Zypressen erhoben sich zu beiden Seiten aus Tümpeln braunen Wassers. Wo die Morgensonne durch die Bäume drang, waren Wolken von tanzenden Mücken und scharlachfarbene Libellen, die unter ihnen jagten. Ein hummergroßer Flußkrebs, vielleicht angezogen von dem Blut, das ins Wasser tropfte, krabbelte langsam den niedrigen Damm herauf, der den Pfad über die Rhein-Niederungen erhob.

Peopeo Moxmox Burke saß an einen bemoosten Baumstamm gelehnt. Er stöhnte, als Claude und Madame Guderian sein Wildlederhemd und ein Bein seiner Hose aufschnitten.

»Das Horn scheint Ihre Rippen nur gestreift zu haben, ma petit peau-rouge. Trotzdem werde ich die Wunde nähen müssen. Claude, geben Sie ihm ein Betäubungsmittel.«

»Kümmern Sie sich um Steffi«, bat der Häuptling mit zusammengebissenen Zähnen.

Claude schüttelte nur den Kopf. Er entnahm der Arzttasche, die Amerie für sie gepackt hatte, eine Herendorf-Minispritze und setzte sie Burke an die Schläfe.

»O Gott. Jetzt ist mir besser. Was ist mit dem Bein? Ich habe gespürt, wie die Zähne des Untiers auf den Knochen stießen.«

Claude sagte: »Ihr Wadenmuskel ist völlig zerfetzt. Und Sie können darauf wetten, diese Stoßzähne waren von oben bis unten voll mit giftigem Schmutz. Wir haben keine Möglichkeit, Sie hier zusammenzuflicken, Peo. Ihr einzige Chance ist eine professionelle Behandlung zu Hause durch Amerie.«

Leise fluchend ließ Burke seinen massigen grauen Kopf gegen die Zypresse sinken und schloß die Augen. »Bin selbst schuld. Ich dummer Schmuck – ich dachte nur daran, unsere Spuren auszulöschen, indem ich uns durch diese Stelle mit stinkenden Kannensträuchern führte. Ich hielt nach Fährten von Stoßzahn-Elefanten und Bärenhunden Ausschau ... und wir werden von einem gottverdammten *Schwein* überfallen!«

»Ruhig, Kind!« befahl Madame. »Sie müssen stillhalten, wenn ich nähe.«

»Es war kein gewöhnliches Wildschwein«, sagte Claude. Er bedeckte die Wunde mit antibiotischer Watte und umwikkelte das Bein des Häuptlings mit poröser Folie. Die Dekamol-Schiene lag aufgeblasen bereit. »Ich glaube, das Tier, das diese Arbeit an Ihnen verrichtet hat, war kein anderer als Kubanochoerus, der riesige einhörnige kaukasische Eber. Angeblich soll er im Pliozän schon ausgestorben gewesen sein.«

»Ha! Erzählen Sie das Steffi, dem armen Faygeleh.«

»Alles übrige kann ich für Peo tun, Claude«, sagte Madame. »Kümmern Sie sich um Martha!«

Der Paläontologe ging hinüber zu der hysterischen Ingenieurin, sah ihren entsetzten Blicken und ihren schwankenden Bewegungen eine Weile zu und erkannte, was getan werden mußte. Er faßte sie am Handgelenk und riß sie grob in die Höhe. »Wollen Sie wohl den Mund halten, Mädchen? Ihr Gebrüll bringt uns die Soldaten auf den Hals! Glauben Sie, Steffi würde das wollen?«

Martha keuchte vor Wut und Erstaunen und holte aus, um dem alten Mann ins Gesicht zu schlagen. »Woher wissen Sie, was Steffi wollen würde? Sie haben ihn gar nicht gekannt! Aber ich. Und er war freundlich und gut, und er sorgte für mich, als meine verdammten Eingeweide ... als ich krank war. Und jetzt sehen Sie sich ihn an! *Sehen* Sie ihn an!« Ihr verwüstetes, einstmals schönes Gesicht verzerrte sich in neuem Weinen. Marthas zornige Aufwallung gegen Claude verflog, und ihr Arm fiel herab. »Steffi, oh, Steffi«, flüsterte sie, dann fiel sie gegen den kräftigen alten Mann. »Eben noch ging er vor mir und lächelte mir über die Schulter zu, und nun ...«

Das graue Ungeheuer war blitzschnell aus einem Binsendickicht hervorgebrochen und hatte die Reihe der Wanderer im mittleren Teil angegriffen. Es schleuderte Stefanko in die Luft, und dann zerfetzte es ihn. Der Häuptling zog seine Machete und versuchte dem Tier Einhalt zu gebieten. Dadurch zog er den Angriff auf sich. Fitharn war in illusionistischen Flammen aufgelodert, und das hatte den Eber von dem natürlichen Damm weg in den seichten Sumpf getrieben. Felice und Richard folgten der Feuerkugel mit schußbereiten Bogen und überließen es den übrigen, den Verwundeten zu helfen. Aber für Stefanko kam jede Hilfe zu spät.

Claude hielt die bebende Martha in seinen Armen, dann zog er sein Buschhemd aus der Hose und benutzte den Saum, um ihr die überströmenden Augen abzuwischen. Er führte sie an den tiefliegenden moosbewachsenen Platz, wo Madame das Bein des Häuptlings schiente, und setzte sie auf den Boden. Die Wildlederhose der Ingenieurin war an den Knien voll von dunklem Blut und Schlamm, aber um beide Knöchel zogen sich auch frische rote Flecke.

»Sie sollten sie sich lieber einmal ansehen, Madame«, sagte Claude. »Ich gehe wieder zu Steffi.«

Er nahm eine Mylar-Decke aus seinem Rucksack und kehrte zu der Leiche zurück. Es machte ihm Mühe, seinen Zorn, seine Verzweiflung zu beherrschen. Er hatte Stefanko nur vier Tage gekannt, aber die ruhige Tüchtigkeit des Mannes und sein warmherziges Wesen hatten ihn auf dem Treck von Hoch-Vrazel nach den Niederungen des Rheins zu einem angenehmen Reisegefährten gemacht. Jetzt konnte Claude nur sein Bestes tun, um die verzerrten Gesichtszüge wieder zu ihrem gewohnten Ausdruck zu glätten. Es ist nicht nötig, noch länger so überrascht dreinzublicken, Steffi, mein lieber Junge. Entspanne dich und ruhe aus! Ruhe in Frieden!

Eine Horde von Fliegen hatte sich bereits auf die blutige Masse der Eingeweide niedergesenkt und entfernte sich nur langsam und widerwillig, als Claude Stefankos Körper auf die metallisierte Decke rollte. Mit dem Hitzestrahl seines Energiepacks verschweißte der alte Mann die Mylar-Decke zu einem Beutel. Er war mit der Arbeit fast fertig, da kamen Fitharn, Richard und Felice mit patschenden Schritten aus dem Dschungel.

Felice hielt einen gerillten gelblichen Gegenstand hoch, der wie ein elfenbeinerner Marlspieker aussah. »Wir haben das Biest erwischt, auch wenn das jetzt nichts mehr nützt.«

Richard schüttelte fassungslos den Kopf. »Ein Schwein von der Größe eines gottverdammten Ochsen! Muß achthundert

Kilo gewogen haben. Wir brauchten fünf Pfeile, um es zu erledigen, nachdem Holzbein es in ein Dickicht getrieben hatte. Ich kann mir immer noch nicht vorstellen, wie etwas von dieser Größe uns unbemerkt hat überfallen können.«

»Es sind intelligente Teufel«, knurrte Fitharn. »Es muß uns gegen den Wind gefolgt sein. Bei klarem Verstand hätte ich es wahrnehmen müssen. Aber ich dachte darüber nach, daß wir uns beeilen müßten, um den Fluß zu überqueren, bevor der Morgennebel sich hebt.«

»Nun, jetzt sitzen wir hier bei hellem Tageslicht fest«, bemerkte Felice. Sie hielt das erbeutete Horn hoch. »Dieser Bursche hat dafür gesorgt.«

»Und was jetzt?« wollte Richard wissen.

Felice hatte die Pfeile von dem Halter ihres zusammengesetzten Bogens gelöst, kniete nieder und tauchte die blutbefleckten Glasspitzen ins Wasser neben dem Pfad. »Wir müssen uns auf dieser Seite bis Sonnenuntergang verstecken und dann den Fluß überqueren. Der Mond ist heute nacht beinahe voll. Wir müßten es schaffen, den schmalen Streifen flachen Landes am Ostufer in zwei Stunden hinter uns zu bringen. Dann lagern wir für den Rest der Nacht zwischen den Felsen am Fuß des Schwarzwaldes.«

Der Firvulag gab einen Laut der Überraschung von sich. »Sie denken doch nicht daran weiterzuziehen?«

Felice funkelte ihn an. »Sie denken doch nicht daran umzukehren?«

Claude sagte: »Steffi ist tot. Peo ist in sehr schlechtem Zustand. Einer von uns muß ihn zu Amerie zurückbringen, oder er wird sein Bein verlieren – wenn nichts Schlimmeres passiert.«

»Dann bleiben immer noch fünf von uns übrig.« Felice runzelte die Stirn und schlug mit dem Eberhorn gegen ihren in Wildleder gehüllten Oberschenkel. »Holzbein könnte mit dem Häuptling umkehren. Er wird unterwegs Hilfe von seinen Leuten bekommen. Und bevor Sie uns verlassen«, sagte sie zu dem kleinen Mann, »erklären Sie uns, wie wir zu der Festung dieses Sugoll gelangen.«

»Es wird nicht leicht sein.« Der Firvulag wiegte den Kopf. »Der Schwarzwald ist viel zerklüfteter als die Vogesen. Sugoll wohnt auf der nordöstlichen Flanke des Feldbergs, wo der Paradiesfluß von den Schneefeldern kommt. Ein unwirtliches Land.«

»Die Tanu werden uns auf der anderen Seite des Rheins nicht suchen«, erwiderte Felice. »Sind wir einmal drüben, brauchen wir uns wahrscheinlich keine Gedanken mehr wegen Patrouillen von Grauringen zu machen.«

»Da sind immer noch die Heuler«, gab Fitharn zu bedenken. »Und des Nachts die Fliegende Jagd, wenn Velteyn sie anführt. Entdeckt die Jagd Sie auf freiem Land, ist es aus mit Ihnen.«

»Können wir nicht hauptsächlich tags reisen?« fragte Richard. »Madame Guderians Metafunktionen werden uns vor feindlichen Firvulag warnen.«

Die alte Frau war zu der Gruppe getreten, einen Ausdruck tiefer Sorge im Gesicht. »Ich bin weniger beunruhigt wegen les Criards als wegen Sugoll selbst. Ohne seine Hilfe finden wir die Donau wohl nie rechtzeitig. Aber wenn Fitharn uns nicht begleitet, mag Sugoll glauben, er könne die Anweisungen des Königs ungestraft ignorieren. Und noch etwas macht mir großen Kummer – Martha. Bei ihr haben durch den Schock Blutungen eingesetzt. Die Tanu haben sie gezwungen, in rascher Folge vier Kinder zu gebären, und ihre weiblichen Organe ...«

»Oh, um Gottes willen«, fiel Felice ungeduldig ein. »Wenn sie sich ausruht, wird es aufhören. Und was Sugoll betrifft, so wollen wir es darauf ankommen lassen.«

»Martha ist sehr geschwächt«, betonte die alte Frau. »Es wird schlimmer mit ihr werden, bevor es besser werden kann. Das ist früher schon einmal geschehen. Am besten wäre es, wenn sie mit Peo und Fitharn umkehrte.«

Richard meinte zweifelnd: »Aber jetzt, wo Stefanko tot ist, haben wir keinen anderen Techniker mehr als sie. Gott weiß, wie lange ich ohne ihre Hilfe dazu brauchen werde, die Schaltungen der fremden Flugzeuge zu durchschauen. Und wenn der Speer repariert werden muß, kann ich es nur mit einem Gebet versuchen.«

»Verschieben Sie die Expedition doch«, sagte Fitharn.

»Das hieße, ein ganzes Jahr zu warten!« fuhr Felice auf.

»Das werde ich nicht tun! Ich werde den verdammten Speer ganz allein holen!«

Von der Zypresse her rief Martha ihnen zu: »Wir dürfen die Suche nicht verschieben, Madame. In einem Jahr kann alles Mögliche passieren. Ich werde in ein oder zwei Tagen wieder in Ordnung sein. Wenn ich ein bißchen Hilfe bekomme, schaffe ich es bestimmt.«

»Machen wir aus einem der Betten eine Tragbahre«, schlug Claude vor.

Felices Gesicht erhellte sich. »Und an schwierigen Stellen trage ich Martha auf dem Rücken. Sie hat recht damit, daß alles Mögliche passieren kann, wenn wir warten.« Ihre Augen richteten sich auf den Firvulag, der mit eiskalter Objektivität zurückblickte. »Und wenn andere das Schiffsgrab vor uns finden?«

»Am klügsten wäre es, nach Hause zu gehen«, sagte Fitharn. »Doch die Entscheidung liegt bei Madame Guderian.«

»Dieu me secourait«, murmelte die alte Frau. »Einer von uns hat bereits sein Leben hingeben müssen.« Sie tat ein paar langsame Schritte zu dem Bündel hin, das mitten auf dem Weg lag. »Wir wissen genau, was er antworten würde, wenn wir ihn um seine Meinung fragen könnten.«

Sie drehte sich wieder zu den anderen um und hob ihr Kinn in der wohlbekannten Geste. »Alors ... Fitharn, Sie kehren mit Peo zurück! Wir übrigen ziehen weiter!«

Sie verbargen sich für den Rest des Tages in einem dichten Taxodium-Hain nahe dem Westufer des Rheins. Die krummen, niedrigen Äste boten ihnen gute Sitzgelegenheiten. Abgeschirmt durch Girlanden von Flechten und blühenden Epiphyten konnten sie ungefährdet den Flußverkehr beobachten und waren gleichzeitig sicher vor den Krokodilen, den Stoßzahn-Elefanten und anderen gefährlichen Wildtieren der Niederungen.

Die Sonne stieg höher, und es wurde sehr heiß. Das Essen war kein Problem, denn es gab viele Schildkröten, deren Fleisch mit den Energiestrahlen geröstet werden konnten, sowie Palmen mit eßbaren Herzen und einen Überfluß an honigsüßen Trauben von Golfballgröße, die bei Richard Anfälle von Spekulationen über die Weinherstellung auslösten. Aber als es langsam Nachmittag wurde, machten Langeweile und die Reaktion auf den Überfall im Morgengrauen die jüngeren Mitglieder schläfrig. Richard, Felice und Martha streiften den größten Teil ihrer Kleidung ab, banden sich an höheren Ästen des großen Baumes fest und schliefen. Claude und Madame auf ihren niedrigeren Ästen blieb es überlassen, Wache über den breiten Fluß zu halten. Nur ein paar Lastbarken von stromaufwärts gelegenen Pflanzungen trieben an ihrem Versteck vorbei. Finiah selbst lag etwa zwanzig Kilometer weiter nördlich am anderen Ufer, wo der kurze Paradiesfluß, ein Nebenfluß des Rheins, aus einer tiefen Schlucht schoß, die das Schwarzwald-Massiv beinahe in zwei Hälften teilte.

»Später, wenn es dunkel ist«, sagte Madame zu Claude, »werden wir die Lichter von Finiah vor dem nördlichen Himmel sehen. Die Stadt steht auf einer Landzunge, die in den Rhein hineinragt. Sie ist nicht groß, aber sie ist die älteste aller Tanu-Siedlungen, und sie wird mit großer Pracht illuminiert.«

»Warum sind sie nach Süden ausgewandert, weg von diesem Gebiet?« fragte Claude. »Nach dem, was mir erzählt worden ist, liegen die meisten Tanu-Städte unten rund um das Mittelmeer, und das nördliche Land überlassen sie größtenteils den Firvulag.«

»Das warme Klima ist mehr nach Tanu-Geschmack. Ich glaube, die Teilung des Territoriums zwischen den beiden Gruppen spiegelt ein sehr altes Muster wider, das vielleicht bis auf die Uranfänge der dimorphen Rasse zurückgeht. Man könnte sich eine einzigartig zerklüftete Welt vorstellen, wo sich Hochland- und Unterlandformen entwickelten – vielleicht voneinander abhängig, und doch antagonistisch. Ist eine Hochzivilisation erreicht und kommt es eventuell zur Auswanderung der Rasse auf andere Welten ihrer Galaxis, werden diese alten Spannungen sublimiert. Aber anscheinend sind Tanu- und Firvulag-Gene niemals vollständig miteinander verschmolzen. Von Zeit zu Zeit in der Geschichte dieser Leute muß die alte Rivalität immer von neuem aufbrechen.«

»Und von der hochtechnisierten Majorität unterdrück werden«, fügte Claude hinzu. »Bis diese eine Gruppe barbarischer Rückentwickler ein perfektes Refugium fand, anstatt des üblichen donquichottischen Endes.«

Madame nickte zustimmend. »Unsere Erde des Pliozän war ein perfektes Refugium für sie ... abgesehen von der Tatsache, daß ebenso donquichottische Menschen auch auf ihr zu leben wünschen.«

Sie wies auf eine pneumatische Barke weit draußen auf dem Fluß. »Da schwimmt eins der Resultate der menschlichen Ankunft. Bevor die Menschen kamen, hatten die Tanu einfache Holzflöße. Sie hatten wegen ihres Abscheus vor dem Wasser nur wenig Flußschiffahrt. Sie beaufsichtigten ihre Pflanzungen selbst und verrichteten sogar Arbeit, weil es nicht so viele Rama-Sklaven gab. Die Ringe für die kleinen Affen mußten früher genauso in Handarbeit hergestellt werden wie ihre eigenen goldenen.«

»Meinen Sie, das menschliche Know-how habe die Massenproduktion ermöglicht?«

»Für die Affenringe gewiß. Und das ganze Silber- und Grau-System mit seiner Verbindung zu den goldenen Reifen der Tanu-Herrscher wurde von einem menschlichen Psychobiologen erfunden. Sie machten ihn zum Halbgott, und er lebt immer noch in Muriah – Sebi-Gomnol der Lord-Koerzierer. Aber ich erinnere mich an den verkniffenen kleinen, von Selbsthaß fast aufgefressenen Mann, der vor vierzig Jahren in meine Auberge kam. Damals wurde er Eusebio Gomez-Nolan genannt.«

»Also ein Mensch ist für die Sklavenwirtschaft verantwortlich? O Gott! Warum versauen wir alles, wohin wir auch gehen?«

Madame antwortete mit einem kurzen, bitteren Lachen. Mit dem Haar, das ihr schweißgekräuselt um Ohren und Stirn hing, schien sie kaum fünfundvierzig Jahre alt zu sein. »Gomnol ist nicht der einzige Verräter an unserer Rasse. Da war ein Türke vom Zirkus, einer meiner frühesten Klienten, Iskender Karabekir mit Namen. Sein sehnlichster Wunsch, so erzählte er mir, sei es, Säbelzahntiger zu dressieren. Aber ich habe entdeckt, daß er sich in dieser Exil-Welt statt dessen der

Domestizierung von Chalikos und Helladotherien und Amphicyons gewidmet hat – und das wurde zum Angelpunkt für die darauf folgende Dominierung der Gesellschaft durch die Tanu. In alter Zeit wurden die Jagd und der Große Wettstreit von Tanu und Firvulag zu Fuß betrieben. Die Gruppen waren sich ebenbürtig, denn was den Firvulag an Finesse und geschulten Metafunktionen fehlte, machten sie durch größere Zahl und kräftigere Körper wett. Aber eine berittene Tanu-Jagd ist etwas anderes. Und der Große Wettstreit mit Tanu und ringtragenden Menschen auf Chaliko-Rücken gegen Firvulag zu Fuß ist zu einem alljährlichen Massaker geworden.«

Claude strich sich das Kinn. »Trotzdem hat es die Schlacht von Agincourt gegeben – wenn Sie verzeihen, daß ich das erwähne.«

»Bof!« sagte Angélique Guderian. »Langbogen werden die Tanu nicht besiegen, und Schießpulver wird es auch nicht tun. Nicht solange perverse Mitglieder unserer eigenen menschlichen Rasse ihre Brüder verraten! Wer hat die Tanu-Ärzte gelehrt, die Sterilisierung menschlicher Frauen rückgängig zu machen? Eine Gynäkologin von dem Planeten Astrakhan. Eine menschliche Frau! Nicht allein unsere Talente, sogar unsere Gene sind in den Dienst dieser Fremden gestellt worden – und viele zogen wie Martha den Tod der Degradierung zur Zuchtstute vor. Wissen Sie, wie Martha zu uns gekommen ist?«

Claude schüttelte den Kopf.

»Sie stürzte sich in den Rhein, weil sie lieber im Frühlingshochwasser ertrinken als sich einer fünften Schwängerung unterwerfen wollte. Doch sie wurde ans Ufer gespült, dieu merci, und Steffi fand sie und rief sie ins Leben zurück. Es sind viele wie Martha unter uns. Da ich sie kenne, sie liebe – und weiß, daß letzten Endes ich verantwortlich bin für ihre Pein – Sie werden verstehen, daß ich nicht ruhen kann, bis die Macht der Tanu gebrochen ist.«

Der Fluß verwandelte sich von glänzendem Zinn in Gold. Auf der Schwarzwaldseite begann der Feldberg im Süden mit der sinkenden Sonne primel- und purpurfarben zu leuchten. Um Sugoll zu erreichen, würden sie in dieses Hochland hinaufsteigen und mindestens siebzig Kilometer Bergwald durchqueren müssen – und all das, bevor sie mit der Suche nach der Donau beginnen konnten.

»Donquichottisch«, sagte Claude. Er lächelte.

»Tut es Ihnen leid, daß Sie zugestimmt haben, mir zu helfen? Sie sind mir ein Rätsel, Claude. Felice, Richard, Martha – die Willensstarken in unserer Gesellschaft wie Häuptling Burke, die kann ich verstehen. Aber es ist mir immer noch nicht gelungen, Sie zu verstehen. Mir leuchtet schon kein Grund dafür ein, warum Sie überhaupt ins Pliozän gekommen sind, und noch viel weniger dafür, daß Sie sich an dieser Suche nach dem Schiffsgrab beteiligen. Sie sind zu vernünftig, zu selbstbeherrscht, zu ... débonnaire!«

Er lachte. »Sie müssen sich den polnischen Charakter vor Augen halten, Angélique. Er vererbt sich zuverlässig, selbst auf einen Polnisch-Amerikaner wie mich. Wir sprachen von Schlachten. Wissen Sie, auf welche Schlacht wir Polacken am stolzesten sind? Sie fand zu Beginn des Zweiten Weltkriegs statt. Hitlers Panzer rollten in den nördlichen Teil Polens ein, und es waren keine modernen Waffen vorhanden, um sie aufzuhalten. So griff die pommersche Kavallerie-Brigade die Panzer zu Pferde an, und sie wurden alle ausgelöscht, Männer und Tiere. Es war der reine Wahnsinn, aber es war ruhmreich ... – und sehr, sehr polnisch. Und wollen Sie mir jetzt nicht erzählen, warum *Sie* ins Pliozän gekommen sind?«

»Das hat keinen romantischen Grund«, antwortete sie. Ihr Ton hatte keine Spur mehr von der gewohnten Strenge, nicht einmal von Kummer. Sie berichtete ihre Geschichte sachlich, als sei sie das Textbuch eines Schauspiels, das sie gezwungen gewesen war, zu oft anzusehen – oder aber, als lege sie eine Beichte ab.

»Anfangs, als ich nur gierig nach dem Geld war, kümmerte es mich nicht, welche Art von Welt auf der anderen Seite des Zeitportals lag. Aber später, als mein Herz endlich berührt wurde, änderte sich alles. Ich traf Vorkehrungen, damit die Reisenden mir Botschaften zurücksenden und mich über das Pliozän-Land beruhigen könnten. Immer wieder gab ich vernünftig wirkenden Personen Material mit, von dem ich sicher war, daß es die Umkehrung des Zeitfeldes überstehen würde. Sehr frühe Experimente meines verstorbenen Mannes hatten gezeigt, daß sich Bernstein am besten eignete, und so bestanden meine Briefumschläge aus sorgfältig halbierten Stücken, in die dünne Keramikplatten eingelegt waren. Diese konnten mit einem gewöhnlichen Graphitstift beschrieben und mit natürlichem Balsam-Zement in den Bernstein eingesiegelt werden. Ich instruierte verschiedene Reisende, genau zu studieren, was sie vorfinden würden, ihre Beurteilung der Lage niederzuschreiben und dann in die Nähe des Zeitportals zurückzukehren, wo die Translationen stets bei Morgengrauen stattfanden. Sehen Sie, Professor Guderian hatte schon vor langer Zeit festgestellt, daß die Sonnenzeit in dieser Epoche der Vergangenheit die gleiche ist wie in der modernen Welt, in der wir lebten. Ich wollte den Neuankömmlingen für die Anpassung an die neue Umgebung ein Maximum an Tageslicht geben, deshalb schickte ich sie immer bei Sonnenaufgang los. Malheureusement machte dies unveränderte Programm es den Dienern der Tanu höchst bequem, das Portal zu kontrollieren. Lange bevor es mir einfiel, die Bernsteinbriefe auszuprobieren, hatten die Fremden bereits die Torburg gebaut und Schritte unternommen, alle Zeitreisenden sofort bei ihrer Ankunft zu ergreifen.«

»Sie haben also niemals eine Botschaft aus der Vergangenheit erhalten?«

»Nichts. In späteren Jahren versuchten wir es mit ausgeklügelteren Techniken zum mechanischen Sammeln von Informationen, aber nichts funktionierte. Wir erhielten keine Bilder, keine Geräusche aus dem Pliozän. Die Geräte kehrten immer in unbrauchbarem Zustand zu uns zurück. Natürlich ist leicht zu verstehen, warum!«

»Und trotzdem schickten Sie weiter Leute hinüber.«

Ihr Blick war gehetzt. »Ich war immer wieder versucht, die Operation einzustellen – aber die Jammergestalten flehten mich an, und deshalb machte ich weiter. Dann kam die Zeit, wo ich mein ängstliches Gewissen nicht mehr zum Schweigen bringen konnte. Ich nahm die Bernsteinplatten, konstruierte eine einfache Hebelvorrichtung zur Einschaltung der Maschine und durchschritt das Portal, um mir die Welt sechs Millionen Jahre vor unserer eigenen selbst anzusehen.«

»Aber ...«, begann Claude.

»Um meinen treuen Mitarbeitern zu entgehen, die mich bestimmt daran gehindert hätten, machte ich den Durchgang um Mitternacht.«

»Ah.«

»Ich fand mich in einem schrecklichen Staubsturm wieder. Eine Bö, die mir den Atem nahm, warf mich zu Boden und rollte mich so mühelos wie entwurzeltes Salzkraut über die trockene Ebene. Ich hatte Stecklinge meiner geliebten Rosen mitgenommen, und in meiner Angst klammerte ich mich an sie, als der Hurrikan mich stieß und schlug. Ich wurde an den Rand eines ausgetrockneten Wasserlaufs geblasen und fiel in seine steinige Tiefe, wo ich bis zum Morgengrauen bewußtlos liegenblieb, voll von blauen Flecken, aber sonst unverletzt. Bei Sonnenaufgang hatte der Schirokko sich gelegt. Ich entdeckte die Burg und hatte mich gerade entschlossen, hinzugehen und um Hilfe zu bitten, als die Wächter herausmarschierten, die die Zeitreisenden dieses Morgens in Empfang nehmen wollten.«

Sie hielt inne, und ein zögerndes Lächeln stahl sich um ihre Lippen. »An dem Tag kamen keine Zeitreisenden. Meine Mitarbeiter hatten völlig den Kopf verloren, verstehen Sie. Die Männer aus der Burg gerieten in ziemliche Aufregung und eilten zurück. Nicht lange danach galoppierte ein Trupp Soldaten in wilder Hast aus dem Wachtturm und nach Osten davon. Sie kamen keine dreißig Meter von der bewachsenen Spalte vorbei, wo ich verborgen lag. An der Spitze des Zuges ritt ein sehr großer Fremder in einer Robe aus Purpur und Gold.

Sie können sich vorstellen, daß ich große Schmerzen hatte. Ich kroch in eine Art niedriger Höhle unter den Wurzeln einer Akazie, die am Rand des Trockenbettes wuchs. Als die Sonne höherstieg, wurde mein Durst fürchterlich. Aber diese Qual war nichts im Vergleich zu den Schmerzen meiner Seele. Zu Hause, in der Auberge, hatte ich mir viele mögliche Gefahren der Pliozän-Welt vorgestellt – wilde Tiere, unwirtliches Land, Ausbeutung der Neuankömmlinge durch früher eingetroffene Zeitreisende – sogar eine Fehlfunktion des Translationsfeldes, das die armen Menschen ins Nichts schleuderte. Aber nie war ich auf den Gedanken gekommen, in dieser alten Epoche stehe unser Planet unter der Herrschaft einer außerirdischen Rasse. Unbeabsichtigt hatte ich diese rührenden, hoffnungsvollen Leute in die Sklaverei geschickt. Ich legte mein Gesicht in den Staub und bat Gott, mir den Tod zu gewähren.«

»Oh, Angélique.«

Sie schien ihn weder zu sehen noch zu hören. Ihre Stimme war sehr leise, kaum hörbar über dem sich erhebenden Abendlärm der Vögel und Insekten des Rheinlands.

»Als ich endlich aufhörte zu weinen, sah ich einen runden Gegenstand keine Armeslänge von mir entfernt halb im Schmutz des Trockenbettes vergraben. Es war eine Melone. Die Schale war dick, und sie war nicht zerbrochen, als sie im Sturm über das Plateau rollte. Ich schnitt mit meinem kleinen couteau de poche hinein, und sie war süß und voller Saft. Und so wurde mein Durst gestillt, und ich überlebte den Tag.

Spät am Nachmittag kam eine Reihe von Wagen, die von seltsamen Tieren gezogen wurden. Ich weiß jetzt, daß es Helladen waren, große Giraffen mit kurzem Hals, die als Zugtiere verwendet werden. Die Wagen hatten menschliche Lenker und enthielten Gemüse, ähnlich großen roten Rüben – Futter für die Burg-Chalikos. Die Wagen fuhren durch das hintere Tor in die Burg, und nach einiger Zeit kamen sie mit Mist beladen zurück. Sie schlugen die Richtung ins Unterland ein, und ich folgte ihnen in weiter Entfernung. Kurz vor dem Dunkelwerden kamen wir an einen Bauernhof, dessen Gebäude sicher hinter einem Palisadenzaun standen. Ich versteckte mich im Gebüsch und versuchte, zu einem Entschluß zu kommen, was ich tun sollte. Wenn ich mich den Leuten auf dem Hof zeigte, würden sie mich bestimmt erkennen. Und war es nicht möglich, daß sie wegen der Vernichtung ihrer Träume Vergeltung an mir übten? Wenn es Gottes Wille war, wollte ich diese Strafe hinnehmen. Aber in mir war bereits der Gedanke aufgestiegen, mir sei eine andere rôle bestimmt. Deshalb ging ich nicht zu dem Tor des Bauernhofs, sondern statt dessen in einen nahegelegenen dichten Wald. Ich fand eine Quelle, aß ein bißchen von den Rationen meiner Überlebensausrüstung und bereitete mich darauf vor, die Nacht auf einem großen Korkbaum zu verbringen – genauso, wie wir heute auf dieser Zypresse eine Zuflucht gefunden haben ...«

Die anderen drei Mitglieder der Expedition waren auf ihren Sitzen in den höheren Ästen erwacht. Jetzt schwangen sie sich so langsam und geräuschlos wie Faultiere hinunter, um Plätze in Claudes Nähe einzunehmen und zuzuhören. Die alte Frau, die weit vom Stamm entfernt mit baumelnden Beinen saß, schien keine Notiz von ihnen zu nehmen.

»Sehr spät in der Nacht, nachdem der Mond untergegangen war, kamen die Ungeheuer. Zuerst wurde es ganz still. Alle Dschungelgeräusche verstummten, als seien sie abgeschaltet worden. Ich hörte den Klang von Hörnern und ein fernes Bellen. Und dann kam es mir vor, als gehe der Mond von neuem über einer Erhebung genau nördlich von meinem Baum auf. Licht in vielen Farben kam von einem flammenden Ding, das sich zwischen den Bäumen hindurchwand. Es raste den Abhang herunter auf mich zu. Ich hörte ein Brausen wie von einem Tornado, gleichzeitig schrecklich und melodisch. Die feurige Erscheinung wurde zu einer Elfen-Kavalkade – der Jagd! –, und sie glühte bei ihrem rasenden Ritt bergab. Sie hetzte irgend etwas. Das sah ich, als der Wirbelwind juwelenschimmernder Reiter auf eine kleine Lichtung kam, etwa zweihundert Meter von mir entfernt. Im hellen Sternenlicht erkannte ich die fliehende Beute – ein riesiges Geschöpf, schwarz wie Tinte. Sich schlängelnde Arme wie die eines Kraken entsprangen seinen Schultern, und seine Augen waren wie große rote Lampen.«

»Fitharn!« zischte Richard. Claude stieß ihm den Ellbogen in die Rippen. Madame beachtete die Unterbrechung nicht.

»Das schwarze Ungeheuer duckte sich zwischen den Bäumen auf dem Abhang unter mir. Es kam mir immer näher, und die Jagd raste ihm in wilder Verfolgung nach. Nie in meinem Leben hatte ich solches Entsetzen kennengelernt. Meine Seele selbst schien zu schreien, obwohl ich keinen Ton von mir gab. Mit meiner ganzen Willenskraft betete ich um Errettung, klammerte mich mit festgeschlossenen Augen an den großen Ast meines Korkbaums. Es war ein Lärm wie von Glocken und Donnerschlägen, der Wind blies in wilden Stößen, blendende Blitze durchdrangen meine geschlossenen Lider, es roch nach Schmutz und Ozon und widerlichem Parfum. Jedes Nervenende meines Körpers schien angegriffen und überladen – aber immer noch konzentrierte sich mein Wille auf meine Sicherheit.

Und die Jagd zog vorüber. Ich merkte, daß ich das Bewußtsein verlor, aber ich krallte meine Fingernägel tief in die weiche Korkrinde, und so fiel ich nicht. Dann wurde es dunkel, und ich wußte von nichts mehr. Als ich erwachte ... da stand ein kleiner Mann mit einem hohen Hut neben meinem Baum und blickte zu mir hoch. Sternenlicht glänzte auf seinen runden Wangen und seiner spitzen Nase. Er rief: ›Gut gemacht, Frau, Sie haben uns beide versteckt!‹«

Claude und die anderen mußten lachen. Madame sah einigermaßen überrascht von einem zum anderen. Dann schüttelte sie den Kopf und gestattete sich ein kleines Lächeln. »Fitharn nahm mich in seine Obhut, und wir suchten die unterirdische Behausung seiner confrères auf, wo wir vor weiterer Verfolgung sicher waren. Später, als ich mich von dem Schreck erholt hatte, führte ich lange Unterhaltungen mit den Kleinen Leuten und erfuhr, wie die Lage hier in der Pliozän-Welt wirklich ist. Weil ich bin, die ich bin, und wegen des kurzen Aufflackerns einer starken Metafunktion, als ich uns verbarg, brachte Fitharn mich schließlich nach Hoch-Vrazel in den Vogesen, dem Sitz des Firvulag-Königs. Ich schlug vor, die Firvulag sollten die Menschen als Verbündete annehmen, statt sie auf Gespensterart zu verfolgen, was seit der Eröffnung des Zeitportals Firvulag-Brauch gewesen war. Ich nahm Verbindung mit den soi-disant Geringen der Region auf und überzeugte auch sie von den Vorteilen einer Allianz. Wir konnten mehrere Zusammenstöße mit Grauringen zum Vorteil der Firvulag wenden, und die Entente war gesichert. König Yeochee gewährte mir den goldenen Ring, nachdem unsere Spione es seinen Kriegern ermöglicht hatten, Iskender-Kernonn, den Herrn der Tiere, zu überfallen und zu töten. Es war das dieser Türke, der seine Talente vorher im Dienst der Tanu mißbraucht hatte. Danach hat es kleinere Triumphe und größere Mißerfolge gegeben, verbesserte Pläne, Fortschritte und Rückschläge. Aber immer habe ich in meinem Herzen die Hoffnung gehegt, eines Tages würde ich mithelfen können, das Böse, das ich getan habe, wiedergutzumachen.«

Aus dem Halbdunkel auf der anderen Seite des Zypressenstammes kam ein hartes Auflachen. Martha saß abseits von den anderen in einer Astgabel. »Wie edel von Ihnen, Madame, alle unsere Schuld auf sich zu nehmen. Und die Buße ebenso.«

Die alte Frau antwortete nicht. Sie faßte mit einer Hand an ihren Hals und schob zwei Finger hinter den goldenen Kragen, als wolle sie versuchen, ihn zu lockern. Ihre tiefliegenden Augen glitzerten. Aber wie immer fielen die Tränen nicht.

Von den Sümpfen stromaufwärts brüllten die Baßstimmen der Deinotherium-Elefanten herüber. Näher an dem Baumversteck begann ein anderes Geschöpf ein klagendes *Hu-ah-hooo, Hu-ah-hooo* zu wiederholen; Fledermäuse schossen zwischen den Palmen dahin, die sich auf dem höhergelegenen Boden drängten. Über dem Stauwasser hatten sich bereits Nebelflecken zusammengeballt und streckten jetzt dem Hauptstrom des Rheins dicker werdende Fühler entgegen.

»Machen wir, daß wir hier rauskommen!« sagte Felice plötzlich. »Es ist jetzt dunkel genug. Wir müssen auf der anderen Seite des Flusses sein, bevor der Mond sich über jenen Bergen zeigt.«

»Richtig«, stimmte Claude zu. »Du und Richard, ihr helft Martha hinunter.«

Er hielt seine Hand Angélique Guderian hin. Zusammen kletterten sie von dem Baum und wanderten auf das Flußufer zu.

4

Der Schwarzwald der zukünftigen Erde war ein völlig gezähmtes Waldland gewesen. Aus der Ferne gesehen erschienen seine Tannen und Fichten dunkel, aber innerhalb des Waldes war im 22. Jahrhundert alles grün und angenehm. Manikürte Pfade verlockten selbst die Faulsten, sich einer Wanderlust hinzugeben, die frei von drohenden Unbequemlichkeiten war. Nur im südlichsten Teil des Höhenzugs, um den Feldberg und seine Schwestergipfel, hob sich das Terrain über tausend Meter. Im 22. Jahrhundert war der Schwarzwald dick gepfeffert mit altmodischen Badeorten, restaurierten Burgen, Kurhäusern und Bergdörfern, wo außerplanetarische Besucher von kostümierten Bewohnern und leckeren Kirschtorten willkommen geheißen wurden.

Der Schwarzwald des Pliozän war etwas ganz anderes.

Bevor kleine Gletscher des Pleistozän die Kette erodierten, war er höher und finsterer. Dem Graben des Urrheins zugewandt, erhob sich eine Wand, fast fünfzehnhundert Meter hoch, unterbrochen nur hie und da von engen Schluchten, die Wildwasser aus dem Hochland eingeschnitten hatten. Fußwanderer, die sich dem Schwarzwald vom Fluß her näherten, mußten eine dieser Schluchten hinaufklettern, steilen Wildpfaden folgen zwischen großen Granitblöcken, die auch in der trockenen Jahreszeit in Grün erstickten, denn die von vielen Wasserfällen aufsteigenden Nebel hielten sie feucht. Von gestählten Firvulag-Bergsteigern war bekannt, daß sie die Wand in acht Stunden erstiegen hatten. Madame Guderian und ihre verkrüppelte Gesellschaft brauchten drei Tage.

Oberhalb des östlichen Grates begann erst der eigentliche Schwarzwald. In Flußnähe, wo starke Winde von den Alpen her den Graben herunterbliesen, verzerrten sich die Fichten und Tannen zu phantastischen Formen. Manche Stämme ähnelten sich windenden Drachen oder braunen Pythons oder sogar humanoiden Riesen, auf ewig in Todesqual erstarrt, die oberen Gliedmaßen zwanzig, dreißig Meter über dem Boden zu einem Dach verflochten.

Weiter östlich beruhigte und streckte sich dieser verrenkte Wald. Das Land des südlichen Schwarzwaldes erhob sich schnell zu einem beherrschenden Kamm, der mehr als zweitausend Meter hoch war und drei Gipfel besaß. Die westliche Flanke war bedeckt mit Koniferen von ungeheuren Proportionen; Weißfichten und norwegische Tannen von siebzig Metern Höhe wuchsen in so dichten Reihen, daß ein Baum, wenn er starb, keinen Raum zum Fallen fand und sich statt dessen gegen stützende Nachbarn lehnte, bis er morsch wurde und in Stücke brach. Nur selten gab es eine Lücke im Blätterdach, das Richard erlaubte, ihren Kurs nach der Sonne oder dem Nordstern festzulegen. Sie fanden keinen erkennbaren Pfad, so daß der Ex-Raumfahrer einen anlegen mußte, indem er sich mühsam von Wegmarke zu Wegmarke bewegte. Wegen der Dichte des Waldes hatte er nie mehr als fünfzehn oder zwanzig Meter Sichtweite.

Das Untergeschoß dieses immergrünen Komplexes empfing sehr wenig Sonne. In dem matten bläulichen Dämmerlicht wuchsen fast keine niedrigen grünen Pflanzen – nur Saprophyten, die sich von dem Abfall der großen Bäume ernährten. Einige der Dinge, die von der Zersetzung gediehen, waren degenerierte Samenpflanzen, blasse Stengel mit nikkenden geisterhaften Blüten von bleiernem Weiß, rötlichem Braun oder fleckigem Gelb. Aber vorherrschend unter den Fressern der Toten waren die Pilze und Schwämme. Den fünf Menschen, die den Schwarzwald des Pliozän durchquerten, kam es vor, als seien diese und nicht die hochaufragenden Koniferen die dominierende Lebensform.

Zitternde Klumpen in Orange oder Weiß oder aus einem staubig-transparenten Gelee krochen langsam wie riesige Amöben über die toten Nadeln und das faulende Holz. Da waren Schleimpilze von zarten rosafarbenen, die Baby-Ohren ähnelten, bis zu steifen Jumbos, die aus den Stämmen wie Treppenstufen herausragten und das Gewicht eines Mannes tragen konnten. Da waren schwammige Massen von gesprenkelten schwarzen und weißen, die mehrere Quadratmeter Waldboden bedeckten, als wollten sie eine unaussprechliche Scheußlichkeit verhüllen. Da waren duftige Filamente, hellblau und elfenbeinfarben und scharlachrot, die wie zerfetzte Spitzen von faulenden Ästen hingen. Der Wald beherbergte Boviste mit Köpfen von zweieinhalb Metern Durchmesser und andere so klein wie die Perlen einer gerissenen Kette. Eine Art besetzte verrottende Teile mit festen kleinen Körnern, die farbigem Popcorn glichen. Es gab obszöne Formen, die krebskranken Organen ähnelten, anmutige Reihen aufrechtstehender Fächer, Nachbildungen von Stükken rohen Fleisches, hübsch polierte Formen wie Ebenholz-Sterne, krankhaft nässende purpurne Phallusse, umgestülpte Feenschirme, pelzige Würste und Champignons und Fliegenpilze in zahllosen Variationen.

Nachts phosphoreszierten sie.

Die Reisenden brauchten weitere acht Tage, um den Pilzwald hinter sich zu bringen. Während dieser Zeit sahen sie kein Tier, das größer war als ein Insekt, aber nie wurden sie das Gefühl los, unsichtbare Beobachter lauerten gerade außerhalb ihres Gesichtsfeldes. Madame Guderian versicherte ihren Gefährten immer wieder, das Gebiet sei trotz seiner unheilschwangeren Wirkung ungefährlich. Im Pilzreich des Lebens-im-Tod gab es keine Nahrungsquelle für Raubtiere, und erst recht nicht für die Firvulag, die als Fleischfresser bekannt waren. Die dicht verflochtenen oberen Zweige machten es der Fliegenden Jagd unmöglich, zu erkennen, ob sich unten etwas bewegte. Andere Erkundungstrupps der Geringen waren in ähnliche Wälder der Bergkette weiter nördlich vorgedrungen und hatten berichtet, sie seien bis auf die Bäume, die triumphierenden Pilze und ihre Parasiten leer.

Aber das Gefühl blieb ihnen trotzdem.

Sie litten und murrten auf dem ganzen Weg durch den geisterhaften Wald, sie wateten durch weiche Gewächse, die trügerische, die Knöchel gefährdende Löcher verbargen. Richard erklärte, er ersticke an den Sporen in der Luft. Martha verfiel in anämisches Schweigen, nachdem sie Madame einmal zu oft mit der Meldung belästigt hatte, irgend etwas schleiche zwischen den riesigen Giftschwämmen umher. Claude fing sich ein heftiges Jucken ein, das an den Geschlechtsteilen begann und über den ganzen Körper bis in seine Achselhöhlen hochkroch. Sogar Felice war auf diesem endlosen Treck kurz davor zu schreien; sie war überzeugt, es wüchse etwas in ihren Ohren.

Als sie endlich aus dem Pilzwald auftauchten, brachen sie alle – auch Madame – in Rufe der Erleichterung aus. Sie kamen auf eine in hellem Sonnenschein liegende alpine Wiese, die sich nach Norden und nach Süden auf der Flanke eines welligen Kammes erstreckte. Ein einziger nackter Felsen erhob sich spitz zu ihrer Linken, nach rechts waren zwei weitere kahle graue Kuppeln zu sehen. Vor ihnen in östlicher Richtung sahen sie den runden Gipfel des Feldbergs.

»Blauer Himmel!« rief Martha. »Grünes Gras!« Ohne an ihre Schwäche zu denken, sprang sie über die blumengetupfte Alp und kletterte den östlichen Grat hinauf. Die anderen folgten langsamer. »Da unten ist ein kleiner See, keinen halben Kilometer entfernt!« verkündete sie. »Und schöne, *normale* Bäume! Ich werde mich einseifen und schrubben und in der Sonne liegen, bis ich braungebraten bin. Und niemals mehr, solange ich lebe, will ich einen Pilz sehen.«

»Sagen Sie das noch einmal, Süße«, stimmte Richard ihr zu. »Und wenn es eine Trüffel wäre.«

Sie stiegen zu dem schönen kleinen Weiher hinab, eiskalt in der Tiefe, aber sonnenerwärmt in den seichteren Tümpeln um seinen steinigen Rand, und gaben sich dem Luxus hin, wieder sauber zu werden. Ihre schmierigen Wildledersachen weichten sie in einem Bächlein ein, das aus dem See in ein östliches Tal abfloß. Wie Kinder kreischend, wälzten sie sich und planschten und tauchten und schwammen.

Noch nie seit seiner Ankunft im Pliozän war Richard so glücklich gewesen. Zuerst schwamm er auf die andere Seite des Weihers und wieder zurück. (Der Durchmesser betrug nur fünfzig Meter.) Er fand eine seichte Mulde, in der das Wasser auf genau die richtige Temperatur erwärmt war, und ließ sich treiben. Die Sonne glühte rot hinter seinen geschlossenen Augenlidern. Dunkler Sand, schimmernd wie Glimmer, bedeckte den Boden seines kleinen Tümpels. Er nahm sich Hände voll davon und rieb seinen ganzen Körper damit ab, sogar seine Kopfhaut. Dann ein letzter Sprint über den Teich und hinaus zum Trocknen auf eine heiße Granittafel.

»Sie hätten sich für die Olympischen Spiele des Menschlichen Sektors melden sollen«, bemerkte Martha.

Er kroch auf seinem Stein ein bißchen höher und lugte über den Rand. Sie lag unter ihm in einer geschützten Senke flach auf dem Bauch und blickte ihn mit einem Auge an. Leuchtende rosa Blumen wuchsen in den Spalten um sie.

»Wie geht es Ihnen jetzt?« fragte Richard. Und er dachte: He! Sie sieht so anders aus. Sauber, entspannt, lächelnd. Der eine Mundwinkel war höher gezogen als der andere.

»Viel besser«, sagte sie. »Warum kommen Sie nicht nach unten?«

Am anderen Ufer des Sees lagen Claude und Madame Guderian Seite an Seite auf Dekamol-Betten unter den Enzianen und Astern und Glockenblumen, ließen die Wehwehchen aus ihren alten Knochen herausbacken und knabberten Heidelbeeren von den niedrigen Büschen, die überall auf der Wiese wuchsen. Einen Steinwurf weiter entfernt bog sich Felices hellhäutige Gestalt in rhythmischen Übungen. Sie schlug die beschmutzten Kleider gegen die Steine des kleinen Baches, daß es klatschte.

»Oh, wer wieder jung und voll Energie sein könnte«, sagte Madame, ein träges Lächeln auf den Lippen. »Sie hat soviel Begeisterung für unsere verrückte Expedition, diese Kleine. Und wieviel Kraft und Geduld hat sie für die arme Martha aufgebracht. Mir fällt es schwer, ihrer beunruhigenden Beurteilung von Felices Charakter zuzustimmen, mon vieux.«

Claude grunzte. »Nichts als ein kleiner Engel der Barmherzigkeit ... Angélique, ich habe ein paar Berechnungen angestellt.«

»Sans blague?«

»Das ist kein Spaß. Es ist fünfzehn Tage her, daß wir Yeochees Hof zu Hoch-Vrazel verlassen haben. Elf dieser Tage haben wir dazu gebraucht, die dreißig Kilometer vom Rhein zum Kamm des Schwarzwaldes zurückzulegen. Ich glaube nicht, daß wir noch hoffen können, innerhalb der Frist von vier Wochen das Ries zu erreichen – selbst wenn wir Sugoll finden. Vor uns liegt eine Wanderung über Land von wahrscheinlich noch einmal vierzig oder fünfzig Kilometern, bis wir zum Quellgebiet der Donau kommen. Und dann geht es noch einmal fast zweihundert Kilometer stromabwärts zum Ries.«

Sie seufzte. »Vermutlich haben Sie recht. Aber Martha ist jetzt kräftig genug, um mit uns anderen zu marschieren, deshalb werden wir trotzdem weitermachen. Sind wir nicht vor Beginn des Waffenstillstands zurück, müssen wir mit unserm Angriff auf Finiah eben bis zu einer anderen Gelegenheit warten.«

»Und ein Angriff während des Waffenstillstands?«

»Nicht wenn wir die Hilfe der Firvulag haben wollen. Dieser Waffenstillstand, der einen Monat vor und einen Monat nach der Woche des Großen Wettstreits andauert, ist beiden fremden Rassen heilig. Nichts wird sie dazu bringen, während dieser Zeit gegeneinander zu kämpfen. Es ist die Zeit, in der alle ihre Krieger und Großen zu dem rituellen Kampf ziehen oder von ihm heimkehren. Er wird auf der Weißen Silberebene nahe der Tanu-Hauptstadt abgehalten. In alten Zeiten, als die Firvulag bei dem jährlichen Wettstreit manchmal triumphierten, konnten die Kleinen Leute natürlich auch zu den Spielen auf ihrem eigenen Goldfeld einladen. Es liegt irgendwo im Pariser Becken nahe einer großen Firvulag-Stadt namens Nionel. Seit der Tanu-Expansion ist der Ort buchstäblich verlassen. Vierzig Jahre lang hat dort kein Großer Wettstreit mehr stattgefunden.«

»Ich würde es für eine gute Taktik halten, die Mine anzugreifen, wenn die Tanu weg sind aus der Stadt. Brauchen wir die Firvulag unbedingt?«

»Ja«, antwortete sie fest. »Wir sind nur eine Handvoll, ünd der Herrscher von Finiah läßt die Mine nie völlig ohne Verteidigung. Es sind immer Silberne und Graue da, und einige der Silbernen können fliegen.

... Aber der wirkliche Grund für die zeitliche Abstimmung hängt mit meinem Plan zusammen. Strategische – nicht taktische – Überlegungen müssen uns leiten. Unser Ziel ist nicht einfach, die Mine zu zerstören – sondern die gesamte Menschen-Tanu-Koalition. Der Gesamtplan besteht aus drei Teilen: Erstens der Angriff auf Finiah, zweitens die Infiltration der Hauptstadt Muriah, wo die Ringfabrik selbst zerstört werden soll, und drittens das Schließen des Zeitportals an der Torburg. Ursprünglich hatten wir an einen Guerilla-Krieg gegen die Tanu gedacht, sobald der Dreifach-Plan verwirklicht sein würde. Doch jetzt wird uns das Eisen in die Lage versetzen, einen echten Friedensvertrag und die Freisetzung aller Menschen zu verlangen, die den Tanu nicht aus eigenem Willen dienen.«

»Wann wollen Sie Phase zwei und drei in die Tat umsetzen? Während des Waffenstillstands?«

»Genau. Dafür brauchen wir die Hilfe der Firvulag nicht. Zur Waffenstillstandszeit ist die Hauptstadt voll von Fremden – sogar Firvulag gehen ungestraft dort umher! Das Eindringen in die Ringfabrik wird dadurch sehr erleichtert. Was das Zeitportal betrifft ...«

Felice kam gerannt, so leichtfüßig wie ein Berggeist. »Ich sehe Lichtblitze drüben im Osten an der Flanke des Feldbergs!«

Die beiden alten Leute sprangen auf. Madame beschattete die Augen und folgte mit ihrem Blick dem richtungsweisenden Finger des Mädchens. Eine Folge kurzer Doppelblitze kam von einem hohen, bewaldeten Abhang.

»Es ist das Frage-Signal, wie Fitharn es gesagt hat. Sugoll hat erfahren, daß wir seine Domäne betreten haben. Schnell, Felice, den Spiegel!«

Die Athletin rannte an den Bach zurück, wo die Rucksäcke lagen, und kam in wenigen Sekunden mit einem Viereck aus dünnem Mylar wieder, das auf einen Faltrahmen montiert war. Madame blickte durch die Öffnung in der Mitte und gab die Antwort, die Fitharn sie gelehrt hatte: sieben lange, langsame Blitze, dann sechs, dann fünf, dann vier-drei-zwei-einen.

Sie warteten.

Die Antwort kam. Eins-zwei-drei-vier. Fünf. Sechs. Sieben. Acht.

Sie atmeten auf. Claude sagte: »Nun, jedenfalls werden sie jetzt nicht mehr auf uns schießen.«

»Nein«, stimmte Madame zu. Ihr Ton hatte einen Hauch von Sarkasmus. »Wenigstens wird Sugoll uns von Angesicht zu Angesicht gegenübertreten, bevor er entscheidet, ob uns das Gehirn ausgebrannt werden soll oder nicht ... Eh bien.« Sie gab Felice den Spiegel zurück. »Was meinen Sie, wie lange werden wir bis zum Fuß des Feldbergs brauchen? Dieses Tal, durch das wir müssen – es ist nicht zu tief, aber es gibt dort Wälder und Wiesen, in denen Criards lauern können, wahrscheinlich müssen wir einen Fluß überqueren, und das Terrain wird schwieriger sein als im Pilzwald.«

»Wir wollen darauf vertrauen, daß Sugoll seine Freunde und Verwandten unter Kontrolle hält«, erwiderte Claude.

»Und auf gutem, festem Boden anstelle dieses schwammigen Drecks kommen wir zügig voran, auch wenn es stellenweise etwas steil sein sollte. Falls keine unvorhergesehenen Schwierigkeiten auftreten, werden wir es bis zu dem Berg wohl in zwölf Stunden schaffen.«

»Unsere Kleider trocknen auf den warmen Steinen«, sagte Felice. »Geben Sie ihnen noch etwa eine Stunde. Dann können wir bis Sonnenuntergang marschieren.«

Madame gab ihr Einverständnis durch ein Nicken bekannt.

»Inzwischen werde ich das Mittagessen jagen!« erklärte das Mädchen vergnügt. Sie ergriff ihren Bogen und lief nackt auf eine Gruppe nahegelegener Klippen zu.

»Artemis!« rief Madame bewundernd aus.

»Einer unserer alten Gefährten aus Gruppe Grün, ein Anthropologe, nannte sie auch immer so. Die jungfräuliche Jägerin, Göttin des Bogens und des zunehmenden Mondes. Wohlwollend – wenn man sie mit einem gelegentlichen Menschenopfer glücklich macht.«

»Allons donc! Sie haben ein Vorurteil gegen das Kind, Claude, Sie sehen es ständig als Bedrohung. Aber wie vollkommen ist sie für diese Pliozän-Wildnis geeignet. Wenn sie sich nur damit zufriedengeben würde, hier als natürliche Frau zu leben.«

»Darauf wird sie sich nie einlassen.« Das sonst so freundliche Gesicht des Paläontologen war hart wie der Granit um ihn. »Nicht, solange in der Exil-Welt noch ein goldener Ring übrig ist.«

»Danke, Richard«, sagte Martha und lächelte ihm zu. Für seinen immer noch verschleierten Blick war sie schön, und es war sehr gut zwischen ihnen gewesen.

»Ich war mir nicht sicher, ob du wirklich wolltest«, bekannte er. »Ich hatte Angst, dich ... dich zu verletzen.«

Ihr leises Lachen beruhigte ihn. »Ich bin nicht völlig ruiniert, obwohl schon starke Männer beim Anblick meines kleinen weißen Körpers erblaßt sind. Die vierte Geburt war ein Kaiserschnitt, und diese Esel hatten noch nie von einem Querschnitt gehört. Bei denen hieß es, den Bauch von oben nach unten aufzuschlitzen, das kostbare Kind packen und her mit Catgut und Stopfnadel. Die Wunde ist nicht richtig verheilt. Eine fünfte Schwangerschaft wäre wahrscheinlich mein Ende gewesen.«

»Die dreckigen Schweine! Kein Wunder, daß du ... ah ... tut mir sehr leid. Sicher möchtest du nicht darüber sprechen.«

»Es macht mir nichts aus. Jetzt nicht mehr. Weißt du was? Du bist der erste Mann nach *ihnen.* Bisher habe ich nicht einmal den Gedanken daran ertragen können.«

»Aber Steffi ...«, begann er zögernd.

»Ein lieber, guter Freund. Wir liebten uns, Richard, und er sorgte monatelang für mich, als es mir sehr schlecht ging, gerade als wäre ich seine kleine Schwester. Er fehlt mir furchtbar. Aber ich bin so froh, daß du hier bist. Auf dem ganzen Weg durch diesen gräßlichen Wald – habe ich dich beobachtet. Du bist ein guter Navigator, Richard. Du bist ein guter Mann. Ich hoffte, du würdest dich von mir nicht ... abgestoßen fühlen.«

Er zog sich in sitzende Stellung hoch und lehnte sich mit dem Rücken gegen einen großen warmen Steinblock. Sie lag wieder auf dem Bauch, das Kinn auf den gefalteten Händen. Wenn ihr narbiger Bauch und ihre erbarmungswürdig geschrumpften Brüste nicht zu sehen waren, wirkte sie fast normal. Aber ihre Rippen und Schulterblätter standen hervor, und ihre Haut hatte eine Durchsichtigkeit, die zu viele der blauen Blutgefäße darunter enthüllte. Schmierige Flecken zogen sich um ihre Augen. Die Lippen, mit denen sie ihn immer noch anlächelte, waren eher purpurn als rosa. Aber sie hatte ihn mit wundersamer Leidenschaft geliebt, dieses Wrack einer schönen Frau, und als etwas in ihm sagte: *Sie wird sterben,* zog sich sein Herz in einem noch nie erlebten Schmerz zusammen.

»Warum bist du hier, Richard?« fragte sie. Und ohne zu wissen, warum, erzählte er ihr die ganze Geschichte. Er ließ nichts aus – die dumme Rivalität zwischen den Geschwistern, die gierigen Manöver und Betrügereien, die ihn zum Herrn seines eigenen Sternenschiffes gemacht hatten, die mit Reichtum und Prestige belohnte Gewissenlosigkeit, und zum Schluß das Verbrechen und seine Bestrafung.

»Ich hätte es mir denken können«, sagte sie. »Wir haben vieles gemeinsam, du und ich.«

Sie war zweite leitende Ingenieurin auf Manapouri, einem der beiden »Neu-Seeland«-Planeten, gewesen, wo ausgedehnter Bergbau unter dem Meeresboden einen wichtigen Teil der Wirtschaft darstellte. Ein Vertrag war für die Sigmafeld-Energiekuppel einer neuen Stadt abgeschlossen worden, die sechs Kilometer unterhalb des südlichen Polarmeers dieses Planeten gebaut werden sollte. Eine Firma der Alten Welt schickte Leute, die den Kuppelgenerator installierten. Jeder Bauabschnitt mußte von Martha und ihren Mitarbeitern persönlich inspiziert werden. Sie hatte nahezu sechs Monate mit den außerplanetaren Technikern zusammengearbeitet, und der Projektleiter war ihr Liebhaber geworden. Der Generator-Komplex war zu drei Vierteln fertig, da machte Martha eine Entdeckung. Der Unternehmer hatte, weil eine Lieferung von der Erde verlorengegangen war, anstelle bestimmter Bauteile einen Ersatz verwendet. Die neuen Teile hatten dreiundneunzig Prozent der Qualität, die in den Original-Spezifikationen verlangt wurde. Und jeder wußte, wie lächerlich hoch diese Anforderungen waren, denn Manapouri hatte anfangs unter Aufsicht der pingeligen Krondaku gestanden. Ihr Liebhaber hatte sie angefleht. Das Ding zu demontieren und die verlangten Teile einzubauen, würde die Firma Monate kosten, das Projekt unrentabel machen und ihm persönlich wahrscheinlich die Kündigung eintragen, denn er hatte den Austausch genehmigt. Dreiundneunzig Prozent! Der Kuppelgenerator würde alles überstehen, was nicht gerade eine tektonische Katastrophe Klasse vier war. Auf dieser krustenstabilen Welt war die Wahrscheinlichkeit dafür eins zu zwanzigtausend.

Und so hatte sie nachgegeben.

Der Sigmafeldgenerator-Komplex wurde rechtzeitig und zu den veranschlagten Kosten fertig. Eine halbkugelförmige Energieblase stieg von ihm auf und drückte das Seewasser auf einem Radius von drei Kilometern zurück. Ein Bergarbeiterdorf mit 1453 Einwohnern entstand im Schutz der Kuppel, unter den eisigen Wassern um Manapouris Südpol. Elf Monate später ereignete sich eine Klasse vier ... 4,18, um genau zu sein. Der Kuppelgenerator versagte, das Wasser eroberte sein Reich zurück, und zwei Drittel der Menschen ertranken.

»Das Schlimmste daran war«, setzte Martha hinzu, »daß niemand mir jemals einen Vorwurf gemacht hat. Bei 4,18 hätte es auf Messers Schneide gestanden, daß auch die Bauteile der Original-Spezifikation versagten. *Ich* wußte, das Ding hätte gehalten, wenn wir nicht gepfuscht hätten, aber niemand sonst dachte daran, die Ausführung in Frage zu stellen. Es war ein Grenzfall, ein unglücklicher Zufall, und der Generator hatte versagt. Der Komplex wurde durch das Beben und Trübstoffströme so zerstört, daß man sich nicht viel Mühe mit einer Fehleranalyse machte. Auf Manapouri gab es wichtigere Arbeiten, als einen halben Kilometer Sedimente nach gebrochenen Teilen durchzuwühlen.«

»Was wurde aus *ihm?*«

»Er war ein paar Monate früher bei einer Arbeit auf Pelonsu-Kadafiron, einer Welt der Poltroyaner, ums Leben gekommen. Ich dachte daran, mich umzubringen, aber ich konnte es nicht. Damals nicht. Statt dessen kam ich hierher und suchte Gott weiß was. Bestrafung wahrscheinlich. Mein Verstand war wie ausgelöscht, ich war nicht mehr ich selbst. Du weißt schon – nimm mich, trampele auf mir herum, mißbrauche mich, nur laß mich nicht nachdenken ... Die Zuchtfarm, auf die ich von der Torburg gebracht wurde, war wie ein verrückter Traum. Sie nehmen nur die besten Frauen als Zuchtmaterial. Die unter vierzig, natürlich oder verjüngt, die nicht zu häßlich sind. Die anderen bleiben steril und werden Grauringen oder Männern ohne Ring zur Verfügung gestellt. Aber die Fruchtbarkeit von uns Auserwählten stellten Tanu-Ärzte wieder her, und dann brachten sie uns in den Freudendom von Finiah. Würdest du glauben, daß da eine Menge Frauen wie ich waren, die wie betäubt herumlagen und es sich gefallen ließen? Damit will ich sagen, wenn eine Dame sich nicht an dem erniedrigenden Gedanken stieß, daß sie zu Zuchtzwecken benutzt wurde, war es ein Paradies der heißen Laken. Ich weiß, daß die Tanu-Frauen besser sind als die Männer, wenn es ums Einheizen geht – aber die Männer ließen, soweit es mich betraf, keine Glocke ungeläutet. Die ersten paar Wochen waren der Traum einer Nymphomanin. Und dann wurde ich schwanger.

All die kleinen werdenden Mütter werden von den Tanu wie königliche Hoheiten behandelt. Mein erster Sohn war blond und anbetungswürdig. Und ich hatte nie ein Kind gehabt, und sie ließen mich ihn acht Monate lang stillen. Ich liebte ihn so sehr, daß ich beinahe meine geistige Gesundheit zurückgewonnen hätte. Aber als sie ihn mir wegnahmen, verfiel ich wieder meinen Psychosen und wälzte mich mit all den anderen um den Verstand gebumsten Weibern im Freudendom herum. Die nächste Schwangerschaft war grauenhaft, und das Baby erwies sich als Firvulag. Die Tanu zeugen sie in einem Fall von sieben mit menschlichen Frauen und in einem von dreien mit ihren eigenen. Aber Firvulag-Eltern haben niemals Tanu-Kinder. Wie dem auch sei, sie ließen mich das arme kleine Gespenst nicht nähren – trugen es einfach hinaus und brachten es zu der traditionellen Stelle im Wald. Ich hatte mich davon noch nicht wieder erholt, als sie versuchten, mich schon wieder zu schwängern. Nur hatte ich jetzt überhaupt keinen Spaß mehr an der Sache. Vielleicht war es eine Ernüchterung gewesen. Es ist schlimm, wenn man im Freudenhaus bei Verstand ist ... sei man eine Menschenfrau oder ein Menschenmann ... Wenn man zu oft mit einem Tanu schläft, fängt es an wehzutun, statt einen in den siebenten Himmel zu heben. Bei manchen kommt das früher als bei anderen – aber ein Durchschnittsmensch wird nach einer Weile von Tanu-Sex umgebracht.«

»Ja«, sagte Richard.

Sie sah ihn merkwürdig an. Er antwortete mit einem kleinen gedemütigten Nicken. Sie sagte: »Willkommen im Klub, Nun – ich bekam noch ein blondes Baby und dann ein viertes. Das letzte war der Kaiserschnitt – vier und ein halbes Kilo von einem süßen dicken Mädchen, sagten sie mir. Aber ich lag eine Woche im Delirium, deshalb gaben sie sie einer Amme und mir sechs ganze Monate Ruhe, damit mein armer alter Körper wieder in Form kam. Sie behandelten mich sogar mit ihrer Haut, was so eine Art Regenerationstank des kleinen Mannes ist, aber das half mir nicht viel. Der Heiler meinte, ich hätte nicht den richtigen Gehirntonus, das sei genau wie bei Grauringen. Aber mir war klar, ich wollte einfach nicht gesund werden, ich wollte keine weiteren Kinder mehr haben. Ich wollte sterben. Deshalb ging ich eines schönen Nachts heimlich in den Fluß.«

Ihm fiel nichts ein, womit er sie hätte trösten können. Diese einzigartige Schändung war ein Greuel, der über sein Begriffsvermögen hinausging. Er bemitleidete Martha und wütete innerlich gegen die Tanu-Männer. Sie hatten sie mißbraucht, einen halbmenschlichen Parasiten in sie gepflanzt, der sich von ihr ernährte, gegen ihre inneren Organe und gegen ihre Bauchwand trat und sie von neuem vergewaltigte, als er ans Licht der Welt drängte. Gott! Und sie sagte, sie habe das erste Kind geliebt! Das verstand er nicht. Wie war es möglich? (*Er* hätte die kleinen Bastarde erwürgt, bevor sie zum ersten Mal Atem holten.) Aber sie hatte das erste Kind geliebt, und sie hätte wohl auch die anderen geliebt, wenn man sie ihr nicht weggenommen hätte. Sie hatte diese Peiniger, diese unwürdigen Kinder *geliebt!* Konnte ein Mann jemals Logik in der Art der Frauen finden?

Und man sollte meinen, sie hätte danach keinen Mann mehr angesehen. Aber irgendwie hatte sie seine eigene Not erfaßt und – ja! – ihn ebenso gebraucht wie er sie. Vielleicht hatte sie ihn sogar ein bißchen gern. Besaß sie soviel Großmut?

Fast als habe sie seine Gedanken gelesen, lachte sie leise und sinnlich und winkte ihn zu sich zurück. »Wir haben noch Zeit. Wenn du wirklich der Mann bist, für den ich dich halte.«

»Nicht, wenn es dir wehtut«, hörte er sich sagen, als sein Begehren schon wieder erwachte. »Niemals, wenn es dir wehtut.« Aber sie lachte nur von neuem und zog ihn an sich. Frauen sind erstaunlich.

In einem dunklen kleinen Winkel seines Gehirns sandte irgend etwas eine Botschaft an ihn ab, eine Überzeugung, die zu ungeheuerlichen, beinahe furchterregenden Proportionen anwuchs, während seine Leidenschaft dem Höhepunkt zustrebte. Diese Person war nicht »Frauen«. Sie war im Gegensatz zu allen anderen, die er gehabt hatte, keine Abstraktion weiblicher Sexualität, kein Gebrauchsgegenstand, kein Gefäß zur Aufnahme körperlicher Erleichterung. Sie war anders. Sie war Martha.

Die Botschaft war schwer zu verstehen, aber bald, bald würde er sie entschlüsseln können.

5

Martha war es gewesen, die dem Kobold seinen Titel gab.

Er war dagewesen, hatte auf einem Felsblock gesessen und sie mit misanthropischem Blick betrachtet, als sie früh am nächsten Morgen in ihrem Lager am Fuß der südlichen Flanke des Feldbergs erwachten. Nachdem er sich brüsk als Abgesandter Sugolls identifiziert hatte, befahl er ihnen, ihre Sachen zusammenzupacken. Richard durfte nicht einmal Frühstück machen. Das Tempo, das er auf dem Weg über einen schmalen Grat einschlug, war absichtlich zu schnell, und er hätte sie ohne Pause bergauf weitergetrieben, wenn Madame nicht von Zeit zu Zeit verlangt hätte, daß sie anhielten, um wieder zu Atem zu kommen. Offenbar empfand das zwergenhafte Geschöpf es als unter seiner Würde, ihnen als Führer dienen zu müssen, und wollte seine eigene kleinliche Rache an ihnen nehmen.

Der Kobold war viel kleiner als jeder Firvulag, den sie schon gesehen hatten – und viel häßlicher mit seinem faßförmigen kleinen Rumpf und dünnen Armen und Beinen. Sein Schädel war grotesk zusammengedrückt und glich dem eines Vogels. Große schwarze Augen mit überhängenden Tränensäcken lagen dicht beisammen über seiner Tukan-Nase. Abstehende Ohren schlappten am oberen Rand. Seine Haut war von einem talgigen rötlichen Braun, und sein schütteres Haar drehte sich in Strähnen wie bei einem Mop zusammen. Die Kleidung des Kobolds war im Gegensatz zu seiner körperlichen Widerwärtigkeit ordentlich und sogar schön: geputzte Stiefel und ein breiter Gürtel aus durchbrochenem schwarzem Leder, Hemd und Hose in Weinrot und eine lange Weste, die mit einem flammenähnlichen Muster bestickt und mit Halbedelsteinen besetzt war. Eine Art phrygischer Mütze mit einer großen Kokarde war bis auf seine schrundige Stirn herabgezogen, die sich in einem Ausdruck ständiger Übellaunigkeit furchte.

Die fünf Reisenden folgten ihrem trollähnlichen Führer auf einem schmalen, aber sehr deutlichen Pfad. Sie umgingen die Bergschluchten und gerieten in einen Teil des Schwarzwaldes, der fast mit ebensovielen Laubbäumen wie Koniferen bestanden war. Überall, wo die Bäche ihren Lauf genügend verlangsamten, um Teiche zu bilden, waren Fleckchen voll von hohen Farnen und Erlen, kriechenden Klematis-Ranken und herbstblühenden Primeln mit giftgrellen Blüten entstanden. Sie kamen an ein Tal, wo das Wasser einer heißen Quelle an die Oberfläche brodelte. Wuchernde, ungesund wirkende Vegetation drängte sich um den dampfenden Schwall. Eine Rabenschar krächzte hämische Grüße von dem halb verzehrten Kadaver eines kleinen Rehs, der nahe dem Rand des von Mineralien besetzten Tümpels lag. Weitere Knochen – einige blank, einige mit dickem Moos bepelzt – waren im Unterholz verstreut.

Weiter östlich begannen sich die Gesteinsformationen zu ändern. Farbige Kalkstein-Auswüchse mengten sich unter den Granit. »Höhlenland«, bemerkte Claude. Madame und er wanderten jetzt Seite an Seite, da der Pfad sich unterhalb einer bewaldeten Klippe verbreitert hatte. Die Sonne schien warm; trotzdem empfand der Paläontologe eine unterirdische Kälte. An den wenigen Stellen, wo die Felsoberfläche sichtbar war, sahen sie scharlachrote und blaue Schwalben mit langen Gabelschwänzen, die in Löcher des Kalksteins hinein- und wieder herausschossen. Dickrippige Elefantenohren wuchsen in dichten Klumpen unter den Bäumen. Sie schützten Horste von einwandfreien Fliegenpilzen mit weißem Stiel und roten, weißgetupften Schirmen.

»Sie sind da«, sagte die alte Frau plötzlich. »Überall um uns! Spüren Sie sie nicht? So viele! Und alle ... deformiert.«

Er erfaßte die Bedeutung dessen, was sie sagte, nicht sofort. Aber es mußte so sein. Daher kam die Unterströmung von Angst, die seit dem frühen Morgen am Rand seines Bewußtseins lauerte. Deshalb war auch der Kobold, den Claude irrtümlich für einen gewöhnlichen Firvulag gehalten hatte, so übel gelaunt.

»Les Criards«, sagte Madame. »Sie folgen uns. Einer von ihnen führt uns. Die Heuler.«

Der Pfad folgte jetzt einem sanft ansteigenden Hang, völlig frei von Geröll. Die Schwalben sausten um die Tannen und Buchen. Schräge Streifen goldenen Lichts fielen wie durch offene Fenster in den Wald ein.

Die alte Frau sagte: »So ein schöner Ort. Aber es weilt Trostlosigkeit hier, mon vieux, eine spirituelle Bosheit, die gleichzeitig mein Herz rührt und mich abstößt. Und sie wird stärker.«

Er bot ihr den Arm, denn sie taumelte, offenbar aus keinem physischen Grund. Ihr Gesicht war totenblaß geworden. »Wir könnten den Kobold bitten, haltzumachen«, schlug Claude vor.

Ihre Stimme klang dumpf. »Nein. Es ist notwendig, weiterzugehen ... Ah, Claude! Sie sollten Gott danken, daß er sie nicht empfänglich für die Emanationen anderer Gehirne gemacht hat! Alle intelligenten Wesen haben ihre geheimen Gedanken, solche, die jedem – den lieben Gott ausgenommen – verborgen bleiben. Aber es gibt noch andere Gedanken auf unterschiedlichen psychischen Ebenen – die nichtverbale Sprache, die Ströme und Stürme der Emotionen. Letztere sind es, die mich jetzt einhüllen. Es ist eine ganz tiefe Feindseligkeit, eine Bösartigkeit, die nur von extrem verkrüppelten Charakteren ausgehen kann. Die Heulenden! Sie hassen andere Wesen, aber sich selbst hassen sie noch mehr. Und ihr Heulen füllt meinen Kopf ...«

»Können Sie das nicht ausschließen? Sich verteidigen wie damals gegen die Jagd?«

»Wenn meine Fähigkeit richtig ausgebildet worden wäre«, antwortete sie resigniert. »Aber alles, was ich weiß, habe ich mich selbst gelehrt. Ich weiß nicht, wie ich dieser Horde entgegentreten soll. Sie bietet mir keine konkrete Drohung, bei der sich ansetzen ließe.« Ihr Gesichtsausdruck zeigte, daß sie am Rand der Panik stand. »Sie tun nichts anderes als hassen. Mit all ihrer Kraft ... hassen sie.«

»Sind sie mächtiger als gewöhnliche Firvulag?«

»Ich bin mir nicht sicher. Aber sie sind auf eine unnatürliche Art anders. Deshalb habe ich sie deformiert genannt. Bei den Firvulag und auch bei den Tanu spüren menschliche Metapsychiker eine gewisse mentale Verwandtschaft. Es spielt keine Rolle, daß der Fremde ein Feind ist. Aber niemals könnte ich mich diesen Criards verwandt fühlen! Ich bin noch nie so vielen von ihnen so nahe gewesen. In unserer kleinen Enklave in den Vogesen sind wir ihnen nur selten begegnet, und dort waren sie sehr scheu. Aber diese ...«

Ihre Stimme, hart und zu hoch, brach. Die Finger ihrer rechten Hand strichen mit fieberhafter Dringlichkeit den goldenen Ring, während sich die ihrer linken schmerzhaft in Claudes Arm krallten. Ihre Augen flitzten immerzu von einer Seite zur anderen und suchten die Klippen ab. Es war nichts Ungewöhnliches zu sehen.

Felice, die am Ende der Reihe hinter ihnen marschiert war, schloß jetzt auf und verkündete: »Mir gefällt dieser Ort ganz und gar nicht. Seit etwa einer halben Stunde habe ich ein so seltsames Gefühl. Es ist aber keine Nervosität, wie wir sie im Pilzwald verspürten. Diesmal gibt es bestimmt etwas, vor dem man Angst haben muß! Sagen Sie schon, Madame – was geht hier vor?«

»Die bösen Firvulag – die Heuler – sind rings um uns. Ihre mentalen Projektionen sind so stark, daß sogar Sie in Ihrem latenten Zustand sie empfangen.«

Die blonde Athletin kniff die Lippen zu einer geraden Linie zusammen, und ihre Augen blitzten. In ihrer ungewohnten Wildlederkleidung sah sie wie ein Schulmädchen aus, das Indianer spielt. »Bereiten sie sich auf einen Angriff vor?« fragte sie Madame.

Die alte Frau antwortete: »Sie werden nichts ohne Erlaubnis ihres Herrschers Sugoll tun.«

»Also nur mentale Einschüchterung, verdammt seien ihre Augen! Nun, mir jagen sie keine Angst ein!« Felice löste den Bogen von ihrem Rucksack und überprüfte fachkundig die Pfeile, ohne aus dem Schritt zu kommen. Der Hang war zu einem verrückten Durcheinander von Steinblöcken und Felsnadeln geworden. Der Wald wurde lichter. Sie konnten weit über die zwischen den Kämmen liegenden Täler hinwegsehen. Sogar die fernen Alpen waren im Süden gerade noch zu erkennen. Der Feldberg selbst ragte noch weitere tausend Meter über ihnen empor. Seine südöstliche Flanke war zu einer glatten Mauer abgehackt, als hätten Titanen ihn mit einer Axt gespalten und so die Symmetrie des gleichmäßig gerundeten Gipfels verstümmelt.

Der Kobold an der Spitze des Zuges hob die Hand. Sie hatten einen alpinen Park erreicht, eine Wiese, die auf allen Seiten von steilen Felsen umgeben war. Genau in der Mitte stand ein samtiger schwarzer Stein in der Form eines Heuschobers, durchzogen von einem Adernetz in leuchtendem Gelb.

»Da ist es«, erklärte der Kobold. »Und hier verlasse ich Sie mit Freuden.«

Er verschränkte stirnrunzelnd die Arme und machte sich unsichtbar. Das Stirnrunzeln blieb länger als alles Übrige von ihm.

»Da soll mich doch der Teufel ...«, begann Richard.

»Still!« befahl Madame.

Ohne zu wissen warum, traten die anderen vier näher an sie heran. Ihre Stirn war betaut von Schweiß, und sie umklammerte ihren Halsreif, als sei er ihr plötzlich zu eng geworden. Über der kleinen Schüssel voll blumengesprenkeltem Kies spannte sich ein wolkenloser Himmel, aber die Luft schien sich zu einer Flüssigkeit zu verdicken, in der unheimliche transparente Wirbel und Ströme sich schneller, als das Auge folgen konnte, bildeten und wieder auflösten. Es wurde unmöglich, über die sie umgebenden Felsen hinauszusehen. Die oberen Hänge des Berges flimmerten und flossen und zerbrachen in flüssige Massen sich ständig ändernder Form. Der schwarze Stein jedoch behielt seine ursprüngliche Klarheit. Er war offensichtlich das Zentrum der Aktivität, die sich anbahnte.

Madame faßte verzweifelt Claudes Arm. »So viele, doux Jésus! Spüren Sie sie nicht?«

Richard wagte zu sagen: »Ich spüre ganz bestimmt etwas. Um Gottes willen, das ist wie ein Sigma-Energieschild-Bombardement! Feindliche Gedanken gegen uns – ist es das?«

Die unheilverkündende Aura baute sich in einem unerträglichen Crescendo auf. Dazu kam eine niederfrequente Vibration in dem Gestein unter ihren Füßen, die sich in langsamen Spurts verstärkte. Es war beinahe wie das Trampeln unsichtbarer Füße innerhalb des Berges.

Und es heulte.

Die atmosphärischen Wirbel wurden stärker. Ein neues Geräusch setzte ein – ein wahnsinniger Chor von tremolierenden Stimmen, die in hundert verschiedenen Intervallen auf- und abjammerten, jede mit ihrem eigenen Tempo. Die Menschen preßten die Hände auf die Ohren. Die Lärmlawine zwang sie zu schreien. Sie schrien in dem vergeblichen Bemühen, den Tumult zu neutralisieren, bevor er sie überwältigte.

Und dann hörte es auf, und die Heuler erschienen.

Die fünf Reisenden standen wie eine Gruppe von Statuen, Augen und Mund weit aufgerissen. Die Felsen rings um die Lichtung waren gedrängt voll mit Wesen. Es schienen Hunderte zu sein, vielleicht sogar Tausende. Sie saßen einer auf dem anderen, baumelten von Überhängen oder von den Beinen ihrer Gefährten, lugten aus Spalten und krochen behende über Köpfe und Körper anderer, um einen Platz in der ersten Reihe zu ergattern.

Sie waren ein Volk von Alpträumen.

Die meisten waren sehr klein, unter einem Meter, mit dem runden Rumpf und den dünnen Beinen des Kobolds. Viele hatten überproportional große Hände und Füße. Einige der Körper schienen verrenkt wie von Rückgrat-Deformierungen; andere hatten asymmetrische Ausbuchtungen – Hinweise auf Tumore oder versteckte zusätzliche Glieder. Die Köpfe waren grotesk zugespitzt, abgeflacht, schrundig wie Baumrinde, sie trugen Kämme und Hörner. Einige waren zu groß oder zu klein für den sie tragenden Körper oder auf monströse Weise unpassend – wie das weibliche Köpfchen mit den glänzenden Locken und den reizenden Gesichtszügen, das auf der buckligen Gestalt eines jungen Äffchens saß. Beinahe alle Gesichter waren scheußlich, verzerrt oder geschwollen oder in die Länge gezogen, bis keine Ähnlichkeit mit humanoider Normalität mehr zu erkennen war. Da waren welche mit roten und blauen Warzen, mit Haar, mit Saurierschuppen, mit nässenden Pusteln, mit käseähnlichen Wucherungen bedeckte Gesichter. Da waren Glotz-, Knopf- und Stielaugen, an falscher Stelle sitzende, zusätzliche Augen. Einige der Kreaturen hatten breite Froschmäuler, anderen fehlten die Lippen ganz, so daß die Stümpfe fauler Zähne in einem ständigen grauenhaften Grinsen bloßgelegt waren. Diese Münder reichten von Tierschnauzen, auf ansonsten normale Schädel transplantiert, bis zu unwahrscheinlichen senkrechten Schlitzen, gerollten Rüsseln und Papageienschnäbeln. Sie öffneten sich, um dicke Stoßzähne, dichtstehende schmale Fangzähne, sabbernde Gaumen und Zungen zu offenbaren, die schwarz oder gefranst oder auch doppelt und dreifach sein mochten.

Die mißgestaltete Menge begann, ganz leise, von neuem zu heulen.

Auf dem schwarzen Stein saß jetzt ein ziemlich großer, kahlköpfiger Mann. Sein Gesicht war schön, und sein Körper, vom Hals bis zu den Fersen in ein gutsitzendes purpurfarbenes Gewand gekleidet, war der eines mit wundervollen Muskeln ausgestatteten Humanoiden.

Das Heulen verstummte abrupt. Der Mann erklärte: »Ich bin Sugoll, der Herr dieser Berge. Sagt, warum ihr kommt.«

»Wir bringen«, antwortete Madame mit kaum hörbarer Stimme, »einen Brief von Yeochee, dem Hochkönig der Firvulag.«

Der kahlköpfige Mann lächelte tolerant und streckte die Hand aus. Claude mußte Madame Guderian stützen, während sie sich dem Stein näherte.

»Sie haben Angst vor uns«, bemerkte Sugoll und nahm das Stück Pergament. »Sind wir für menschliche Augen so abstoßend?«

»Wir fürchten, was Ihre Gehirne projizieren«, sagte Madame. »Ihre Körper können nur unser Mitleid erwecken.«

»Meiner ist natürlich eine Illusion«, informierte Sugoll sie. »Als größter all dieser ...« – er schwenkte den Arm, um die wibbelnde Masse von Kreaturen zu bezeichnen –, »muß ich ihnen natürlich in allen Dingen überlegen sein, auch in der körperlichen Scheußlichkeit. Möchten Sie mich sehen, wie ich wirklich bin?«

Claude sagte: »Mächtiger Sugoll, diese Frau ist von Ihren mentalen Emanationen schwer angegriffen. Ich war früher ein Lebens-Wissenschaftler, ein Paläobiologe. Zeigen Sie sich mir, und verschonen Sie meine Freunde.«

Der Glatzkopf lachte. »Ein Paläobiologe! Dann sehen Sie mal, ob Sie mich klassifizieren können.« Er stellte sich auf seinen Stein. Richard kam und führte Madame zurück. Claude blieb allein stehen.

Ein Blitz zuckte auf, und alle Menschen außer dem alten Mann wurden vorübergehend blind.

»Was bin ich? Was bin ich?« rief Sugoll. »Sie werden es nie erraten, Mensch! Sie können es uns nicht sagen, und wir können es Ihnen nicht sagen, weil keiner von uns es weiß!« Ein Ausbruch spöttischen Gelächters folgte dem anderen.

Die ansehnliche Gestalt in Purpur saß wieder auf dem Stein. Claude stand mit weit gespreizten Beinen, dem Kopf auf der Brust und pumpenden Lungen. Ein Blutfaden sikkerte von seiner durchgebissenen Unterlippe. Langsam hob er den Blick, bis er dem Sugolls begegnete.

»Ich weiß, was Sie sind.«

»Was sagen Sie da?« Der Koboldherrscher schnellte sich nach vorn. Mit einer einzigen geschmeidigen Bewegung sprang er zu Boden und hielt dicht vor Claude inne.

»Ich weiß, was Sie sind«, wiederholte der Paläontologe. »Was Sie alle sind. Sie gehören einer Rasse an, die abnormal empfindlich gegen die Hintergrundstrahlung des Planeten Erde ist. Auch die Tanu und die Firvulag, die in anderen Regionen leben, leiden aufgrund dieser Strahlung unter Anomalien bei Neugeborenen. Aber Sie – Sie haben das Problem verschärft, indem Sie *hier* leben. Ich kann mir denken, daß Sie von den tiefen Brunnen mit ihrem jungen Wasser ebenso getrunken haben wie von den seichteren Quellen und den Bächen aus geschmolzenem Schnee. Sie wohnen wahrscheinlich in Höhlen ...« – er wies auf den gelbgestreiften Steinblock –, »die voll von hübschen schwarzen Steinen wie dem hier sind.«

»So ist es.«

»Falls ich mich nicht sehr irre und mein alter Datenspeicher mich nicht im Stich läßt, besteht dieser Steinbock aus Nivenit, einem Erz, das Uran und Radium enthält. Auch die tiefe Brunnen werden radioaktiv sein. In den Jahren, die Ihr Volk in diesem Gebiet lebt, haben Sie Ihre Gene einem Vielfachen der Strahlungsdosis ausgesetzt, die andere Firvulag empfangen. Das ist der Grund für die Mutationen, das ist der Grund, warum Sie sich in das verwandelt haben, was Sie heute sind.«

Sugoll drehte sich um und starrte den samtschwarzen Stein an. Er warf seinen schön geformten illusorischen Schädel zurück und heulte. Alle seine Troll- und Kobold-Untertanen stimmten ein. Diesmal war das Geräusch für die Menschen nicht angsterregend, nur unerträglich durchdringend.

Dann beendeten die Heuler den Klagegesang ihrer Rasse. Sugoll sagte: »Auf diesem Planeten mit nur primitiver Gen-Technologie gibt es für uns keine Hoffnung.«

»Es gibt aber Hoffnung für Generationen von Ungeborenen, wenn Sie von hier wegziehen – sagen wir, in nördlichere Regionen, wo keine Konzentrationen von gefährlichen Mineralen vorkommen. Was die jetzt Lebenden betrifft ... nun, Sie haben dies Talent, Illusionen zu erzeugen.«

»Ja«, bestätigte der fremde Herrscher ausdruckslos. »Wir haben unsere Illusionen.« Doch dann ging ihm die wahre Bedeutung von Claudes Worten auf. Er schrie: »Kann es denn wahr sein? Was Sie über unsere Kinder gesagt haben?«

Der alte Mann antwortete: »Sie brauchen Rat von einem erfahrenen Genetiker. Jeder Mensch mit dieser Ausbildung ist wahrscheinlich von den Tanu versklavt worden. Ich selbst kann Ihnen nur ein paar allgemeine Ratschläge geben. Verlassen Sie dies Gebiet, um neue Mutationen zu verhindern! Die am schlimmsten Betroffenen unter Ihnen sind wahrscheinlich steril. Die fruchtbaren Leute werden rezessive normale Gene haben. Paaren Sie die normalsten unter Ihnen, um die Erbanlagen zu fixieren. Bringen Sie normales Keimplasma in die Bevölkerung, indem Sie Ihre Streitereien mit den anderen Firvulag – den normalen – beenden. Sie werden Ihre illusionserzeugenden Kräfte benutzen müssen, um sich als potentielle Partner attraktiv zu machen, und Sie müssen gesellschaftlich kompatibel sein. Das heißt: Schluß mit der Schreckgespenst-Mentalität.«

Sugoll brüllte vor ironischem Gelächter. »Das sind unglaubliche Annahmen! Wir sollen unser angestammtes Gebiet verlassen! Unsere Paarungstraditionen aufgeben! Freundschaft mit unsern alten Feinden schließen! Sie heiraten!«

»Wenn Sie Ihre genetische Struktur ändern wollen, müssen Sie so anfangen. Es gibt auch noch ein langfristiges Ziel – falls es uns jemals gelingen sollte, die Menschheit von den Tanu zu befreien. Vielleicht befindet sich zufällig ein menschlicher Genetik-Ingenieur unter den Zeitreisenden. Ich weiß nicht genau, wie die Tanu-Haut funktioniert, aber es mag möglich sein, sie für die Umwandlung Ihrer stark mutierten Körper in normalere Formen zu benutzen. In der Zukunftswelt, aus der ich komme, ist uns das in manchen Fällen mit unsern Regenerierungstanks gelungen.«

»Sie haben uns viel zum Nachdenken gegeben.« Sugoll war ziemlich kleinlaut geworden. »Einige der Einsichten sind wirklich bitter, aber wir werden sie uns durch den Kopf gehen lassen. Und dann werden wir unsere Entscheidung treffen.«

Madame Guderian trat jetzt vor und übernahm von neuem ihre Rolle als Anführerin. Ihre Stimme war fest, ihr Gesicht hatte wieder Farbe. »Mächtiger Sugoll, lassen Sie uns zurückkommen auf unsere Mission. Unsere Bitte an Sie.«

Der Fremde ballte die Fäuste, die immer noch Yeochees Botschaft hielten. Das Pergament zerknitterte. »Ah – Ihre Bitte! Dieser königliche Befehl war sinnlos, wissen Sie. Yeochee hat hier keine Macht, aber zweifellos lag ihm nicht daran, das Ihnen gegenüber einzugestehen. Ich habe Ihnen erlaubt, unser Territorium zu betreten, weil mich die Laune anwandelte. Ich war neugierig, welche außergewöhnliche Angelegenheit Sie zu einem solchen Risiko veranlaßt haben mochte. Wir hatten geplant, uns mit Ihnen zu amüsieren, bevor wir Ihnen endlich erlaubten zu sterben ...«

»Und nun?« fragte Madame.

»Was verlangen Sie von uns?«

»Wir suchen einen Fluß. Einen sehr großen, der in diesem Gebiet beginnt und ostwärts fließt, bis er die großen, halb salzigen Lagunen des Lac Mer in Hunderten von Kilometern

Entfernung erreicht. Wir hofften, auf diesem Fluß zum Ort des Schiffsgrabes fahren zu können.«

Ein überraschter Heulchor erklang.

»Wir kennen den Fluß«, antwortete Sugoll. »Es ist der Ystroll, ein wahrhaft mächtiger Strom. Wir haben ein paar Legenden über das Schiff. Früh in der Geschichte unseres Volkes auf dieser Welt trennten wir uns von dem Hauptstamm der Firvulag und suchten Unabhängigkeit in diesen Bergen, weit entfernt von der Jagd und dem sinnlosen jährlichen Gemetzel des Großen Wettstreits.«

Madame mußte die menschliche Mittäterschaft beim kürzlich erfolgten Aufstieg der Tanu sowie ihren eigenen Plan, das alte Gleichgewicht der Kräfte wiederherzustellen, während sie gleichzeitig die Menschheit befreite, genau erklären. »Aber um dies zu vollbringen, müssen wir bestimmte alte Gegenstände aus dem Krater des Schiffsgrabes erlangen. Wenn Sie uns einen Führer zum Fluß geben, glauben wir, daß wir den Krater finden können.«

»Und dieser Plan – wann wollen Sie ihn in die Tat umsetzen? Wann können die menschlichen Wissenschaftler frei von dem Tanu-Joch und – wenn Téah will – imstande sein, uns zu helfen?«

»Wir hätten den Plan gern in diesem Jahr verwirklicht, vor Beginn des Waffenstillstands. Aber darauf können wir jetzt kaum noch hoffen. Es bleiben uns nur zwölf Tage. Das Schiffsgrab liegt mindestens zweihundert Kilometer von hier entfernt. Zweifellos werden wir die Hälfte dieser Zeit dazu brauchen, bis zu der Stelle zu wandern, von der ab der Fluß schiffbar ist.«

»Das ist nicht so«, erklärte Sugoll. Er rief: »Kalipin!«

Der Kobold löste sich von der Menge. Sein früher so übellauniger Ausdruck hatte sich in ein breites Lächeln verwandelt. »Herr?«

»Ich verstehe diese Kilometer nicht. Erzähle den Menschen, wie es sich mit dem Ystroll verhält.«

»Unter diesen Bergen«, führte der Kobold aus, »liegen die Höhlen, in denen wir wohnen. Aber auf anderen Ebenen – manche weiter unten, manche weiter oben – befinden sich die Wasserhöhlen. Sie sind ein Irrgarten aus Quellen, bodenlosen Brunnen und Flüssen, die durch die Finsternis strömen. Mehrere Flüsse haben ihre Quellen in den Wasserhöhlen. Der Paradies-Fluß, der an Finiah vorbei nach Nordwesten fließt, ist einer davon. Aber der mächtigste Strom, der unter unsern Bergen geboren wird, ist der Ystroll.«

Claude erklärte: »Er könnte recht haben. Noch in unserer Zeit hat es unterirdische Nebenflüsse der Donau gegeben. Manche sagten, sie kämen aus dem Bodensee. Andere behaupteten eine Verbindung mit dem Rhein.«

Der Kobold fuhr fort: »Der Ystroll taucht als voll ausgewachsener Fluß in einer großen Tiefebene im Nordosten auf. Wenn Sie sich mit dem Eimer-Aufzug in die Wasserhöhle bei Allikys Schacht hinunterlassen, kommen sie nach nicht einmal zwei Stunden Fußmarsch an den Dunklen Ystroll. Von da ist es nur noch eine unterirdische Wasserfahrt von einem Tag zum Hellen Ystroll, der unter freiem Himmel fließt.«

Madame erkundigte sich bei Sugoll: »Würden Ihre Schiffer uns auf dem unterirdischen Teil führen?«

Sugoll antwortete nicht. Er hob den Blick zu der sie umringenden Menge von Monstrositäten. Ein melodischer Heulchor antwortete. Die Kobold-Gestalten begannen zu flimmern und sich zu verändern, und das schreckliche Wirbeln des Himmels beruhigte sich. Die mentalen Energien der kleinen Leute wurden nicht länger darauf verwandt, undisziplinierten Haß und Selbstverachtung zu projizieren, sondern begannen mit angenehmeren Illusionen. Die schrecklichen Deformierungen verblaßten; eine Schar kleiner Männer und Frauen nahm den Platz der Alptraumgestalten ein.

»Schick sie hin!« seufzten die Heulenden.

Sugoll neigte zustimmend den Kopf. »Es wird geschehen.« Er stand auf und hob die Hand. Alle kleinen Leute wiederholten die Geste. Sie wurden so unstofflich wie Bergnebel im Mittagssonnenschein.

»Denkt an uns!« sagten sie, während sie verschwanden. »Denkt an uns!«

»Das werden wir«, flüsterte Madame.

Der Kobold trottete fort und winkte ihnen, ihm zu folgen. Claude nahm Madame Guderians Arm, und Richard, Martha und Felice schlossen sich an.

»Nur noch eins«, sagte die alte Frau mit leiser Stimme zu Claude. »Wie hat er *wirklich* ausgesehen, dieser Sugoll?«

»Sie können meine Gedanken nicht lesen, Angélique?«

»Sie wissen, daß ich es nicht kann.«

»Dann werden Sie es nie erfahren. Und bei Gott, ich wünschte«, setzte der alte Mann hinzu, »daß auch ich es nie erfahren hätte.«

6

Am späten Abend, als die riesigen Schwärmer und die fliegenden Eichhörnchen über der bewaldeten Schlucht des Dorfes bei den Verborgenen Quellen ihre luftigen Spiele abhielten, kamen sieben Männer, die sechs schwere Säcke trugen, heim in die Siedlung der Geringen. Khalid Khan führte sie an. Sie klopften bei Uwe Guldenzopf, aber seine Hütte war leer. Calistro, der Ziegenhüterjunge, der seine Tiere von der Weide heimtrieb, informierte die sieben, daß Uwe zusammen mit Häuptling Burke im Gemeinschaftsbadehaus sei.

»Der Häuptling ist hier?« rief Khalid erschrocken aus. »Dann ist die Expedition zum Schiffsgrab fehlgeschlagen?«

Calistro schüttelte den Kopf. Er war etwa vier Jahre alt, ernst und verantwortungsbewußt genug, um etwas über die großen Unternehmungen zu wissen, die im Gange waren. »Der Häuptling wurde verletzt, deshalb kam er zurück. Schwester Amerie hat sein Bein wieder zurechtgeflickt, aber er muß es immer noch jeden Tag viele Male einweichen ... Was habt ihr in den Säcken?«

Die Männer lachten. Khalid stellte seine Last auf den Boden, und es klirrte laut.

»Schätze!« Der Sprecher war ein drahtiges, strubbelköpfiges Individuum, das dicht hinter Khalid stand. Er war der einzige von den sieben, der keine Bürde trug. Der Stumpf seines linken Arms war in ein dunkelfleckiges Tuch dick eingewickelt.

»Laßt mich sehen!« bettelte das Kind. Aber die Männer

gingen bereits die flachgrundige Schlucht hinauf. Calistro brachte seine Tiere schnell in ihren Nachtpferch und eilte den Großen nach.

Weißes Sternenlicht beschien eine kleine Fläche offenen Grases nahe dem Ufer des Baches, der aus der Vermischung der heißen und kalten Quellen entstand. Doch der größte Teil des Dorfes lag in tiefer Dunkelheit verborgen, die Hütten und Gemeinschaftsgebäude im Schutz hoher Kiefern oder breitkroniger immergrüner Eichen, die sie vor Finiahs Tanu-Himmelssuchern versteckten. Das Badehaus, ein langer Holzbau mit niedrigem Dach, von Schlingpflanzen überwachsen, lehnte sich gegen eine der Wände des Cañons. Seine Fenster waren mit dichten Läden verschlossen, und ein U-förmiger Durchgang verhinderte, daß Fackellicht aus dem Innern durch die offene Tür fiel.

Khalid und seine Männer betraten einen Schauplatz dampferfüllter Fröhlichkeit. Es sah aus, als habe sich das halbe Dorf an diesem ziemlich kühlen Abend hier versammelt. Männer, Frauen und ein paar Kinder planschten in steingefaßten heißen und kalten Becken, ruhten in Badewannen aus hohlen Baumstämmen oder saßen einfach herum, nur zum Plaudern, zum Backgammon oder Kartenspiel gekommen.

Uwe Guldenzopfs Stimme übertönte den gemeinsamen Lärm. »Hoy! Seht mal, wer wieder zu Hause ist!« Und die Geringen erhoben ein Willkommensgeschrei. Irgend jemand brüllte: »Bier!«, und einer aus Khalids schmutzbedeckter Schar setzte ein tiefgefühltes: »Essen!« hinzu. Der Junge Calistro wurde ausgesandt, die Lebensmittelvorräte des Dorfes zu plündern, während sich die Neuankömmlinge durch eine schwatzende, lachende Menge bis zu einer einzeln stehenden Wanne drängten, in der Peopeo Moxmox Burke saß. Sein langes ergrauendes Haar war strähnig von dem Badehaus-Dampf, und sein kantiges Gesicht zuckte, als er ein entzücktes Grinsen unterdrückte.

»How«, sprach er.

»Ich weiß nicht, wie«, erwiderte der pakistanische Schmied, »aber wir haben es geschafft.« Er stellte seinen Sack auf den Steinfußboden, öffnete ihn und entnahm ihm eine frisch aus der Gußform kommende Lanzenspitze. »Geheimwaffe Mark I.« Er drehte sich zu einem der anderen Männer um und fischte aus dessen Sack eine Handvoll kleinerer, ungefähr blattförmiger Gegenstände heraus. »Mark II. Geschärft sind es Pfeilspitzen. Wir bringen insgesamt rund zweihundertzwanzig Kilo Eisen mit – einiges gegossen wie dies hier, einiges in Stangen für Verschiedenes, fertig zum Schmieden. Was wir hier haben, ist Stahl mit mittlerem Kohlenstoffgehalt, geschmolzen auf beste antike Methode. Wir haben uns einen mit Holzkohle zu feuernden Ofen gebaut und einen Druckluftstrom mit sechs Blasebälgen aus Häuten und Dekamol-Düsen erzeugt. Den Ofen haben wir mit Erde bedeckt, so daß wir zurückkehren und mehr Eisen machen können, wenn wir Lust dazu haben.«

Burkes Augen glitzerten. »Ah, mechaieh! Gut gemacht, Khalid! Und ihr anderen auch – Sigmund, Denny, Langstone, Gert, Smokey, Homi. Gut gemacht, ihr alle. Das könnte der Durchbruch sein, von dem wir geträumt – um den wir gebetet haben! Ob die anderen nun am Schiffsgrab Erfolg haben oder nicht, dies Eisen gibt uns zum ersten Mal eine Chance, die Tanu zu besiegen.«

Uwe paffte seine Meerschaumpfeife, und sein Blick wanderte über die zerlumpten und rußigen Schmelzer. »Und was ist«, fragte er, »den anderen dreien zugestoßen?«

Das Grinsen der Männer verschwand. Khalid erklärte: »Bob und Vrenti blieben eines Abends zu lange am Erzschacht. Als wir nachsehen kamen, waren sie weg. Wir haben nie wieder eine Spur von ihnen gefunden. Prinz Francesco wurde von den Heulern erwischt, als er für den Kochtopf jagte.«

»Aber sie haben ihn uns zurückgegeben«, ergänzte Smokey, der dünne Mann mit den scharfen Gesichtszügen. »Am Tag darauf taumelte der arme Frankie zurück ins Lager. Sie hatten ihn geblendet und kastriert und ihm die Hände abgehackt – und waren dann erst mit heißem Pech richtig an die Arbeit gegangen. Er hatte über den Qualen den Verstand verloren. Geringe Hoffnung, daß die Heuler ihn abschalteten, bevor sie sich ihren Spaß mit ihm machten.«

»Leiden Christi!« murmelte Uwe.

»Ein bißchen haben wir es ihnen heimgezahlt«, berichtete

Denny. Sein schwarzes Gesicht verzog sich kurz zu einem schiefen Lächeln.

»Du hast es ihnen heimgezahlt«, berichtigte der O-beinige kleine Singhalese namens Homi. Er erklärte Häuptling Burke: »Auf unserm Heimweg – oh, vielleicht von hier aus vierzig Kilometer moselabwärts – griff uns ein Heuler bei hellem Tageslicht an. Er hatte sich mit seinem verdammten Monster-Anzug verkleidet, sah aus wie ein großer geflügelter Naga mit zwei Köpfen. Denny gab ihm einen Pfeil mit Eisenspitze in den Bauch, und er fiel um wie eine verfaulte Weide. Und würdet ihr es glauben? Alles, was von ihm übrigblieb, war ein buckliger Zwerg mit einem Gesicht wie ein Hermelin!«

Die Männer grunzten in der Erinnerung daran, und zwei von ihnen schlugen Denny auf den Rücken. Denny sagte: »Wenigstens wissen wir jetzt, daß Eisen bei beiden Arten von Fremden wirkt – stimmt's? Ich meine, die Heuler sind nichts anderes als verpfuschte Firvulag. Wenn nun unsere edlen Spuk-Verbündeten jemals vergessen, wer ihre Freunde sind ...«

Es wurde zustimmend gemurmelt und ein paarmal leise gelacht.

Häuptling Burke sagte: »Das müssen wir uns merken – obwohl Gott weiß, daß wir Firvulag-Hilfe brauchen, um Madames Plan gegen Finiah zu verwirklichen. Die Kleinen Leute waren mit dem ursprünglichen Plan einverstanden. Aber ich fürchte, wenn wir der Gleichung Eisen hinzufügen, könnten sie es sich noch einmal überlegen.«

»Wartet nur, bis sie sehen, wie wir ein paar Tanu mit dem Eisen auslöschen!« meinte Smokey zuversichtlich. »Wartet nur, bis wir die Rechnung mit diesen Hundehalsband-Hurensöhnen begleichen! Diese verdammten Firvulag werden uns die Füße küssen! Oder den Arsch! Oder sonst was!«

Alles brüllte vor Lachen.

Eine aufgeregte junge Stimme rief aus der Menge der Dorfbewohner: »Warum sollen wir uns von den Tanu bis Finiah zurückhalten? In zwei Tagen zieht eine Karawane zur Torburg. Wir könnten ein paar Pfeilspitzen schärfen und uns einen Durchlauchtigsten gleich holen!«

Ein paar der anderen stimmten laut zu. Aber Häuptling Burke tauchte wie ein wütender Alligator-Bulle aus seiner Wanne auf und donnerte: »Kühlt euch ab, ihr Truthahnmist-Shlangers! Ohne meine Erlaubnis rührt *niemand* dies Eisen an! Es muß geheimgehalten werden. Wollt ihr, daß wir die ganze Tanu-Kavallerie auf den Hals bekommen? Velteyn würde einen Schrei aussenden wie ein gespießter Elch, wenn wir vorzeitig loslegten. Er könnte Nodonn herbeirufen – und Verstärkung aus dem Süden!«

Es wurde gemurrt. Der aggressive junge Mann rief: »Wenn wir Eisen bei dem Angriff auf Finiah benutzen, erfahren sie es doch. Warum nicht gleich?«

»Weil«, erklärte Burke in dem sarkastischen Ton, den er früher einmal benutzt hatte, um den Babyspeck gelbschnäbeliger Anwälte gefrieren zu lassen, »der Angriff auf Finiah unmittelbar vor dem Beginn des Waffenstillstands stattfindet. Dann wird kein anderer Tanu Velteyns Schwierigkeiten viel Aufmerksamkeit schenken. Ihr wißt doch, wie das Gehirn dieser Fremden arbeitet. Nichts, aber auch gar nichts ist wichtiger als die Vorbereitungen für das glorreiche Shemozzle. Zwei oder drei Tage vor dem Waffenstillstand – wenn wir, wie wir hoffen, zuschlagen können – wird kein Tanu auf der Welt Finiah zu Hilfe eilen. Nicht einmal, um ihre Landsleute zu retten, nicht einmal, um ihre Barium-Mine zu verteidigen, nicht einmal, um mit Eisen bewaffnete Menschen zurückzuschlagen. Sie werden nichts anderes im Kopf haben, als nach Süden zum Großen Wettstreit zu ziehen.«

Die Dorfbewohner palaverten nun über die verblüffende Besessenheit der fremden Sportsleute, und Burke zog sich an. Uwe witzelte, die Tanu seien beinahe so schlimm wie die Iren, denn auch sie liebten den Kampf, ohne die späteren Folgen zu bedenken. Darüber wurde allgemein gelacht, und von den Söhnen und Töchtern der Grünen Insel erhob sich niemand, um die Stammesehre zu verteidigen. Burke schoß es durch den Kopf, daß es dafür einen Grund geben und er ihn kennen müsse, aber im gleichen Augenblick erblickte Khalid Khan die heilende Wunde des roten Mannes.

»Maschallah, Peo! Da haben Sie sich aber einen bösen Kratzer zugezogen!«

Burkes linke Wade trug eine fürchterliche, gezackte Narbe von mehr als zwanzig Zentimetern Länge. Er grunzte: »Souvenir an ein einhörniges Wildschwein. Es tötete Steffi, und bis Holzbein mich nach hier zu Amerie zurückgeschleppt hatte, wäre es beinahe auch um mich geschehen gewesen. Galoppierende Sepsis. Aber sie hat sie angehalten. Sieht scheußlich aus, doch ich kann gehen – sogar laufen, wenn ich bereit bin, den Preis dafür zu zahlen.«

Uwe erinnerte ihn: »Heute abend ist Sitzung des Führungsausschusses. Khalid muß auch kommen.«

»Richtig. Zuerst wollen wir jedoch für diese Männer sorgen. Wie ist es, Leute? Essen und Trinken ist schon unterwegs – aber können wir sonst noch irgend etwas für euch tun?«

»Sigmunds Hand«, meldete Khalid. »Abgesehen von unsern drei Toten ist er der einzige Unglücksfall.«

»Was ist passiert?« fragte Burke.

Sigmund versteckte verlegen seinen Stumpf. »Ach, ich war dumm. Riesen-Salamander sprang mich an, biß mich in die Handfläche. Sie wissen, da gibt es nur noch eins, so wie das Gift arbeitet ...«

»Sig bildete die Nachhut«, berichtete Denny. »Plötzlich vermißten wir ihn. Als wir dann zurückgingen und nachsahen, legte er sich eiskalt eine Aderpresse an, und seine Vitredur-Axt und seine Hand lagen auf dem Boden neben ihm.«

»Kommen Sie mit uns zu Amerie«, ordnete der Häuptling an. »Sie soll sich das ansehen.«

»Ach, nicht nötig, Häuptling. Wir haben massenhaft AB und Progan draufgetan.«

»Sie halten die Klappe und kommen mit!« Der Häuptling wandte sich an die anderen. »Ihr ruht euch aus und eßt und schlaft zwei Tage lang. Spätestens in einer Woche werden die ersten Freiwilligen von den anderen Siedlungen eintreffen. Dann halten wir einen großen Kriegsrat ab. Inzwischen richten wir die Schmiede an einem Ort ein, wo die Firvulag sie nicht entdecken, und ihr könnt dieses Eisen bearbeiten. Vorerst nehme ich es in Verwahrung und bringe es außer Reichweite der Versuchung.«

Burke erhob seine Stimme, so daß das ganze Badehaus ihn hören konnte. »Ihr alle! Wenn euch euer eigenes Leben lieb ist und wenn ihr einen Pfifferling um die Freiheit der noch versklavten Menschen gebt, vergeßt ihr, was ihr heute abend hier gesehen und gehört habt.«

Dem stimmten alle Versammelten zu. Der Häuptling nickte und lud sich zwei der schweren Säcke auf. Khalid und Uwe zerrten die anderen vier fort. Gefolgt von Sigmund, verließen sie das Badehaus.

»Die Sitzung findet wie üblich in Madames Haus statt«, informierte der hinkende Burke unterwegs den Schmied. »Amerie wohnt jetzt dort. Wir haben sie durch Akklamation in den Ausschuß aufgenommen.«

Uwe bemerkte: »Dieses Nönnchen ist eine erstklassige Ärztin! Sie hat Maxl soweit zu sich gebracht, daß wir ihn nicht mehr einzusperren brauchen. Und die arme Sandra – keine Selbstmorddrohungen mehr, seit die Pilzinfektion kuriert ist. Auch Chaims Augenlid ist wiederhergestellt, und sie hat sogar dies Riesengeschwür an Old Man Kawais Fuß geheilt.«

»Das läßt auf ruhigere Besprechungen hoffen«, meinte Khalid. »Dann hat der alte Junge einen Grund weniger, sich zu beklagen. Diese Nonne scheint mir ein erfreulicher Zuzug zu sein.«

Der Häuptling lachte. »Dabei habe ich noch gar nicht erwähnt, daß sie sechzehn Fälle von Würmern und fast die ganze Dschungelfäule ausgeräumt hat. Madame wird sich bei der nächsten Wahl anstrengen müssen, wenn sie Anführerin dieser Bande von Gesetzlosen bleiben will.«

»Ich glaube nicht, daß sie sich in der Ehre sonnt.« Khalid war entrüstet. »Nicht mehr als Sie, als Sie den heißen Sitz innehatten.«

Fast geräuschlos zogen sie auf dem Pfad dahin, der sich zwischen den schützenden Bäumen hindurchwand. Von der langen Schlucht zweigten viele kleine Sackgassen ab, in denen Quellen aus dem Boden traten. Die meisten Häuser waren in der Nähe einer solchen natürlichen Wasserversorgung erbaut worden. Insgesamt waren es dreißig Heimstätten, in denen fünfundachtzig menschliche Wesen wohnten, die größte Siedlung der Geringen in der bekannten Pliozän-Welt.

Die vier Männer überquerten ein Bächlein auf Trittsteinen und gingen eine der Felsspalten hinauf bis zu einem besonders hübschen Häuschen, das unter einer großen Kiefer stand. Es war nicht wie die anderen einfach aus Baumstämmen oder aus mit Lehm beworfenem Flechtwerk erbaut, sondern aus sauber vermörtelten Steinen, außerdem mit Kalk geweißt und mit dunklen Fachwerkbalken verstärkt, und es erinnerte in unheimlicher Weise an eine gewisse Behausung der zukünftigen Welt in den Bergen oberhalb von Lyon. Madames Rosen-Stecklinge waren, genährt von Mastodon-Dung, zu üppigen Kletterpflanzen hochgeschossen, die das Strohdach unter Blüten fast erstickten. Die Nachtluft war schwer von ihrem Duft.

Die Männer hielten an. Ein winziges Tier stand ihnen im Weg. Mit steifen Beinen, die übergroßen Augen glühend, knurrte es.

»He, Deej!« lachte Burke. »Wir sind es doch, Pupikeh. Freunde!«

Die kleine Katze maunzte lauter. Das leise Grollen verstärkte sich zu einem drohenden Fauchen. Sie behauptete die Stellung.

Häuptling Burke setzte seine Last ab, kniete nieder und streckte eine Hand aus. Khalid Khan trat hinter Sigmund. Eine Erinnerung und ein schrecklicher Verdacht drängten sich ihm ins Bewußtsein. Die Erinnerung an eine regnerische Nacht im Innern eines Baumes, als die Katze genauso wie jetzt reagiert hatte. Der Verdacht, daß der von allen geschätzte Gefährte Sigmund ein zu guter Waldläufer gewesen war, um sich von dem verhältnismäßig langsamen Angriff eines Riesen-Salamanders überraschen zu lassen.

Khalid riß die Öffnung seines Sacks auf, gerade als sich die Haustür weit öffnete und den Umriß von Ameries verschleierter Gestalt vor dem matten Lampenlicht zeigte.

»Dejah?« rief die Nonne und ließ die Perlen ihres Rosenkranzes klappern, was offenbar ein Signal war. Sie erblickte die Männer. »Oh, Sie sind es, Häuptling. Und Khalid! Sie sind zurück! Aber was ...«

Der Schmied mit dem Turban packte den Mann, den sie Sigmund nannten, beim Haar. Mit seiner anderen Hand drückte er ihm etwas Graues und Hartes gegen die Kehle.

»Beweg dich nicht, soor kabaj, oder du bist so tot wie dein Bruder!«

Amerie schrie auf, und Uwe entfuhr ein lästerlicher Fluch – denn Khalid rang plötzlich mit einer Gorgo. Die Hand des Pakistani umfaßte kein Haar, sondern sich windende kleine Vipern, die aus Sigmunds Kopfhaut wuchsen. Sie schlugen Fangzähne in sein Fleisch, das aufschwoll und pulsierte. Quasitödliches Gift überflutete die Blutgefäße und raste auf Khalids Herz zu.

»Aufhören, sag ich!« brüllte der geängstigte Schmied. Unwillkürlich zuckte sein rechter Arm. Die stumpfe eiserne Lanzenspitze drang in die weiche Kuhle unter dem Kehlkopf des Ungeheuers ein.

Das Ding stieß ein gurgelndes Quietschen aus und erschlaffte. Khalid sprang von dem fallenden Körper zurück und ließ das Eisen los. Es schlug mit einem dumpfen Laut zu Boden und kam dicht neben dem toten Gestaltwandler zu liegen. Amerie und die drei Männer starrten auf die Kreatur nieder, die nicht mehr als zwanzig oder dreißig Kilogramm wiegen konnte. Flache kleine Zitzen kennzeichneten sie als weiblich. Ihr kahler Schädel war gleich über den Augen scheußlich zusammengedrückt und verlängerte sich nach hinten zu einem dreieckigen Knochenkragen. Sie hatte ein bloßes Loch als Nase und einen massigen Unterkiefer mit lockeren, nagelförmigen Zähnen. Der Körper war fast kugelförmig, die Glieder dünn wie Spinnenbeine, die linke Vorderpfote fehlte.

»Es ist ... kein Firvulag«, brachte Amerie mühsam heraus.

»Ein Heuler«, erklärte Burke ihr. »Die Biologen halten sie für eine Firvulag-Mutation. Jedes Individuum soll einen anderen echten Körper besitzen, aber alle sollen sie scheußlich sein.«

»Ihr seht, was sie zu tun versucht hat, nicht wahr?« Kummer und Reaktion ließen Khalids Stimme beben. Er befühlte seine linke Hand, die jetzt wieder völlig normal war. »Sie sah, wie wir ihren Gefährten mit Eisen töteten, und wollte herausfinden, was die neue Waffe war. Als Sigmund am Ende der Reihe marschierte, muß sie sich an ihn herangeschlichen und ... seinen Platz eingenommen haben. Schnitt sich die Hand ab, damit sie kein Eisen zu tragen brauchte.«

»Aber sie haben sich noch nie als Menschen maskiert!« rief Uwe. »Was könnte ihr Motiv gewesen sein?«

»Betrachten Sie sie – in Lumpen gekleidet«, sagte Amerie. Sie kniete nieder, um die Koboldleiche in dem Licht, das aus der Tür fiel, zu untersuchen. Einer der primitiven Fellschuhe hatte sich beim Kampf gelöst und enthüllte einen humanoiden Fuß – klein, aber vollkommen geformt wie der eines Kindes. An der Ferse war eine rührende Blase; offenbar hatte das kleine Wesen sich anstrengen müssen, um mit den schnelleren Menschen Schritt zu halten.

Die Nonne streifte den Schuh wieder über den Fuß, richtete die Besenstiel-Beine gerade, schloß die glasigen Augen. »Sie war sehr arm. Vielleicht hoffte sie, eine Information zu erlangen, die wertvoll genug zum Verkaufen war.«

»An den normalen Firvulag?« fragte Burke.

»Oder an die Tanu.« Die Nonne stand auf und klopfte sich Erde von der Vorderseite ihres weißen Habits.

Khalid gab zu bedenken: »Es können noch mehr da sein. Andere, die uns am Schmelzofen beobachtet haben. Wenn dies Ding menschliche Gestalt annehmen konnte, wie sollen wir da jemals sicher sein ...?«

Burke nahm die unbearbeitete Lanzenspitze auf, faßte den Arm des Schmieds und zog ihm das Eisen über die Haut. Ein paar Tropfen dunkles Blut sickerten aus dem Riß. »Sie sind jedenfalls echt. Ich gehe sofort und überprüfe den Rest der Gruppe. Später arbeiten wir eine etwas weniger grobe Methode aus. Vielleicht genügt ein Nadelstich.«

Er hinkte zum Badehaus. Uwe und Khalid schleppten die kostbaren Säcke mit Eisen in das rosenbedeckte Häuschen und kehrten dann zu der Stelle zurück, wo Amerie neben der Leiche stand. Die Nonne hielt die immer noch leise grollende Katze auf dem Arm.

»Was sollen wir mit ihr tun, Schwester?« fragte Khalid ratlos.

Amerie seufzte. »Ich habe einen großen Korb. Vielleicht

könnt ihr sie für mich ins Brunnenhaus bringen. Ich fürchte, ich werde sie morgen sezieren müssen.«

Während die Ausschußmitglieder darauf warteten, das Häuptling Burke wiederkam, bot die Verwalterin der Lebensmittel Proben eines neuen Getränks an. »Wir haben etwas von Perkins lausigem Wein genommen und diese kleine wilde Waldblume darin eingeweicht.«

Alle nahmen einen Schluck. Amerie sagte: »Das schmeckt gut, Marialena.«

Uwe murmelte etwas auf deutsch vor sich hin. »Wissen Sie, was Sie getan haben, Frau? Sie haben den Maiwein neu erfunden!«

»Das ist es! Das ist es!« schrillte Old Man Kawai. Er war erst sechsundachtzig, aber da er eine Verjüngung aus Prinzip abgelehnt hatte, ähnelte er einer ausgewickelten orientalischen Mumie. »Sehr erfrischend, meine Liebe. Wenn es uns jetzt noch gelingt, einen anständigen Saké herzustellen ...«

Die Eingangstür öffnete sich, und Peopeo Moxmox Burke trat, den Kopf einziehend, ins Zimmer. Die anderen Ausschußmitglieder waren ganz still, bis der rote Mann nickte. »Sie waren alle koscher. Ich habe nicht nur die Schmelzer getestet, sondern auch alle übrigen Leute im Badehaus.«

»Dem Himmel sei Dank«, sagte der leitende Architekt. »Welch eine Vorstellung – Gestaltwandler infiltrieren *unser Volk!*« Er wackelte mit seinem sauber geschnittenen Backenbart und brachte es fertig, wie ein Buchhalter auszusehen, der entdeckt hat, daß ein geschätzter Kunde seine Bücher fälscht.

»Weder Firvulag noch Heuler hatten bisher Grund, es mit diesem Trick zu probieren«, warnte der Häuptling. »Aber jetzt, wo der Angriff bevorsteht und das Eisen eine vielleicht doch nicht ganz geheime Waffe ist, müssen wir uns auf weitere Versuche gefaßt machen. Von den Freiwilligen, die bald eintreffen, muß jeder einzelne getestet werden. Und ebenso alle Teilnehmer vor jeder wichtigen Zusammenkunft oder Besprechung.«

»Das fällt in meine Verantwortung«, warf Uwe ein, dem Jagd und Öffentliche Sicherheit unterstanden. »Machen Sie mir ein paar Nadeln, Khalid?«

»Sobald morgen die Schmiede heiß ist.«

Der Häuptling setzte sich mit den anderen sieben Leuten an den Tisch.

»Gut, machen wir es jetzt so kurz wie möglich, damit Khalid sich ausruhen kann. Als stellvertretender Anführer eröffne ich die heutige Sitzung des Führungsausschusses. Tagesordnung wie gehabt. Bauwerke. Legen Sie gleich los, Philemon!«

»Die Hütten für das Sammellager am Rhein sind fertig«, berichtete der Architekt. »Dort ist alles bereit bis auf den Haupt-Unterstand. Für den Besucher-Schlafsaal hier bei den Verborgenen Quellen brauchen die Jungs nur noch zwei oder drei Tage.«

»Gut«, sagte der Häuptling. »Straßenbau, Vanda-Jo?«

Eine Frau mit dunkelblondem Haar, dem Gesicht einer Madonna und der Stimme eines Feldwebels ergriff das Wort. »Der maskierte Pfad von hier zum Sammelplatz ist fertig. Einhundertundsechs verdammte Kilometer, unsichtbar aus der Luft, Knüppeldamm die letzten zwei Kilometer durch den Sumpf – und glaubt bloß nicht, das sei keine Sauarbeit gewesen! Sind noch dabei, die Dornenverhaue um das Sammellager aufzustellen, die das meiste an Viehzeug draußen und die Rekruten drinnen halten sollen.«

»Wie steht es mit den Einschiffungskais?«

»Haben uns für Pontons entschieden. Aufgeblasene Häute und Bretter. Werden in der letzten Minute aufgestellt. Holzbein und seine Jungs liefern die Häute.«

»Gut. Jagd und Öffentliche Sicherheit?«

»Ich habe wirklich nicht viel Neues zu berichten«, sagte Uwe. »Meine Leute helfen größtenteils Vanda-Jo und Phil. Ich habe Verbindung mit dem Proviantmeister von Hoch-Vrazel aufgenommen. Er will uns mit Wild und anderen Nahrungsmitteln aushelfen, wenn die Freiwilligen eintreffen. Und wir haben uns darauf vorbereitet, die Lieferungen zu verarbeiten, bevor wir sie an den Fluß schicken.«

»Klingt gut. Ausrüstung?«

Old Man Kawai schürzte seine gekerbten Lippen. »Es gibt *keine* Möglichkeit, bis zum Tag X mehr als hundert Helme und Brustpanzer aus gegerbtem Leder herzustellen. Sie wissen, wie lange es dauert, dies Material zu formen und zu trocknen – auch wenn die Formen mit heißem Sand gefüllt werden. Die meisten Freiwilligen müssen eben mit bloßem Hintern gehen, wenn Sie nicht unsere eigenen Leute berauben wollen. Shimasho? Ich habe mein Bestes getan, aber ich kann keine Wunder wirken.«

»Es läßt sich eben nichts daran ändern«, beruhigte Burke ihn. »Und die Tarnnetze?«

»Wir bringen die großen morgen an Ort und Stelle, denn es könnte ja doch sein, daß sie mit dem Tanu-Flieger früh zurückkommen.« Der verrunzelte Alte sah den Häuptling ängstlich an. »Glauben Sie wirklich, daß sie eine Chance haben, Peo?«

»Keine große«, mußte Burke zugeben. »Aber wir wollen die Hoffnung bis zur letzten Stunde vor dem Waffenstillstand nicht aufgeben ... Frontlazarett?«

»Die Leinenbandagen sind fertig«, sagte Amerie. »Wir legen Vorräte von Öl und Alkohol an und soviel AB, wie wir zusammenkratzen können. Fünfzehn Kämpfer haben einen Schnellkurs als Frontärzte mitgemacht.« Sie hielt inne, das Gesicht gefurcht vor Entschlossenheit. »Bitte, Peo, ändern Sie Ihre Meinung und lassen Sie mich die Kämpfer begleiten! Um der Liebe Gottes willen – wann werden sie mich *mehr* brauchen als in einer Schlacht?«

Der Indianer schüttelte den Kopf. »Sie sind die einzige Ärztin, die wir haben. Wahrscheinlich die einzige in der Welt der Geringen. Wir dürfen Sie keiner Gefahr aussetzen. Da ist die Zukunft zu bedenken. Gelingt es uns, Finiah zu befreien, können wir vielleicht anderen medizinisch ausgebildeten Menschen den Ring abnehmen. Verlieren wir und der Feind kommt über den Rhein bis zu unserem Sammellager ... – es kann eine lange Zeit bis zum nächsten Krieg vergehen. Unsere Kämpfer werden ihre Wunden selbst versorgen. Sie bleiben hier!«

Die Nonne seufzte.

»Industrie?« sagte Burke.

»Wir haben zweihundertundzwanzig Kilogramm Eisen mitgebracht«, berichtete Khalid. »Vier von unseren Männern starben. Wir haben noch genug erfahrene Leute, um mit den letzten Arbeiten an den Waffen zu beginnen, sobald wir etwas geschlafen haben.«

Alle äußerten ernst ihre Glückwünsche.

»Lebensmittelversorgung?«

»Wir haben hier genug Essen gelagert, um fünfhundert Leute zwei Wochen lang zu verpflegen«, meldete Marialena. »Darin nicht eingeschlossen sind die fünf Tonnen fertige Rationen, die wir an die Kämpfer verteilen wollen, die zum Lager aufbrechen. Es kann ja nicht gut am Rhein gekocht werden, wo die Tanu den Rauch entdecken könnten.« Sie zog ein Taschentuch aus dem Ärmel ihres rosafarben und gelben Gewandes und wischte sich die breite Stirn. »Diese armen Teufel werden Pemmikan und getrocknete Schilfwurzeln noch verfluchen, bevor diese Sache vorbei ist.«

»Wenn sie nicht mehr zu verfluchen bekommen«, meinte Burke, »können sie sich glücklich preisen. Gut, dann bleibt nur noch mein Bericht. Kriegshäuptling. Ich habe von Pallol, dem Firvulag-Generalissimo, die Nachricht erhalten, daß seine Truppen sich für die letzten drei Septembertage kampfbereit halten. Unter optimalen Bedingungen beginnen wir den Angriff am neunundzwanzigsten vor dem Morgengrauen. Das läßt uns fast zwei volle Tage für den Kampf, bevor der Waffenstillstand offiziell am ersten Oktober bei Sonnenaufgang beginnt. Danach sind wir Menschen auf uns selbst gestellt – und in Finiah muß alles soweit gediehen sein, daß die Aufräumungsarbeiten beginnen können. Nähere Einzelheiten der Angriffspläne werde ich später beim Kriegsrat vortragen. Okay? Und jetzt – die neuen Punkte. Wir wollen die Angelegenheit des Heuler-Spions als bereits auf die Tagesordnung gesetzt und an Öffentliche Sicherheit zwecks geeigneter Maßnahmen weitergeleitet betrachten.«

»Die letzten Vorbereitungen für die Eisenwaffen«, sagte Khalid. »Meine Männer werden eine der belüfteten Höhlen schalldicht machen und in eine Schmiede umwandeln. Ich werde etwas Hilfe von Phils Leuten brauchen.«

»Weitere neue Punkte?«

»Wir brauchen mehr alkoholische Getränke«, meldete sich Marialena. »Met und Bier von den Firvulag. Ich kann es nicht zulassen, daß die Freiwilligen unseren jungen Wein saufen.«

Burke lachte. »Scheußliche Vorstellung! Uwe – wollen Sie deswegen bei den Firvulag in Hoch-Vrazel vorstellig werden?«

»In Ordnung.«

»Sonst noch etwas?«

Amerie zögerte. »Vielleicht ist es zu früh, das anzusprechen. Aber da ist die zweite Phase von Madames Plan.«

»Heh!« rief Old Man Kawai. »Wenn sie in Finiah siegt, wird Madame auf der Stelle andere nach Süden schicken wollen!«

Philemon geriet in Verlegenheit. »Für uns ist es schon ein Erfolg, wenn wir einen kleinen Teil der ersten Phase von Madames Plan vollbringen – an die beiden nächsten Phasen ist noch gar nicht zu denken. Ich sage, überlassen wir es Madame, nach ihrer Rückkehr etwas auszuarbeiten. Es ist *ihr* Plan. Vielleicht haben sie und diese wilde kleine Person Felice sich schon Gedanken darüber gemacht.«

»Caracoles«, brummte Marialena. »Ich muß die späteren Phasen bedenken, auch wenn ihr übrigen euch vor der Verantwortung drückt. Müssen unsere Leute ohne anständige Verproviantierung nach Süden ziehen, bekomme ich das Bukett mit dem Kuhklacks drauf. Ahhh – ich werde tun, was ich kann.«

»Danke, querida«, sagte der Häuptling friedlich. »Ich werde morgen mit Ihnen über eine mögliche Aufteilung der Rationen sprechen. Aber ich finde, mehr können wir im Augenblick für Phase Zwei und Drei nicht tun. Es gibt zu viele unbekannte Faktoren ...«

»Zum Beispiel, wer Finiah überleben wird!« jammerte Old Man Kawai. »Oder ob es überhaupt zu einem Angriff auf Finiah kommt!«

Vanda-Jo schlug mit der Hand auf den Tisch. »Schwänze hoch! Defätismus verboten! Wir werden diese eingebildeten Bastarde schlagen, wie sie noch nie geschlagen worden sind. Und, Khalid – ich habe ein Anrecht auf eine eiserne Pfeilspitze, wenn es Ihnen nichts ausmacht. Da ist ein ganz bestimmter Tanu-Knilch auf der anderen Seite des Rheins, dessen Arsch mir gehört!«

»Wenn Sie sicher sind, daß Sie es mit einer einzigen Pfeilspitze schaffen«, lachte der Schmied.

»Zur Sache!« brummte Burke. »Der Vorsitzende wird die Planung der Strategie für die Zeit des Großen Wettstreits als Tagesordnungspunkt vorschlagen.«

»Tun Sie das!« sagte Amerie. Alle anderen waren ebenfalls dafür.

»Sonst noch etwas?« fragte der Häuptling. Schweigen.

»Vertagen Sie!« verlangte Old Man Kawai. »Um diese Zeit bin ich sonst längst im Bett.«

»Auch ich stimme für Vertagung«, fiel Uwe ein, und die Sitzung des Führungsausschusses fand ein Ende. Alle außer Häuptling Burke sagten Amerie gute Nacht und verschwanden in der Dunkelheit. Der ehemalige Richter hielt der Nonne sein verwundetes Bein zum Nachsehen hin.

Nach einiger Zeit sagte sie: »Weiter kann ich nichts mehr für Sie tun, Peo. Heiße Bäder und nicht übertriebene Übungen, damit die Muskeln nicht steif werden. Ich kann Ihnen eine Herendorf-Spritze geben, damit Sie am Tag X keine Schmerzen haben.«

Er winkte ab. »Sparen wir die Spritze für jemand auf, der sie wirklich braucht.«

»Wie Sie wollen.«

Sie gingen nach draußen. Im Dorf war es still, bis auf schwache Insektengeräusche. Es war beinahe Mitternacht, und der Mond war noch nicht aufgegangen. Burke legte den Kopf in den Nacken und studierte das sternenbesetzte Himmelsgewölbe.

»Da ist es, gleich über dem Rand der Schlucht.« Er streckte den Zeigefinger aus.

»Was?« fragte Amerie.

»Ah – ich vergaß, daß Sie ein Neuankömmling sind, Amerie. Das Sternbild, das wir die Trompete nennen. Sehen Sie den dreieckigen Trichter, die vier hellen Sterne, die das gerade Rohr bilden? Achten Sie besonders auf den Mundstück-Stern. Es ist der wichtigste am ganzen Himmel – wenigstens für die Tanu und Firvulag. An dem Tag, wo sein Kulminationspunkt um Mitternacht über Finiah und Hoch-Vrazel liegt – das sind die ältesten Siedlungen der Fremden, wie Sie sicher wissen –, wird der fünf Tage dauernde Große Wettstreit eröffnet.«

»Das Datum?«

»Nach unserm Milieu-Kalender um den 31. Oktober oder 1. November.«

»Sie machen Spaß!«

»Es ist wahr. Und die Mittagskulmination, die genau sechs Monate später stattfindet, liegt um den 1. Mai. Die Fremden haben dann eine weitere große Show, die Tanu und Firvulag jeder für sich feiern – das Große Liebesfest. Sehr beliebt bei den Frauen der Spezies, heißt es.«

»Das ist wirklich sehr seltsam«, sagte Amerie. »Ich bin keine Folklore-Kennerin, aber diese beiden Daten ...«

»Ich weiß. Nur gab es in unserer Zeit keine gute Erklärung – weder mit Hilfe der Astronomie noch sonstwie –, warum gerade diese beiden Tage statt irgendwelcher anderer in der gleichen Jahreszeit ritualisiert worden sind.«

»Es ist lächerlich, da einen Zusammenhang anzunehmen.«

»Oh, natürlich.« Das Gesicht des Indianers war im Sternenlicht undurchschaubar.

»Ich meine – sechs Millionen Jahre!«

»Kennen Sie die Bedeutung des Mundstück-Sterns? Er stellt eine Markierung dar. Ihre Heimat-Galaxis liegt beinahe genau hinter ihm.«

»Oh, Peo. Wie viele Lichtjahre?«

»Sehr viel mehr als sechs Millionen. In gewisser Weise sind sie hier noch weiter von zu Hause entfernt als wir, die armen Teufel.«

Er verabschiedete sich mit einem kurzen Gruß, hinkte davon und ließ sie unter den Sternen stehend zurück.

7

»Sie sind ja gar nicht blau!« protestierte Felice. »Sie ist braun!«

Madame änderte den Kurs ihres Dinghys, um einem angespülten Baumstamm auszuweichen. »Der Farbe Braun mangelt dies gewisse cachet. Der Komponist wollte die Schönheit des Flusses unterstreichen.«

Das Mädchen schnaubte verächtlich. Sie studierte das Terrain. »Diese Gegend würde nie einen Preis gewinnen. Zu trocken. Sieht aus, als habe es seit Monaten nicht mehr geregnet.« Sie kniete aufrecht im Bug des kleinen Bootes und suchte die offenen, dunkelfarbenen Abhänge mit Hilfe von Madame Guderians kleinem Monokular ab. Nur in den Rinnen und auf flachen Stellen ganz nahe der Donau war Grün zu sehen. Die weit verstreuten Baumgruppen hatten ein staubiges, bläuliches Aussehen.

»Ich sehe ein paar kleine Herden von Hipparions und Antilopen«, meldete das Mädchen nach einer Weile. »Sonst scheint im Oberland auf dem linken Ufer nichts zu leben. Keine Spur von dem Krater. Überhaupt nichts Außergewöhnliches, bis auf den kleinen Vulkan gestern. Sie glauben doch nicht, daß wir daran vorbeigefahren sind? Dieser verdammte Fluß hat eine ziemlich starke Strömung.«

»Richard wird es uns heute mittag sagen.«

Die alte Frau und die Athletin teilten ein Dekamol-Boot, seit die Gesellschaft vor fast zwei Tagen aus den Wasserhöhlen wieder ans Licht gekommen war. Claude, Martha und Richard besetzten ein zweites, das ein paar Dutzend Meter vor ihnen von den schnellen Wellen des Hellen Ystroll fortgetragen wurde. Trotz der Trockenheit hatten sie ausgezeichnete Fahrt gemacht, da der Fluß sein Wasser größtenteils von den Alpen erhielt, deren weiße Gipfel im fernen Süden schimmerten. Am Abend zuvor hatten sie die Boote auf eine bewaldete Kiesbank gezogen und dort geschlafen, denn der Kobold hatte sie davor gewarnt, am Ufer zu lagern. Sie waren für ihre Isolierung dankbar, als sie später von Hyänenschreien geweckt wurden. Claude erzählte ihnen, einige der Pliozän-Spezies seien so groß wie große Bären und nicht nur Aasfresser, sondern auch selbst jagende Raubtiere.

Für die Navigation hatten sie eine kostbare Karte. In dem Baumversteck hatte Richard die ihn interessierenden Teile einer verblassenden ehrwürdigen »Straßenkarte von Europa« (Kümmerley & Frey, Ausgabe 2000) kopiert, die ein nostalgischer Geringer als seine liebste Erinnerung an die Zukunft hochschätzte. Die alte Karte war undeutlich und schlecht zu entziffern, und Claude hatte Richard darauf aufmerksam gemacht, daß die Wasserscheide der Donau seit dem Pliozän durch die kommende Eiszeit mit ihren vordringenden alpinen Gletschern verändert werde. Die Nebenflüsse der oberen Donau, die die Karte zeigte, verliefen im Pliozän wahrscheinlich anders, und das Bett des großen Flusses selbst werde weiter südlich liegen und bis zur Unkenntlichkeit verzerrt sein. Die Reisenden konnten nicht darauf hoffen, Landmarken des Galaktischen Zeitalters bis zum Ries-Krater zu folgen. Aber die alte Karte lieferte doch eine wertvolle Information, die ihre Gültigkeit über sechs Millionen Jahre behalten haben mußte: den genauen Unterschied in der geographischen Länge zwischen Hoch-Vrazel (alias Grand Ballon) und dem Ries (auf der Karte durch die zukünftige Stadt Nördlingen symbolisiert, die in der Ringwall-Ebene lag). Ganz gleich, wie der Ystroll wanderte, er mußte immer noch den Meridian des Ries passieren. So genau, wie Richard es nach dem hinfälligen Material der Straßenkarte zu bestimmen vermochte, betrug die Entfernung 260 Kilometer in Luftlinie – drei und ein halbes Grad östlich des »Null-Meridians« von Hoch-Vrazel.

Richard hatte sein präzises Armband-Chronometer auf 12 Uhr mittags in Hoch-Vrazel gestellt und mit viel Mühe einen Quadranten zur Messung des Sonnenwinkels improvisiert. An jedem wolkenlosen Tag konnte er mit dem Quadranten die genaue lokale Mittagszeit feststellen – und die Differenz zwischen dieser und der Zeit nach zwölf Uhr, die seine Uhr zeigte, diente ihm zur Berechnung der Länge. Wenn sie den Ries-Meridian auf der Donau erreichten, brauchten sie nur noch genau nach Norden zu marschieren, um den Krater zu erreichen ...

Eine der Gestalten in dem vorderen Boot hob den Arm. Das Fahrzeug hielt aufs Ufer zu.

»Da ist ein kleiner Einbruch im nördlichen Hochland«, sagte Felice. »Vielleicht meint Richard, daß das unsere beste Möglichkeit ist.« Als sie ihr Boot neben dem anderen auf den Strand gezogen hatten, fragte sie: »Was meint ihr, Jungs? Ist es hier?«

»Jedenfalls ganz in der Nähe«, antwortete Richard. »Und wenn es auch bergauf geht, scheint es doch keine schlechte

Wanderstrecke zu sein. Ich schätze, dreißig Kilometer weiter nördlich müßten wir auf den südlichen Rand stoßen. Selbst wenn ich mich da ein bißchen irre, sollten wir das Ding vom Gipfel eines dieser nördlichen Berge sehen können. Schließlich soll der verdammte Krater mehr als zwanzig Kilometer Durchmesser haben. Wie wäre es mit einem Lunch, während ich noch einmal Besteck mache?«

»Ich habe Fisch«, verkündete Martha und hob eine Kette silbrig-brauner Schuppenleiber. »Richard ist wegen seiner Navigationsaufgaben entschuldigt, und da bleiben nur noch Sie beide, um Knollen auszugraben, während Madame und ich die Fische grillen.«

»Richtig«, seufzte Claude und Felice.

Sie machten Feuer an einer schön schattigen Stelle am Rand eines Waldes. Klares Wasser tröpfelte einen Kalkstein-Sims herunter und verschwand in einer schlammigen Senke, in der es von kleinen gelben Schmetterlingen wimmelte. Nach etwa fünfzehn Minuten wehte der appetitliche Duft von bratendem jungem Lachs zu den Wurzelgräbern hinüber.

»Nun komm, Claude!« sagte Felice und tauchte ein Netz voller Knollen mehrmals ins Wasser, um sie zu säubern. »Wir haben genug gesammelt.«

Der Paläontologe stand still zwischen den hohen Stengeln, bis zu den Knien im Wasser. »Ich glaube, ich habe etwas gehört. Wahrscheinlich Biber.«

Sie wateten zu der Bank zurück, wo sie ihre Boote gelassen hatten. Beide waren noch da, aber etwas – oder jemand – hatte sich daran zu schaffen gemacht.

»Sieh mal, hier!« Claude betrachtete den schlammigen Boden ringsum.

»*Kinder*-Fußspuren!« rief Felice. »Ich werd verrückt! Kann es in diesem Land Heuler oder Firvulag geben?«

Sie eilten mit ihren Wurzeln zum Feuer. Madame überprüfte mit ihrem Fernwahrnehmungstalent die Umgebung und gestand, sie könne keine Aliens entdecken.

»Zweifellos ist es irgendein Tier«, meinte sie, »dessen Abdrücke denen eines Kindes ähneln. Vielleicht ein kleiner Bär.«

»Bären waren sehr selten im frühen Pliozän«, wandte Claude ein. »Eher ist es ... – lassen wir's! Es ist auf jeden Fall zu klein, um uns Schaden zufügen zu können.«

Richard kam zu der Gruppe zurück und verstaute Karte, Notizplatte und Quadrant in seinem Rucksack. »Wir müssen ganz dicht dran sein«, verkündete er. »Wenn wir heute nachmittag einen Schritt zulegen, sind wir morgen am frühen Vormittag da.«

»Setz dich und iß deinen Fisch!« sagte Martha. »Macht der Duft dich nicht verrückt? Es heißt, Lachs sei der einzige Fisch, der seiner Nährstoffe wegen als ausschließliche Diät dienen könne. Denn er hat sowohl ausreichend Fett als auch Protein, verstehst du?« Sie leckte sich die Lippen – dann gab sie einen erstickten Quietschlaut von sich. »Drehen ... Sie sich ... nicht um!« Sie hatte die Augen weit aufgerissen. Alle anderen saßen ihr gegenüber am Feuer. »Gleich hinter Ihnen ist ein wildes Rama.«

»Nein, Felice!« zischte Claude, als sich die Muskeln der Athletin automatisch spannten. »Es ist harmlos. Wir wollen uns ganz langsam umdrehen.«

Martha sagte: »Es trägt etwas.«

Das kleine Geschöpf, dessen Körper mit goldbraunem Fell bedeckt war, stand ein kurzes Stück hinter ihnen zwischen den Bäumen. Man sah, daß es zitterte, und doch trug es einen Gesichtsausdruck, der nur als Entschlossenheit bezeichnet werden konnte. Seine Größe war ungefähr die eines sechsjährigen Kindes, und seine Hände und Füße waren völlig humanoid. Es trug zwei große, warzige Früchte von grünlich-bronzener Farbe mit dunkelorangenen Streifen. Während die fünf Reisenden das Weibchen mit Erstaunen betrachteten, trat es vor, legte die Früchte auf den Boden und zog sich wieder zurück.

Mit unendlicher Vorsicht stand Claude auf. Der kleine Affe floh ein paar Schritte. Claude sagte leise: »Hallo, sieh an, Mrs. Dingsda. Wir freuen uns, daß Sie zum Lunch vorbeischauen. Wie geht es dem Herrn Gemahl und den Kinderchen? Alle gesund? Ein bißchen hungrig bei dieser Dürre? Das überrascht mich nicht. Obst ist was Feines, aber es geht doch nichts über ein bißchen Protein und Fett, um Leib und

Seele zusammenzuhalten. Und die Mäuse und Eichhörnchen und Heuschrecken sind zum größten Teil in die oberen Täler ausgewandert, nicht wahr? Zu schade, daß Sie nicht mit ihnen gegangen sind.«

Er bückte sich und hob die Früchte auf. Was war was? Melonen? Eine Art Papaya? Er trug sie ans Feuer, nahm zwei der größeren Lachse und wickelte sie in ein Elefantenohr-Blatt. Er legte den Fisch genau an der Stelle nieder, wo er die Früchte weggenommen hatte, und zog sich zu seinem Platz am Feuer zurück.

Das Ramapithecus-Weibchen betrachtete das Bündel. Sie streckte die Hand aus, berührte einen fettigen Fischkopf und steckte den Finger in den Mund. Mit einem leisen, summenden Ruf zog sie die Oberlippe hoch.

Felice grinste zurück. Sie nahm ihren Dolch, stach ihn in eine Frucht und schlitzte sie auf. Ein süßer Duft, der das Wasser im Mund zusammenlaufen ließ, entquoll dem rosagelblichen Fleisch. Felice schnitt ein Stückchen ab und biß hinein. »Hmm!«

Das Rama schnalzte mit der Zunge. Es nahm das Fischpaket, zog noch einmal die Lippen von den kleinen Zähnen zurück und rannte in den Wald hinein.

Felice rief ihm nach: »Grüß King Kong von uns!«

»Das war ja ein tolles Ding«, bemerkte Richard. »Sie sind klug, nicht wahr?«

»Unsere direkten hominiden Vorfahren.« Claude rührte die Wurzeln um.

»Wir hatten sie in Finiah als Diener«, erzählte Martha.

»Es waren sehr sanftmütige und saubere kleine Wesen. Schüchtern – aber sie führten die Aufgaben, die ihnen die Ringträger stellten, gewissenhaft aus.«

»Wie wurden sie versorgt?« erkundigte Claude sich neugierig. »Wie kleine Menschen?«

»Eigentlich nicht«, antwortete Martha. »Sie hatten eine Art Stall neben dem Haus, wo sie in abgeteilten Boxen wohnten, die fast wie kleine, mit Stroh gefüllte Höhlenräume waren. Sie sind monogam, wissen Sie, und jede Familie mußte ihr eigenes Abteil haben. Es gab auch Gemeinschaftsräume und Schlafecken für Ledige. Die kinderlosen Erwachsenen arbeiteten ungefähr zwölf Stunden, dann kamen sie nach Hause, um zu essen und zu schlafen. Die Mütter durften drei Jahre lang für ihre Kleinen sorgen, und dann mußten sie sie in die Obhut von ›Tantchen‹ geben – alte Frauen, die sich wirklich und wahrhaftig wie Schullehrerinnen benahmen. Diese Tantchen und die sehr alten Männer und Frauen spielten mit den Kindern und kümmerten sich um sie, wenn die Eltern abwesend waren. Man konnte sehen, daß die Eltern unglücklich waren, wenn sie die Kleinen verlassen mußten, aber gegen den Zwang ihrer Halsringe konnten sie sich nicht wehren. Allerdings – die Rama-Pfleger erzählten mir, das Tantchen-System werde in ähnlicher Weise auch von den wildlebenden Ramas befolgt. Im allgemeinen erzeuge es gut angepaßte Individuen. Die Tanu haben Ramas in Gefangenschaft aufgezogen, seit sie auf diesem Planeten leben.«

»Diese Laute, die sie von sich geben«, überlegte Claude. »Konnten sich gewöhnliche, ringlose Leute wie Sie mit ihnen verständigen?«

Martha schüttelte den Kopf. »Sie hörten auf ihre Namen, und sie reagierten auf vielleicht ein Dutzend einfacher mündlicher Befehle. Aber hauptsächlich erfolgte die Kommunikation mit ihnen durch die Ringe. Sie begriffen sehr komplizierte *mentale* Befehle. Und natürlich wurden sie mit der Lust-Schmerz-Schaltung dressiert, so daß sie bei Routine-Aufgaben wie Hausarbeit wenig Aufsicht brauchten.«

Madame wiegte den Kopf. »So nahe der Menschlichkeit, und doch so weit von uns entfernt. Ihre Lebensspanne beträgt in der Gefangenschaft nur vierzehn oder fünfzehn Jahre. In der Wildnis wahrscheinlich weniger. So zart, so hilflos wirkend! Wie waren sie nur fähig, die Hyänen, die Bärenhunde, die Säbelzahn-Katzen und andere Ungeheuer zu überleben?«

»Durch ihren Verstand«, sagte Richard. »Sehen Sie sich die Kleine an, die zu uns gekommen ist. Ihre Familie wird heute abend nicht hungern. Direkt vor unseren Augen ist die natürliche Auslese am Werk. Dieser kleine Affe ist ein Überlebenstyp.«

Felice betrachtete ihn mit bösartigem Ausdruck. »Mir war doch gleich, als sei da eine Familienähnlichkeit ... Da, Captain Blood, nimm dir zum Nachtisch von den Früchten deiner Ur-ur-et-cetera-Großmutter.«

Sie ließen die Donau hinter sich und marschierten. Die Temperatur mußte unter der September-Sonne über vierzig Grad betragen, aber ihre angepaßten Körper hielten das aus. Es ging über sonnverbranntes Gras, durch Dickichte aus stacheligem Maquis, über Steine in den trockenen Wasserläufen, an die sie sich hielten. Richard hatte ihnen das Ziel gesetzt – den Einschnitt zwischen zwei langgestreckten Hügeln, die in genau nördlicher Richtung hinter langsam ansteigendem Land mit so gut wie keinem Fleckchen Schatten und überhaupt keinem Wasser lagen. Sie zogen sich bis auf Unterhosen, Rucksäcke und breitrandige Hüte aus. Madame gab eine kostbare Tube mit Sonnencrème weiter. Richard führte den Zug an, und Felice bildete die Nachhut. Die Athletin suchte das Gelände unermüdlich ab, vergewisserte sich, daß kein Tier sie beschlich, und forschte – wie sich herausstellte, ohne Glück – nach einer Quelle oder Wasser in anderer Form. Claude und Madame stützten Martha zwischen sich. Mit jeder Stunde, die sie unter heißer Sonne marschierten, wurde die Ingenieurin schwächer, doch sie ließ es nicht zu, daß sie langsamer gingen. Keiner von ihnen wollte anhalten, ungeachtet der Tatsache, daß sich vor ihnen nichts anderes zu befinden schien als trockenes, von Büschen bewachsenes Hochland, das sich bis zum welligen Horizont hin erstreckte. Darüber hing ein blaßgelber, gnadenloser Himmel.

Endlich sank die Sonne, und der Himmel nahm ein helles Grün an. Madame ließ in der Nähe einer Felsspalte anhalten, wo sie sich wenigstens unbeobachtet erleichtern konnten. Madame führte Martha hinein, und als die beiden zurückkamen, war das Gesicht der alten Frau sehr ernst.

»Sie blutet wieder«, sagte sie zu Claude. »Sollen wir hierbleiben? Oder sollen wir noch einmal eine Tragbahre aus einem Bett machen?«

Sie entschieden sich für die Tragbahre. Solange noch Tageslicht war, wollten sie vorankommen. Nur noch ein paar Kilometer, und sie erreichten den Paß.

Sie setzten ihren Weg so fort, wie sie es bei dieser Expedition schon einmal getan hatten, einer an jeder Ecke der Bahre. Martha lag da, die Zähne auf die Unterlippe gebissen, Zwillingsflecke in grellem Rosa als Abzeichen ihrer tödlichen Krankheit auf den fahlen Wangen. Aber sie sagte nichts. Der Himmel verwandelte sich in Ultramarin und dann in Indigo, und die ersten Sterne erschienen. Sie konnten jedoch immer noch gut genug sehen, um weiterzuwandern, und so wanderten sie – höher und höher, näher an den Einschnitt heran.

Endlich hatten sie den Gipfel erreicht. Die vier Leute setzten die Tragbahre ab und halfen Martha auf die Füße, damit sie bei ihnen stehen und nordwärts blicken konnte. In etwa fünf Kilometern Entfernung und nur etwas niedriger als der Paß, wo sie ausruhten, war ein langer Wall. Er erhob sich aus dem Land hinter der Hügelkette in einem buchstäblichen Dschungel aus stacheligem Maquis-Gebüsch und krümmte sich auf beiden Seiten zu einem großen Bogen, der schließlich mit dem nördlichen Horizont verschmolz. Der nackte Rand des Kraters schimmerte blaß durch die Dämmerung.

Felice nahm Richards Kopf zwischen beide Hände, hob sich auf die Zehenspitzen und küßte ihn auf den Mund. »Du hast es geschafft! Genau auf die Nase getroffen, Bukanier-Baby – du hast es geschafft!«

»Da will ich doch verdammt sein«, sagte der Pirat.

»Ich denke anders.« Claudes breites, slawisches Gesicht zeigte ein hingerissenes Lächeln.

»Oh, Madame, das Schiffsgrab!« Marthas Stimme brach; Tränen stürzten aus ihren Augen. »Und jetzt ... jetzt ...«

»Jetzt werden wir unser Lager aufschlagen«, ordnete die praktische Französin an. »Wir werden uns gut ausruhen und neue Kräfte sammeln. Morgen beginnt unsere Arbeit erst richtig.«

Das Skelett lag, sorgfältig aufgebahrt, im Bauchabteil des fünften Fliegers, den sie inspizierten.

Im Unterschied zu den anderen Menschen, deren Luken geschlossen gewesen waren, stand das Grabmal Lugonns den Elementen weit offen. Lange Jahre hatten die Säugetiere, Vögel und Insekten des Maquis ungehinderten Zutritt gehabt. Felice war wie immer die erste auf der Bordleiter des fremden Flugzeugs gewesen. Ihrem Triumphgeschrei darüber, daß sie endlich die Überreste des Tanu-Helden gefunden hatten, folgte ein gequältes Heulen, das den anderen vier Mitgliedern der Expedition die Haare zu Berge stehen ließ.

»Er trägt keinen Ring! *Keinen Ring!*«

»Angélique!« rief Claude beunruhigt. »Kontrollieren Sie sie, damit sie da drinnen keinen Schaden anrichtet!«

»Kein ... Ring!« Ein Kreischen diabolischer Wut hallte in der Flugmaschine wider, vermischt mit Gepolter. Richard und Claude kletterten die Leiter hoch. Madame Guderian stand im Schatten eines Flügels des Metallvogels, die Augen aufgerissen, den Mund zu einer angestrengten Grimasse verzerrt, beide Hände um ihren goldenen Halsreif gekrallt. Sie brauchte jedes bißchen ihrer koerziblen Metafunktion, wenn sie Felice zurückhalten, den instinktiven Drang des Mädchens, die Quelle ihrer Enttäuschung zu zerstören, bezwingen wollte. Von rasender Enttäuschung angespornt, zitterten die latenten Fähigkeiten der Athletin am Rand der Operanz. Die Ultrasinne der alten Frau wurden bis zum äußersten belastet. Sie hielt fest, umklammerte das vulkanische Ding, das sich in ihrem mentalen Griff wand, während sie gleichzeitig mit ihrer telepathischen Stimme rief: Warte! Warte! Wir werden alle suchen! Warte!

Felice gab ihren Widerstand so plötzlich auf, daß Madame Guderian rückwärts taumelte und in Marthas schwachen Armen zusammenbrach.

»Okay!« rief Richard von oben herab. »Ich habe sie k.o. geschlagen. Sie ist bewußtlos.«

»Hat sie irgend etwas beschädigt?« fragte Martha und ließ Madame auf den staubigen Boden nieder.

»Hat nicht den Anschein«, antwortete Richard. »Komm rauf, Marty, und sieh dir die Sache selber an! Das ist ein Ding wie aus einem Märchen.«

Felice lag wie ein Bündel in der hinteren Ecke des Bauchabteils, das etwa drei mal sechs Meter maß. Es war ihr gelungen, Lugonns behelmten Schädel zu ergreifen und in einem Paroxysmus der Wut gegen das Steuerpult zu schmettern. Aber das Innere der alten Flugmaschine war so dick voll Staub, Tierkot und anderem organischen Abfall, daß das Re-

GIUSEPPE MANGONI

likt nicht zu Schaden gekommen war. Claude kniete nieder und legte den Kopf wieder an seinen Platz. Auf den Fersen hockend, betrachtete er die vor ihm liegende Legende.

Lugonns Rüstung, schwer mit Juwelen besetzt und mit Gold überzogen, war jetzt so getrübt und verkrustet, daß seine Knochen innerhalb der gegliederten Platten und Glasschuppen kaum zu erkennen waren. Der kristalline Helm, gekrönt mit einem seltsamen heraldischen Tier, war ein barockes und unglaublich kompliziertes Stück Kunsthandwerk – so großartig noch mit seinem Schmutzüberzug, daß man seinen praktischen Zweck, das Ableiten von Photonen-Strahlen, ganz vergaß. Vorsichtig hob Claude das Visier und löste die sich überlappenden Kragenplatten und an Scharnieren hängenden Wangenstücke. Lugonns Schädel war von einer großen Wunde verstümmelt, genau kreisförmig und mit einem Durchmesser von zwölf Zentimetern. Etwas hatte sich durch den Nasenansatz gebohrt und die Region des Hinterkopfes gegenüber den Augen zerstört.

»Soviel von der Geschichte stimmt also«, murmelte der alte Mann.

Er konnte der Versuchung nicht widerstehen, den Schädel nach nichtmenschlichen Eigenschaften zu untersuchen. Die meisten Unterschiede waren geringfügig, aber der Tanu hatte nur dreißig Zähne besessen, und er war auffallend langschädlig und von schwerem Knochenbau gewesen. Abgesehen von Anomalien im Verlauf bestimmter Schädelnähte und der mentalen Foramina, sah der Tanu-Schädel fast völlig humanoid aus.

Richard hielt Ausschau in dem Abteil. Er nahm die Lehmnester der Wespen, die an fast jeder Oberfläche klebten, die zerfetzte Schott-Isolierung, das freiliegende Keramik-Rahmenwerk einstmals luxuriösen Mobiliars zur Kenntnis. In einer der offenen vorderen Schleusen war sogar ein Bienenstock.

»Ja, wir haben keine Chance, das Ding vom Boden hochzukriegen. Wir müssen zu einem der anderen zurückkehren.«

Martha wühlte in dem Schutthaufen links von dem gerüsteten Skelett. Sie stieß einen befriedigten Ruf aus. »Sieh mal, hier! Hilf mir, es aus dem Müll zu graben, Richard!«

»Der Speer!« Er half ihr, den kompostierten Unrat beiseite zu räumen. In wenigen Minuten hatten die beiden ein schlankes Instrument freigelegt, das beinahe einen Meter länger als das große Skelett war. Ein Kabel nahe dem dicken Ende verband es mit einem großen, juwelenbesetzten Kasten, den Lugonn einst an der Taille getragen hatte. Die Gurte hatten sich aufgelöst, aber die glasige Oberfläche des Kastens und des Speers selbst schien nicht angegriffen zu sein.

Martha wischte sich die Hände an den Hüften ab. »Einwandfrei, das ist der Speer. Photonenwaffe und Energie-Aggregat. Vorsichtig mit den Knöpfen da auf der oberen Armlehne, Schatz! So verdreckt sie sind, könnten sie das Ding doch immer noch auslösen.«

»Aber wie«, wunderte sich Claude, »hat er den Speer auf sich selbst richten können?«

»Oh, um Christi willen«, stöhnte Richard. »Vergiß das und faß mit an, damit wir das Ding nach draußen bringen, bevor unsere goldlockige Vandalin aufwacht und von neuem zu randalieren beginnt!«

»Ich bin wach«, ließ sich Felice hören. Sie massierte ihre Kinnspitze, wo sich eine Schwellung bildete. »Es tut mir leid. Ich wollte nicht wieder die Beherrschung verlieren. Und ich nehme dir den Liebesklaps wirklich nicht übel, Captain Blood.«

Madame Guderian stieg langsam die Bordleiter herauf. Ihr Blick blieb kurz auf dem Skelett in seiner Glasrüstung haften und wanderte dann weiter zu Felice. »Ah, ma petite. Was sollen wir nur mit Ihnen anfangen?« Ihre Stimme war schwer von Traurigkeit.

Das Mädchen stand auf und grinste lausbubenhaft. »Ich habe bei meinem kleinen Temperamentsausbruch nichts wirklich kaputtgemacht. Und ich kann versprechen, daß so etwas nicht noch einmal passieren wird. Vergessen wir es!« Sie schlenderte im Innern des Fliegers herum, trat gegen die Unrathaufen. »Der Ring liegt vermutlich hier irgendwo. Vielleicht hat ihn ein Tier von dem Skelett weggetragen und anderswo im Schiff versteckt.«

Claude nahm das Energie-Aggregat und begann die Leiter hinunterzusteigen. Richard und Martha folgten ihm mit der immer noch angeschlossenen Waffe, da sie es nicht wagten, das Kabel zu lösen.

Madame betrachtete das Skelett. »Hier liegst du also, Leuchtender Lugonn. Tot, bevor die Abenteuer deines Volkes im Exil noch begonnen hatten. Dein Grabmal entweiht von den kleinen Tieren der Erde – und jetzt von uns.« Kopfschüttelnd wandte sie sich der Leiter zu. Felice eilte herbei, um der alten Frau zu helfen.

»Ich habe eine wundervolle Idee, Madame! Bei der Arbeit an dem Flugzeug und an dem Speer wäre ich doch zu nichts nütze. Wenn ich nun nicht für Aufgaben im Lager oder für die Jagd gebraucht werde, könnte ich hier saubermachen. Ich würde alles wieder schön in Ordnung bringen und seine goldene Glasrüstung polieren – und wenn wir gehen, können wir die Luke schließen.«

»Ja«, sagte Madame Guderian. »Das wäre sehr schicklich.«

»Ich bin bei meiner Suche nach dem Ring gezwungen, all diesen Unrat zu beseitigen«, setzte Felice hinzu. »Er muß hier irgendwo sein. Kein Tanu und kein Firvulag hätte gewagt, ihn zu nehmen. Ich weiß, ich werde ihn finden.«

Madame, die auf dem Boden stand, blickte zu Felice hoch – so klein, so wunderlich, so gefährlich. »Vielleicht. Aber wenn nicht? Was dann?«

Das Mädchen war ganz ruhig. »Nun, dann bleibt mir nichts übrig, als König Yeochee beim Wort zu nehmen, das ist alles.«

Richard meinte: »Wie wäre es, wenn du jetzt herunterkämst und uns helfen würdest, Kind? Du kannst mit deinem alten Astronauten soviel schäkern, wie du willst, sobald wir unser Werkstatt-Lager eingerichtet haben. Komm schon – wir kehren zu dem letzten Vogel in der Reihe zurück! Probierst du mal, ob du Speer und Zubehör allein schleppen kannst, ja? Für zwei Leute ist das Ding ungeschickt zu tragen.«

Felice sprang leichtfüßig aus der Bauchluke und hob das achtzig Kilogramm wiegende Aggregat mit einer Hand hoch. Claude und Richard brachten die lange Waffe auf ihrer anderen Schulter ins Gleichgewicht.

»Ich schaffe es schon«, sagte sie. »Aber Gott weiß, wie der

alte Knabe diese Erfindung bei einem Kampf benutzt hat. Muß das ein Kerl gewesen sein! Wartet nur, bis ich seinen Ring finde.«

Claude und Madame sahen sich einen Augenblick wortlos an. Sie halfen Martha, ihre Siebensachen zusammenzusuchen. Dann machten sie sich auf den einen Kilometer langen Weg entlang dem Kraterrand zu dem Flugzeug Nummer vier.

Madame bemerkte: »Wir haben Glück gehabt, daß wir den Speer so schnell fanden. Aber da ist noch ein weiterer Faktor, der es verhindern könnte, daß wir Finiah noch dies Jahr angreifen.«

»Und der wäre?« wollte Claude wissen.

»Die Frage, wer die alte Maschine beim Luftkampf fliegen soll.« Sie sah über die Schulter zu Richard hin, der Martha stützte. »Sie werden sich erinnern, daß er sich nur bereiterklärt hat, sie zurück in die Vogesen zu fliegen. Wenn wir für die Schlacht einen anderen Piloten ausbilden müssen ...«

Martha hatte natürlich jedes Wort gehört. Bestürzt wandte sie sich dem Ex-Raumfahrer zu.

Richard lachte kurz auf. »Madame, Sie beweisen es immer wieder. Sie sind keine Gedankenleserin. Glauben Sie wirklich, ich würde mir unseren kleinen Krieg entgehen lassen?«

Martha verstärkte ihren Griff und flüsterte ihm etwas zu. Madame sagte nichts – aber als sie sich von ihnen abwandte und den Marsch um den Kraterrand fortsetzte, lächelte sie.

Nach einer Weile ließ sich Richard hören: »Aber wir sollten noch etwas bedenken. Wäre es nicht am besten, uns zuerst auf die Reparatur des Fliegers zu konzentrieren und den Speer zurückzustellen, bis wir wieder zu Hause sind? Heute ist der 22. September, und der kleine König sagte, der Waffenstillstand beginne am 1. Oktober. Die Zeit wird *verdammt* knapp, wenn die Gespenster für ihre Mobilisierung eine Woche brauchen. Und wie ist es mit Ihren Leuten, Madame? Müssen nicht erst Pläne für den Einsatz der Eisenwaffen gemacht werden – vorausgesetzt, es sind welche da? Mir scheint, je schneller wir hier abziehen, desto mehr Zeit bleibt für die Vorbereitungen. Und in Ihrem Dorf könnte Martha von Amerie richtig ärztlich behandelt werden. Vielleicht wäre uns auch jemand wie Khalid Khan bei der Reparatur des Speers behilflich.«

Ausgerechnet Martha erhob Einspruch. »Vergiß nicht, daß wir den Speer *ausprobieren* müssen. Erst muß er funktionieren, dann irgendwie in das Flugzeug installiert und dann von der Luft aus getestet werden. Ist diese Phontonenwaffe so wirksam, wie ich es mir vorstelle, wird jeder Tanu mit einem Mikrogramm Fernwahrnehmung die atmosphärischen Auswirkungen entdecken, wenn wir sie innerhalb von 100 Kilometern um die Vogesen abschießen.«

»Gott, ja«, stimmte Richard niedergeschlagen zu. »Daran habe ich gar nicht gedacht.«

Madame entschied: »Wir müssen unser Bestes tun, um sowohl den Flieger als auch den Speer in Ordnung zu haben, bevor wir diesen Ort verlassen. Was die Leute zu Hause betrifft, so wollen wir uns darauf verlassen, daß Peo alle Vorbereitungen getroffen hat. Er kennt jede Nuance des Plans für Finiah. Bleibt uns auch nur noch ein Tag vor Beginn des Waffenstillstands, können wir den Angriff durchführen.«

»Dann los, an die Arbeit!« rief Felice. Sie setzte sich in Trab und ließ die anderen weit hinter sich. Sie sahen sie in der Nähe des nächsten Fliegers kurz winken, und dann schlug sie sich am äußeren Hang des Kraters in die Büsche. Als sie den großen Metallvogel erreichten, fanden sie den Speer ordentlich im Schatten der Tragfläche hingelegt. Daneben war die Botschaft in die Erde gekratzt: BIN JAGEN GEGANGEN.

»Aber was?« fragte Richard zynisch. Er und Martha stiegen die Leiter zu dem unbeschädigten Flugzeug hinauf, öffneten das einfache Lukenschloß und verschwanden im Innern.

8

Sie brauchten drei Tage, um den Flieger in die Luft zu bekommen.

Richard hatte in dem Augenblick, als er in die erste Maschine blickte, erkannt, daß diese fremden Flugzeuge gravo-magnetisch angetrieben wurden. Flugdeck und Passagierabteil des dreißig Meter langen Vogels hatten einfache Sessel – keine Andruckliegen. Ergo ein »trägheitsloser« Antrieb, die universale Energie für Flugzeuge und Unterlicht-Raumschiffe des Galaktischen Milieus, die unter scheinbarer Aufhebung der Trägheit fast augenblickliches Beschleunigen und Abbremsen ermöglichte. Es bestand eine ziemliche Wahrscheinlichkeit dafür, daß diese Aliens die Schlüsselkräfte des Universums auf ziemlich die gleiche »Cable-car«-Methode angezapft hatten wie die Ingenieure des Milieus. Richard und Martha hatten vorsichtig und unter Benutzung der Bordwerkzeuge einen der sechzehn Module des Apparats geöffnet, von dem sie hofften, daß er der Anzapf-Generator sei. Zu ihrer Erleichterung stellten sie fest, daß die Flüssigkeit darin tatsächlich Wasser war. Es spielte keine Rolle, daß die Dinger, die das Rhofeldnetz erzeugten, konzentrische Kugeln innerhalb von Kugeln statt der gestapelten kristallinen Plättchen der analogen Milieu-Erfindung waren; das Prinzip und die Funktionsweise mußten die gleichen sein. Wenn sie den Generator mit gutem altem aqua pura füllten, würde dieser fremde Vogel höchstwahrscheinlich fliegen.

Claude bastelte einen Destillier-Apparat zusammen und bewachte den emsig brodelnden Dekamol-Topf, während Richard und Martha den Kontrollschaltungen nachspürten und sich mit dem merkwürdigen Lebenserhaltungssystem vertraut machten, das imstande war, sich selbst wieder aufzuladen, sobald ein bißchen Wasser in das Energie-Aggregat eingespeist war. Nachdem Richard einen Tag mit den fremdartigen Kontrollen herumgespielt hatte, traute er sich zu, mit der Analyse allein weiterzukommen, so daß Martha ihre Zeit ganz auf den Speer verwenden konnte. Der Eventualität wegen, daß der Flieger während eines Bodentests explodierte, wurde das Lager aus Sicherheitsgründen auf eine ebene Lichtung im Maquis verlegt. Sie lag mehrere Kilometer tiefer am Hang als die Maschine, und es entsprang dort eine Quelle aus der Kraterwand.

Am Abend des dritten Tages verkündete Richard, als sie sich um das Lagerfeuer versammelten, die alte Maschine sei für ihren ersten Testflug bereit.

»Ich habe die meisten Flechten abgekratzt und alle Vogel-

und Insektennester aus den Triebwerken entfernt. Sie sieht so gut wie neu aus, auch wenn sie tausend Jahre lang am Boden gehockt hat.«

»Und die Kontrollen?« fragte Claude. »Bist du sicher, daß du sie ausklamüsiert hast?«

»Ich habe natürlich alle Stimmkontrollen abgeschaltet, da sie meine Sprache nicht kennen. Glücklicherweise haben die Fluginstrumente zumeist Bildkontrollen, so daß ich damit zurechtkomme. Den Höhenmesser kann ich nicht lesen. Es ist jedoch ein Bodenabstand- und Positionsmonitor vorhanden, der hübsche Bilder liefert – und Augäpfel sind sowieso vor Digitalanzeigen erfunden worden. Es ist hoffnungslos, das Zahlensystem entziffern zu wollen. Aber jede Anzeige ist mit drei Idiotenlampen ausgestattet – zyan, bernstein und violett für ›los‹, ›paß auf‹ und ›lebewohl‹. Deshalb dürften auch sie mir keine Schwierigkeiten machen. Das große Problem stellen die Tragflächen dar. Es ist verrückt, einem gravo-magnetischen Flugzeug Flügel anzukleben! Sie müssen ein kulturelles Relikt sein. Vielleicht hatten diese Leute einfach Spaß am Segeln!«

»Richard«, bat Martha atemlos, »nimm mich morgen mit!«

»Oh, Marty-Baby ...«, begann er.

Madame fuhr dazwischen: »Sie dürfen nicht, Martha! Es ist ein Risiko, auch wenn Richard zuversichtlich ist.«

»Madame hat recht.« Richard ergriff Marthas Hand. Sie war kalt, trotz des warmen Abends. Das Licht des Feuers warf grausame Schatten auf die Augen und eingesunkenen Wangen der Ingenieurin. »Sobald ich die Maschine durchgecheckt habe, fliegen wir zusammen. Versprochen. Wir müssen aufpassen, daß dir nichts zustößt, Kind ... Wer soll den verdammten Speer sonst wieder zusammensetzen?«

Martha rückte näher an Richard heran und blickte ins Feuer. »Ich glaube, der Speer wird funktionieren. Das Energie-Aggregat ist halb aufgeladen, was wirklich bemerkenswert ist, und von den kleinen Innenteilen des Schafts scheint keins beschädigt zu sein. Am schwierigsten war es, den Schaft zu säubern und das zerbissene Kabel zu ersetzen. Ein Glück, daß wir in dem Flugzeug verwendbares Material gefunden haben. Ich brauche noch einen Tag, um die Arbeit zu beenden und die Teile wieder zusammenzusetzen, und dann können wir den Speer testen und mit Übungen beginnen.«

»Wie wirksam wird er Ihrer Meinung nach sein?« erkundigte sich Claude.

»Ich glaube, es stehen verschiedene Möglichkeiten zur Wahl«, antwortete die Ingenieurin. »Die niedrigste Einstellung ist die einzige, die keine Verschlußklappe hat, deshalb werden wohl damit ihre rituellen Kämpfe ausgeführt worden sein. Die Wirksamkeit schätze ich auf die einer leichten Pistole. Die vier höheren Einstellungen mit Verschlußklappen müssen besonderen Zwecken gedient haben. Die oberste macht aus dem Speer eine tragbare Photonen-Kanone.«

Richard pfiff.

»Wir dürfen ihn aber nicht mit maximaler Leistung testen, um die Energie nicht ganz zu verbrauchen«, gab Martha zu bedenken.

»Ist es nicht möglich, ihn wieder aufzuladen?« fragte Richard.

»Ich bekomme das Aggregat nicht auf«, gestand sie. »Dazu ist ein Spezialwerkzeug erforderlich, und ich hatte Angst herumzuexperimentieren. Uns bleibt nichts übrig, als daß wir uns den großen Schuß für den Krieg aufsparen.«

Die knorrigen Zweige des Maquis brannten mit einem stechenden Harzgeruch. Sie knackten und sprühten Funken, die immer wieder erstickt werden mußten. Nur wenige Insekten summten in dem ausgedörrten Dschungel. Wenn es ganz dunkel geworden war, würden die in diesem Gebiet verbliebenen Vögel und kleinen Säugetiere an die Quelle zum Trinken kommen. Dann konnten Felice und ihr Bogen Essen für morgen beschaffen.

Die blonde Athletin sagte: »Ich habe Lugonns Flieger jetzt beinahe sauber. Von dem Ring keine Spur.«

Nur Martha brachte es fertig, Bedauern zu äußern.

Richard meinte: »Die Dinger sollten massenhaft herumliegen, wenn wir in Finiah siegen. Du brauchst nicht bei dem kleinen König um einen Ring zu betteln. Bück dich auf dem Schlachtfeld und heb einen auf!«

»Ja«, seufzte Felice.

»Wie willst du den Speer montieren, Richard?« erkundigte Claude sich. »Ich kann mir nicht vorstellen, wie wir in der kurzen Zeit, die uns bleibt, eine Vorrichtung bauen sollen, mit der der Pilot ihn auslösen kann.«

»Es gibt im Grunde nur eine Möglichkeit. Ich lasse den Flieger schweben, und jemand schießt aus der offenen Bauchluke. Sicher können wir einen von Häuptling Burkes Kriegern dafür ...«

Der alte Mann erklärte leise: »Jeder Exopaläontologe weiß mit großen Photonenwaffen umzugehen. Was glaubst du, wie wir die Felsen zerschneiden, um die Funde herauszuholen? Ich habe meinerzeit nicht wenige Klippen gespalten – dann und wann sogar einen Berg versetzt, um an einmalige Fossilien zu gelangen.«

Richard lachte vor sich hin. »Ich will verdammt sein. Okay, du bist angeheuert. Wir werden eine Zwei-Mann-Crew bilden.«

»Drei«, berichtigte Madame. »Mich brauchen Sie, damit ich einen metapsychischen Schirm für den Flieger erzeuge.«

»Angélique!« protestierte Claude.

»Anders geht es nicht«, stellte sie fest. »Velteyn und seine Fliegende Jagd würden Sie dort schweben sehen.«

»Sie gehen nicht!« wetterte der alte Mann. »Kommt gar nicht in Frage! Wir nähern uns Finiah in großer Höhe, fallen senkrecht hinunter und überraschen sie.«

»Das klappt nicht.« Madame war unbeugsam. »Man wird Sie in der Luft entdecken. Wir können nur dann hoffen, sie zu überraschen, wenn ich die Maschine während der einleitenden Manöver metapsychisch verberge. Ich muß mitkommen. Mehr ist darüber nicht zu sagen.«

Claude stellte sich auf die Füße und stand hochaufragend über ihr. »Doch, zum Teufel! Glauben Sie, ich ließe Sie mitten in einen Luftkampf hineinfliegen? Richard und ich haben eine Chance von eins zu hundert, mit heiler Haut davonzukommen. Wir werden jedes Gramm an Konzentration brauchen, um unsere Aufgabe zu erfüllen und zu verschwinden. Wir können es uns nicht leisten, uns Sorgen um Sie zu machen.«

»Tschah! Machen Sie sich Sorgen um sich selbst. Radoteur!

Wer ist Anführer dieser Gruppe? C'est moi! Wessen Plan ist es, de toute façon? Meiner! Ich komme mit!«

»Das lasse ich nicht zu, Sie sture alte Geiß!«

»Versuchen Sie, mich daran zu hindern, Sie seniler Yankee-Polacke!«

»Xanthippe!«

»Salaud!«

»Nervensägende alte Fledermaus!«

»Espèce de con!«

»Haltet den Mund, verdammt nochmal!« donnerte Felice. »Ihr beiden seid genauso schlimm wie Richard und Martha!«

Der Pirat grinste, und Martha wandte sich ab. Sie biß sich auf die Lippen, um ihr Lachen zu ersticken. Claudes Gesicht verdunkelte sich vor Verlegenheit und Wut, und Madame verlor vor Schreck ihre hauteur.

Richard sagte: »Jetzt hören Sie mir beide einmal zu! Das Rho-Feld des Anzapfgenerators wird die Mitglieder der Tanu-Jagd daran hindern, das Flugzeug zu berühren. Es wird wahrscheinlich Lanzen und Pfeile und andere Geschosse ablenken. Deshalb brauchen wir uns im Grunde nur um eins Sorgen zu machen, nämlich einen mentalen Angriff. Unsere einzige Hoffnung, ihm zu widerstehen, liegt in Madames metapsychischem Schirm.«

»Wenn ich einen Ring hätte ...«, murmelte Felice.

Richard fragte Madame: »Wie lange halten Sie es gegen eine ganze Horde von ihnen aus?«

»Das weiß ich nicht«, gestand sie. »Wir werden als Dampf getarnt sein, bis wir die ersten Feuerstöße auf die Stadtmauern abgeben können. Dann wissen sie, daß ein Feind da ist, und viele schließen sich zusammen, um ihre geistigen Kräfte gegen meinen kleinen Schirm zu richten. Er wird bestimmt durchbohrt. Wir wollen hoffen, daß das erst geschieht, wenn wir die Mine bereits vernichtet haben.«

»Übrigens, wie schnell kann Velteyns Verein fliegen?« fragte Richard.

»Nicht viel schneller als ein Chaliko in vollem Galopp. Dieser Tanu-Champion ist fähig, sein eigenes Reittier und die von einundzwanzig Kriegern durch Psychokinese zu levitieren. Es gibt nur noch einen, der so etwas vollbringt, und das ist Nodonn, der Tanu-Schlachtenmeister und Lord von Goriah in der Bretagne. Er kann fünfzig tragen. Die meisten levitieren nur sich selbst, und ein paar nehmen noch eine oder zwei weitere Personen mit. Aber keiner ist außer diesen beiden stark genug, viele Reiter in die Luft zu heben.«

»Wenn ich einen Ring hätte!« jammerte Felice. »Oh, wartet! Wartet nur!«

»Die Jagd wird gar nicht zum Fliegen kommen«, polterte Richard. »Zwei Schüsse, um die Mauer an beiden Enden der Stadt zu zerstören, vielleicht einen für das Tanu-Wohnviertel, um den Feind zu demoralisieren, dann den großen Schuß auf die Mine. Wenn dieser Speer wirklich eine tragbare Kanone ist, schmelzen wir sie zu einem Schlackenhaufen zusammen.«

»Und kehren selbst heil nach Hause zurück.« Claude blickte ins Feuer. »Während unsere Freunde den Kampf auf dem Boden ausfechten müssen.«

»Velteyn wird versuchen, seinen Herrschaftsbereich zu verteidigen«, warnte Madame. »Er ist außergewöhnlich stark in der Kreativität, und in seiner Gesellschaft sind mächtige Koerzierer. Die Gefahr ist groß. Trotzdem werden wir gehen. Und wir werden siegen.« Es knackte laut. Ein Stück Feuerholz flog wie ein Meteor durch die Luft und landete vor der alten Frau. Sie stand auf und trat es mit aller Gründlichkeit aus. »Ich glaube, es ist Zeit, daß wir uns zurückziehen. Morgen wollen wir früh aufstehen, um Richards Testflug mitzuerleben.«

Martha erhob sich von ihrem Platz und sagte zu Richard: »Komm auf einen kleinen Spaziergang mit mir, bevor wir zur Ruhe gehen!«

»Bewahren Sie Ihre Kräfte, chérie!« riet Madame ihr.

»Wir werden nur ein Stückchen gehen«, antwortete Richard.

Er legte einen Arm um die Taille der Ingenieurin, um sie zu stützen. Sie verließen den Kreis des Feuerscheins, wo die anderen sich noch unterhielten, und gingen zur entgegengesetzten Seite der Lichtung. Nur Sterne beleuchteten das Maquis-Dickicht, denn die schmale Mondsichel war untergegangen. Hinter ihnen stieg der überwachsene Abhang mit seinem schmalen Pfad zum Kraterrand empor. Sie konnten den reparierten Flieger nicht sehen, aber sie wußten, da oben wartete er.

»Wir sind glücklich gewesen, Richard. Kann man sich so etwas vorstellen? Ein Paar wie wir.«

»Zwei von einer Sorte, Marty. Ich liebe dich, Baby. Ich hätte nie gedacht, daß es passieren könnte.«

»Du brauchst nichts weiter als ein Mädchen mit gutem, altmodischem Sex-appeal.«

»Närrchen«, sagte er und küßte ihre Augen und ihre kalten Lippen.

»Wenn alles vorbei ist – glaubst du, dann könnten wir zurückkommen?«

»Zurück?« wiederholte er verständnislos.

»Nach dem Angriff auf Finiah. Du weißt, wir müssen weitere Leute darin unterrichten, die Maschine zu fliegen und zu warten – für die nächsten beiden Phasen von Madames Plan. Aber über diese Fortsetzung des Kriegs brauchen wir uns keine Gedanken zu machen. Wir haben unsere Schuldigkeit getan. Wir könnten uns hierher zurückfliegen lassen, und dann ...«

Sie wandte sich ihm zu, und er nahm sie in die Arme. Sie war zu schwach und zu gequält von Krämpfen und Blutungen, als daß sie noch einmal einen Geschlechtsverkehr ausgehalten hätte, aber trotzdem bestand sie darauf, ihn zu trösten. Sie teilten eine der Dekamol-Hütten und hielten sich jede Nacht in den Armen.

»Sorg dich nicht, Marty. Amerie wird dich wieder ganz in Ordnung bringen. Irgendwie kehren wir hierher zurück und reparieren einen Flieger nur für uns beide und suchen uns einen schönen Ort zum Leben. Keine Tanu mehr, keine Firvulag, keine Heuler mehr, überhaupt keine Leute mehr. Nur du und ich. Wir werden einen Ort finden. Das verspreche ich dir!«

»Ich liebe dich, Richard«, sagte sie. »Was auch geschehen mag, das haben wir gehabt.«

Am Morgen winkte Richard den anderen zum Abschied und kletterte zu der Stelle hinauf, wo der Vogel stand. Trotz allen

Abkratzens sah er immer noch ziemlich unansehnlich aus, aber das würde sich bald ändern.

Richard setzte sich auf den Platz des Piloten und tätschelte die Konsole wie ein Reiter, der ein nervöses Pferd beruhigt. »O du schönes, hängenasiges, drehflügeliges Ding. Du wirst doch den alten Käpt'n nicht im Stich lassen? Natürlich nicht. Heute fliegen wir!«

Er schaltete ein und ging die Checkliste durch. Das vertraute, süße Summen der Rhofeld-Generatoren erfüllte das Flugdeck, und er grinste bei dem Gedanken an die mikroskopischen thermonuklearen Reaktionen, die sich in allen sechzehn Leitungen abspielten, bereit, ein Netz subtiler Energien zu weben, das den Metallvogel aus der Gewalt der Schwerkraft befreite. Alle Idiotenlampen der Maschine zeigten Zyan für LOS. Das Flugzeug noch fest auf dem Boden haltend, gab er Energie ins Außennetz. Die schorfige Haut des Vogels glühte unter der gleißenden Sonne in schwachem Purpur, als das Rhofeld-Netz sie locker umhüllte. All der Dreck, den er nicht hatte entfernen können, bröckelte ab und hinterließ eine Oberfläche aus glattem, kerametallischem Schwarz – genau das, was man von einem Flugzeug mit Orbiter-Fähigkeit erwarten würde.

Richard schaltete das Lebenserhaltungssystem zu. O ja – kleine bläulich-grüne Lichter sagten ihm, daß das Schiff sein Leben, ganz gleich, wohin es ihn trug, erhalten werde. Langsam das Außennetz verstärken. Die Flügel auf Minimum einziehen, bis du dich daran gewöhnt hast. Es hat keinen Zweck, bei diesem Jungfernflug eine Übersteuerung zu riskieren und dich dann wie eine angeschossene Ente über den ganzen Himmel zu wälzen. Du mußt das mit Stil machen, Captain Voorhees.

Okay ... okay ... und *hinauf!*

Senkrecht hinauf und in den Horizontalflug bei einigen hundert Metern nach der Anzeige des nicht zu entziffernden Höhenmessers. Sagen wir, es sind 400. Der Ries-Krater unten war eine große blaue Tasse, und um seinen westlichen Rand standen Vögel mit gespreizten Flügeln, die höflich auf die Erlaubnis zum Trinken warteten. Es waren zweiundvierzig. Einer fehlte an der Stelle, wo ein Stück des Randes bei einem

Erdrutsch eingebrochen war, und an dem leeren Platz hatte sein eigenes Flugzeug gestanden.

Bei diesen verdammten Tragflächen durfte der Wind ihn nicht packen, wenn er schwebte! Er sollte sich lieber bewegen. Langsam ... langsam ... auf den Flügel stellen ... hochreißen. Eine Acht und eine senkrechte Fünf und Stop und Start und Sturzflug und Gleiten und Pendelbogen und – verdammt, er schaffte es!

Unten auf dem Boden sprangen vier kleine Gestalten auf und ab. Richard brachte die glaubwürdige Imitation eines Wackelns zustande, um ihnen zu zeigen, daß er sie gesehen hatte. Dann lachte er laut heraus.

»Und nun, meine Freunde, lebt wohl, denn ich muß euch verlassen! Die kurzen Flüge heben wir uns für später auf. Jetzt wird sich der alte Kapitän selbst ein paar Stunden darin geben, wie er diese Flugmaschine fliegen muß!«

Er verstärkte das Rho-Feld auf volles trägheitsloses Netz, steckte dem Vogel eine Klette unter den Schwanz und schoß hoch in die Ionosphäre.

9

Würden Freiwillige kommen?

Als der September sich seinem Ende zuneigte und die Vorbereitungen im Dorf bei den Verborgenen Quellen abgeschlossen waren, gab es keine wichtigere Frage mehr unter den Gefolgsleuten von Madame Guderian. Ihr Einfluß – und auch die Segnungen ihrer Firvulag-Menschen-Entente – reichte kaum über die kleinen Siedlungen der Vogesen und die Wildnis der oberen Saône hinaus. Dies Gebiet konnte nicht mehr als 100 Kämpfer aufbringen. Die Kommunikation mit anderen Enklaven der Geringen war minimal. Zuviele Gefahren drohten von der Jagd, Grauring-Patrouillen, Heulern und sogar den nominellen Untertanen König Yeochees, die den Brauch, Menschen zu quälen, nur ungern aufgaben.

Bevor sie Hoch-Vrazel verließen, hatten Madame und Häuptling Burke dies Problem mit Pallol Einauge, dem listigen alten Schlachtenmeister der Gestaltwandler, diskutiert. Man war einer Meinung gewesen, daß nur die Firvulag weiter entfernt wohnende Menschen rekrutieren konnten. Nur den Illusionsspinnern war es möglich, Gruppen von Geringen aus fernen Dörfern rechtzeitig für den Angriff auf Finiah zu den Verborgenen Quellen zu geleiten. Aber alle waren sich klar darüber, daß mehr notwendig war als ein einfacher Ruf zu den Waffen, um skeptische Menschen aus ihren Sümpfen oder Bergfestungen loszusprengen – besonders wenn die Einladung zum Krieg von den kleinen Fremden überreicht wurde.

Madame und Peo hatten gemeinsame Aufrufe auf AV-Briefplatten niedergelegt und sie Pallol übergeben. Doch die Firvulag-Boten mußten ihre Glaubwürdigkeit unter Beweis stellen können, und zu diesem Zweck einigten sie sich auf eine bestimmte Strategie, die der Schlachtenmeister vorgeschlagen hatte. Zum gleichen Zeitpunkt, als Madames Expedition nach dem Schiffsgrab Hoch-Vrazel verließ, hatten sich ausgewählte Firvulag-Teams, darunter König Yeochees taktvollste Schiedsrichter des Großen Wettstreits, nach Süden und Westen auf die Reise gemacht, um alle Geringen der bekannten Welt zu der Teilnahme am Krieg gegen Finiah aufzurufen.

Die Kleinen Leute gingen beladen mit Geschenken. Und es geschah, daß ein paar einsame Hütten, die sich dicht aneinandergedrängt zwischen den Vulkanen des Massif Central versteckten, des Nachts von guten Feen besucht wurden. Beutel mit feingemahlenem Mehl, Flaschen mit Honig und Wein, fetter Käse, Süßwaren und andere seltene Schleckereien erschienen geheimnisvoll auf menschlichen Türschwellen. Fehlende Gänse und Schafe fanden, man wußte nicht wie, den Weg zurück in ihre Pferche; sogar verlaufene Kinder wurden von Schmetterlingen oder Irrlichtern sicher nach Hause geleitet. Auf den Berghängen des Jura mochte ein schlecht gegerbtes Rotwildfell, das an die Hüttenwand eines Geringen geheftet war, verschwinden, und an seiner Stelle entdeckten die entzückten Bewohner gut gearbeitete Stiefel, Pelzwesten und butterweiche Wildlederkleider. Tief in den Sümpfen des Pariser Beckens stellten die Moorbewohner oft fest, daß verfaulende Kähne gegen neue Dekamol-Dinghies, von Tanu-Karawanen gestohlen, ausgetauscht worden waren. Große Netze mit Wassergeflügel wurden zurückgelassen, wo menschliche Jäger sie finden konnten. Plastikbehälter mit Insektenschutzmitteln aus Überlebensausrüstungen, kostbarer als Rubine, erschienen auf den Fenstersimsen der Pfahlbauten in den Marschen, an die kein Vorübergehender hätte reichen können. In vielen Siedlungen von Geringen waren die Menschen verblüfft, wenn schwere Arbeiten von unsichtbaren Helfern getan worden waren. Kranke Leute wurden von Elfenfrauen gepflegt, die im Morgengrauen verschwanden. Zerbrochene Dinge wurden repariert, leere Speicher gefüllt, und immer gab es Geschenke, Geschenke, Geschenke.

Als die Firvulag-Boten es schließlich wagten, in Person zu erscheinen und den atemberaubenden Plan Madame Guderians (die natürlich allen Flüchtlingen bekannt war) darzulegen, waren die Geringen zumindest bereit, zuzuhören. Eine kleinere Zahl war willens, an dem Kampf teilzunehmen, denn es gab viele emotional Ausgebrannte und körperliche Krüppel sowie einen beträchtlichen Prozentsatz solcher unter ihnen, denen nur an der eigenen Haut gelegen war. Aber die Mutigeren, die Gesünderen und die idealistischer Eingestellten wurden angefeuert von dem Gedanken, einen Schlag gegen die verhaßten Tanu zu führen, während andere sich zur Teilnahme an dem Angriff bereiterklärten, als das Thema der Beute diplomatisch angeschnitten wurde. Nun begannen die Firvulag-Gesandten zurückzukehren, und die Leute im Dorf bei den Verborgenen Quellen gerieten außer sich vor Freude, weil sie insgesamt fast 400 Männer und Frauen mitbrachten, die sie an so weit entfernten Orten wie Bordeaux und Albion und den Gezeiten-Marschen der Anversischen See angeworben hatten. Sie wurden im Namen der freien Menschheit willkommen geheißen, kurz ausgebildet und mit Waffen aus Bronze und Vitredur versehen. Keiner der Neuankömmlinge, so war vereinbart worden, sollte bis zum Tag des Angriffs von dem Eisen erfahren, und nur die fähigsten freiwilligen Kämpfer sollten mit dem kostbaren Metall bewaffnet werden.

Das geheime Sammellager in den Rheinniederungen gegenüber von Finiah war Mitte der letzten Septemberwoche fertiggestellt. Krieger der Geringen und ein Kontingent auserwählter Firvulag-Recken standen bereit, den Fluß in Segelbooten, die den Kleinen Leuten gehörten, zu überqueren. Die Tarnung der Boote als Nebelbänke würde halten, wenn nicht gerade ein besonders begabter Tanu bewußt versuchte, sie zu durchdringen. Eine zweite Firvulag-Truppe war weiter stromaufwärts in einem zweiten Lager versteckt und sollte am zweiten Durchbruch in der Stadtmauer, ungefähr gegenüber der Stelle des Hauptangriffs, zuschlagen.

Taktik und Ziele standen fest, die logistischen Vorbereitungen waren abgeschlossen. Man wartete nur noch auf die Ankunft von Lugonns Speer.

»Die Jagd fliegt heute nacht, Peopeo Moxmox Burke.«

Es war sehr dunkel in dem Zypressensumpf, denn der Mond war untergegangen. Häuptling Burke stellte sein Nachtglas auf das Treiben am jenseitigen Ufer ein. Die hohe, schmalhalsige Halbinsel, auf der die Tanu-Stadt thronte, flammte wie immer in einem unglaublichen Überfluß farbiger Lichter. Pallol Einauge mit seinem viel schärferen Sehvermögen hatte bereits entdeckt, was der Häuptling jetzt durch sein Glas erspähte: Eine glühende Prozession erhob sich von der obersten Brustwehr von Haus Velteyn. Langsam spiralte sie auf den Zenit zu. Die Gestalten der Fliegenden Jagd waren noch bei dieser Entfernung von zwei Kilometern deutlich zu unterscheiden. Tanu-Reiter, deren facettierte Rüstungen in allen Farben des Regenbogens blitzten, ritten auf großen weißen Chalikos. Die Beine der Tiere stampften bei ihrem Galopp durch die Nachtluft im gleichen Takt. Es waren einundzwanzig Ritter in dem Zug und einer, der sie anführte. Sein sich bauschender Mantel flatterte wie ein Kometenschweif aus Silberdampf hinter ihm her. Aus der Ferne klangen die schwachen Töne eines Horns herüber.

»Sie wenden sich nach Süden, Schlachtenmeister«, sagte Burke.

Pallol Einauge neben ihm nickte. Er hatte 600 Winter auf seiner eigenen fernen Welt und mehr als tausend Umläufe der fast jahreszeitlosen Pliozän-Erde erlebt. Er war größer als der Indianer und fast doppelt so massig, und er bewegte sich so geschmeidig wie der mannsgroße schwarze Otter des Uferdschungels, dessen Gestalt, auf das Dreifache vergrößert, er oft annahm. Sein rechter Augapfel war golden, mit einer tiefroten Iris; das linke Auge war hinter einer juwelenbesetzten schwarzen Lederklappe verborgen. Es wurde davon geflüstert, daß der Glanz dieses Auges, wenn er die Klappe in der Schlacht lüftete, tödlicher sei als ein Blitzschlag – was bedeutete, daß das zerstörerische Potential der Kreativität seiner rechten Gehirnhälfte unter Firvulag und Tanu nicht seinesgleichen hatte. Aber jetzt war Pallol Einauge ein reizbarer Alter. Seit zwanzig Jahren hatte er sich nicht mehr herabgelassen, seine Obsidian-Rüstung bei einem Großen Wettstreit zu beschmutzen, denn er konnte die alljährliche Demütigung seines Volkes einfach nicht ertragen. Madame Guderians Plan, Finiah anzugreifen, hatte er leicht belustigend gefunden, und einer Mitwirkung der Firvulag hatte er erst zugestimmt, als sowohl Yeochee als auch Sharn-Mes, der junge Champion, sich zu einer Unterstützung der Geringen entschlossen. Pallol erklärte, er wolle dem Unternehmen seinen Rat leihen, und das hatte er auch getan. Aber es war unvorstellbar, daß er persönlich bei etwas mitwirken würde, das er »Madames kleinen Krieg« nannte. Wahrscheinlich wurde der Angriff sowieso auf unbestimmte Zeit verschoben, wenn die Dame nicht mit den unbedingt erforderlichen Gegenständen zurückkehrte. Und selbst wenn sie den Speer brachte, wie konnten bloße Menschen hoffen, ihn wirksam gegen die Bravos Lord Velteyns einzusetzen? Es war eine Waffe für einen Heros! Und es war nur zu wahr, daß Heroen in dieser kraftlosen jüngeren Generation Mangelware darstellten.

»Jetzt überqueren sie den Rhein – fliegen westwärts auf die Belfort-Kluft zu«, sagte Burke. »Zweifellos haben sie vor, die letzte Karawane zu begleiten, die vor dem Waffenstillstand von der Torburg abgeht.«

Wieder antwortete Pallol nur durch ein Nicken.

»Die Tanu können keine Ahnung von unsern Vorbereitungen haben, Schlachtenmeister. Wir haben dabei keinen Fehler gemacht.«

Diesmal lachte Pallol. Es war ein kratziger Laut wie sich

reibende Lavablöcke. »Finiah leuchtet hell über den Fluß, Anführer der Menschen. Beglückwünschen Sie sich nicht zu früh zum Löschen seiner Lichter. Madame Guderian wird nicht zurückkehren, und all dies Pläneschmieden gegen den ringtragenden Feind wird vergeblich gewesen sein.«

»Vielleicht, Schlachtenmeister. Aber auch wenn wir nicht kämpfen, haben wir Dinge vollbracht, von denen wir uns früher nicht hätten träumen lassen. Fast fünfhundert Geringe wurden für eine gemeinsame Sache zusammengebracht. Noch vor einem Monat wäre so etwas nur eine müßige Gedankenspielerei gewesen. Wir waren verstreut und voller Angst, und die meisten waren ohne Hoffnung. Aber das ist anders geworden. Wir wissen, es gibt eine Möglichkeit, die Tanu-Herrschaft über die Menschheit zu brechen. Wenn ihr Firvulag uns helft, schaffen wir es früher. Aber selbst wenn ihr das Bündnis brecht, selbst wenn Madame den Speer dieses Jahr nicht bringt, werden wir uns von neuem zum Kampf sammeln. Nie wieder werden die Menschen zu ihren von Furcht diktierten Gewohnheiten zurückkehren. Hat Madame keinen Erfolg, gehen andere von uns auf die Suche nach dem Schiffsgrab. Wir werden diese alte Waffe finden und sie funktionsfähig machen – etwas, das Ihre Leute niemals fertigbrächten. Und wenn der Speer verschwunden ist – wenn wir ihn niemals finden –, benutzen wir andere Waffen, bis die Tanu-Sklavenherren geschlagen sind.«

»Sie meinen, Sie werden das Blutmetall verwenden«, sagte Pallol.

Häuptling Burke schwieg ein Dutzend Sekunden lang. »Sie wissen von dem Eisen.«

»Die Sinne der Ringträger mögen so stumpf sein, daß sie Maschinen brauchen, um das tödliche Metall auszuschnüffeln – aber nicht die der Firvulag! Ihr Lager stinkt nach Eisen.«

»Wir werden es nicht gegen unsere Freunde gebrauchen. Ihr habt nichts zu befürchten, es sei denn, ihr plant Verrat. Die Firvulag sind unsere Verbündeten, unsere Waffenbrüder.«

»Die Tanu-Feinde sind unsere echten Brüder, und doch will es unser Schicksal, daß wir in Ewigkeit gegen sie kämpfen. Kann es zwischen Firvulag und Menschen anders sein? Diese Erde ist dazu bestimmt, euch zu gehören, und das wißt ihr. Ich glaube nicht, daß die Menschheit sich damit zufriedengeben wird, mit uns zu teilen. Ihr werdet uns niemals Brüder nennen. Ihr werdet uns Eindringlinge nennen und versuchen, uns zu vernichten.«

»Ich kann nur für mich selbst sprechen«, erwiderte Burke, »da mein Stamm, die Wallawalla, mit meinem Tod ausstirbt. Aber es wird unter den Menschen keinen Verrat an verbündeten Firvulag geben, solange ich General der Geringen bin, Pallol Einauge. Ich schwöre es auf mein Blut – das so rot ist wie das Ihre. Und ob ihr niemals unsere Brüder sein werdet – das ist eine Sache, über die ich noch nachdenke. Es gibt viele verschiedene Grade der Verwandtschaft.«

»Genauso dachte unser Schiff«, seufzte der alte Champion. »Es brachte uns hierher.« Er legte den großen Kopf zurück und blickte zum Himmel auf. »Aber warum? Es gibt so viele andere gelbe Sterne im Universum, so viele mögliche Planeten – warum hierher zu euch? Das Schiff war instruiert, die *beste* Welt auszuwählen.«

»Vielleicht«, sagte Peopeo Moxmox Burke, »sah das Schiff weiter in die Zukunft als Sie.«

Den ganzen Tag lang hatten die Raubvögel gekreist. Sie nutzten die Aufwinde über dem Vogesen-Waldland in einer regelrechten Pyramide, und die meiste Zeit hielten sie sich in der Höhe, die ihrer Spezies anstand. Zuunterst drehte sich ein Rad aus kleinen, schwalbenschwänzigen Weihen. Über ihnen schwebte ein Paar bronzefarbener Bussarde. Die feuerrückigen Adler kamen als nächste, und dann kam ein einsamer Lämmergeier, der mächtigste der Knochenbrecher. Die Spitze hielt der Vogel, der mit der den ganzen Tag dauernden Wache begonnen und alle anderen nachgezogen hatte. Auf regungslosen Fittichen hielt er sich in einer solchen Höhe, daß er für Beobachter auf dem Boden kaum noch sichtbar war.

Schwester Amerie betrachtete die Vögel durch die dünnen Zweige einer Steinkiefer. Ihre lohfarbene Katze hielt sie auf dem Arm. »›Wo ein Aas ist, sammeln sich die Geier.‹«

»Sie zitieren die christlichen Schriften«, sagte Old Man Kawai und beschattete seine Augen mit zitternder Hand. »Glauben Sie, die Vögel sind echt hellsichtig? Oder hoffen sie nur, so wie wir es tun? Es ist spät – so spät!«

»Beruhigen Sie sich, Kawai-san. Wenn sie heute abend kommen, bleibt den Firvulag noch ein ganzer Tag von vierundzwanzig Stunden, am Kampf teilzunehmen. Das sollte reichen. Und ziehen sich unsere Verbündeten übermorgen bei Sonnenaufgang zurück, können wir mit Hilfe des Eisens immer noch siegen.«

Der alte Mann regte sich weiter auf. »Was mag Madame aufhalten? Es war eine so dürftige Hoffnung. Und wir haben hier in der Erwartung, daß die Hoffnung sich erfülle, so schwere Arbeit geleistet!«

Amerie streichelte die Katze. »Wenn sie vor dem Morgengrauen eintreffen, kann der Angriff immer noch nach dem zweiten Alternativplan durchgeführt werden.«

»Ja, wenn sie eintreffen. Haben Sie an das Navigationsproblem gedacht? Richard muß zuerst zum Dorf bei den Verborgenen Quellen. Aber wie will er es finden? Aus der Luft müssen diese kleinen Bergtäler alle so ziemlich gleich aussehen, und unseres ist wegen der Jagd getarnt. Richard wird nicht einmal bei Tageslicht imstande sein, unsere Schlucht von anderen zu unterscheiden, wenn er sich in großer Höhe nähert. Und in geringer Höhe zu suchen, wagt er nicht, weil der Feind ihn entdecken könnte.«

Amerie war geduldig. »Madame wird das Schiff natürlich auf mentale Weise verbergen. Nur keine Aufregung, dies ständige Sichsorgen ist schlecht für Ihre Gesundheit. Hier – kraulen Sie die Katze. Das ist sehr beruhigend. Beim Streicheln des Fells erzeugen Sie negative Ionen.«

»Ah so, desu ka?«

»Wir können hoffen, daß der Flieger mit Infrarot-Suchgeräten für den Nachtflug ausgestattet ist, gerade wie unsere Eier des 22. Jahrhunderts. Zwar sind unsere Kämpfer alle am Rhein, aber hier bei den Verborgenen Quellen sind immer noch dreißig warme Körper. Richard wird uns schon finden.«

Old Man Kawai sog den Atem ein. Ein schrecklicher Gedanke neuer Art schoß ihm durch den Kopf. »Die metapsychische Abschirmung des Flugzeugs! Wenn sein Volumen mehr als rund zehn Kubikmeter beträgt, kann Madame es gar nicht in unsichtbarem Zustand halten. Sie wird nur imstande sein, es irgendwie zu tarnen, und hoffen, daß die Tanu ihre Wahrnehmungsfähigkeiten nicht zu genau darauf konzentrieren. Wird die Maschine so groß sein, daß Madames Fähigkeiten nicht ausreichen, eine glaubwürdige Illusion zu schaffen?«

»Sie läßt sich bestimmt etwas einfallen.«

»Es ist eine große Gefahr«, klagte Old Man Kawai. Das Kätzchen maß ihn mit einem langen, leidenden Blick, als seine Hand sich ein paarmal in nervösem Tätscheln versuchte. »Die Fliegende Jagd könnte das Flugzeug sogar entdekken, wenn es hier am Boden steht! Velteyn braucht nur ein Stück herunterzukommen, um sich meine armseligen Tarnnetze näher anzusehen. Es sind jämmerliche Dinger.«

»Für die Nacht reichen sie aus. Velteyn hat kein Infrarot, Gott sei Dank. Und in letzter Zeit ist er fast nie mehr so weit nach Westen gekommen. Hören Sie auf, sich Gedanken zu machen! Sie steigern sich noch in einen Herzinfarkt hinein. Wo ist Ihr Jiriki?«

»Ich bin ein dummer, nutzloser alter Mann. Ich wäre ja gar nicht hier, wenn ich fähig wäre, mich durch Zen zu beherrschen ... Die Netze – wenn sie ihren Zweck nicht erfüllen, bin ich schuld daran! Die Schande!«

Amerie seufzte gereizt. Sie drückte Kawai die Katze in den Arm. »Bringen Sie Deej in Madames Haus und geben Sie ihr von den Fischresten. Dann nehmen Sie sie auf den Schoß, schließen die Augen, streicheln sie und denken an all die schönen Drei-D-Filme, die Sie über Ihre Gemeinschaftsleitung in Osaka gesehen haben.«

Der alte Mann kicherte. »Ein Ersatz für das Schafezählen? Yatte mimasu! Aber es könnte mich beruhigen. Wie Sie sagen, es ist immer noch Zeit, den Angriff durchzuführen ... Komm, Kätzchen. Du wirst deine werten negativen Ionen mit mir teilen.«

Er tippelte davon, drehte sich aber nach ein paar Schritten um und erklärte mit schlauem Grinsen: »Eine Ungereimtheit bleibt jedoch. Verzeihen Sie, wenn ich mit meinen Kenntnissen der überholten Technologie prahle, Amerie-san – aber auch der niedrigste Elektroniker weiß, daß es negativen Ionen ganz unmöglich ist, Katzen-Ionen zu sein!«

»Verschwinden Sie, Old Man!«

Kichernd ging er ins Haus.

Amerie wanderte an den Hütten und Häuschen vorbei die Schlucht hinunter. Sie nickte und winkte den wenigen Leuten zu, die, wie sie selbst, nicht aufhören konnten, den Himmel zu beobachten, während sie warteten und beteten. Die letzten gesunden Männer und Frauen waren vor drei Tagen unter Uwes Befehl abmarschiert, und der Termin für den optimalen Zweitagesangriff war ungenutzt verstrichen. Aber es war noch Zeit, den Eintagesangriff durchzuführen. Es konnte sein, daß sich menschliche Wesen morgen vor Sonnenaufgang zum ersten Mal auf dieser Exilwelt vereinigten, um ihre Unterdrücker herauszufordern.

O Herr, laß es geschehen. Laß Madame und die anderen alle rechtzeitig zurückkehren!

Die Sonne sank, es wurde kühler, und bald würden die thermischen Strömungen – diese aufsteigenden erwärmten Luftmassen – ganz versiegen, so daß die schwebenden Raubvögel zur Erde herunterkommen mußten. Amerie erreichte ihren geheimen Platz unter einem Wacholderbusch und legte sich, das Gesicht dem Himmel zugewandt, hin, um zu beten. Es war ein so wundervoller Monat gewesen! Ihr Arm war schnell geheilt, und die Leute ... ah, Herr, wie dumm war sie gewesen, daß sie eine Einsiedlerin hatte werden wollen! Die Bewohner des Dorfes und die anderen gesetzlosen Geringen der Gegend brauchten sie als Ärztin und Ratgeberin und Freundin. Unter ihnen hatte sie die Arbeit getan, für die sie ausgebildet war. Und was war aus der ausgebrannten Nonne mit dem Zwang zur Selbstbestrafung geworden, die in einen Hafen einsamer Bußübungen hatte fliehen wollen? Hier konnte sie ihre Stundengebete auch sprechen, konnte in der Stille des Waldes meditieren – aber wenn die Menschen sie brauchten, war sie da, ihnen zu helfen. Und sie waren da, um sich helfen zu lassen. Und Er war da, mitten unter ihnen. Ihr Traum hatte sich erfüllt, trotz der Umwandlungen, die er erfahren hatte. Nur betete sie jetzt in einer lebenden Sprache.

> Ich traue auf den Herrn. Wie saget ihr denn zu meiner Seele: Fliehet wie ein Vogel auf eure Berge?
> Denn siehe, die Gottlosen spannen den Bogen und legen ihre Pfeile auf die Sehnen, damit heimlich zu schießen die Frommen.
> Denn sie reißen den Grund um; was sollte der Gerechte ausrichten?
> Der Herr ist in seinem heiligen Tempel, des Herrn Stuhl ist im Himmel; seine Augen sehen darauf, seine Augenlider prüfen die Menschenkinder.
> Der Herr prüft den Gerechten; seine Seele haßt den Gottlosen und jene, die gerne freveln.
> Er wird regnen lassen über die Gottlosen Blitze, Feuer und Schwefel, und wird ihnen ein Wetter zum Lohn geben …

Eine Stunde vor Sonnenuntergang flog der Lämmergeier fort zu seinem Horst zwischen den hohen Klippen, und die Adler senkten sich auf ihre Schlafbäume herab. Die Weihen verstreuten sich, denn sie mußten nun ihren Appetit mit Insekten stillen, und endlich verschwanden sogar die Bussarde. Vielleicht fragten sie sich, was sie alle dazu veranlaßt haben mochte, Zeit in der vergeblichen Hoffnung zu verschwenden, sie könnten die Beute des großen Neuankömmlings mit ihm teilen. Er allein kreiste noch in stolzer Verachtung der versiegten Aufwinde hoch in der Luft.

Und Amerie, unter dem Baum liegend, beobachtete ihn, beobachtete den weit entfernten, ständig kreisenden Punkt, der alle anderen angezogen und sie dann enttäuscht hatte. Den Vogel mit den unbeweglichen Schwingen.

Mit klopfendem Herzen sprang sie auf und rannte die Schlucht entlang, um alle Bewohner herauszurufen.

»Zurücktreten! Nichts anfassen, bis das Feld abgeschaltet ist, um Gottes willen!« brüllte jemand.

Das riesige Ding schien, immer noch schwach purpurn glühend, den ganzen unteren Abschnitt der Schlucht zu füllen. Es war herabgekommen, sobald der Himmel ganz dunkel geworden war, um Haaresbreite unter der Schallgeschwindigkeit, aber immer noch einen Hurrikan vor sich herblasend, der Strohbündel von den Dächern riß und die Gänse des armen alten Peppino wie Blätter im Sturm umherwirbelte. Erst zwei Meter oberhalb der höchsten Bäume wurde der Absturz aufgefangen, und die Maschine schwebte. Ihre hängende Nase, die Möwenschwingen und der fächerförmige Schwanz badeten sich in einem kriechenden Netzwerk aus fast unsichtbarem Feuer. Old Man Kawai, jetzt ruhig und von harscher Tüchtigkeit, hatte ein paar Halbwüchsige um nasse Säcke geschickt und den übrigen Dorfbewohnern befohlen, sich an den Rollen der Tarnnetze bereitzuhalten.

Sie alle sahen überwältigt zu, wie das schwebende Ding seine großen Flügel an seinen dreißig Meter langen Leib legte und sich behutsam nach unten tastete. Es schob sich schräg zwischen zwei hohen Tannen hindurch, wo nur ein Minimum an Unterholz wuchs, zögerte knapp über dem Boden und kam dann mit seinen langen Beinen zu einem festen Stand. Ein lautes Zischen war zu hören, ein paar Büsche begannen zu kokeln, und Rauchwölkchen kräuselten sich um die Füße. Die Haut des Vogels wurde totenschwarz.

Die Leute, die wie gelähmt gestanden hatten, brachen in wildes Freudengebrüll aus. Einige schluchzten laut, während sie eilig Kawais Anweisungen nachkamen, die kleinen Feuer erstickten, die durch das Rho-Feld entstanden waren, und Stützstangen und Spannseile für die Netze anbrachten.

Die Bauchluke öffnete sich, und die Leiter wurde herabgelassen. Langsam stieg Madame Guderian nach unten.

Amerie sagte: »Willkommen zu Hause!«

»Wir haben ihn mitgebracht«, verkündete Madame.

»Alles ist bereit. Genau nach Ihrem Plan.«

Die lahme Miß Cheryl-Ann, die zweihundertunddrei und fast blind war, ergriff eine von Madames Händen und küßte sie, aber die Französin schien es nicht zu merken. Von oben schallte ein warnender Ruf aus dem Flieger. Felice und Richard bugsierten eine Tragbahre durch die Luke.

Madame sagte nur: »Sie werden gebraucht, ma Soeur.« Und dann drehte sie sich um und schritt wie benommen auf ihr Häuschen zu. Amerie kniete nieder und faßte Marthas knochiges Handgelenk. Richard stand in seinem gefältelten

Piratenhemd und den abgenutzten Wildlederhosen daneben. Er hatte die Fäuste geballt. Tränen liefen ihm über die schmutzigen, sonnverbrannten Wangen.

»Sie wollte uns nicht zurückfliegen lassen, bevor nicht der Speer ordentlich funktionierte. Und jetzt hat sie sich beinahe zu Tode geblutet. Hilf ihr, Amerie!«

»Komm mit!« sagte die Nonne. Sie nahmen die Bahre zwischen sich und eilten Madame nach. Claude blieb es überlassen, dafür zu sorgen, daß der große schwarze Vogel für die Nacht sicher untergebracht wurde.

10

In dunkler Nacht wurde die Messe vor der Schlacht gelesen, und dann benutzte Madame ihre Fernsprech-Fähigkeiten, um Pallol ein rätselhaftes »Wir kommen« zuzusenden. Somit war Vorsorge getroffen, daß die Invasionsflotte sich bereithielt, das Bombardement von Finiahs Stadtmauer auszunützen. In weniger als einer Stunde würde die Sonne aufgehen und wenn das bisherige Verhalten Lord Velteyns und der Mitglieder seiner Fliegenden Jagd ein Kriterium war, würden sie nach ihrem nächtlichen Raubzug wieder in ihrer Festung sein.

Claude ging fast am Ende der Prozession zu dem Flugzeug. Er wünschte, Felice hielte endlich den Mund. Sie hatte wieder ihre schwarzlederne Ringhockey-Rüstung angelegt, die Old Man Kawais Kunsthandwerker wunderschön ausgebessert hatten, und sie war wild vor Angst, sie könne den Krieg verpassen.

»Ich würde doch gar keinen Platz wegnehmen. Und ich *schwöre,* ich werde während des Fluges kein Wort reden! Claude, du mußt mich mitkommen lassen. Ich *kann nicht* darauf warten, daß ihr nach dem Kampf zurückkehrt. Was ist, wenn du es nicht überlebst?«

»Wenn Velteyn den Flieger abschießt, würdest du mit uns abstürzen.«

»Aber wenn ihr davonkommt, wäre es doch möglich, daß

ihr mich dicht vor der Stadtmauer absetzt! Sagen wir, bei der Lücke auf der Landseite der Halbinsel. Ich könnte zusammen mit den Firvulag in der zweiten Welle hinein! Bitte, Claude!«

»Bis dahin könnte uns die Jagd entdeckt haben. Eine Landung wäre Selbstmord – und das ist nicht der Sinn dieses Kampfes. Jedenfalls nicht für mich und nicht für Madame Guderian. Finiah ist erst der Anfang unseres Kriegs. Und Richard hat jetzt Martha, für die er am Leben bleiben will.«

Weiter vorn zogen Dorfbewohner die Netze von dem schwarzen Vogel. Ein paar Kerzen schimmerten im Nebel, wo Amerie das Flugzeug segnete.

»Ich würde dir mit dem Speer helfen, Claude«, sagte Felice. »Du weißt doch, was das für ein ungeschickt großes Scheißding ist. Ich würde mich nützlich machen.« Sie krallte ihre Hand in das Buschhemd des alten Mannes. Er blieb abrupt stehen und faßte sie bei den Schultern.

»Hör zu, Mädchen! Richard ist am Ende seiner Kraft. Er hat seit mehr als vierundzwanzig Stunden nicht geschlafen, und er ist halb wahnsinnig vor Sorge um Martha. Auch mit den Transfusionen gibt Amerie ihr nicht einmal eine Chance von fünfzig zu fünfzig. Und jetzt muß Richard einen Kampfeinsatz in einer fremden Flugmaschine zusammen mit zwei alten Leuten fliegen, und die Zukunft der Menschheit des Pliozän reitet auf der Schwanzflosse mit! Du weißt, daß er dich nicht mag. Deine Anwesenheit in dem Flieger während des Einsatzes ist für ihn vielleicht der letzte Tropfen. Du sagst, du würdest niemandem im Weg sein. Aber *ich* weiß, du könntest dich nicht bremsen, wenn der Kampf erst angefangen hat. Deshalb bleibst du hier, und damit hat es sich! Wir werden unsere Aufgabe erfüllen und schleunigst nach Hause kommen – und wenn wir Glück haben, bleibt es für Velteyn ein Rätsel, wohin wir verschwunden sind. Wir kommen zurück und holen dich. Ich verspreche dir, wenn wir es schaffen, bringen wir dich nur etwa eine Stunde nach Beginn der Hauptangriffe auf das Schlachtfeld.«

»Claude ... Claude ...« In ihrem Gesicht unter der T-förmigen Öffnung des schwarzen Hoplitenhelms stritten Panik und Wut und ein anderes, seltsameres Gefühl mit der Vernunft. Claude wartete. Er betete, daß sie ihn nicht ansprang.

Aber er war so durchtränkt von Müdigkeit, daß es ihm beinahe gleichgültig war, ob sie ihn bewußtlos schlug und die anderen zwang, ihr seinen Platz zu geben. Sie dachte tatsächlich daran, doch sie wußte auch, daß er der bei weitem besser geeignete Schütze für den Speer war.

»Oh, *Claude!*« Die flammenden braunen Augen schlossen sich. Tränen flossen hinter den Wangenstücken ihres Helms, und die grünen Federn legten sich flach, als sie sich von ihm losriß und auf Madames Hauschen zurannte.

Claude stieß den lange angehaltenen Atem aus. »Sei bereit, wenn wir zurückkommen!« rief er, und dann eilte er zu der Stelle, wo die anderen warteten.

Der große Vogel kroch verstohlen aus seinem Versteck. Im Freien angelangt, stieg er in den dunklen Himmel auf wie ein violetter Funke in einem unsichtbaren Kamin. Eine Höhe von 5000 Metern erreichte er in einem donnernden trägheitslosen Sprung. Angélique Guderian stand neben Richard, umklammerte mit der einen Hand seine Rückenlehne und mit der anderen ihren goldenen Halsreif. Richard hatte seinen alten Raumfahrer-Overall angezogen.

»Haben Sie uns versteckt, Madame?« fragte er.

»Ja«, erwiderte sie schwach. Sie hatte seit ihrer glücklichen Rückkehr kaum ein Wort gesprochen.

»Claude! Bist du bereit?«

»Du brauchst mir bloß das Zeichen zu geben, Sohn.«

»Wir sind unterwegs!«

Einen Sekundenbruchteil später rollte die Bauchluke reibungsfrei zurück. Sie schwebten bewegungslos über einem Fleck mikroskopischer Juwelen, ungefähr in der Form einer Kaulquappe angeordnet, die mit dem Schwanz am Ostufer des Rheins festhing.

»Die Stadt liegt ja auf dem Kaiserstuhl«, murmelte Claude vor sich hin.

Der Fleck wuchs, breitete sich aus. Der undeutliche Sternhaufen wurde zu deutlichen, funkelnden Lichtern, als der Flieger – mit Unterschallgeschwindigkeit diesmal – hinabstürzte und 200 Meter über der höchsten Erhebung der Tanu-Stadt mitten in der Luft anhielt.

»Gib es ihnen!« sagte Richard.

Claude wuchtete den großen Speer in Position und zielte auf die Linie feuriger Tupfen, die die zum Rhein hin gelegene Stadtmauer markierten. Irgendwo in dem heller werdenden Nebel des Flusses wartete eine Flottille von Firvulag-Booten, beladen mit menschlichen und fremden Truppen.

Halt ihn nach unten, alter Mann! Du willst doch nicht deine eigenen Leute im Wasser sieden!

Er hob die Verschlußklappe und drehte sie zur Seite. Da – genau da! Berühre den zweiten Knopf!

Ein dünner, grün-weißer Strahl schoß lautlos hinaus.

Unten blühte eine winzige orangefarbene Blume auf – aber die leuchtende Tupfenreihe auf der Mauer blieb ungebrochen.

»Scheiße!« rief Richard. »Das war daneben! Halt ihn höher!«

Ruhig zielte Claude von neuem und drückte den Knopf. Diesmal war das ausbrechende Feuer nicht orangefarben, sondern trübrot. Vielleicht ein Dutzend Mauerkronenlampen wurden von ihm verschluckt.

»Hurra! Getroffen!« brüllte der Pirat. »Ich drehe um hundertachtzig Grad, Claudsie-Boy. Jetzt kommt die Hintertür dran!«

Der Flieger rotierte um seine senkrechte Achse, und Claude stellte fest, daß er auf einen Punkt nahe der Grundlinie des Kaulquappenschwanzes zielte. Er feuerte und fehlte ... zu hoch. Er feuerte und fehlte wieder ... zu tief.

»Jesus, beeil dich!« drängte Richard.

Beim dritten Mal traf der Strahl die Mauer genau und schmolz sie an einer Stelle, wo der erhöhte Damm des Halbinsel-Halses mit dem erloschenen Vulkan des Kaiserstuhls zusammentraf.

Madame stöhnte. Claude hatte das Gefühl, Drachenklauen wühlten in seinen Eingeweiden.

»Kommen sie?« fragte Richard. »Durchhalten, Madame! O Gott, Claude – mach weiter! Laß die Tanu-Wohnhäuser! Ziel auf die Mine!«

Der alte Mann zerrte den Speer herum. Ein plötzlicher Schweißausbruch ließ seine Hände von dem glasigen Schaft der Waffe abrutschen. Seine erschöpften Muskeln zitterten, als er versuchte, die Waffe auf das kleine blaue Sternbild zu richten, das die Mine kennzeichnete. Er konnte den Speer nicht genügend hinunterdrücken, um das Ziel in Reichweite zu bringen. »Schnell, Richard! Flieg zweihundert Meter weiter nach Süden!«

»Aye«, brummte der Pirat. In einem Augenblick hatte der Flieger die Position gewechselt. »Ist es so besser?«

»Warte ... ja! Ich habe es gleich. Muß es beim ersten Versuch schaffen. Es bleibt nur noch ein Schuß mit voller Energie ...«

»Merde alors«, flüsterte Madame.

Die alte Frau taumelte von Richard weg und krachte gegen das rechte Schott. Die Fäuste an die Schläfen gepreßt, begann sie zu schreien. Claude hatte noch nie solche Laute aus einer menschlichen Kehle gehört, kein solches Destillat aus Qual, Entsetzen und Verzweiflung.

Im gleichen Augenblick blitzte etwas an dem Flugdeckfenster vorbei. Es glühte neonrot und hatte die Form eines Reiters auf einem Chaliko.

»O Gott«, sagte Richard tonlos. Madames Schreie verstummten wie abgeschnitten. Sie stürzte bewußtlos zu Boden.

»Wie viele?« fragte Claude. Er versuchte, sich selbst fest im Griff zu behalten, den schweren Speer ruhig auf das Ziel zu richten, er betete, daß sein alter Körper ihn nicht in dieser verzweifelten Situation im Stich lassen möge. Sie hatten es beinahe geschafft! Beinahe ...

»Ich zähle zweiundzwanzig.« Richards ruhige Stimme schien aus weiter Ferne zu kommen. »Die ganze Tafelrunde umkreist uns wie Sioux eine Wagenburg. Alle scharlachrot bis auf den Anführer, und dessen Spektralklasse würde ich irgendwo im BO-Bereich ansiedeln – aufpassen!«

Eine der Gestalten, die blau-weiße, tauchte herab und manövrierte sich unter den Flieger. Der Ritter zog sein glasartiges Schwert und stieß damit nach oben. Drei Leuchtkugeln lösten sich von der Spitze und stiegen ziemlich langsam auf die offene Bauchluke zu. Claude duckte sich, zog den Speer aus dem Weg, und die Dinger flogen in das Flugzeug, wo sie von Wänden und Boden abprallten. Sie zischten und gaben einen besorgniserregenden Geruch nach Ozon von sich.

»Schieß!« schrie Richard. »Um Gottes willen, schieß!«

Claude holte einmal tief Atem. Er sagte: »Ruhig, Sohn!«, zielte und drückte den fünften Knopf von Lugonns Speer genau in dem Moment, als die kleinen blauen Lichter sich im Mittelpunkt des Visiers befanden.

Ein smaragdgrüner Strahl stach auf die sternenbesetzte Erde ein. Wo er traf, wurde der Felsen weiß, gelb, orange, scharlachrot wie ein flammenarmiger Seestern. Claude fiel zur Seite, und der Speer klirrte aufs Deck. Die Bauchluke begann sich zu schließen.

Kugelblitze sprangen und knatterten. Der alte Mann spürte, wie ihn einer im Rücken traf und brennend langsam das Rückgrat vom Gesäß bis zum Hals hinaufrollte. Das Innere des Fliegers war erfüllt von Rauch und dem Gestank nach brennendem Fleisch und Stoff. Auch Geräusche gab es, entdeckte Claude, als er die Szene von weitem betrachtete – ein Brutzeln, als die beiden übrigen Energiekugeln ihr Ziel fanden, Flüche und dann ein dünner Schrei von Richard, ein wimmerndes Schluchzen von Angélique, die über das verschmierte Deck auf ihn zuzukriechen versuchte. Irgend jemand atmete in harter, rhythmischer Beharrlichkeit ein und aus.

»Nimm es weg von mir!« rief eine panikerfüllte Stimme. »Ich kann nichts sehen, und ich muß landen! Ah – verdammt nochmal, *nein!*«

Ein scharrendes Krachen und ein langsames Kippen. Claude fühlte einen Luftzug (merkwürdig, wie er seinen Rücken verbrannte), und die Luke öffnete sich. Ein eigentümlich schiefer grasbewachsener Boden, grau und trüb im ersten Licht des Morgens. Richard schluchzte und fluchte. Angélique gab keinen Laut von sich. Rufende Stimmen. Köpfe, die von unten durch die Luke spähten – wieder in diesem seltsamen Winkel. Gejammer von diesem dummen Jungen Old Man Kawai. Ameries vertraute Stimme: »Langsam! Langsam!« Felice sprudelte Obszönitäten hervor, als irgend jemand sagte, sie werde sich ihre Rüstung ganz schmutzig machen.

»Legt ihn mir über die Schulter! Ich kann ihn tragen. Hör auf zu zappeln, Claude! Alter Trottel! Jetzt muß ich den ganzen Weg zum Krieg zu Fuß gehen.«

Er lachte. Arme Felice. Und dann hing er mit dem Kopf nach unten, das Gesicht in ihrem grünen Rock, und er schwang auf und ab und schrie. Aber nach einer Weile hörte die Bewegung auf, und sie legten ihn auf den Bauch. Etwas berührte seine Schläfe und dämpfte den Schmerz und auch alles übrige.

Er fragte: »Angélique? Richard?«

Eine unsichtbare Amerie antwortete: »Sie werden sich erholen. Ihr alle. Du hast es geschafft, Claude. Schlaf jetzt!«

Wie konnte er schlafen? Für einen Augenblick sah er den feurigen Seestern wieder, aber mit sich streckenden roten und goldenen Gliedern. Sie verzweigten sich, wuchsen hinein in die hilflosen unglücklichen Glühwürmchen-Muster der Straßen von Finiah, gerade bevor die Luke des Fliegers zuknallte. Wie konnte er ... und wenn die Lava nur noch für eine kleine Weile weiter aus dem alten Kaiserstuhl-Vulkan floß, würde es lange, lange Zeit dauern, bis es wieder möglich war, in dieser Gegend Barium abzubauen.

»Mach dir darüber keine Gedanken, Claude!« sagte Felice.

Und so hörte er damit auf.

11

Moe Marshak und die anderen menschlichen Soldaten, die in Finiah auf Wache waren, hatten – halb dösend in der toten Stunde vor dem Morgengrauen – den ersten Schuß der Photonenwaffe für einen Blitz gehalten. Der dünne grüne Strahl fiel von den Sternen nieder, verfehlte knapp die am Rhein gelegene Stadtmauer, die die Grauring-Garnison bemannte, und zerstörte eine daran anstoßende Kantine innerhalb des Kasernengeländes. Marshak starrte noch mit offenem Mund auf die Flammen, die die Ruine verzehrten, als Claudes zweiter Schuß die Bastion Nummer Zehn voll traf und die Befestigungen kein Dutzend Meter von Marshaks Station streifte. Große Granitblöcke flogen nach allen Richtungen, und die

Luft kochte von Rauch und Staub. Fässer mit Öl für die Wachfeuer zerplatzten durch die Erschütterung, und brennende Bäche flossen den gerissenen Gehsteig hinunter.

Sobald Marshak sich von dem ersten Schreck erholt hatte, rannte er an eine Schießscharte und sah hinaus. Unten auf dem nebelverhangenen Wasser waren die Boote.

»Alarm!« rief er laut, und dann gab er den Alarm im deklamatorischen Modus weiter, verstärkt durch seinen grauen Ring.

MARSHAK: Invasion ViaRhein! Mauerdurchbruch StationZehn!

CAPTAL WANG: Zum Teufel wieviele Moe? Wieviele Boote?

MARSHAK: GanzerFluß VOLL! Achthundert wer soll sie zählen verfluchterNebel überall Firvulagboote aber laß mich sehen *ja!* AUCH GERINGE! Wiederhole Invasion Geringe + Feind. Landen! Felsen wimmeln Scheißkerle durch Mauerlücke Loch vielleicht neunMeterMaximum.

KORNETT FORMBY: Alle MannaufWache zu StationZehn. Alarm für ganze Rheingarnison, Beobachter vomDienst prüfen/berichten. Verteidigungseinheiten zu Mauerstationen ... BEFEHL ZURÜCKZURÜCKZURÜCK! Verteidigungseinheiten zu Kasernengelände! Eindringlinge auf Gelände!

KOMMANDEUR SEABORG: Lord Velteyn. Alarm. Firvulag- und Menschen-Invasionstruppe hat die Stadtbefestigungen bei zerstörter Station Nummer Zehn durchdrungen. Starten Gegenangriff.

LORD VELTEYN VON FINIAH: Auf, Stammesbrüder, zur Verteidigung! Flieger in den Sattel! Na bardito! Na bardito taynel o pogekône!

Häuptling Burke und Uwe Guldenzopf führten den Haufen aus Vogesen-Geringen und ausländischen Freiwilligen den steilen Damm hinauf und durch die Schutthaufen des Durchbruchs. Vitredur-Pfeile und Armbrustbolzen regneten von den Wehrgängen herab, aber solange die Verteidiger nicht auf ebenem Boden ausschwärmen konnten, waren die Invasoren kurze Zeit im Vorteil. Wie das Unglück es haben wollte, befand sich die Lücke auf dem Gelände der Kaserne Finiahs. Schon der Brand der Kantine, der auf die anstoßenden Gebäude übersprang, hatte Verwirrung gestiftet, und dazu war eine Wand eines Chaliko-Stalles durch fallende Trümmer niedergelegt worden; die großen Tiere waren los.

Drei Soldaten rannten vom Wachhaus zum Hoftor. »Erledigt sie!« brüllte Burke, und heulende Desperados fielen über die kleine Gruppe her und hieben sie in Stücke. »Raus hier! In die Straßen! Und hebt dies Tor aus den Angeln!«

Soldaten strömten aus den Unterkünften, einige mit nur halb angelegter Rüstung. Einzelkämpfe entwickelten sich überall in der Dunkelheit. Angreifer kletterten durch die niedergebrochene Stadtmauer, und die menschlichen Diener der Tanu bemühten sich, sie zurückzudrängen. Die Freischärler, die beschäftigt waren, die Torflügel auszuhängen, wurden angegriffen und überwältigt. Soldaten schlugen die schweren Metallgitter zu und verschlossen sie.

»Wir sind eingeschlossen!« Häuptling Burke sprang auf einen umgekippten Lebensmittelwagen. Sein Gesicht und sein Oberkörper waren mit den alten Kriegsmustern bemalt, und er hatte die Schwungfeder des Feueradlers in sein geknotetes eisenfarbenes Haar gesteckt. »Schlagt die Hurensöhne nieder! Öffnet das Tor wieder! Hier entlang!«

Er sah Uwe unter dem Schwert eines Graurings fallen und sprang nach unten, den breiten Tomahawk schwingend, den Khalid Khan ihm geschmiedet hatte. Die Klinge senkte sich in des Soldaten Kesselhelm, als sei er aus Pappendeckel. Burke schleuderte die Leiche zur Seite und sah Guldenzopf flach auf dem Rücken liegen, eine Hand an die Brust gepreßt und das bärtige Gesicht qualvoll verzerrt.

Burke kniete nieder. »Hat es dich erwischt?«

Uwe kämpfte sich mühsam auf einen Ellbogen hoch und faßte in sein Wildlederhemd. Knochenfarbene Stücke schimmerten im trüben Licht. »Nur meine zweitbeste Meerschaumpfeife, verdammt nochmal.«

Die Geringen blieben eingeschlossen. Es gelang ihnen nicht, aus dem Hof in die unmittelbare Nachbarschaft des Kasernenkomplexes vorzustoßen. Kämpfer, die noch in der Lücke steckten, wurden sowohl von den Verteidigern als auch ihren eigenen Kameraden, die vom Ufer heraufkamen, zusammengedrängt. Panisches Geschrei erhob sich. Invasoren fielen zu Boden und wurden totgetrampelt. Ein Garnisonsoffizier mit einem Silberring und einer den ganzen Körper bedeckenden Rüstung aus blauem Glas führte eine Einheit Hellebardiere an, die auf die zum Stillstand gekommenen Freischärler eindrangen. Kristallklingen sausten auf die zusammengepreßte, schreiende Menschenmasse nieder.

Aber da eilten die Monster zur Rettung herbei.

Hoch auf dem steilen Schuttberg erglänzte die flimmernde Alptraum-Gestalt eines drei Meter großen Albino-Skorpions – der illusorische Aspekte Sharns des Jüngeren, General der Firvulag. Die Gehirne der Fremden strömten eine gewaltige Welle aus Angst und Entsetzen aus, die die telepathischen Schaltkreise der grauen Ringe überlud. Ihre Träger verloren den Verstand und wälzten sich in Zuckungen. Sharn selbst konnte den Feind aus einer Entfernung von fast fünfundzwanzig Metern treffen. Andere aus seiner vorrückenden Schar hatten vielleicht keine so weitreichende Aura, aber wehe dem Feind, der ihnen in die Klauen fiel!

Gräßliche Trolle, Geister, menschenköpfige Löwen mit Drachenschwänzen, schlotternde dunkle Wesenheiten packten die Soldaten in knochenbrechenden Umarmungen, schlugen Fänge in ungeschützte Kehlen, rissen Männer Glied für Glied auseinander. Einige der Fremden waren fähig, Bolzen aus Psychoenergie zu schleudern, die die Verteidiger in ihren Bronze-Kürassen wie Hummer in der Schale kochten. Andere Firvulag hausten mit Wänden aus astralem Feuer, Strömen ekelerregenden Blutes oder Illusionen, die das Gehirn verkrüppelten. Der große Held Nukalavee der Hautlose, der seinen Aspekt eines geschundenen Zentaurs mit flammenden Augen trug, heulte, bis die feindlichen Soldaten in Krämpfe verfielen, ihre Trommelfelle barsten und ihre Gehirne sich bis fast zur Idiotie auflösten. Ein weiterer Champion namens Bles Vierzahn drang in das Hauptquartier der Garnison ein, fing sich den Silber-Kommandeur Seaborg und schien ihn – mit Rüstung und allem – zu verschlingen, während der sterbende Offizier ruhig noch einen telepathischen Befehl an seine Untergebenen abstrahlte: Die Truppen sollten bis zum letzten Widerstand an dem Tor leisten, das sich in die Innenstadt öffnete. Seaborgs Adjutanten stumpften ihre Vitredur-Waffen an der schuppigen Haut von Bles' illusorischem Aspekt ab, nur um für ihre Tapferkeit bei lebendigem Leib gefressen zu werden. Als das Ungeheuer den letzten Adjutanten hinunterschluckte, stand das Gebäude des Hauptquartiers in Flammen, und die Invasionstruppen schwärmten durch Finiahs Straßen. So begab sich Bles auf einen geordneten Rückzug. Er stocherte mit einem silbernen Sporn in den Zähnen. Sein Appetit war nur angeregt worden, und der Tag war noch jung.

Vanda-Jo beaufsichtigte noch die Einschiffung der letzten Welle von Freiwilligen am Sammelplatz, als Lord Velteyn und die Fliegende Jagd sich in die Lüfte erhoben. Angstschreie stiegen von der Menge auf, als sie die glühenden Ritter von der Stadt jenseits des Wassers aufsteigen sah. Ein Mann brüllte: »Sie haben es auf *uns* abgesehen!« und sprang in den Rhein. Zu einer Katastrophe kam es nur deshalb nicht, weil Vanda-Jo die Ausländer ihrer Feigheit wegen beschimpfte und darauf hinwies, daß die Jagd hoch über Finiah kreiste und etwas Wichtigeres vorhaben mußte.

»Also hinein in die Boote, und Schluß mit dem Herumgezappele!« schrie sie. »Ihr braucht keine Angst mehr vor Velteyn und seinem fliegenden Zirkus zu haben! Habt ihr unsere Geheimwaffe vergessen? Wir haben Eisen! Ihr könnt die Tanu jetzt töten – noch leichter als diese ringtragenden menschlichen Verräter, die die Schmutzarbeit für sie tun!«

Augäpfel rollten furchtsam im Zwielicht. Der Firvulag-Skipper der zweimastigen Schaluppe, der neben Vanda-Jo stand, verzog ungeduldig sein böses Zwergengesicht. »Beeilt euch, mutlose Erdenwürmer, oder wir segeln ohne euch in den Krieg!«

Plötzlich fuhr eine Säule aus smaragdfarbenem Licht aus dem scheinbar leeren Himmel mitten hinein in die kreisende Jagd und traf eine niedrige Erhebung innerhalb der Stadt am anderen Ufer des Rheins. Von dem Punkt des Einschlags loderten orangefarbene und weiße Flammen auf, und Sekunden später hallte eine donnernde Detonation über den Fluß.

»Die Mine!« schrie irgend jemand. »Die Barium-Mine explodiert! Gott – es sieht aus wie ein Vulkanausbruch!«

Als sei der Schuß ein Signal gewesen, spie die Erde am anderen Ende von Finiah ebenfalls Feuer, da wo die Halbinsel sich zu einem dünnen Hals verengte, der die Stadt mit dem Festland verband.

»Habt ihr das gesehen?« triumphierte Vanda-Jo. »Die zweite Welle der Gespenster ist gegenüber unserm Hauptangriffspunkt gelandet! Die Firvulag-Generalin Ayfa dringt von der Schwarzwaldseite her vor. Werdet ihr Scheißer euch jetzt endlich in Bewegung setzen?«

Die Männer und Frauen auf dem Sammelplatz reckten ihre mit Eisenspitzen versehenen Speere in die Luft und brüllten. Sie rannten über die schmalen Planken und sprangen mit solchem Eifer in die wartenden Boote, daß die kleinen Fahrzeuge schaukelten und fast gekentert wären.

Auf der anderen Seite des Rheins zogen die Flammen eine scharlachrote Spur über das dunkle Wasser. Die Feenlampen in Blau und Grün und Silber und Gold, Wahrzeichen der herrlichen Tanu-Stadt der Lichter, begannen langsam zu erlöschen.

Velteyn, Lord von Finiah, zog die Zügel seines Chalikos an und verharrte mitten in der Luft, leuchtend wie eine Magnesium-Fackel. Die Edlen seiner Fliegenden Jagd, achtzehn männliche und drei weibliche Ritter, alle rot glühend, zügelten ihre Reittiere und scharten sich um ihn. Die Gedanken, die er projizierte, waren fast unzusammenhängend vor Enttäuschung und Wut.

Fort! Die Flugmaschine ist fort ... und doch sind meine Blitze ganz bestimmt in ihren Bauch eingedrungen. Kamilda, gebrauch deinen Spürsinn! Such sie! Wo befindet sie sich?«

... Sie weicht von uns zurück, Hoher Lord. O Tana mit einer noch nie dagewesenen Geschwindigkeit! Sie versinkt hinter den Vogesen und gerät aus meiner Reichweite. Mein Lord, wenn ich in große Höhe aufstiege ...

Bleib Kamilda! Größerer Gefahr ist hier unten zu begegnen. Seht alle! Seht, was der Feind getan hat! Oh, die Schande, der Schmerz, die Zerstörung! Alles nach unten auf den Boden. Jeder von euch übernimmt den Befehl einer Abteilung Kavallerie zur Verteidigung unserer Stadt der Lichter! Na bardito!

Na bardito taynel o pogekône!

Die Schlacht bewegt sich vom Durchbruch am Rhein stetig landeinwärts. Zwei Stunden nach Sonnenaufgang lief die westliche Front durch die Gärten des Freudendoms am äußersten Rand der Tanu-Wohnquartiere.

Moe Marshak hatte seinen Köcher mehrere Male aus denen gefallener Kameraden neu gefüllt. Er hatte den auffallenden Zierat schon bald von seinem Bronzehelm gerissen und sich im Schmutz gewälzt, um den Glanz seines Küraß zu verbergen. Anders als einige andere seiner glücklosen Kameraden hatte er schnell erkannt, daß die Firvulag eine telepathische Kommunikation entdecken würden, und deshalb hatte er keinen Versuch gemacht, sich mit seinen Offizieren wegen Befehlen in Verbindung zu setzen. Ohne die Ruhe zu verlieren, ging er seinen einsamen Weg und hielt sich außer Reichweite der Ungeheuer. Er schlich durch Finiahs Gassen, tötete Geringe mit kühler Effizienz und wich hysterischen Ramas und Nichtkombattanten aus. Marshak hatte schon mindestens fünfzehn Feinde niedergemacht, dazu zwei bloßhalsige Zivilisten, die er dabei ertappte, wie sie den Leichnam eines Grauring-Soldaten plünderten.

Nun schlüpfte Marshak auf die gedeckte Terrasse, die rings um dem Freudendom lief. Er hörte ein für die Geringen typisches Geschrei, versteckte sich hinter dichten Ziersträuchern und legte einen der sägezähnigen Pfeile auf die Sehne seines zusammengesetzten Bogens.

Im nächsten Augenblick kam eine unerwartete Ablenkung aus dem Innern des Gebäudes. Das farbige Glas in den beiden Flügeln einer Fenstertür, die vielleicht fünf Meter von dem Soldaten entfernt waren, zersprang durch den Anprall eines schweren Gegenstandes in winzige Splitter. Schreie und ein Rumpeln waren zu hören. Lange Hände, mit Ringen bedeckt, hantierten an dem verklemmten Riegel. Weitere Hände schüttelten den verbeulten Rahmen. Der Winkel war so, daß Marshak die drinnen in der Falle sitzenden Leute nicht deutlich sehen konnte, aber ihre Angst- und Entsetzensschreie erreichten sein Ohr wie auch seine Gedanken, und ebenso war es mit dem unheimlichen Trillern des Dings, das sie verfolgte.

»Hilfe! Die Tür klemmt! Und es kommt!«

Hilf uns! *Hilfehilfehilfe!* HILFE!

Der alles andere auslöschende Befehl eines Tanu-Oberherrn griff nach Marshaks Bewußtsein. Sein grauer Ring zwang ihn zum Gehorsam. Er verließ sein Versteck und rannte zur Tür. Auf der anderen Seite drückten sich drei weibliche Insassen des Freudendoms an die verbeulten kupfernen Ornamente, dazu ihr hochgewachsener Tanu-Kunde, dessen schöne Robe in Violett und Gold ihn als Funktionär der Fernsprecher-Gilde auswies. Vermutlich fehlte ihm das koerzible oder psychokinetische Potential, mit dem er die Erscheinung hätte abwehren können, die angriffsbereit unter einer Innentür verharrte.

Der Firvulag sah aus wie die gigantische Larve eines Netzflüglers, ein Wasserinsekt mit schnappenden, rasiermesserscharfen Kiefern. Der Kopf des Ungeheuers war fast einen Meter breit, während der lange, segmentierte Körper, schlüpfrig von einem stinkenden Sekret, den Korridor hinter ihm zu füllen schien.

»Tana sei Dank!« rief der Tanu. »Schnell, Mann! Ziel auf seinen Nacken!«

Marshak hob den Bogen, trat zur Seite, um die an die Tür gepreßten Frauen nicht zu gefährden, und ließ den Pfeil fliegen. Der mit einer Glasspitze versehene Schaft drang fast in seiner ganzen Länge zwischen den Chitinplatten hinter den schnappenden Kiefern des Wesens ein. Marshak hörte das telepathische Gebrüll des Firvulags. Ohne Hast nahm er zwei weitere Pfeile und schickte sie in die glitzernden orangefarbenen Augen der Riesenlarve. Der Insektenkörper flimmerte, wurde immateriell – und dann war das gräßliche Ding verschwunden, und ein Zwerg in schwarzer Obsidianrüstung lag tot auf dem Boden, Kehle und Augenhöhlen durchbohrt.

Der Soldat benutzte sein Vitredur-Kurzschwert, um das verklemmte Schloß zu öffnen. Lustströme, mit denen der dankbare Fremde ihn belohnte, durchpulsten seine Beckennerven in der süßen, vertrauten Weise. Als der Edelmann

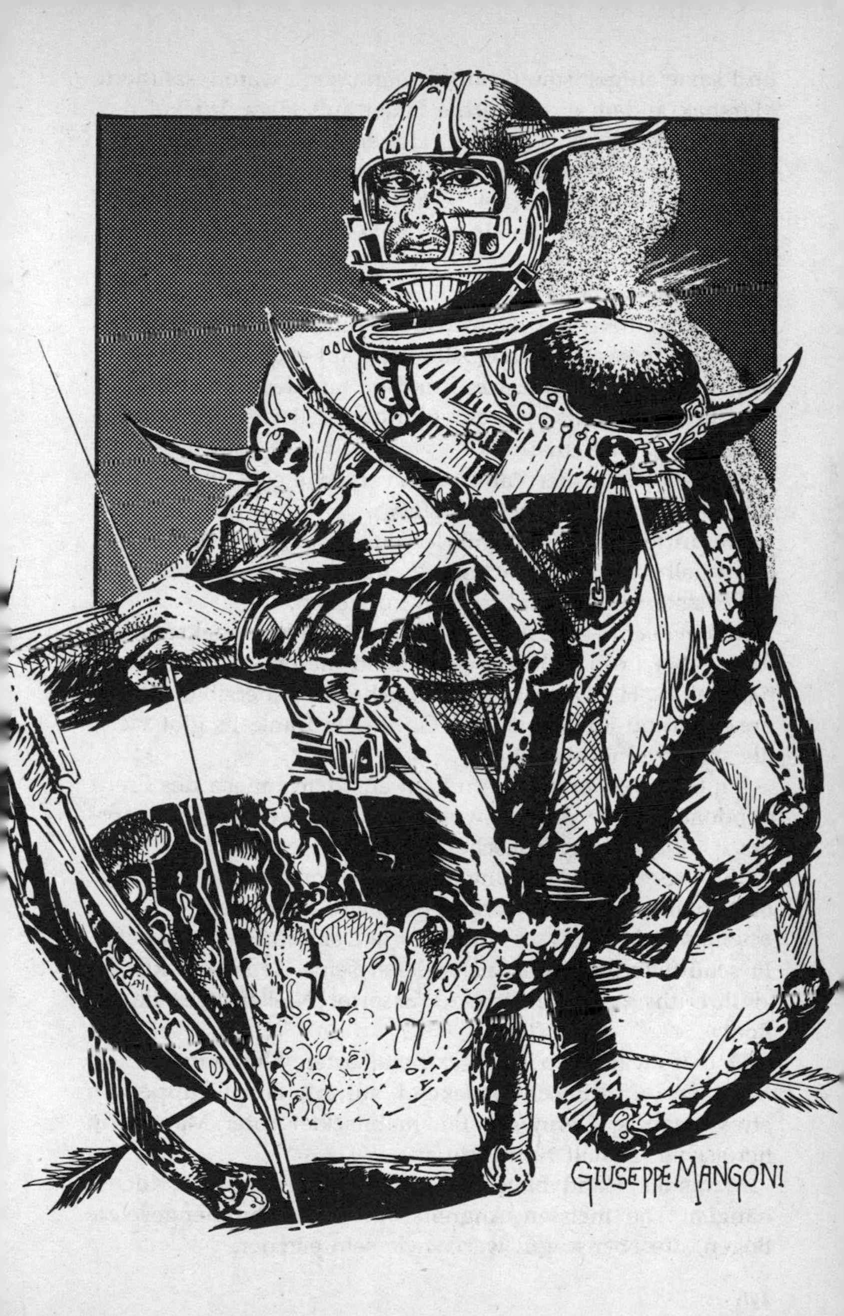
GIUSEPPE MANGONI

und seine aufgelösten Gefährtinnen befreit waren, salutierte Marshak, indem er die rechte Faust aufs Herz drückte.

»Ich stehe dir zu Diensten, Hoher Lord.«

Der Fernsprecher erschauerte. »Wohin sollen wir nur gehen? Der Weg nach Haus Velteyn ist abgeschnitten!« Sein abwesender Gesichtsausdruck zeigte, daß er mit seinem geistigen Auge suchte.

»Aber wir können auch nicht wieder hinein«, stellte mit scharfer Stimme die kleinste der Freudendom-Insassinnen fest, eine schwarzhaarige Schönheit mit exquisiten Formen. »Die verdammten Popanze kriechen aus dem Holzwerk!«

»Oh, Lord Koliteyr«, quietschte eine tränenüberströmte Blondine. »Rette uns!«

»Ruhe!« befahl der Tanu. »Ich versuche es – aber es antwortet niemand auf meine Rufe!«

Die dritte Frau, dünn, mit leeren Augen, das aufreizende Kleid halb von den knochigen Schultern gerissen, sank auf das Pflaster nieder und begann zu lachen.

Koliteyr schnappte nach Luft. »Der Dom ist eingekreist! Ich rufe – aber Lord Velteyns Ritter sind mitten im Schlachtgetümmel! ... Ha! Die Invasoren weichen der koerziblen Macht unserer Tanu-Kavallerie! Der Göttin sei Dank, es gibt viele, die stärker sind als ich!«

Ein Scharren und Poltern kam aus dem Innern des Freudendoms. Ferne Schreie wurden lauter. Weiteres Glas zerbrach, und ein rhythmisches Hämmern setzte ein.

»Sie kommen! Die Ungeheuer kommen!« Die Blondine brach von neuem in hysterisches Schluchzen aus.

»Soldat, du mußt uns führen ...« Der Tanu blickte finster. Er schüttelte den Kopf, als wolle er seine Gedanken klären. »Führe uns zum nördlichen Wassertor! Vielleicht ist da ein Boot ...«

Doch es war zu spät. Durch den Garten, Blumenbeete zertrampelnd und Büsche knickend, stürmte eine Gruppe von etwa zwanzig Geringen. Ein halbnackter roter Mann von heroischer Gestalt führte sie an.

Marshaks Hand blieb wie gelähmt über seinem Köcher hängen. Die meisten Angreifer hatten zusammengesetzte Bogen, die ebenso gut waren wie sein eigener.

»Ergebt euch!« rief Peopeo Moxmox Burke. »Amnestie für alle Menschen, die freiwillig zu uns kommen!«

»Zurück!« schrie der Tanu-Fernsprecher. »Ich werde – ich werde eure Gehirne ausbrennen! Euch mit Wahnsinn schlagen!«

Häuptling Burke lächelte, und sein von grauen Haarsträhnen umrahmtes, bemaltes Gesicht sah drohender aus als die Firvulag-Phantasmen gewesen waren. Der Fremde erkannte, sein Bluff hatte nicht gewirkt, und außerdem war ihm klar, daß es für Angehörige seiner Rasse keine Amnestie geben würde.

Koliteyr befahl Marshak, bis zum Tod zu kämpfen, und versuchte zu fliehen. Der eiserne Tomahawk wirbelte durch die Luft und spaltete dem Fremden den Schädel, noch ehe er zwei Schritte getan hatte.

Marshak entspannte sich. Er ließ Pfeil und Bogen auf das Steinpflaster fallen und sah den sich nähernden Geringen in benommenem Schweigen entgegen.

Die strategische Bedeutung der Barium-Mine war Sharn-Mes bei der Besprechung, die der Invasion vorausging, eingehend klargemacht worden. Die Demütigung des verhaßten Feindes, so hatte man dem Firvulag-General erläutert, mußte hinter der vollständigen Zerstörung der Mine und ihres ausgebildeten Personals zurückstehen. Für Madame Guderians großen Plan war es unbedingt erforderlich, daß die Versorgung mit dem kostbaren Element, das die Tanu zur Herstellung der Halsreifen brauchten, unterbunden wurde.

Kurz vor Mittag, als Sharn zusammen mit Bles und Nukalavee in einem improvisierten, mit befreitem Bier gut versorgten Kommandostand Atem schöpfte, kam ein Firvulag-Kundschafter mit wichtigen Neuigkeiten. Die Mächtige Ayfa und ihre Krieger-Ogerinnen waren erfolgreich von der östlichen Mauerlücke her vorgestoßen und befanden sich jetzt in dem Sektor um die Mine. Nach ihren Feststellungen hatte geschmolzener Fels – ein Ergebnis des von Claude abgefeuerten Photonenstrahls – den Mineneingang verstopft und die Raffinerie sowie die Quartiere der menschlichen und Rama-Arbeiter unter sich begraben. Er war noch ein Stück in die

Straßen der oberen Stadt hineingeflossen, bevor er erstarrte. Doch das Verwaltungsgebäude mit seinem Vorrat an reinem Barium war unbeschädigt. Es war völlig eingeschlossen von schwarzer, dampfender Lava, jetzt bedeckt mit einer harten Haut. Nur da, wo Risse waren, zeigte sich das rotglühende Innere. Es hielten sich immer noch Tanu-Ingenieure in dem Gebäude auf, und unter ihnen war ein Kreator ersten Ranges. Ayfa und ihre Truppe hatten seine Intelligenz kennengelernt, als ein überraschender Bolzen aus Psychoenergie eine der kundschaftenden Ogerinnen zu Asche verbrannte und die Furchtbare Skathe nur knapp verfehlte. Sie von den Raffzähnen und den tropfenden Klauen hatte die Überlebenden mit einem psychischen Schild gedeckt, der für einen geordneten Rückzug aus der Reichweite der Gedankenbolzen genügte.

»Und so erwartet die Mächtige Ayfa«, schloß der Kundschafter, »jetzt deine Vorschläge, Großer Hauptmann.«

Bles stieß ein heiseres, ironisches Gewieher aus. Er kippte ein halbes Faß Bier in sein Maul. »Ahh – helfen wir den armen kleinen Damen, ihre Ehre zu retten.«

»Ehre, bei meinem linken Hoden!« zischte Nukalavee. »Wenn die kreative Kraft des Feindes Skathe gefährdete, dann ist er für jeden von uns auch von fern ein würdiger Gegner. Wir würden unsere Geisteskräfte in der Errichtung von Schirmen erschöpfen und für einen Angriff wenig übrigbehalten.«

»Schon die Annäherung ist ein großes Risiko«, bemerkte Sharn. »Die Kruste aus abkühlender Lava ist, wie dieser Kundschafter sagt, dünn und kann unter dem Gewicht eines Kämpfers brechen. Ihr wißt, unsere Gedanken können nicht tief genug in Gestein eindringen, um die Kruste zu verstärken. Und in das Magma darunter durchzubrechen, wäre der sichere Tod.« Er wandte sich dem zwergenhaften Boten zu. »Pliktharn – wie breit ist der Lavastrom, der überquert werden müßte?«

»Mindestens fünf mal zwanzig Riesenschritte, Großer Hauptmann.« Eifrig setzte Pliktharn hinzu: »*Mein* Gewicht würde die Kruste leicht tragen!«

»Du könntest mich und Nukalavee schicken, ihn zusammen mit Ayfa und Skathe durch unsere Geisteskraft zu schützen«, schlug Bles vor. »Wenn wir vier zusammenarbeiten, ist unsere Reichweite groß genug.«

»Und was geschieht, wenn unser tapferer Gnomenbruder das Minengebäude erreicht?« höhnte Nukalavee. »Wie will er den Feind *durch unsere eigenen mentalen Schirme* angreifen? Vierzahn, du hast diesen Reptilienanzug solange getragen, daß dein Verstand einschrumpft, um sich der illusorischen Gehirnhülle anzupassen!«

»Großer Hauptmann Ayfa hat wahrgenommen«, warnte der Kundschafter, »daß die Tanu-Ingenieure Lord Velteyn zu Hilfe rufen.«

Sharn schlug mit seiner großen Hand auf den Tisch. »Tés Mandeln! Und wenn er kommt, trägt er sie durch die Luft weg, mitsamt dem Barium! Das Risiko können wir nicht eingehen. Ich hasse es wie die Pest, Zuflucht zu Taktiken der Geringen zu nehmen – aber da gibt es nur eine Methode, die Sache anzugehen.«

»Immer mit der Ruhe, Jungs!« rief Ayfa. »Verliert jetzt nicht die Nerven, wo ihr beinahe da seid.«

Homi, der kleine singhalesische Eisenschmelzer, faßte Plikthams Hals fester. Die Lavakruste bog sich, als sich der Firvulag der Leeseite des Verwaltungsgebäudes näherte. Dort war der Fluß dicker und hatte die Hitze länger bewahrt, was bedeutete, daß die obere Schicht abgekühlten Gesteins jeden Augenblick brechen, und er in das Magma stürzen konnte.

Die beiden so verschiedenen Gestalten, von denen eine die andere Huckepack trug, waren von einer leuchtenden Hemisphäre umflossen, dem mentalen Schirm, den die vereinigten Kräfte von Ayfa, Skathe, Bles und Nukalavee bildeten. Die vier Heroen und die meisten der Krieger-Ogerinnen verbargen sich hinter den dicken Quadern ausgebrannter Stadtmauern, ein gutes Stück vom Rand des Lavaflusses und volle 200 Meter von dem Minen-Hauptquartier entfernt. Energiebolzen, geschleudert von dem in der Falle sitzenden Tanu-Kreator, flammten aus einem der oberen Fenster und lösten sich in ein Gewebe von Blitzen auf, wenn das Potential des Schirms sie neutralisierte. Endlich erreichten Pliktharn und

Homi ein Erdgeschoß-Fenster und kletterten hinein. Ayfa, die einen starken Fernwahrnehmungssinn besaß, beobachtete, was als Nächstes geschah.

»Die drei Feinde steigen in die untere Kammer hinab. Bewaffnet sind sie mit Vitredur-Hacken! Einer von ihnen hat beträchtliche koerzible Macht. Er will Pliktharn zwingen, den Schirm zu senken – aber das funktioniert natürlich nicht. Der Energiebolzenwerfer sammelt jetzt seine Kräfte für einen gewaltigen Stoß aus kurzer Entfernung! Er benutzt stetigen Druck statt einer plötzlichen Projektion. Unser Schirm schwankt! Er verändert das Spektrum – ins Blaue! Ins Gelbe! Er wird bestimmt zusammenbrechen! Aber jetzt hat der Geringe seine Armbrust bereit und zielt auf den Kreator. Ah! Das Blutmetall-Geschoß durchdringt unseren schwächer werdenden Schild wie einen Regenvorhang! Der Feind fällt! Ein zweiter Schuß, und ein dritter – und alle Feinde sind vernichtet!«

Die vier Heroen sprangen hoch, und die Krieger-Ogerinnen brüllten vor Freude über diesen Triumph. Alle spürten sie trotz der großen Entfernung das Todesflackern erst des einen, dann eines zweiten Tanu-Gehirns.

Aber der Energiebolzenwerfer war noch im Sterben stark. Verstärkt, gequält donnerte sein Gedanke in den Äther:

Die Göttin wird uns rächen. Verflucht bis ans Ende der Welt seien jene, die Zuflucht zum Blutmetall nehmen! Eine blutige Flut wird sie überwältigen!

Einen Augenblick später erlosch seine Seele.

Der Geringe namens Homi, der sich die drei Eisenbolzen zwecks Wiederverwendung zurückgeholt hatte, erschien am Fenster und winkte. Dann machten er und Pliktharn sich ans Werk, auf das schwere Fenstersims einzuschlagen, bis der Mörtel nachgab. Der Stein zerschmetterte die dünne Lavakruste unter dem Fenster. Ein Schwall aus Rauch und Flammen stieg auf. Bevor der frische Riß heilen konnte, war zu sehen, wie der Mensch und der Firvulag gewisse kleine Behälter in den Schlund aus geschmolzenem Felsgestein warfen. Danach kletterten sie aus einem anderen Fenster und gingen vorsichtig den Weg zurück, den sie gekommen waren.

Ein junges Mädchen, gekleidet in glänzendes Schwarz, trabte auf dem engen Dschungelpfad durch die Vogesen, anscheinend ohne müde zu werden. Die Schatten wurden tiefer, und ein kühler Wind fegte von den Höhen in die Schlucht, der der Fußweg folgte. Die Baumfrösche begannen ihren Abendgesang. Nicht mehr lange, und die Raubtiere erwachten. Nach Dunkelwerden streiften so viele feindliche Wesen umher, daß Felice nicht imstande war, sie mit ihrer koerziblen Kraft abzuwehren. Sie war gezwungen, zu biwakieren und bis zum Morgengrauen zu warten.

»Und ich werde zu spät kommen! Der Waffenstillstand beginnt bei Sonnenaufgang, und dann wird die Schlacht um Finiah vorbei sein!«

Wie weit war sie gekommen? Vielleicht über zwei Drittel der 106 Kilometer, die zwischen den Verborgenen Quellen und dem Westufer des Rheins lagen? Sie hatte heute morgen soviel Zeit verloren, bis sie aufbrechen konnte, und die Sonne ging um achtzehnhundert Uhr unter ...

»Verdammter Richard! Verdammt soll er dafür sein, daß er sich verwunden ließ!«

Sie hätte darauf bestehen sollen, mit ihnen zu fliegen. Sie hätte sich *irgendwie* nützlich machen können. Dem alten Claude geholfen, den Speer ruhig zu halten, Madames mentale Verteidigung unterstützt, den Kugelblitz abgelenkt, der Richards eines Auge blendete und schuld war, daß er eine Bruchlandung machte.

»Verdammt soll er sein! Verdammt soll er sein! Die Firvulag werden aufhören zu kämpfen, wenn der Waffenstillstand beginnt, und unsere Leute müssen sich dann zurückziehen. Ich komme zu spät für meinen goldenen Ring! Zu spät!«

Sie platschte blindlings durch einen kleinen Bach. Raben, gestört beim Verspeisen der Reste, die irgendein Otter übriggelassen hatte, stiegen krächzend zu dem von Schlingpflanzen verhangenen Blätterdach auf. Das wahnsinnige Lachen einer Hyäne hallte von der Schluchtwand wider. Sie verspottet mich, dachte Felice.

Zu spät.

Das Glashorn einer Tanu-Kämpferin blies zum Angriff. Ritter, von denen jeder in einer anderen Juwelenfarbe erstrahlte, galoppierten auf gerüsteten Chalikos über die mit Leichen übersäte Allee auf die Barrikade zu, wo das Kontingent von Geringen sich verschanzt hatte.

»Na bardito! Na bardito!«

Es waren keine Firvulag-Verbündeten zur Hand, um die mentale Attacke zu dämpfen. Bilder von gehirnversengender Intensität peitschten und stachen auf die Menschen ein. Die Nacht war erfüllt von unbeschreiblichen Drohungen und Schmerzen. Fremde in ihren funkelnden Harnischen, herrlich und unverwundbar, schienen aus allen Richtungen herabzufallen. Die Menschen verschossen Pfeile mit Eisenspitzen, aber geschickte Psychokinetiker unter den Tanu lenkten den Großteil der Geschosse ab, während der Rest harmlos gegen die Platten der Glasrüstungen klirrte.

»Die Gespenster! Wo sind die Gespenster?« heulte ein verzweifelnder Geringer. Einen Augenblick später krachte ein Chaliko auf ihn nieder, und sein Reiter durchbohrte den von Klauen zerrissenen Körper mit einer Saphir-Lanze.

Von den dreiundsechzig menschlichen Wesen, die in dieser Straße Widerstand geleistet hatten, entkamen nur fünf in die engen Gassen. Dort machten hängende Zeltplanen, Leinen voller Wäsche und dichte Reihen von Müllkarren, die verängstigte Rama-Arbeiter stehengelassen hatten, es den berittenen Tanu unmöglich, ihnen zu folgen.

Ein Mammut-Freudenfeuer flammte auf dem Hauptplatz von Finiah. Jubilierende Phantome in hundert schrecklichen Verkleidungen umtanzten es und schwenkten Schlachtstandarten, geschmückt mit Girlanden frisch psychovergoldeter Schädel.

Khalid Khan protestierte: »Sie verschwenden Zeit, Mächtiger Sharn! Unsere Leute müssen schwere Verluste hinnehmen, wenn sie auf Tanu treffen, ohne von Firvulag abgeschirmt zu sein. Sogar die berittenen Grauringe können unsere Infanterie niedermähen. Wir müssen zusammenarbeiten! Und wir müssen einen Weg finden, diesen Chaliko-Reitern standzuhalten.«

Der große leuchtende Skorpion beugte sich über den Pakistani. In seinem durchsichtigen Körper pulsierten vielfarbene Organe im Rhythmus des Kriegsgesangs der Aliens.

»Es ist viele Jahre her, daß wir einen Grund zum Feiern hatten.« Die nichtmenschliche Stimme hallte in Khalids Gehirn wider. »Zu lange hat der Feind sicher hinter starken Stadtmauern gelauert und uns verachtet. Sie verstehen nicht, welche Wirkungen das hatte. Die Demütigung unserer Rasse hat uns den Mut genommen und auch die Mächtigsten unter uns in hoffnungslose Untätigkeit getrieben. Aber jetzt! Sehen Sie sich die Trophäenschädel an, und sie sind nur ein kleiner Teil aller Siegeszeichen!«

»Und wie viele von ihnen sind Tanu-Schädel? Verdammt nochmal, Sharn – die meisten Toten der feindlichen Truppen sind Menschen mit und ohne Halsreif! Die Nichtkombattanten unter den Tanu haben sich alle in Haus Velteyn verkrochen, wo wir nicht an sie herankönnen, und nur eine Handvoll ihrer Reiter sind getötet worden!«

»Die Tanu-Kavallerie ...« – die unheimliche Stimme zögerte und gab es dann widerstrebend zu – »stellt eine ungeheuerliche Herausforderung für uns dar. Gerüstete Kampf-Chalikos unter geistigem Einfluß ihrer Reiter lassen sich von unseren gräßlichen Illusionen oder einem Gestaltwandel nicht einschüchtern. Wir sind gezwungen, körperlich gegen sie zu kämpfen, und nicht alle Firvulag sind von heroischem Körperbau. Unsere Obsidian-Waffen – unsere Schwerter, Hellebarden, Kettenflegel und Wurfspeere – haben beim Großen Wettstreit nicht oft Erfolg gegen Chaliko-Kavallerie gehabt. Genauso ist es in dieser Schlacht.«

»Sie sollten es mit einer anderen Taktik versuchen. Es gibt für Fußsoldaten Möglichkeiten, angreifende Reiter zu töten.« Die Zähne des Schmiedes glitzerten in einem flüchtigen Lächeln. »Meine Ahnen, Pathan-Bergbewohner, kannten sie!«

Die Antwort des Firvulag-Generals klang kühl. »Unsere Kampfbräuche sind von geheiligten Traditionen festgelegt.«

»Kein Wunder, daß ihr dauernd verliert! Die Tanu hatten keine Angst, Neuerungen einzuführen, die menschliche Wissenschaft zu ihrem Vorteil anzuwenden. Jetzt habt ihr Firvulag menschliche Verbündete zur Seite – und ihr setzt einen schüchternen kleinen Zeh auf das Schlachtfeld und tobt dann singend und tanzend herum, statt euch den Sieg zu holen!«

»Paß auf, daß ich deine Unverschämtheit nicht bestrafe, Geringer!« Aber der wütenden Entgegnung mangelte es an Überzeugungskraft.

Khalid sagte leise: »Würdet ihr *uns* helfen, wenn wir es mit einer neuen Taktik versuchten? Würdet ihr unsere Gehirne abschirmen, wenn wir versuchten, diese langbeinigen Bastarde aus dem Sattel zu schlagen?«

»Ja ... das würden wir tun.«

»Dann passen Sie genau auf!«

Der Monster-Skorpion verwandelte sich in einen hübschen jungen Oger mit nachdenklichem Stirnrunzeln. Nach ein paar Minuten hörten die Spukgestalten mit ihrem verrückten Gehopse auf, nahmen die Gestalt gnomenhafter Krieger an und versammelten sich, um zuzuhören.

Sharns Leutnants zu überzeugen, erwies sich als schwieriger. Khalid mußte eine Demonstration veranstalten. Er trieb zehn freiwillige Geringe auf, deren Wurfspeere mit Eisenspitzen versehen waren, und führte sie an die Straße zu Haus Velteyn, wo Grauringe und Tanu-Reiter das höchste Heiligtum verteidigten. Die gepflasterte Allee war von weit auseinanderstehenden Fackeln in Haltern beleuchtet. Wegen der starken Konzentration der Verteidiger waren keine anderen Invasoren zu sehen. Sharn und sechs seiner Großen lauerten im Schutz eines verlassenen Wohnhauses, während Khalid seine Truppe Speerwerfer absichtlich vor die Augen einer Grauring-Patrouille führte.

Der menschliche Anführer in seiner Vollrüstung aus blauem Glas zog seine Vitredur-Klinge und galoppierte an der Spitze seiner Leute über die kopfsteingepflasterte Straße zum Angriff. Statt sich zu zerstreuen, zogen sich die Geringen eng zusammen und bildeten eine dichte Phalanx, die von vier Meter langen Speeren starrte.

Die Patrouille schwenkte im letzten Augenblick nach rechts, weil sie sonst in das eiserne Stachelschwein hineingedonnert wäre. Einzelne Soldaten zogen die Zügel an und drehten ihre Reittiere, um mit Langschwert oder Streitaxt zuschlagen zu können. Sie waren offensichtlich verblüfft, denn fast alle Gegner, auf die sie bisher getroffen waren, hatten das Firvulag-Manöver ausgeführt, ihre Speere zu schleudern und dann zu fliehen. Dieser Haufen von Neuerern stand fest, bis die Chalikos im Augenblick des Wendens keinen sicheren Stand hatten. Dann stachen sie tief in die ungeschützten Bäuche der großen, klauenbewehrten Tiere.

Der furchtbare Schmerz in den Eingeweiden war stärker als die mentale Kontrolle, die jeder Reiter über sein Tier ausübte. Verwundete Chalikos stolperten und fielen – oder rasten in Panik davon, und ihre Reiter konnten sich nur noch festklammern. Khalids Krieger drangen auf die aus dem Sattel geschleuderten Soldaten ein und töteten sie mit Speer oder Klinge. Fünf Minuten nach Beginn des Angriffs war jedes einzelne Mitglied der Grauring-Truppe entweder tot oder entflohen.

»Aber wird es bei dem Feind funktionieren?« erkundigte sich Betularn von der weißen Hand skeptisch. Da Pallol Schlachtenmeister nicht am Kampf teilnahm, war er Doyen der Firvulag-Helden, und sein Urteil galt viel.

Khalid grinste den Riesen mit den überhängenden Augenbrauen an, während einer seiner Kameraden versuchte, blutende Arm- und Beinwunden mit Streifen aus dem zerrissenen Mantel des Captals zu verbinden. »Es wird bei den Tanu funktionieren, vorausgesetzt, daß wir sie überraschen. Wir müssen so viele Geringe und Firvulag wie möglich für einen massierten Angriff auf Haus Velteyn versammeln. Wer von unsern Leuten keinen Speer hat, wird sich aus einer Bambusstange einen machen. Wir brauchen kein Eisen zu benutzen, um den Chalikos die Bäuche aufzuschlitzen – aber jeder menschliche Kämpfer muß eine Eisenwaffe haben, um sie gegen abgeworfene Tanu-Reiter einzusetzen. Und *Ihre* Leute müssen sich inmitten des Getümmels Seite an Seite mit unseren halten, für die mentale Verteidigung sorgen und fechten, so gut sie können.«

Der ehrenwerte Krieger schüttelte langsam den Kopf. Er sagte zu Sharn: »Du weißt, General, daß dies im Widerspruch zu unserm Brauch steht. Aber der Feind hat die Traditionen seit mehr als vierzig Jahren verachtet.« Die anderen fünf

Großen brummten zustimmend. »Wir haben die Göttin um eine Gelegenheit angefleht, unsere Ehre wiederherzustellen. Und deshalb sage ich ... laßt uns die Taktik der Geringen anwenden. Und Ihr Wille geschehe.«

Lange nach Mitternacht, als der Rauch von der brennenden Stadt die Sterne auslöschte und die nicht mit Öl versorgten Fackeln niedrig brannten, versammelten sich Kleine Leute und Geringe zum großen Angriff. In selten gezeigter kooperativer Virtuosität webten die besten Illusionsspinner der Firvulag einen Schleier der Verwirrung, um den fernwahrnehmenden Feind zu täuschen. Die in Haus Velteyn belagerten Tanu wußten, daß der Feind etwas vorhatte, aber die Art des Angriffs blieb ihnen verborgen.

Der Lord von Finiah selbst, mit mehreren seiner vertrauenswürdigsten Taktikern wieder in der Luft, sprengte ein ums andere Mal in geringer Höhe vor und versuchte, den Plan der Invasoren zu erkennen. Aber der metapsychische Schimmer war gerade dicht genug, daß ihm seine Fernwahrnehmung nichts nützte. Allerdings sah er, daß die feindlichen Scharen sich gegenüber dem Hauptportal seines Palastes zusammenzogen. Es würde keine Finten, kein gleichzeitiges Erstürmen der verschiedenen Eingänge geben – soviel war klar. Mit typischer Firvulag-Sturheit schien Sharn alles auf einen letzten großen Frontalangriff zu setzen.

Velteyn sandte den telepathischen Befehl an jeden Ritter-Kommandeur, und diese wiederum übermittelten die Worte des Lords an ihre Untergebenen:

»In den Vorhof! Die ganze edle Tanu-Kampfgemeinschaft, alle unsere adoptierten Verwandten mit Gold- und Silberringen, alle loyalen und tapferen Grauring-Soldaten sollen kommen! Die Feinde versammeln sich zum letzten Angriff. Vernichten wir sie an Leib und Seele! Na bardito! Vorwärts, Kämpfer des Vielfarbenen Landes!«

Glühend und erfüllt von Kampfbegier preschte die Tanu-Kavallerie in einer Masse gegen die undeutlichen, dichten Gruppen des anrückenden Feindes vor. Der Verwirrungsschirm verschwand in den letzten Sekunden vor dem Kontakt und enthüllte die tödlichen Nadelkissen aus Speeren –

darunter viele aus Eisen. Die mentalen Waffen der Tanu wurden von den Firvulag neutralisiert. Da legten die Tanu ihre Fähnchenlanzen ein und ließen ihre Tiere auf die Flanken der Igel-Formation einschwenken, wobei sie sich auf einen Hagel geworfener Speere gefaßt machten. Und so wurden sie von der heimtückischen Neuerung völlig überrascht.

Velteyn konnte von seinem Aussichtspunkt am Himmel in diesen ersten Minuten der Metzelei nur wie versteinert zusehen. Dann zog er sein Tier nach unten und bombardierte den Feind mit aller Psychoenergie, die er aufbrachte. Seine Gedanken und seine Stimme brachten die zersprengten Glieder zum Stehen.

»Runter von den Chalikos! Kämpft zu Fuß! Kreatoren und Psychokinetiker – erzeugt Schilde für eure Kameraden! Koerzierer – zwingt alle Grauen und Silbernen, festzustehen! Hütet euch vor dem Blutmetall!«

Der große Hof wurde zu einem Strudel von Leibern. Trübrote Blitze zeigten an, daß Firvulag- und Tanu-Gedankenschirme sich beim Zusammenprall gegenseitig vernichteten, wonach die Gegner zum Nahkampf übergehen mußten, und die perfiden Geringen griffen bei jeder Gelegenheit mit Eisen an. Ein kleiner Stich mit dem Blutmetall bedeutete für einen Tanu den Tod. Menschliche Goldringträger konnten von dem Blutmetall natürlich verwundet, aber nicht tödlich vergiftet werden. Velteyn wurde das Herz warm beim Anblick der Tapferkeit seiner goldenen Adoptierten, von denen viele eiserne Waffen ergriffen und sie gegen die Firvulag wandten.

Unglücklicherweise war es mit den Grauen und Silbernen anders. Die Disziplin des Rings löste sich auf, sobald die belagerten Tanu-Oberherren keinen Zwang mehr ausübten. Die unteren Dienstgrade der menschlichen Soldaten wurden demoralisiert, als sie Tanu-Ritter unter dem Eisen fallen sahen. Firvulag wie Geringe nutzten ihren Vorteil und dezimierten die Reihen der von Entsetzen ergriffenen Truppen.

Drei Stunden lang schwebte Velteyn über dem Schlachtfeld – unsichtbar, außer für seine eigenen Streiter, und leitete die letzte Verteidigung seiner Stadt der Lichter. Wenn sie nur bis Sonnenaufgang aushielten – bis zum Beginn des Waffenstillstands! Aber als der Himmel hinter dem Schwarzwald-

Massiv heller wurde, drängten zwei starke feindliche Truppenkörper, an ihrer Spitze Bles Vierzahn und Nukalavee, vorwärts und erreichten das Palasttor.

»Zurück!« rief Velteyn. »Verteidigt das Tor!«

Die Ritter in ihren Juwelenrüstungen taten ihr Äußerstes und erhoben einen schrecklichen Blutzoll an Zwergen und Menschen, als sie mit ihren glühenden, zweihändigen Schwertern um sich hieben. Doch früher oder später fand ein Eisenpfeil eine verwundbare Stelle an Lenden oder Achselhöhle oder Kniekehle – und ein weiterer tapferer Krieger ging in Tanas Frieden ein.

Velteyn stöhnte laut, überwältigt von Kummer und Zorn. Die Türen seines Palastes gaben nach. Er konnte nur noch die Nichtkombattanten mit Hilfe des traurigblickenden kleinen menschlichen PK-Meisters Sullivan-Tonn vom Dach aus evakuieren. Mit Tanas Gnade mochte es ihnen beiden gelingen, die meisten der 700 gefangenen Tanu-Zivilisten zu retten, während die Ritter die eindringende Horde in den Fluren der Festung beschäftigte.

Könnte er nur mit ihnen sterben! Aber dieser Ausweg war dem gedemütigten Lord von Finiah verwehrt. Er mußte weiterleben, und er mußte dies alles dem König erklären.

Peopeo Moxmox Burke sank an der Dach-Brustwehr von Haus Velteyn nieder und ließ Erschöpfung und Reaktion über sich zusammenschlagen. Gert und Hansi und ein paar andere Geringe schlugen auf die Büsche des Dachgartens und suchten das luxuriöse Penthouse nach versteckten Tanu ab. Aber sie fanden nur Gepäck, das die Flüchtlinge hatten zurücklassen müssen – weggeworfene Beutel mit Schmuck, reich bestickte Mäntel und phantastischen Kopfputz, zerbrochene Parfumflakons und einen einzelnen Panzerhandschuh aus rubinrotem Glas.

»Keine Spur von ihnen, Häuptling«, meldete Hansi. »Alle ausgeflogen. Der Käfig ist leer.«

»Dann geht nach unten!« ordnete Burke an. »Sorgt dafür, daß alle Zimmer überprüft werden – und auch die Verliese! Wenn ihr Uwe oder Black Denny seht, schickt sie zu mir! Wir müssen das Plündern koordinieren.«

»In Ordnung, Häuptling.« Die Männer klapperten die breite Marmortreppe hinunter. Burke zog ein Bein seiner Wildlederhose hoch und knetete das runzlige Fleisch um die heilende Narbe. Jetzt, wo die Betäubung durch die Kampfwut nachgelassen hatte, tat es teuflisch weh, und auf seinem bloßen Rücken war eine lange Schnittwunde, und ungefähr siebenundvierzig blaue Flecken und Hautabschürfungen taten ihre Anwesenheit ebenfalls kund. Aber er war immer noch in ziemlich guter Verfassung. Der Rest der Armee von Geringen sollte ebensoviel Glück haben!

Einer der Flüchtlinge hatte einen Korb mit Wein und Brötchen zurückgelassen. Seufzend begann der Häuptling zu essen und zu trinken. Unten auf den Straßen sammelten die Firvulag ihre Verwundeten und Toten ein und zogen in langen Prozessionen zu den Rhein-Wassertoren. Hüpfende Laternen draußen auf dem Fluß zeigten die Position kleiner Boote an, die schon jetzt, vor Sonnenaufgang, mit dem Rückzug begannen. Hie und da zwischen den brennenden Ruinen leisteten verbohrte menschliche Loyalisten immer noch sinnlosen Widerstand. Madame Guderian hatte Burke gewarnt, die in Finiah lebenden Menschen könnten sich alles andere als dankbar für ihre Befreiung erweisen. Sie hatte recht gehabt, wie üblich. Es stand eine interessante Zeit bevor, verdammt nochmal!

Burke seufzte noch einmal, trank den Wein aus, streckte seine steifwerdenden Muskeln und griff dann zu einem herumliegenden Tanu-Schal, um seine Kriegsbemalung abzuwischen.

Moe Marshak schlurfte ein paar Schritte in der Reihe nach vorn.

»Hör auf zu drängeln, Kerl!« tauchte die schöne dunkelhäutige Frau aus dem Freudendom. Die beiden anderen Insassinen hatten keine grauen Halsreifen getragen und waren längst fort. Man hatte sie zu den Seglern geführt, die zwischen Finiah und dem Vogesen-Ufer Fährdienste versahen. Das Versprechen auf Amnestie wurde von den Geringen gehalten. Aber wenn man ein menschlicher Ringträger war, hatte die Sache einen Haken.

Marshak wußte natürlich genau Bescheid über das Standgericht. Er stand mit allen Grauen innerhalb seiner Reichweite in telepathischer Verbindung, falls sie ihn nicht absichtlich ausgeschlossen hatten – so wie die schwarze Frau. Die Tanu, Spender von Lust und Macht, waren gegangen. Als sie nach Osten davonflogen, hatten sie alle ihre Gedanken zu einem Abschiedsgruß vereinigt, Zuneigung und Mitgefühl ausgestrahlt und einen letzten warmen Strom durch das Nervensystem jener geschickt, die treu geblieben waren, so daß die Grauring-Gefangenen anstelle von Kummer und Verzweiflung die Illusion hatten, gefeiert zu werden. Noch jetzt, am Ende, konnten sie sich gegenseitig trösten. Die Verwandtschaft blieb erhalten. Keiner von ihnen war allein – außer er wollte es.

Die schwarze Frau stand mit leuchtenden Augen vor den Richtern. Als die Frage kam, war ihre Antwort fast ein Schrei:

»Ja! Ja, bei Gott! Tut es! Gebt mir mein Ich zurück!«

Aus Geringen bestehende Wachen führten sie durch eine Tür rechts vom Richtertisch. Die anderen Grauen – sie betrauerten die Abtrünnigkeit ihrer Schwester, respektierten jedoch ihre Entscheidung – suchten zum letzten Mal telepathischen Kontakt mit ihr. Sie wies sie alle ab und legte ihren Kopf auf den Block. Der große Holzhammer trieb den eisernen Stift in den Reif. Es folgten überwältigender Schmerz – und Stille.

Nun kam Marshak an die Reihe. Wie ein Träumender nannte er den Richtern seinen Namen, seinen früheren Beruf im Milieu und das Datum seiner Passage durch das Zeitportal. Der älteste Geringe trug die Formel vor.

»Moe Marshak, als Träger des grauen Rings sind Sie von einer fremden Rasse in Fesseln geschlagen und gezwungen worden, an der Versklavung der Menschheit mitzuwirken. Ihre Tanu-Herren sind von der Allianz freilebender Menschen und Firvulag geschlagen. Als Kriegsgefangener haben Sie Anspruch auf Amnestie, vorausgesetzt, daß Sie der Entfernung des Rings zustimmen. Wenn Sie nicht zustimmen, werden Sie hingerichtet. Bitte treffen Sie Ihre Wahl!«

Er traf sie.

Jeder Nerv in seinem Körper begann zu brennen. Verwandte Seelen sangen und spendeten ihm Trost. Standhaft bestätigte er die Einheit, und ein großes freudiges Aufflammen löschte alle anderen Empfindungen aus: den Anblick der hohläugigen Richter, den Druck der Hände, die ihn faßten und wegzerrten, das Eindringen der langen Klinge in sein Herz und schließlich die kalte Umarmung des Rheins.

Richard stand in der halbdunklen kleinen Blockhaus-Kapelle des Dorfes bei den Verborgenen Quellen, wo man Martha aufgebahrt hatte. Er sah sie durch einen verschwimmenden roten Nebel, obwohl Amerie ihm versichert hatte, sein rechtes Auge sei völlig unbeschädigt.

Er war nicht zornig. Enttäuscht, ja, weil Marty versprochen hatte zu warten. Hatten sie nicht alles gemeinsam geplant? Hatten sie sich nicht geliebt? Es sah ihr nicht ähnlich, ihn nach allem, was sie zusammen durchgemacht hatten, im Stich zu lassen.

Nun, er würde etwas ausarbeiten.

Er nahm sie in seine Arme, und er zuckte der verbundenen Brandwunden wegen ein bißchen zusammen. So leicht, so weiß. Ganz in Weiß gekleidet. Er fiel beinahe hin, als er die Tür aufstieß. Mit nur einem Auge konnte er nicht dreidimensional sehen. »Macht nichts«, sagte er zu ihr. »Ich kann eine Augenklappe wie ein echter Pirat tragen. Halt du dich nur fest!«

Er taumelte zu der Stelle, wo der Flieger stand, bedeckt von den Tarnnetzen. Bei seiner Bruchlandung war eine Landestrebe eingeknickt und ein Flügel teilweise eingedrückt worden.

Aber ein gravo-magnetisches Schiff braucht keine Flügel zum Fliegen. Sein Zustand war immer noch gut genug, um sie beide dahin zu bringen, wohin sie wollten.

Amerie entdeckte ihn, gerade als er Martha hineinhob. Sie kam gerannt, ihr Nonnenschleier und ihr Habit flatterten. »Richard! Halt!«

O nein, du wirst mich nicht aufhalten, dachte er. Ich habe mein Versprechen erfüllt. Jetzt seid ihr *mir* etwas schuldig.

Da der Flieger schief stand, war es schwierig, Martha zu manövrieren. Er machte es ihr bequem und warf den Speer mitsamt dem Energie-Aggregat ins Freie. Vielleicht brachte irgendein kluger Kopf es irgendwann heraus, wie er neu aufgeladen werden konnte. Dann stand es Madame Guderian frei, sich einen anderen Flieger zu holen und alle übrigen Tanu-Städte in Schutt und Asche zu legen und die Erde des Pliozän für die Menschheit sicher zu machen.

»Nur verlangt nicht von mir, ich soll den Bus fahren«, murmelte er. »Ich habe andere Pläne.«

»Richard!« rief die Nonne ein zweites Mal.

Er winkte ihr aus dem Flugdeck-Fenster zu und ließ sich auf dem verkohlten Pilotensitz nieder. Luke schließen. Aufwärmen. Energie in das Außennetz. Tarnnetze brennen weg. Oh-oh! Lebenserhaltungssystem zeigt bernsteinfarbenes Licht. Vielleicht von den Kugelblitzen beschädigt. Nun ... es würde lange genug funktionieren.

Das beruhigende Summen füllte sein Gehirn, während er das Schiff geradestellte. Er blickte zu Martha zurück, um sich zu vergewissern, daß sie sicher untergebracht war. Ihr Körper flimmerte, schien rot zu werden. Aber einen Augenblick später war alles in Ordnung, und er versicherte ihr: »Ich bringe uns langsam und gemütlich nach oben. Wir haben alle Zeit der Welt!«

Amerie sah, wie der Vogel mit der gebrochenen Schwinge sich senkrecht in den goldenen Morgenhimmel erhob, dem ersten Bestandteil des Zeichens folgend, nach dem sie hatte Ausschau halten wollen. Der Nebel war jetzt verschwunden, und es würde ein schöner Tag werden. Drüben im Osten verdichtete sich die Rauchwolke, aber hohe Windströmungen trugen sie in entgegengesetzter Richtung davon.

Das Flugzeug stieg höher, bis es nur noch ein winziger Punkt war. Amerie blinzelte, und der Punkt wurde vor dem strahlenden Himmelsgewölbe unsichtbar.

* * *

ENDE DES DRITTEN TEILS

Der zweite Roman des Pliozän-Zyklus mit dem Titel DER GOLDENE RING *erzählt von den Abenteuern der anderen vier Mitglieder der Gruppe Grün in der Tanu-Hauptstadt und ihrer Wiedervereinigung mit den nach Norden verschlagenen Gefährten bei dem Versuch, die letzten Phasen von Madame Guderians Plan zur Befreiung der Menschheit durchzuführen.*

Einige Anmerkungen
über »Das Tanu-Lied«

Das Tanu-Lied

Karte des nordwestlichen Europas
im Pliozän

Einige Anmerkungen über »Das Tanu-Lied«

Die englische Fassung des Tanu-Liedes ist eine freie Überarbeitung aus *Gods and Fighting Men: The Story of the Tuatha de Danaan and of the Fianna of Ireland,* ein Kompendium keltischer Sagen, übersetzt und »arrangiert« von Lady Augusta Gregory (New York, Charles Scribner's Sons, 1904). Lady Gregory erzählt einige der Abenteuer einer Rasse heroischer Elfen oder Götter, Leute von Dana oder Männer von Dea genannt, die kurz vor Beginn der christlichen Ära oder gleich danach »von Norden her« nach Irland gekommen sein sollen. Ihre Geschichten sind Teil des größeren Komplexes keltischer Mythologie, die ursprünglich in viel früherer Zeit auf dem europäischen Kontinent entstand.

Ein Abschnitt von Lady Gregorys Buch berichtet von den Abenteuern des Gottes Manannan des Stolzen, der andere Mitglieder seiner Rasse in Irland ansiedelte, wonach er selbst verschwand – nur um von Zeit zu Zeit wieder aufzutauchen, den Leuten Streiche zu spielen und süße Musik zu machen. In Kapitel 10 von *Gods and Fighting Men* wird geschildert, wie Manannan eine Elfenfrau schickte, einen gewissen Bran, Sohn des Febal, in das Land der Frauen, auch Emhain (Aven) der Vielfarbenen Gastlichkeit genannt, zu holen, wo er augenblicklich weilte. Die Frau singt Bran das folgende Lied:

Ich bringe einen Zweig des Apfelbaums von Emhain, von der fernen Insel, umgeben von den glänzenden Pferden des Sohnes des Lir (Manannan). Ein Entzücken der Augen ist die Ebene, wo die Heerscharen ihre Wettspiele abhalten, wo auf der Weißen Silberebene im Süden Fellboote gegen Streitwagen rasen.

Es sind Füße aus weißer Bronze darunter, die durch Leben und Zeit leuchten. Es ist ein freundliches ebenes Land, solange die Erde besteht, und viele Blüten fallen darauf nieder.

Da steht ein alter Baum mit Blüten, und Vögel zwitschern zwischen ihnen. Dort leuchtet jede Farbe, das Entzücken ist allgemein, und Musik erklingt auf der Ebene der Sanften Stimmen, auf der Silbernen Wolkenebene im Süden.

Totenklagen oder Verrat gibt es nicht auf dem bebauten bekannten Land. Dort ist nichts hart oder rauh, aber süße Musik trifft das Ohr.

Ohne Kummer, ohne Leid, ohne Tod, ohne jede Krankheit zu sein, das ist das Zeichen von Emhain; das ist kein gewöhnliches Wunder.

Nichts ist mit seinen Nebeln zu vergleichen. Das Meer spült Wellen an das Land; Glanz fällt aus seinem Haar.

Es gibt Reichtümer, es gibt Schätze in jeder Farbe in dem Sanften Land, dem Reichen Land. Es gibt süße Musik zu hören, den besten Wein zu trinken.

Goldene Streitwagen auf der Ebene am Meer erheben sich mit der Flut zur Sonne empor; silberne Streitwagen und bronzene Streitwagen auf der Ebene der Spiele.

Goldgelbe Pferde auf dem Strand und rote Pferde und andere mit Wolle auf ihrem Rücken, blau wie die Farbe des Himmels.

Es ist ein Tag immerschönen Wetters, Silber tropft auf das Land; eine reinweiße Klippe am Rand der See empfängt ihre Wärme von der Sonne.

Die Heerschar rast über die Ebene der Spiele; schön ist ihr Kampf und nicht schwach. Weder der Tod noch das Verebben der Flut werden zu den Bewohnern des Vielfarbenen Landes kommen.

Bei Sonnenaufgang wird ein heller Mann kommen, der das ebene Land erleuchtet. Er reitet auf der Ebene, die von den Wellen geschlagen wird, er rührt das Meer auf, bis es wie Blut ist.

Eine Armee wird über das klare Meer kommen und zu dem Stein rudern, der in Sicht ist und von dem hundert Klänge Musik ertönen.

Der Stein singt der Armee ein Lied. Er ist niemals traurig, er vermehrt die Musik, da Hunderte zusammen singen. Sie halten nicht nach dem Tod oder dem Verebben der Flut Ausschau ...

Von diesem glücklichen Fragment (das leider mit den ziemlich langweiligen Abenteuern Brans und seiner Gefährten in Emhain, wo sie schließlich umkommen, fortgesetzt wird) und von den ersten drei Absätzen des ersten Kapitels Lady Gregorys, das die Namen und Attribute der wichtigsten keltischen Götter auflistet, habe ich ein zerbrechliches Skelett für *Das Vielfarbene Land* und *Der Goldene Ring,* seine den Höhepunkt enthaltende Fortsetzung, abgeleitet. Die Handlung des Zyklus gründet sich nicht auf eine Volksüberlieferung, wie ich kaum zu erwähnen brauche, aber Kenner der Mythologie werden nicht nur von den Kelten, sondern auch von den Märchen fast eines Dutzends anderer europäischer Völker entliehene Elemente wiedererkennen. Den Fremden habe ich lauter Namen gegeben, die sich aus Heldengeschichten ableiten, und sie mit Attributen ausgestattet, die den Originalen nur teilweise entsprechen. Die archetypischen menschlichen Charaktere Aiken Drum, Felice Landry, Mercy Lamballe und andere stammen – via Jung und Joseph Campbell – ebenfalls aus dem Keltenland. Die Stückchen folkloristischen Wissens, die Bryan Grenfell vorträgt, sind alle authentisch; der Aufmerksamkeit besonders würdig ist das beinahe universale Thema Anima-Bedrohung – die Elfenfrau, die sterbliche Männer einfängt und ihre Leidenschaft an ihnen ausläßt, bis sie ausgeleerte Hüllen sind. Sie taucht in Sagen von den Balearen bis nach Rußland auf.

Der Satz des Tanu-Liedes, das hier folgt, ist meine eigene vereinfachende Bearbeitung dieser geheimnisvollen Melodie »Londonderry Air«, die angeblich von den Elfen stammt. Diese Version, arrangiert für vier menschliche Stimmen (SATB mit Begleitung von zwei Instrumenten) unterscheidet sich etwas von der, die die Aliens zu singen pflegten. Ihre Stimmen besaßen mehr Obertöne als die von Menschen, und sie liebten Dissonanzen und »Vergewaltigungen« der menschlichen Harmonielehre, die unheimlich klingen, um das Mindeste zu sagen, wenn ein menschlicher Chor sich daran versucht. Nur einige wenige dieser musikalischen Merkwürdigkeiten sind in dem Arrangement enthalten.

Unter den Tanu wurde das Lied als Solo oder im Doppelchor gesungen. Bei den seltenen Gelegenheiten, wenn Tanu und Firvulag zusammen sangen, zum Beispiel bei dem in *Der Goldene Ring* geschilderten Großen Wettstreit, entfaltete sich die ganze Herrlichkeit der fremden Musik. Die Kleinen Leute benutzten andere Worte in ihrem eigenen Dialekt, und was noch wichtiger ist, sie benutzten eine andere Phrasierung und wenigstens vier verschiedene kontrapunktische Tonfolgen, die sich durch das Gewebe der grundlegenden Tanu-Harmonien mit komplizierter polychoraler Wirkung wanden und schlangen. Ich muß die Transskription des Firvulag-Liedes sowie seine musikalische Ehe mit der von den Tanu gesungenen Version wesentlich geschickteren Händen überlassen.

Das traditionelle »Londonderry Air« hat vielleicht die exzentrischste Geschichte von allen irischen Melodien. Es paßt in kein bekanntes irisches Metrum, und seine Geschichte, wie sie von Anne G. Gilchrist in *English Folk Dance and Song Society Journal* (Dezember 1932, S. 115) mitgeteilt wird, ist dunkel. Die Melodie wurde zum ersten Mal 1855 von George Petrie in *Ancient Music of Ireland* veröffentlicht, ohne Worte und mit dem Vermerk: »Titel unbekannt«. Als das Lied in Petries Sammlung erschien, reizte seine hinreißende Schönheit viele Musiker und Textdichter, ihr einen Text anzupassen. Die am besten bekannte und passendste Fassung ist »Danny Boy« (1913) mit Versen von Frederick E. Weatherly. Die meisten Volksliederbücher benutzen die schwülstigen Verse von Katharine Tynan Hinkson (geb. 1861), die beginnen: »Would God I were the tender apple blossom/ That floats and falls from off the twisted bough/ To lie and faint within your silken bosom,/ Within your silken bosom, as that does now.« (Die zarte Apfelblüte möcht ich sein/ Und von dem krummen Ast herniederschweben/ Zu sterben an dem seidnen Busen dein/ An deinem Busen so wie diese eben.) Eine ebenso schwer zu singende Version mit ein wenig mehr Würde ist »Emer's Farewell to Cucullain (1882), Text von Alfred Percival Graves in der Bearbeitung von C. Villiers Stanford. Sie beginnt: »O might a maid confess her secret longing/ To one who dearly loves but may not speak!/ Alas! I had not hidden to thy wronging/ A bleeding heart beneath a smiling cheek.« (Wär's möglich, daß ein Mädchen sich entdeckte/ Dem Manne, der sie liebt, jedoch nicht spricht,/ Ich hätt' dich nicht verletzt, als ich versteckte/ Mein blutend Herz mit lächelndem Gesicht.)

Die ursprüngliche Melodie in Petries Sammlung stammte von einer Miß Jane Ross von Limavady in der nordirischen Grafschaft Londonderry. Die Dame arrangierte sie selbst für Klavier und gab Dr. Petrie gegenüber den schlichten Kommentar ab, sie sei »sehr alt«. Unglücklicherweise war es späteren Forschern nicht möglich, irgendeine Spur ihres Ursprungs zu finden, auch gab es keinen gälischen Text dazu. Die Tatsache, daß das Metrum für ein irisches Volkslied »falsch« ist, machte sie noch suspekter, und manche behaupteten ernsthaft, es sei überhaupt keine überlieferte Melodie.

Gilchrist spürte Verwandte von Miß Ross auf und stellte fest, daß sie wirklich eine ernsthafte Sammlerin von Volksliedern war, ihrer Arbeit hingegeben und ehrlich. Einige Melodien sammelte sie selbst; andere kamen von ihrem Bruder, der in der benachbarten Grafschaft Donegal fischte. Beide Regionen sind dafür bekannt, daß sich in ihnen alte Stückchen irischer Kultur erhalten haben.

Deshalb sieht es so aus, als könnten wir die Möglichkeit streichen, Miß Ross habe eine ihrer eigenen Kompositionen als überlieferte Melodie untergeschoben. Das Problem des atypischen Metrums wird auf geniale Weise von Gilchrist attackiert. Er meint, Miß Ross habe vielleicht irrtümlich die Melodie im gewöhnlichen Viervierteltakt statt im Dreiviertel- oder Sechsachtel-Rhythmus der meisten alten gälischen Lieder niedergeschrieben. Wenn der Rhythmus entsprechend verändert wird und man bestimmte lange Noten verkürzt, erhält man tatsächlich ein typisches irisches Liedchen von ziemlich enttäuschender Banalität. Gilchrist behauptet, Ähnlichkeiten zwischen dieser Verballhornung und zwei anderen Liedern, nämlich »The Colleen Rue« und »An Beanuasal Og« zu sehen.

Wenn Miß Ross sich irrte, können wir sie nur segnen für die versehentliche Modifikation, die einer Melodie, andernfalls eine nicht erinnernswerte Jig, musikalische Unsterblichkeit bescherte. Wenn sie andererseits die Melodie richtig aufzeichnete, bleibt ihre Herkunft weiterhin Geheimnis. Wir können nur auf die ausgefallene Vermutung zurückkommen, nach der die einen nicht mehr loslassende Melodie von Elfen stammt – wer diese auch gewesen sein mögen.

Das Tanu-Lied

segue ad lib. quasi LONDONDERRY AIR
rall.
p
cresc.
tan sed gône mo- ri. Ah po - ge -
Car me-tan gône mo - ri.
f
dim.
mf
kône, u bor tay-nel o po - ge - kône, U bor tay-
cresc.
ff
nel, u bor tay - nel o po - ge - kône.

ALBION
SN
golf von ARMORICA
AU~CU
NÖR-
RUM
ARMORICA
SN
V. REDON
STRASSE
PARISER BECKEN
goldfeld
SN
AU
GORIAH
[BELLE ILE]
LOIRE
ROCILAN
[ILE DE RÉ]
BORDEAUX
golf von
aquitanien
GARONNE
BURG gat
mt. DORE
ZENTRAL
MASSIV
AG
SASARAN
PYRENÄEN
SCHWARZE
ZACKE

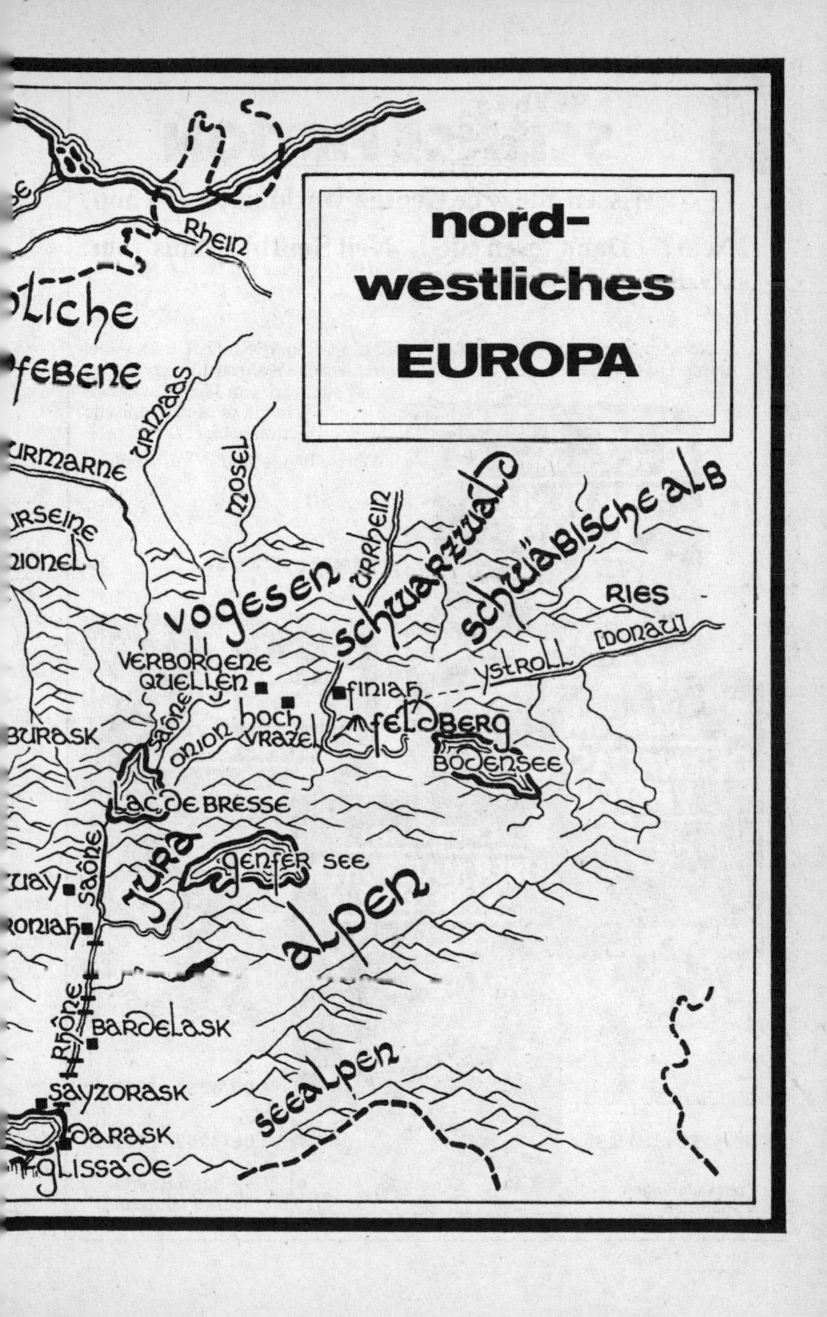

nord-
westliches
EUROPA
Rhein
ƏLiche
ƏFEBENE
URMAAS
MOSEL
URMARNE
URSEINE
ƏIONEL
URRHEIN
vogesen
schwarzwald
schwäbische alb
RIES
[DONAU]
ystroll
VERBORGENE
QUELLEN
SAÔNE
hoch
vrazel
ONION
FINIAH
feldberg
BODENSEE
BURASK
LAC DE BRESSE
JURA
GENFER SEE
alpen
SAÔNE
UAY
RONIAH
RHÔNE
BARDELASK
SEEALPEN
SAYZORASK
DARASK
GLISSADE